LE MONDE FRANCOPHONE

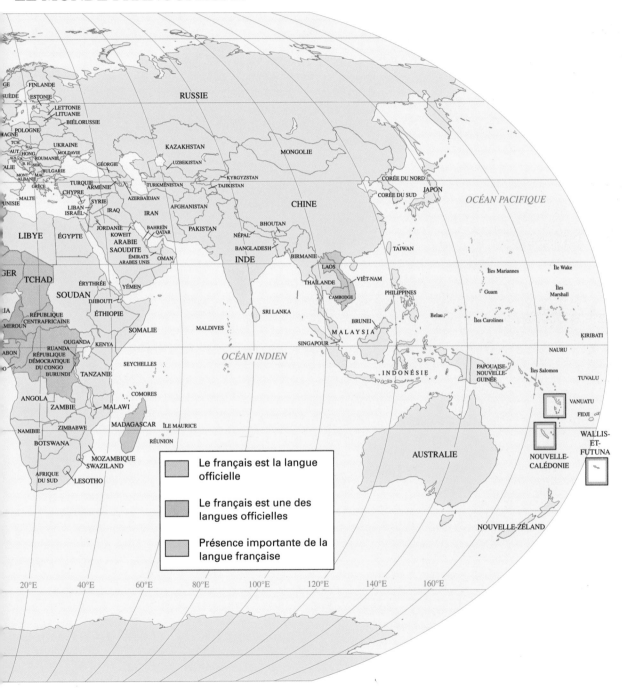

Le français est la langue officielle

Le français est une des langues officielles

Présence importante de la langue française

Eighth Edition

Contacts

Langue et culture françaises

Jean-Paul Valette

Rebecca M. Valette

Boston College

Houghton Mifflin Company   **Boston   New York**

Executive Publisher: Rolando Hernández
Senior Sponsoring Editor: Glenn A. Wilson/Laurel Miller
Executive Marketing Director: Eileen Bernadette Moran
Senior Development Editor: Judith Bach
Development Editor: Nancy Pratt Siegel
Associate Editor: Caitlin M. Shelton
Project Editor: Stacy Drew/Harriet C. Dishman
Art and Design Manager: Jill Haber
Cover Design Director: Tony Saizon
Senior Photo Editor: Jennifer Meyer Dare
Senior Composition Buyer: Chuck Dutton
New Title Project Manager: James Lonergan
Marketing Assistant: Lorreen Ruth Pelletier

Cover image: Commuters at railway station in Paris, France. Copyright © Hans Wolf, The Image Bank/ Getty Images

Printed in the U.S.A.

Library of Congress Control Number: 2003110110

Instructor's Annotated Edition
  ISBN-10: 0-618-39579-2
  ISBN-13: 978-0-618-39579-8
For orders, use student text ISBNs
  ISBN-10: 0-618-39578-4
  ISBN-13: 978-0-618-39578-1

2 3 4 5 6 7 8 9-DOW-11 10 09 08

Contents

Acknowledgments

The authors would like to thank the many users of *Contacts* who have made suggestions for this new edition. In particular they would like to thank **Andrea Javel** of Boston College for her perceptive and thorough review and **Marie-Claire Antoine** for her assistance in creating some of the readings.

The authors and publisher would like to thank the following reviewers of the eighth edition of *Contacts:*

Elizabeth Guthrie, *University of California, Irvine*
Colleen Hays, *Tennessee Technological University*
Robyn A. Holman, *College of Charleston*
John J. Janc, *Minnesota State University, Mankato*
Katherine M. Lawber, *Salve Regina University*
Hedwige Meyer, *University of Washington*
Ena Vulor, *Marietta College*
Evelyn H. Zepp, *University of Wisconsin, Parkside*

The Authors

Jean-Paul and Rebecca M. Valette are well-known modern language authors for college as well as high school programs. Jean-Paul Valette is a native of France and a full-time writer. Rebecca Valette is Professor Emeritus of Romance Languages at Boston College and Past President of the American Association of Teachers of French (AATF). In 2006 the Valettes were honored by the French government and named *Officier* and *Commandeur dans l'Ordre des Palmes Académiques* for their outstanding contributions in promoting French language and culture in the United States.

To the Student: Bonjour!

Dear French student,

Congratulations for choosing to study French, a language which will open many doors for you and be a special asset as you explore future educational and professional opportunities. Millions of people around the world, spread over five continents, speak French as a first or second language. While still in college, you may have the opportunity to study or travel in a French-speaking country. Even without leaving the United States, you will be able to enjoy French-language films and international music of francophone origin, and you can discover the works of French artists, enjoy French cuisine, and follow the annual Tour de France. As your language skills expand, you may discover French-speaking students on your campus with whom to exchange conversation.

Welcome to *Contacts: Langue et culture françaises.* Whether you have already studied a little French before, or whether this is your first experience with this language, you will find that our program leads you in small gradual steps with clear explanations and provides numerous opportunities for practice and self-expression.

If we can offer one bit of advice, it is to **listen** to French as much as you can — in your room, in the media lab, when walking across campus. Think of each new lesson conversation as a new song or a new rap number. Listen to it so often that it becomes second nature and that you have no trouble understanding what is said. Speak along with the recording, or try lip synch. Once you get the music of French in your head, you won't have to think about the rules very often: you will simply have a good feeling for what sounds right. Just as you do when speaking English.

Bonne chance! Good luck! Enjoy your new endeavor!

Jean-Paul Valette   Rebecca M. Valette

How *Contacts* is Organized: A Quick Overview

Each unit or **unité** consists of three lessons that develop an everyday theme. For example, **Unité 6** is built around food and meals.

Unité 6

Bon appétit!

Leçon 16:
Un grand gourmand

Leçon 17:
Petit déjeuner du matin

Leçon 18:
L'anniversaire de Charlotte

Each lesson opens with a conversation that is also recorded on your In-Text Audio CDs.

Lesson objectives are clearly indicated, so you know what you will be learning.

Leçon 16 Un grand gourmand

Objectives
- To indicate for how long certain activities have been going on
- To describe recent events
- To talk about cities and countries

Emma a un job d'été. Elle travaille pour le Syndicat d'Initiative de Tours. Cette semaine, elle fait une enquête sur le tourisme en Touraine. Aujourd'hui, elle parle avec un jeune couple de touristes étrangers.   tourist office / survey

EMMA: Bonjour! De quel pays venez-vous?   country / come
LUI: Nous sommes hollandais.   Dutch
ELLE: Nous venons d'Amsterdam.
EMMA: C'est la première fois que vous venez en France?   time
LUI: Non, nous venons tous les étés. Cette année nous avons décidé de   every summer
visiter la Touraine.
EMMA: Qu'est-ce que vous faites pendant votre voyage?   during
ELLE: Eh bien, nous visitons les châteaux de la Loire. Nous venons de visiter
le château d'Amboise. Demain, nous allons visiter le château de
Chenonceaux.
EMMA: Pourquoi avez-vous choisi de venir en Touraine?   to come
ELLE: C'est une belle région avec beaucoup de monuments historiques. J'adore
l'histoire.
EMMA: Et vous, vous vous intéressez aussi à l'histoire de France?   are you interested
LUI: Euh... Pas spécialement. Mais j'adore la cuisine française... les bons vins,   wines
les fromages, les spécialités régionales. Nous n'avons pas ça chez nous.   cheeses / that
EMMA: Je vois, vous êtes un fin gourmet*.
ELLE: Où plutôt un grand gourmand**!

* **Un fin gourmet** est une personne qui apprécie les qualités de la bonne cuisine.
** **Un grand gourmand** est une personne qui adore manger et qui mange beaucoup.

232 Unité 6–Leçon 16

À propos du texte
1. Quelle est la nationalité des deux touristes?
2. Quelle région de France visitent-ils?
3. Qu'est-ce qu'ils font pendant leur voyage?
4. Qu'est-ce que la jeune femme aime?
5. Qu'est-ce que le jeune homme aime?

Note culturelle
L'art de manger à la française

La France est le pays de la «gastronomie». Les Français pratiquent et cultivent l'art de bien manger. Pour eux, la bonne cuisine est un aspect très important de la culture. Aujourd'hui la cuisine française a une réputation internationale. En quoi consiste l'art de manger à la française? Voici quelques principes.

- **La qualité est plus importante que la quantité.**
Bien manger est le contraire de beaucoup manger. La qualité des aliments° et l'harmonie des saveurs° sont les ingrédients essentiels d'un bon repas.

- **Un repas est un événement° organisé.**
Les plats° sont servis dans un ordre prédéterminé. Pour apprécier la saveur individuelle des éléments, on mange séparément la viande°, les légumes° et la salade.

- **Un repas est une expérience esthétique.**
Une bonne table doit être aussi une belle table. La présentation des plats et la décoration de la table sont des éléments indispensables à la qualité d'un repas.

- **Un repas est un acte social et convivial.**
On mange pour être en famille ou avec des amis. Un bon repas est toujours accompagné d'une conversation animée à laquelle° tous° les convives° participent.

À votre avis
1. Quelles différences voyez-vous entre la conception d'un repas français et d'un repas américain?
2. Quelle conception préférez-vous? Pourquoi?

aliments *foods*   **saveurs** *flavors*   **événement** *event*   **plats** *dishes*   **viande** *meat*   **légumes** *vegetables*   **à laquelle** *in which*
tous *all*   **convives** *guests*

Unité 6–Leçon 16 233

The **Note culturelle** provides information on cross-cultural similarities and differences. Beginning in Unit 4, these sections are recorded on the In-Text Audio CDs.

The central part of each lesson, **La langue française,** introduces the new vocabulary and structures.

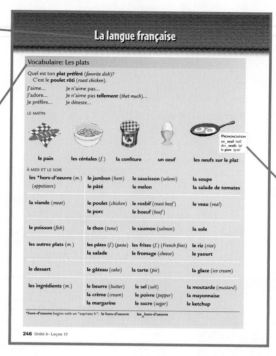

Vocabulaire sections are always color-coded in green so that they are easy to identify. New words and expressions are introduced in thematic context. All vocabulary is recorded on the In-Text Audio CDs.

Pronunciation helps are provided, as needed.

Key grammar patterns and rules are always color-coded in orange, so that essential points are easy to find.

D. L'article partitif au négatif

Note the forms of the partitive article in the NEGATIVE answers below.

Tu bois **du** vin?   Non, je **ne** bois **pas de** vin.   *I don't drink (any) wine.*
Tu manges **de la** viande?   Non, je **ne** mange **pas de** viande.   *I don't eat (any) meat.*

After NEGATIVE expressions, such as **ne... pas** and **ne... jamais:**

du, de la (de l'), des → de (d')	Je **ne** mange **pas de** pain.
	Je **ne** bois **jamais de** limonade.
	Je **ne** veux **pas de** pâtes.
	Je **n'**ai **pas d'**argent.

➡ Note the use of **pas de** in short sentences.

Non, merci, **pas de** café pour moi!   *No thanks, **no** coffee for me!*

À noter
The regular partitive is used after **ce n'est pas.**
Est-ce que c'est **du** rosbif?   Non, **ce n'est pas du** rosbif, c'est **du** porc.

Patterns presented for recognition only are presented in **À noter** boxes.

12 **Au régime** (*On a diet*)
Décrivez les plats que les personnes suivantes mangent ou ne mangent pas. Puis dites ce que ces personnes boivent ou ne boivent pas.

1. un mannequin (*fashion model*)
2. une personne diabétique
3. une personne allergique aux produits laitiers (*dairy products*)
4. une personne qui veut maigrir

13 **Et vous?**
Décrivez certaines choses que vous faites et certaines choses que vous ne faites pas. Utilisez les suggestions suivantes ou votre imagination.

Je mange... Je ne mange pas...	Je bois... Je ne bois pas...	Je fais... Je ne fais pas...
• le poisson	• l'eau	• le ski
• le porc	• l'eau minérale	• le yoga
• la soupe	• le jus d'orange	• la méditation
• le caviar	• le jus de tomates	• la politique
• le beurre	• le vin	• le jogging
• les escargots (*snails*)	• la bière	• le théâtre
• les épinards (*spinach*)	• le champagne	• la boxe
• ??	• ??	• ??

Each section also contains a variety of conversational activities ranging from guided practice to more open-ended expression.

B. Le verbe *boire*

The verb **boire** (*to drink*) is irregular.

infinitive	**boire**	Qu'est-ce que tu vas **boire?**
present	je **bois**	Moi, je **bois** du jus d'orange.
	tu **bois**	Tu **bois** de la limonade?
	il/elle/on **boit**	Éric **boit** toujours de l'eau minérale.
	nous **buvons**	Nous ne **buvons** pas de vin.
	vous **buvez**	**Buvez**-vous du thé?
	ils/elles **boivent**	Mes parents **boivent** du champagne.
passé composé	j'**ai** bu	Mes amis **ont bu** du café ce matin.

Verb charts present the new conjugation in sentence context. Irregular forms are highlighted in red for easy review.

Phonétique: La semi-voyelle /j/

The semi-vowel /j/ is similar to the initial sound of *yes*, but is more tense.

- /j/+ *voyelle*: Be sure to pronounce the /j/and the following vowel as ONE syllable.
  Répétez: bien combien janvier hier dernière violet viande Vietnam
- *voyelle* + /j/: Be sure to pronounce the /j/ very distinctly.
  Répétez: travaille fille famille fauteuil bouteille sommeil appareil meilleur
  maillot travaillons brillant

Each lesson has a **Phonétique** box that presents a special feature of French pronunciation. This section is also recorded on your In-Text Audio CDs.

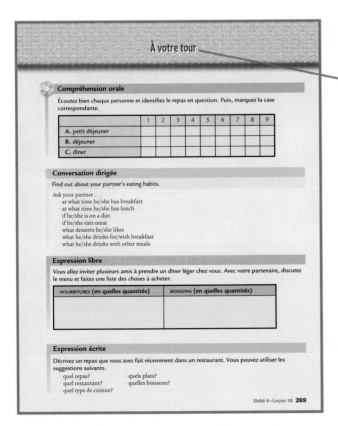

Every lesson ends with an **À votre tour** section that lets you and your classmates use the new material in a variety of oral and written communication activities.

Ten guidebook sections entitled **Vie pratique** provide you with practical daily-life vocabulary and travel information which will be useful when you visit a French-speaking country.

Ten magazine sections entitled **Images du monde francophone** introduce you to the breadth and variety of France and the French-speaking world.

Unité 1

Bonjour, tout le monde!

Bonjour!

Objectives
- To greet people
- To introduce oneself
- To count from 0 to 12
- To know the French alphabet
- To tell time in hours

Four students at the Université de Paris introduce themselves.

Bonjour.
Je m'appelle Thomas.
Je suis français.
Je suis de Toulouse.

Salut.
Je m'appelle Léa.
Je suis française.
Je suis de Fort-de-France.

Salut.
Je m'appelle Céline.
Je suis canadienne.
Je suis de Québec.

Bonjour.
Je m'appelle Luc.
Je suis canadien.
Je suis de Montréal.

Pour communiquer: Présentations

⇨ **How to say hello and good-by**

Bonjour!	*Hello!*	**Bonjour, monsieur.**
Salut!	*Hi!*	**Bonjour, madame.**
		Bonjour, mademoiselle.

Au revoir.	*Good-by.*
Salut!	*Bye!*
À bientôt.	*See you soon.*

ABBRÉVIATIONS	
M.	Monsieur
Mme	Madame
Mlle	Mademoiselle

⇨ **How to introduce oneself**

Je m'appelle...	*My name is . . .*	**Je m'appelle** Mélanie.
Je suis de...	*I am from . . .*	**Je suis de** Paris.

Comment t'appelles-tu?	*What's your name?*
D'où es-tu?	*Where are you from?*

1 **Bonjour** •

Choose a classmate and introduce yourselves to each other.

- Say hello.
- Give your name.
- Say what city you are from.

2 **Conversation** •

Choose another classmate.

- Greet him/her casually.
- Ask his/her name.
- Ask where he/she is from.
- Say you will see him/her soon.

Note culturelle
La formalité

The French tend to be more formal than the Americans in their relationships with other people. For instance, adults generally address one another as **Monsieur, Madame,** and **Mademoiselle.** They do not use first names unless they are close friends or members of the same family. Similarly, students greet their teachers by saying **Bonjour, monsieur (madame, mademoiselle),** rather than just **Bonjour.** However, with their friends and fellow students they use the informal expression **Salut.**

Pour communiquer: La nationalité

⇨ **How to indicate one's nationality**

Je suis...	*I am . . .*	**Je suis** français.
Tu es...?	*You are . . . ?*	**Tu es** américain?

Il est... (*He is . . .*)

Elle est... (*She is . . .*)

français   **française**

anglais   **anglaise**

américain   **américaine**

canadien   **canadienne**

▸ Names of nationalities have two forms: they are MASCULINE or FEMININE depending on whether they refer to a man or a woman. These forms often have different pronunciations.

3 Au Club international ·····································

Students from different countries are gathering at the International Club. Play the role of one of the following students and introduce yourself, giving your name, nationality, and city of origin.

❋ Stéphanie (Montréal)
Salut! Je m'appelle Stéphanie.
Je suis canadienne.
Je suis de Montréal.

> Marc (Québec)
> Marie (Manchester)
> Pierre (Toulouse)
> Denise (Toronto)
> Éric (Liverpool)
> Isabelle (New York)
> Kevin (Chicago)
> Amélie (Bordeaux)

4 Nationalités ···

Give the nationalities of the following people, using **il** or **elle,** as appropriate.

❋ Paul McCartney   *Il est anglais.*

1. Céline Dion
2. Oprah Winfrey
3. Pierre Cardin
4. Jennifer Aniston
5. Juliette Binoche
6. Johnny Depp
7. Elton John
8. Tom Cruise
9. la reine (*queen*) Elizabeth
10. la Statue de la Liberté
11. l'oncle Sam
12. le prince Charles

Prononciation: Les lettres muettes (*Silent letters*)

Some letters in French are not pronounced, especially when they come at the end of a word.

The following letters are usually SILENT:

- **h** in all positions
    Répétez: H̷enri   T̷homas   Nat̷halie   Art̷hur   Elisabet̷h   H̷ôtel   t̷héâtre
- final **-e**
    Répétez: Louise̷   Denise̷   Philippe̷   Stéphane̷   anglaise̷   française̷
- final **-s**
    Répétez: Louis̷   Denis̷   Nicolas̷   Charles̷   Paris̷   anglais̷   français̷
- other final consonants
    Répétez: Richard̷   Margot̷   Roger̷   Saint̷-Tropez̷   Strasbourg̷   Bordeaux̷
- EXCEPTIONS: final **-c, -k, -f, -l** are pronounced, and sometimes **-r**
    Répétez: Éri**c**   Mar**c**   Patri**ck**   Miche**l**   Pau**l**   acti**f**   Victo**r**   bonjou**r**

---

5 **Personnes célèbres** •

Pronounce the names of these famous French people.

Catherine Deneuve
(actrice)

Charles de Gaulle
(président)

Louis Pasteur
(biologiste)

Sarah Bernhardt
(actrice)

Berthe Morisot
(peintre)

François Mitterrand
(président)

Yves Montand
(acteur)

Yannick Noah
(chanteur)

Les nombres de 0 à 12

0	1	2	3	4	5	6	7	8	9	10	11	12
zéro	un	deux	trois	quatre	cinq	six	sept	huit	neuf	dix	onze	douze

6 Allô!

Give your phone numbers, using single digits.

✸ 617-962-1284   *le six - un - sept - neuf - six - deux - un - deux - huit - quatre*

• numéro de téléphone
• numéro de mobile

L'alphabet français

A	B	C	D	E	F	G	H	I	J	K	L	M
a	bé	cé	dé	e	effe	gé	ache	i	ji	ka	elle	emme

N	O	P	Q	R	S	T	U	V	W	X	Y	Z
enne	o	pé	ku	erre	esse	té	u	vé	double vé	ixe	i grec	zède

7 Réservations

You are phoning to make a hotel reservation in Paris. Identify yourself and spell your last name in French.

✸ *Je m'appelle Nicole Smith: S - M - I - T - H*

Les signes orthographiques (*Spelling marks*)

French uses accents and spelling marks that do not exist in English. These marks are part of the spelling and cannot be left out.

• In French there are four accents that may appear on VOWELS.

l'accent aigu (*acute accent*)	Cécile, Mélanie	café
l'accent grave (*grave accent*)	Michèle, Hélène	collège
l'accent circonflexe (*circumflex*)	Jérôme	hôtel, dîner
le tréma (*dieresis*)	Noël, Anaïs	naïf

• One spelling mark is used with a CONSONANT: it occurs under the letter "c."

la cédille (*cedilla*)	François	français

Pour communiquer: L'heure

⇨ **How to talk about time (in hours)**

Quelle heure est-il? *What time is it?*
Il est... *It is . . .*

| une heure | deux heures | trois heures | quatre heures | cinq heures | six heures | sept heures |

| huit heures | neuf heures | dix heures | onze heures | midi | minuit |

⇨ **How to distinguish between a.m. and p.m.**

du matin	*in the morning*	Il est dix heures **du matin.**
de l'après-midi	*in the afternoon*	Il est deux heures **de l'après-midi.**
du soir	*in the evening*	Il est neuf heures **du soir.**

 Prononciation: L'heure

In telling time, the number and the word **heure(s)** are pronounced together as a single expression.

une heure   deux ᶻheures   trois ᶻheures   quatre heures   cinq ᵏheures   six ᶻheures
sept heures   huit heures   neuf ᵛheures   dix ᶻheures   onze heures

8 **Quelle heure est-il?** •

Ask your partner what time it is.

✳ — *Quelle heure est-il?*
— *Il est quatre heures.*

1. 6:00

2. 11:00

3. 8:00

 4:00

4. 3:00

5. 12:00 ☀

6. 12:00 ☾

9 **Matin ou soir?** •

Give the following times in French, indicating morning, afternoon, or evening.

✳ 9 a.m.   *Il est neuf heures du matin.*

1. 10 a.m.   2. 1 p.m.   3. 8 p.m.   4. 7 a.m.   5. 9 p.m.   6. 5 p.m.

Prononciation: Les voyelles françaises

While French and English words share many similarities in spelling, they are not pronounced the same. Vowels in the two languages are very different.

- In English, vowels are often glided.
- In French, vowels are clear, short, and clipped. Each vowel sound is pronounced very distinctly.

Voyelles orales

vowel sound	sample spelling*	Répétez:	
/a/	a	<u>A</u>nne	M<u>a</u>dame L<u>a</u>v<u>a</u>l est de l'<u>A</u>l<u>a</u>b<u>a</u>m<u>a</u>.
/e/	é	M<u>é</u>lanie	L<u>é</u>a est de Qu<u>é</u>bec.
/ɛ/	è, e	Mich<u>e</u>l	<u>E</u>lle s'appelle Mich<u>è</u>le.
/ə/	e	j<u>e</u> d<u>e</u>	D<u>e</u>nis est d<u>e</u> G<u>e</u>nève.
/ø/	eu	d<u>eu</u>x	Mathi<u>eu</u> a d<u>eu</u>x dollars.
/œ/	eu	h<u>eu</u>re	Il est n<u>eu</u>f h<u>eu</u>res.
/o/	o	R<u>o</u>se	R<u>o</u>se est de Mexic<u>o</u>.
/ɔ/	o	Nic<u>o</u>le	Th<u>o</u>mas est de Lim<u>o</u>ges.
/i/	i, y	S<u>y</u>lv<u>i</u>e	<u>É</u>mil<u>i</u>e est de Par<u>i</u>s.
/u/	ou	<u>Ou</u>smane	L<u>ou</u>l<u>ou</u> est de T<u>ou</u>l<u>ou</u>se.
/y/	u	t<u>u</u> L<u>u</u>cie	D'où es-t<u>u</u>, J<u>u</u>lie?

Voyelles nasales

When pronouncing nasal vowels, the "n" is silent.

vowel sound	sample spelling*	Répétez:	
/ɑ̃/	an	<u>an</u>glais	<u>An</u>dré est fr<u>an</u>çais.
	en	tr<u>en</u>te	Vinc<u>en</u>t est de Prov<u>en</u>ce.
/ɔ̃/	on	<u>on</u>ze	B<u>on</u>jour, Sim<u>on</u>.
/ɛ̃/	in, ain	c<u>in</u>q Al<u>ain</u>	Mart<u>in</u> est améric<u>ain</u>.
	un	<u>un</u>	J'ai <u>un</u> cousin à Verd<u>un</u>.

---

* Many French vowel sounds have several spellings. For a complete listing, see Appendix A.

Compréhension orale

1. L'identité

You are registering French students for summer camp. Listen as they introduce themselves and spell their names. Complete the name tags below with the corresponding last name.

2. Quelle heure est-il?

You will hear different people mentioning a time. Fill in the clocks with the correct hour.

1. :00
2. :00
3. :00
4. :00
5. :00
6. :00

Conversation dirigée

You meet a new student at the French Club.

Introduce yourselves to one another by giving:
- your name
- your nationality
- your city of origin

Copain, copine

Objectives
- To point out people
- To express likes and dislikes

Luc and Céline are at a café. Céline points out various people as they walk by.

CÉLINE: Voici Léa.
  LUC: Qui est-ce?
CÉLINE: C'est une copine.

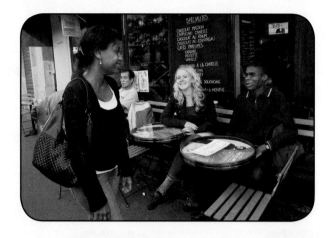

CÉLINE: Voilà Thomas.
  LUC: Qui est-ce?
CÉLINE: C'est un copain.
  LUC: Un copain ou ton copain?
CÉLINE: Un copain!

CÉLINE: Tiens, voilà
      Madame Jolivet.
  LUC: Qui est-ce?
CÉLINE: C'est la prof de maths.

Pour communiquer: Les gens (*People*)

⇨ **How to present people**

Voici...	*This is . . .*	**Voici** Léa.	
	Here come(s) . . .	**Voici** Éric et Thomas.	
Voilà...	*This is . . .*	**Voilà** Mélanie et Marc.	
	There come(s) . . .	**Voilà** Élodie.	

⇨ **How to ask about people**

Qui est-ce?	*Who is it? Who's that?*	**Qui est-ce?**	
C'est...	*It's . . . / That's . . .*	**C'est** Thomas. **C'est** Charlotte.	
C'est un/une...	*He/She is a . . .*	**C'est un** copain. **C'est une** copine.	
Il/Elle s'appelle...	*His/Her name is . . .*	**Il s'appelle** Luc. **Elle s'appelle** Léa.	

⇨ **How to talk about people one knows**

J'ai (*I have*) ...

un ami	*friend*		**une amie**	*friend*
un copain	*close friend*		**une copine**	*close friend*
un cousin	*cousin*		**une cousine**	*cousin*
un frère	*brother*		**une soeur**	*sister*
un prof	*teacher*		**une prof**	*teacher*
un camarade de chambre	*roommate*		**une camarade de chambre**	*roommate*

Note culturelle
Copain, copine

French speakers use different terms to refer to their friends. The most common expression is **un ami** for a male friend and **une amie** for a female friend. Young people, however, prefer to use the more familiar expressions **un copain** and **une copine.**

When a young man talks about **ma** (*my*) **copine,** he is usually referring to his girlfriend. Similarly, when a young woman talks about **mon copain,** she is referring to her boyfriend.

Masculin / Féminin

In French, nouns are MASCULINE or FEMININE.

Similarly, the words that introduce nouns have a masculine and a feminine form.

	MASCULINE	FEMININE
(the)	**le** prof	**la** prof
(a, an)	**un** copain	**une** copine
(my)	**mon** frère	**ma** soeur
(your)	**ton** cousin	**ta** cousine

Prononciation: La liaison

In spoken French, words are not separated. Within a group of words, syllables are LINKED TOGETHER.

NOTE HOW THE FOLLOWING EXPRESSIONS ARE PRONOUNCED:

un‿ami   un‿artiste   mon‿ami   ton‿oncle

In general, the final "n" of **un, mon,** and **ton** is silent. However, it is pronounced when the next word begins with a VOWEL SOUND, that is, with an **a, e, i, o, u,** and often **h.** This is called LIAISON.

The liaison consonant—here the "n" of **un, mon,** and **ton**—is pronounced as if it were the *first* letter of the second word.

Répétez:

NO LIAISON		LIAISON	
un Français	un Canadien	un‿Anglais	un‿Américain
mon copain	mon cousin	mon‿ami	mon‿oncle
deux dollars	trois dollars	deux‿heures	trois‿heures

NOTE: Although liaison is not marked in written French, it will be indicated in this textbook with the symbol ‿, when useful.

1 Copain ou copine?

Introduce the following students as friends of yours.

✳ Mélanie *Voici Mélanie. C'est une copine.*

1. Thomas
2. Émilie
3. Christine
4. Lucas
5. Élodie
6. Zoé
7. Nicolas
8. Michel

2 Qui est-ce?

You are a student at the Université de Montpellier in southern France. As you walk across campus, you point out different people. Your partner asks who each person is. Respond, using **un** or **une,** as appropriate.

✳ Isabelle / copine
— *Tiens! (Hey look!) Voilà Isabelle!*
— *Isabelle? Qui est-ce?*
— *C'est une copine.*

1. Paul / ami
2. Madame Laroche / prof
3. Nathalie / copine
4. Monsieur Lamy / prof
5. Christine / cousine
6. Patrick / copain
7. Sophie / amie
8. Mademoiselle Duval / prof

3 Les photos

You are showing your photo album to your partner. Indicate who each person is and give his/her name.

✳ frère / Jérémy *Voici mon frère. Il s'appelle Jérémy.*

1. cousine / Julie
2. prof de maths / Monsieur Dumas
3. copain / Philippe
4. oncle / Philippe Vallée
5. cousin / Antoine
6. prof de français / Madame Moulin
7. soeur / Mathilde
8. copine / Sophie

Mots apparentés (*Cognates*)

Many words have similar meanings and similar spellings in French and English. These words are called COGNATES or **mots apparentés.**

(nationalities)	**américain**	**mexicain**	**canadien**	**chinois**
(places)	**un café**	**un hôtel**	**un restaurant**	**un musée**
(leisure activities)	**le sport**	**la musique**	**la télévision**	**le cinéma**
(concepts)	**la liberté**	**la justice**	**la civilisation**	**la philosophie**

➡ Cognates are never pronounced the same way in French and in English. Make sure always to pronounce these words with a French accent.

➡ Cognates are often spelled differently. As you progress in French, you will be able to recognize certain patterns. For example:

é ↔ y   **liberté** *liberty*   **égalité** *equality*   **fraternité** *fraternity*

➡ Cognates may represent a different cultural context. For example, in France **une pharmacie,** unlike an American *pharmacy,* sells only medicine and some beauty products, and not candies or newspapers.

Some words that look alike in French and English have very different meanings. Such words are called FALSE COGNATES or **faux amis.**

une lecture	*a reading*	(NOT *a lecture*)
une librairie	*a bookstore*	(NOT *a library*)
un collège	*a middle school*	(NOT *a college*)

4 **Le journal** (*The newspaper*) •

Can you understand the following headlines?

POLITIQUE

Élections présidentielles en octobre

économie

Dévaluation du peso mexicain

RUGBY

Victoire de la France sur l'Australie 15 à 0

faits divers

Arrestation d'un dangereux terroriste à Marseille

Pour communiquer: Préférences

⇨ *How to express likes and dislikes*

😊		🙁	
J'aime...	*I like . . .*	**Je n'aime pas...**	*I don't like . . .*
J'aime beaucoup...	*I like . . . a lot*		
J'adore...	*I love . . .*	**Je déteste...**	*I hate . . .*
Je préfère...	*I prefer . . .*		

5 **Préférences** ·

For each category, choose two items and tell your partner if you like them or not. In turn, your partner will express his/her opinion.

✸ — *Comme musique, j'adore la musique classique. Je déteste le jazz.*
— *Moi, j'aime le rap. Je préfère le rock.*

1. Comme (*In terms of*) musique, ...
   ○ le rock
   ○ le rap
   ○ le jazz
   ○ la musique classique
   ○ la musique folklorique

2. Comme loisir culturel, ...
   ○ le cinéma
   ○ le théâtre
   ○ la musique
   ○ la lecture (*reading*)
   ○ la visite des musées

3. Comme sport individuel, ...
   ○ le jogging
   ○ le ski
   ○ la bicyclette
   ○ le tennis
   ○ la marche (*hiking, walking*)

4. Comme sport d'équipe (*team*), ...
   ○ le football (*soccer*)
   ○ le football américain
   ○ le baseball
   ○ le basketball
   ○ le volleyball

5. Au restaurant, ...
   ○ la cuisine française
   ○ la cuisine italienne
   ○ la cuisine mexicaine
   ○ la cuisine japonaise
   ○ la cuisine chinoise

6. Comme plat (*food, dish*), ...
   ○ la pizza
   ○ les spaghetti
   ○ le steak
   ○ le brocoli
   ○ la salade

Prononciation: Français et anglais

Although French and English often look similar in their written forms, they sound very different in their spoken forms. Not only are words pronounced differently, but the overall impression of the languages is not the same.

tenseness	ENGLISH is a very RELAXED language. Vowels are often glided. Some consonants may also be prolonged. *café, cinema, chateau, Michelle*	FRENCH is a very TENSE language. Vowels are short and clipped: they do not glide. Consonants are short and distinctly pronounced. Répétez: café, cinéma, château, Michèle
rhythm	ENGLISH rhythm is SING-SONGY. Some syllables are short and others are long. **She's** my cou*sin.* Her **name** is **Emi***ly.*	FRENCH rhythm is very EVEN. Only the LAST syllable of a group of words is longer than the others. Répétez: C'est ma cou**sine**. Elle s'appelle Émi**lie**.
linking	In spoken ENGLISH, words are usually SEPARATED. Your vocal cords may even stop vibrating for an instant between words. *Hello / Isabelle.* *She / arrives / at the university.*	In spoken FRENCH, words are NOT SEPARATED. In fact, within a group of words, all syllables are LINKED or CONNECTED together. Répétez: Bonjour Isabelle. Elle arrive à l'université.
syllables	In spoken ENGLISH, many words and syllables end on a CONSONANT SOUND. *This is Paris.*	In spoken FRENCH, syllables end on a VOWEL SOUND whenever possible. Répétez: Voi-ci Pa-ris.

À votre tour

Compréhension orale

Listen as people talk about their friends and relatives. If the person they mention is male, mark row A. If the person is female, mark row B.

		1	2	3	4	5	6	7	8
A.									
B.									

Conversation dirigée

You and a French exchange student are exchanging information about family and friends.

Give your partner the names of three of the following people. He/She will do the same.
- a brother or sister
- a cousin (male or female)
- a friend
- a roommate
- a teacher

❋ *Mon frère s'appelle Frank.*

Ça va?

Objectives
- To exchange greetings
- To tell time in minutes
- To talk about one's studies

Students and faculty meet in front of the Université de Paris-Jussieu.

Luc:	Salut, Thomas.
Thomas:	Salut! Ça va?
Luc:	Ça va! Et toi?
Thomas:	Ça va bien, merci.

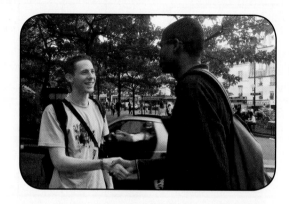

Céline:	Salut, Léa. Comment vas-tu?
Léa:	Ça va mal.
Céline:	Ah bon°? Pourquoi°?
Léa:	J'ai° un examen dans° dix minutes!
Céline:	Alors°, salut!
Léa:	Au revoir.

M. Dorval:	Bonjour, madame. Comment allez-vous?
Mme Rémy:	Je vais bien, merci. Et vous, monsieur?
M. Dorval:	Ça va! Merci.

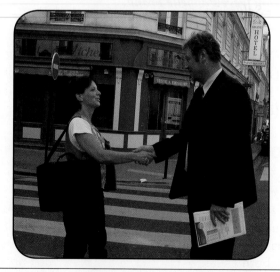

Ah bon *Really*   **Pourquoi** *Why*   **J'ai** *I have*   **dans** *in*   **Alors** *Well then*

Pour communiquer: Ça va?

⇨ **How to exchange greetings**

informally

Comment vas-tu?   *How are you?*

   Ça va!   *I'm fine.*

   Ça va bien, merci.   *I'm fine, thanks.*

Et toi?   *And you?*

formally

Comment allez-vous?

   Je vais bien.

   Je vais bien, merci.

Et vous?

Ça va?   *How are things going?*
Ça va...

   bien   (*well*)
   très bien   (*very well*)
   pas mal   (*not so bad, quite well*)
   comme ci, comme ça   (*so-so*)

   mal   (*badly*)
   très mal   (*very badly*)

➠ Depending on their relationship, French people use two different forms of address:
- familiar **tu** or **toi**
- the formal **vous**

In general, young people, family members, and close friends address one another as **tu.** Other people are addressed as **vous.**

---

1   **Salut! Ça va?** •

Your partner will say hello and ask how you are. Say how you feel.

✳ (*You feel great.*)
   — *Salut! Ça va?*
   — *Oui, ça va très bien!*

1. (*You have a headache.*)
2. (*You are going to the dentist.*)
3. (*You got a B on your exam.*)
4. (*It's your birthday.*)

5. (*You lost your wallet.*)
6. (*You won a trip to France.*)
7. (*You had an argument with your roommate.*)
8. (*You are going out on a date.*)

Note culturelle
Les salutations (*Greetings*)

In France, the formal way of greeting people is to shake hands. Young people and close friends are much less formal when they greet one another. Depending on the circumstances, male friends may shake hands, tap each other lightly on the shoulder, or even hug. Female friends exchange kisses on both cheeks. This is called **la bise.** Men and women who are on friendly terms also greet one another with **la bise.**

Pour communiquer: Les études

⇨ *How to talk about your studies*

Qu'est-ce que tu étudies?   *What are you studying?*

J'étudie...   *I am studying . . .*

le français	**la biologie**	**les maths**
l'espagnol (*Spanish*)	**l'informatique** (*computer science*)	**les sciences**

J'ai...   *I have . . .*

un cours (*a class*)	**un cours de français** (*a French class*)
un examen (*an exam*)	**un examen d'histoire** (*a history exam*)

⇛ The names of school subjects may be masculine or feminine, singular or plural. After **j'étudie,** they are introduced by **le** (masculine singular), **la** (feminine singular), or **les** (plural).

Prononciation: L'élision

The final letter "e" of a few short words, such as **je, de,** and **le,** and the final "a" of **la** are dropped when the next word begins with a vowel—**a, e, i, o, u**—or a "mute **h**" (as in **heure** and **histoire**). This is called ELISION.

Répétez:

		no elision	elision
je	→ **j'**	**Je** suis français.	**J'**ai un examen.
le, la	→ **l'**	**le** chinois, **la** philo	**l'**italien, **l'**histoire
de	→ **d'**	un cours **de** maths	un cours **d'**informatique
		un examen **de** français	un examen **d'**anglais

NOTE: As you can see in the chart below, many school subjects are cognates. French students, like American students, often shorten the names of their classes.

Arts et lettres
les langues°
l'anglais
l'espagnol
le français
l'italien
le chinois
la littérature
la philosophie (la philo)

Sciences
la chimie°
la physique
la biologie (la bio)
les mathématiques (les maths)

Sciences sociales
l'histoire
l'économie
les sciences politiques
la psychologie (la psycho)
la sociologie

Études professionnelles
le commerce°
la finance
le marketing
l'informatique°

les langues *languages*   **la chimie** *chemistry*   **le commerce** *business*   **l'informatique** *computer science*

2 À l'université •

List a few subjects that you are studying. Your partner will do the same. Then describe your courses to each other. Which subjects do you have in common?

Études

- •   •
- •   •

✳ *— J'étudie la biologie.*
  — Moi, j'étudie la physique.

Les nombres de 13 à 60

13 treize	**20**	vingt	**40**	quarante	
14 quatorze	21	vingt et un	41	quarante et un...	
15 quinze	22	vingt-deux	47	quarante-sept...	
16 seize	23	vingt-trois...	**50**	cinquante	
17 dix-sept	**30**	trente	51	cinquante et un...	
18 dix-huit	31	trente et un...	59	cinquante-neuf	
19 dix-neuf	36	trente-six...	**60**	soixante	

60+
see p.153

Pour communiquer: L'heure et les minutes

➭ **How to tell the time with minutes**

Il est...   **trois heures**   **cinq heures**   **sept heures**   **midi**
                      cinq   **vingt**   **dix-huit**   **cinquante-deux**

➭ **How to indicate the half hour and the quarter hours**

et quart   **et demie**   **moins le quart**

Il est dix heures   Il est une heure   Il est six heures
et quart.   **et demie.**   **moins le quart.**

➭ **How to ask when something is scheduled**

À quelle heure est...?   *At what time is . . . ?*

— **À quelle heure est le match?**   — *At what time is the game?*

— **Le match est à trois heures.**   — *The game is at three [o'clock].*

3 À l'hôtel en France •••

French telephone numbers contain ten digits, which are given two digits at a time. Ask the operator at your hotel in Nice to connect you to the following numbers. Begin your request with **S'il vous plaît** (*Please*).

✴ 04.31.22.57.12
  S'il vous plaît, le zéro quatre, trente et un, vingt-deux, cinquante-sept, douze.

  01.42.21.18.60
  03.15.52.35.18
  02.57.26.14.49
  05.36.08.46.11

4 L'heure •••

Give the time according to the clocks below.

✴ *Il est deux heures et quart.*

1.   2.   3.   4.   5.

5 À quelle heure? ••

Ask your partner at what time the following activities are scheduled.

✴ — *À quelle heure est le film?*
  — *Le film est à neuf heures vingt.*

✴ 9 h 20	le film	
1. 6 h 30	le concert	
2. 1 h 25	le match de baseball	
3. 10 h 40	le match de tennis	
4. 4 h 50	le récital	
5. 7 h 20	le dîner	

Prononciation: L'intonation

As you speak, your voice rises and falls: this is called INTONATION. In French, as in English, your voice falls at the end of a DECLARATIVE SENTENCE. However, in French, the voice rises after each group of words within a longer sentence, whereas in English it either falls or stays on the same pitch.

Répétez.

Ça va.

Ça va bien.

Ça va comme ci, comme ça.

Il est deux heures.

Il est deux heures et demie.

Il est deux heures et demie de l'après-midi.

J'ai un cours.

J'ai un cours de français.

J'ai un cours de français à dix heures.

J'ai un examen.

J'ai un examen de chimie.

J'ai un examen de chimie à trois heures.

J'étudie.

J'étudie le français.

J'étudie le français et l'espagnol.

Compréhension orale

1. **Numéros de portable** (*Cell phone numbers*)

   Listen and write in the cell phone numbers of the following people. NOTE: In France, all cell phone numbers begin with "06."

Cécile	06. _____ . _____ . _____ . _____
Martin	06. _____ . _____ . _____ . _____
Ahmed	06. _____ . _____ . _____ . _____
Charlotte	06. _____ . _____ . _____ . _____

2. **L'heure**

   You will hear people mentioning different times. Listen carefully to each person and indicate the time you hear on the corresponding clock.

   1.   2.   3.

   4.   5.   6.

Conversation dirigée

You are a new student at the Université de Montpellier. In the dining hall, you strike up a conversation with another student (your partner).

- Say hello.
- Greet each other.
- Find out what each of you is studying.
- Ask the time.
- Say you have a class in (**dans**) ten minutes.

Au café

⮕ **Comment commander** (*How to order*)

Vous désirez? (*May I help you?*)

Je voudrais (*I would like*) un café.

Et avec ça? (*Anything else?*)

Donnez-moi (*Give me*) un croissant, **s'il vous plaît** (*please*).

Merci.

une boisson (*beverage*)	un plat (*dish*)
un café (*coffee*)	**un croissant**
un thé (*tea*)	**un sandwich au jambon** (*ham sandwich*)
une eau minérale (*mineral water*)	**un sandwich au fromage** (*cheese sandwich*)
un soda (*soft drink*)	**une salade**
une limonade (*lemon soft drink*)	**une omelette**
un jus d'orange (*orange juice*)	**une pizza**
une bière (*beer*)	**un steak-frites** (*steak and French fries*)

⮕ **Comment payer** (*How to pay*)

L'addition (*check*), s'il vous plaît.

Ça fait combien? (*How much is it?*)

Ça fait (*That makes*) six euros trente.

Note: There are two ways to say *please* in French:

FORMAL (**vous**-form: with the server)   **s'il vous plaît**

INFORMAL (**tu**-form: with a friend)   **s'il te plaît**

Le café

Cafés can be found almost everywhere in France. People stop there to read the paper, relax, meet their friends, or, more simply, to watch what is going on in the street.

In a café, you can ask for almost any type of beverage (**une boisson**), usually a cup of strong coffee (**un express**), a coffee with cream (**un café-crème**), a fruit juice (**un jus de fruit**), a glass of beer, or often a bottle of mineral water.

If you are hungry, you can also order a croissant or a sandwich, and sometimes other dishes such as an omelet, a salad, or a steak with French fries.

In French cafés, the tip (**le pourboire**) of 15% is included in the check (**l'addition**). It is customary, however, to leave some small change for the server (**le serveur / la serveuse**), who is always politely addressed as **Monsieur** or **Mademoiselle**.

La Marine
Café - Restaurant
BOISSONS

express	1,50 €
café-crème	2 €
thé	2 €
soda	3,50 €
limonade	3 €
eau minérale	3 €
jus d'orange	3,50 €
jus de tomate	3,50 €
bière	4 €

SANDWICHS

sandwich au jambon	3,50 €
sandwich au fromage	3,50 €

ET AUSSI

croissant	1,50 €
salade mixte	4,50 €
omelette	6 €
pizza	5,50 €
steak-frites	9,50 €

À votre tour

À La Marine

You are at the café La Marine. Your partner will play the role of the server.

- It is about 8:30 in the morning and you are ready to have a breakfast *"à la française."* Place your order.
- It is now noon and you are moderately hungry. Place your order.
- It is 8 p.m. You would like something to eat but have only 7,50 €. Place your order.

L'argent européen (*European money*)

Voici **un billet** (*bill*) de ...

cinq euros

dix euros   vingt euros

cinquante euros   cent euros

deux cents euros   cinq cents euros

Voici **une pièce** (*coin*) de (d') ...

un centime   deux centimes   cinq centimes   dix centimes

vingt centimes   cinquante centimes   un euro

 Recherches Internet

Find the current rate of exchange between the euro and the US dollar. Using this rate, calculate the approximate dollar value of the different euro bills.

deux euros

VIE PRATIQUE 1

L'euro

On January 1, 2002, France and eleven other European countries adopted the **euro** as their common currency; they were joined by Slovenia on January 1, 2007. The euro notes have different colors and sizes which increase with their respective values.

Although this currency is issued by each individual country, it has the same value throughout the entire Euro Zone. This is quite useful for tourists, as well as for the Europeans themselves, who do not have to change their money as they travel from country to country within this zone.

La zone euro (2007)

- l'**Allemagne** *Germany*
- l'**Autriche** *Austria*
- la **Belgique** *Belgium*
- l'**Espagne** *Spain*
- la **Finlande**
- la **France**
- la **Grèce**
- l'**Irlande**
- l'**Italie**
- le **Luxembourg**
- les **Pays Bas** *Netherlands*
- le **Portugal**
- la **Slovénie**

Conversation

Émilie has invited a friend to La Marine. She asks the waiter for the check.

ÉMILIE: Ça fait combien, s'il vous plaît?
LE SERVEUR: Eh bien... un express, un euro cinquante.
Une Vittel, trois euros.
Un croissant, un euro cinquante.
Un sandwich au jambon, trois euros cinquante.
Ça fait neuf euros cinquante.
ÉMILIE: Voici un billet de dix euros.
LE SERVEUR: Et voilà votre monnaie (*change*), cinquante centimes.

LA MARINE

EXPRESS	1,50
EAU MINÉRALE	3,00
CROISSANT	1,50
SAND. JAMBON	3,50
TOTAL	9,50

15% service compris

À votre tour

L'addition

Choose one of the checks below from the café-restaurant "La Marine." Then, with your partner, act out a dialogue similar to the one between Émilie and the server.

LA MARINE

THÉ	2,00
CAFÉ-CRÈME	2,00
CROISSANT	1,50
CROISSANT	1,50
TOTAL	7,00

15% service compris

LA MARINE

OMELETTE	6,00
STEAK-FRITES	9,50
SODA	3,50
BIÈRE	4,00
TOTAL	23,00

15% service compris

LA MARINE

SAND. JAMBON	3,50
SAND. FROMAGE	3,50
EAU MINÉRALE	3,00
LIMONADE	3,00
TOTAL	13,00

15% service compris

29

Avant de lire
(*Before you read*)
What is the main reason
you are studying French?

Le français, langue internationale

Pourquoi parler français? *Why speak French?*

After English, French is one of the most important world languages of the twenty-first century. Millions of people speak French fluently and many millions more around the world have studied it.

French is an international language.
French is spoken natively by about 100 million people in the world (**les francophones**). More importantly, French is the official administrative or business language in over 30 countries or regions. These French-speaking areas are located in Europe, Africa, and the Americas.

French is the language of diplomacy and international exchanges.
Until World War I, French was the recognized diplomatic language. Monarchs and heads of state would communicate in French, both in their private and in their official correspondence. Today French is still an important diplomatic language. It is one of the five official languages of the United Nations, and one of the two main languages used in the governmental proceedings of the European Union. In the sports arena, French is one of the two official languages of the Olympic Games.

French is a language of cultural expression.
French is the language of some of the world's most famous authors, artists, and composers of the past. This cultural tradition continues today, as writers, musicians, and moviemakers from many different countries express themselves in French.

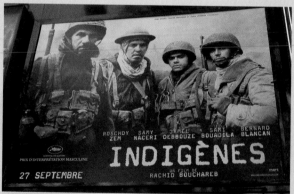

French is a language of ideas.
Over the past several hundred years, French philosophers have developed ideas that have shaped the world in which we live. These thinkers have been pioneers in the promotion of democracy and the elimination of slavery. They argued for human rights, women's rights, and equality for all. Today French intellectuals continue to influence the way people think and act.

HM **Recherches Internet**
(*Exploration*)
Find the names of one or two
famous French artists and writers.
Explain why they are important.

French is a business language.

As a major economic power, France engages in trade relations with countries throughout the world. Business transactions are conducted in French, not only in France but also in North, West, and Central Africa, as well as Quebec, America's trading partner to the north.

French is a language of prestige.

Speaking French carries an aura of prestige and elegance. French is also the language of high fashion, haute cuisine, and superb wines. French terms slipped into marketing pieces create an aura of sophistication.

French is a language of caring and concern.

Humanitarian organizations such as *le Comité international de la Croix-Rouge* and *Médecins sans Frontières* were founded by French speakers. Today at disaster relief sites in all corners of the globe you will find these agencies at work.

A short history of the French language

French is a Romance language, meaning it has its origins in Latin. In the first century B.C., Roman soldiers introduced their language to Gaul (the ancient name of what is now France). Over the centuries, the Latin spoken in that area evolved into French.

In 1066, French became the official language of England when William the Conqueror invaded that country and became its king. Modern English has grown out of this fusion of French and the Anglo-Saxon dialects previously spoken in England.

In the seventeenth and eighteenth centuries, French explorers and colonists brought their language to India, North America, and the Caribbean. In the nineteenth century, they extended the use of French to North and West Africa, as well as Indochina* and Lebanon.

Après la lecture
(*After reading*)
Which of the reasons given for speaking French are most relevant to you? Why?

Recherches
(*Exploration*)
Today English has many words borrowed from French, such as *chic* and *entrepreneur*. How many other words can you find?

* The area of Southeast Asia known as Indochina includes Vietnam, Thailand, and Cambodia.

Ici on parle français

Avant de lire
(*Before you read*)
Aside from France, what other countries can you name where French is spoken?
- in Europe
- in Africa

French is the dominant language

Some French is spoken

EUROPE

EUROPE
In addition to France (**la France**), French is spoken in parts of Belgium (**la Belgique**), Switzerland (**la Suisse**), and Luxembourg (**le Luxembourg**).

ASIE

LA BELGIQUE
LE LUXEMBOURG
LA SUISSE
LA FRANCE
L'ITALIE

NORTH AFRICA
French is understood and spoken by many people of Algeria (**l'Algérie**), Morocco (**le Maroc**), and Tunisia (**la Tunisie**). More than 2 million people from these countries have emigrated to France and have become French citizens.

LE MAROC
LA TUNISIE
LE LIBAN
ISRAEL
L'ALGÉRIE
L'ÉGYPTE

Océan Atlantique

LA MAURITANIE
LE MALI
LE NIGER
LE TCHAD

LE SÉNÉGAL

LA GUINÉE

AFRIQUE

LE BURKINA FASO
LA CÔTE D'IVOIRE
LE TOGO
LE BÉNIN
LE CAMEROUN
LE GABON
LA RÉPUBLIQUE DU CONGO
LA RÉPUBLIQUE DÉMOCRATIQUE DU CONGO

LA RÉPUBLIQUE CENTRAFRICAINE
LE RWANDA
LE BURUNDI

MADAGASCAR

WESTERN AND CENTRAL AFRICA
About twenty African countries have adopted French as their official or administrative language. These countries include Senegal (**le Sénégal**), the Ivory Coast (**la Côte d'Ivoire**), the Congo (**le Congo**), Cameroun (**le Cameroun**), and the island of Madagascar (**Madagascar**). The people in this part of Africa speak a wide variety of local languages. However, the knowledge of French allows them to communicate with one another.

LA RÉUNION
L'ÎLE MAURICE

Ils parlent français

TUNISIE

Je m'appelle Hamadi Larbi. Je suis tunisien mais je travaille° en France. Je suis technicien en électronique.

BELGIQUE

Je m'appelle Valérie Van der Meulen. J'habite° à Bruxelles où je suis journaliste. Je suis belge et je parle français et flamand°.

SÉNÉGAL

Je m'appelle Diana Ndiaye. Je suis sénégalaise. Je parle français et deux langues° locales, le wolof et le mandinka. Je suis économiste.

MAROC

Je m'appelle Aïcha Choukri. Je suis marocaine. Je suis médecin° et je travaille dans un hôpital à Casablanca.

SUISSE

Je m'appelle Gilles Martinot. Je suis suisse. J'habite à Genève et je travaille pour les Nations Unies.

CAMEROUN

Je m'appelle Sadou Musange et je suis camerounais. Je suis professeur d'éducation physique.

Après la lecture
(*After reading*)
Which of these six people would you like to meet and why?

Recherches
(*Exploration*)
Find out more about one of these French-speaking countries and share your information with your classmates.

---

travaille *work*   **habite à** *live in*   **flamand** *Flemish [similar to Dutch]*   **langues** *languages*   **médecin** *doctor*

On parle français aussi en Amérique

Avant de lire
(*Before you read*)
Where in the Western Hemisphere is French spoken?

NORTH AMERICA

• In Canada (**le Canada**) about one third of the population speaks French. Most French speakers live in the province of Quebec (**le Québec**), where French is the official language. There are also French-speaking communities in Ontario (**l'Ontario**), New Brunswick (**le Nouveau Brunswick**), and Nova Scotia (**la Nouvelle Écosse**).

• In the United States (**les États-Unis**) French was once spoken by millions of people in New England (**la Nouvelle Angleterre**) and Louisiana (**la Louisiane**). Although most French-speaking communities began to disappear in the 1950s, some French traditions have survived.

THE CARIBBEAN

• In Haiti (**Haïti**), all people speak Creole, but an important minority also speak French, which is the official language of the county. Many Haitians who have emigrated to the United States are French speakers.

• The two islands of Martinique (**la Martinique**) and Guadeloupe (**la Guadeloupe**) are officially part of France and their inhabitants are French citizens.

LE CANADA

LE QUÉBEC

AMÉRIQUE DU NORD

LES ÉTATS-UNIS

SAINT-PIERRE ET MIQUELON

LA NOUVELLE-ANGLETERRE

LA LOUISIANE

LE MEXIQUE

CUBA

HAÏTI

PORTO RICO

LA GUADELOUPE

LA MARTINIQUE

AMÉRIQUE CENTRALE

LE GUATEMALA

LE VENEZUELA

LA GUYANE FRANÇAISE

LA COLOMBIE

Océan Atlantique

LE BRÉSIL

LE PÉROU

AMÉRIQUE DU SUD

Océan Pacifique

L'ARGENTINE

French is the dominant language

Some French is spoken

Après la lecture
(*After reading*)
Which of these French-speaking areas would you like to visit and why?

Nous parlons français

HAÏTI

Monique Philippot Je suis d'origine haïtienne mais maintenant° j'habite° à Boston où je suis professeur de français.

QUÉBEC

Philippe Boutin Je suis québécois. J'habite à Trois-Rivières où je suis photographe.

MARTINIQUE

Émilie Clément Je suis martiniquaise: donc° je suis française. J'habite à Paris où je suis étudiante°.

Le français dans la géographie américaine

By the mid-eighteenth century, the French had established a vast empire in North America, ten times as large as the British colonies. The territories claimed by France extended from Labrador to the Gulf of Mexico. French colonists settled in Quebec and Louisiana. Trappers and fur traders explored the lands from the Great Lakes to the Dakotas and often married into Indian tribes.

In 1763, the French lost all of their territorial claims in North America, but their historical presence is still reflected in many American place names:

- Louisiana: named in honor of the French king Louis XIV
- St. Louis: named after Louis IX, patron saint of king Louis XV
- Baton Rouge: *red stick* — an Indian marker
- Detroit: *strait* linking Lake Erie and Lake St. Clair
- Eau Claire: *clear water*
- Terre Haute: *high land*
- Belle Fourche: *beautiful fork* (in the river)
- Boise: *wooded area*

HM Recherches Internet
(*Exploration*)
Locate these French place names on a map of the United States. How many fall within the territory of the Louisiana Purchase?

---

maintenant *now*   **habite à** *live in*   **donc** *therefore*   **étudiante** *student*

Unité 2

Oui, nous parlons français

Leçon 4:
À Québec

Leçon 5:
À Dakar

Leçon 6:
À Genève

Alice and Guy are new students at the Université Laval in Quebec City. Chris, another student, is about to join them.

ALICE:	Salut! Je m'appelle Alice Paquette.	
GUY:	Et **moi**, je m'appelle Guy Beliveau.	*me*
ALICE:	Tu es de Québec?	
GUY:	Non, j'**habite** à Montréal.	*live*
	Je suis à Québec pour **mes études**.	*my studies*
	J'étudie les sciences politiques. Et toi?	
ALICE:	J'étudie la littérature française.	
	Tiens! Voilà ma copine Chris.	*Hey*
GUY:	Elle est **aussi** de Montréal?	*also*
ALICE:	Non! **En fait**, elle n'est pas québécoise.	*As a matter of fact*
	Elle habite à Toronto.	
GUY:	Elle **parle** bien français?	*speaks*
ALICE:	**Bien sûr**! Elle est bilingue.	*Of course*
GUY:	**Mais on ne parle pas** français à Toronto.	*But / people / don't speak*
ALICE:	C'est **vrai**! On parle anglais, mais les parents	*true*
	de Chris **sont** d'origine québécoise.	*are*
	Alors, **en famille**, ils parlent français.	*So / in the family*

Vrai ou faux? (*True or false?*)

1. Guy habite à Montréal.
2. Il étudie les sciences économiques.
3. Il étudie à Québec.
4. Chris habite à Montréal.
5. Elle parle français.
6. Elle parle anglais.

Note culturelle
Québec et la joie de vivre

Québec is the capital of the Canadian Province of Quebec, known as **le Québec,** which is the most francophone region of the world after France itself.

The city of Quebec was founded in 1608 on a hill dominating the Saint Lawrence River to serve as an outpost for the French fur trade. From its beginnings as a small encampment, it steadily grew with the arrival of settlers from Western France to become the administrative capital of **la Nouvelle France,** an immense territory extending from Labrador to the Great Lakes.

La Province de Québec

Population: 7,5 millions
Francophones: 81%
Capitale: Québec
Ville principale: Montréal

Although the conquest of Quebec by British troops in 1759 put an end to the official French presence in North America, it did not alter the French character of the city since its inhabitants defended their French heritage with courage and determination.

Much in the city of Quebec reminds the visitor of its French past: the fortifications which protected the people against British incursions, the old churches, the architecture of the historic buildings, the narrow streets lined with restaurants, bistros, and boutiques. The charm of the city, however, is typically **québécois:** the French language spoken with its distinctive accent, the friendliness of the people, the traditional cuisine . . .

The inhabitants of Quebec, **les Québécois,** are famous for their hospitality. They are very proud of their history and very attached to their language and their cultural heritage. They willingly share their **joie de vivre** with all those who visit their city, especially during festive events like the **Carnaval d'Hiver** in February and **la Saint-Jean,** the Quebec national holiday celebrated on June 24.

À votre avis

Why would you be interested in visiting Quebec? Explain.

La langue française

A. Le verbe *être* et les pronoms sujets

TO SAY WHO WE ARE

To describe people, French speakers use the verb **être** (*to be*). **Être** is the most common verb in French.

infinitive	**être**		*to be*	
singular	je	**suis**	*I am*	Je **suis** américain.
	tu	**es**	*you are*	Tu **es** canadienne.
	il/elle	**est**	*he/she is*	Il **est** à Montréal. Elle **est** à Québec.
plural	nous	**sommes**	*we are*	Nous **sommes** de San Francisco.
	vous	**êtes**	*you are*	Vous **êtes** avec un copain.
	ils/elles	**sont**	*they are*	Ils **sont** à Paris. Elles **sont** à Lyon.

LIAISON
vous‿êtes

▶ **Tu** or **vous**?

When talking to ONE person, the French use:

- **tu** ("familiar" you) to address a family member, friend, or child

  Frédéric, **tu** es français?

- **vous** ("formal" you) to address anyone else

  Madame Dupont, **vous** êtes canadienne?

When talking to SEVERAL persons, the French use:

- **vous** (both "familiar" and "formal" you)

  Anne et Louise, **vous** êtes de Montréal?

> **À noter**
> You should use . . .
> - **vous** to address your teacher
> - **tu** to address a classmate

▶ **Ils** or **elles**?

When talking about SEVERAL persons, the French use:

- **ils** if the group has at least one male member:

  Paul et David = **ils**   Paul et Émilie = **ils**   Paul, Émilie et Léa = **ils**

- **elles** if the group is exclusively female:

  Alice et Émilie = **elles**   Alice, Pauline et Léa = **elles**

Note linguistique: Verbes

To talk about who we are or what we do, we use VERBS, such as **être** (*to be*) and **parler** (*to speak*). These basic forms, **être** and **parler,** are called INFINITIVES. Dictionaries list verbs as infinitives. In a sentence, the form of a verb is determined by who or what the SUBJECT is.

- A verb is said to agree with its subject. (This is called subject-verb agreement.)
- A CONJUGATION chart shows the verb forms that correspond to each subject.
- Verbs, like **parler,** that follow a predictable pattern are called REGULAR verbs.
- Verbs, like **être,** that do not follow a predictable pattern are called IRREGULAR verbs.

Vocabulaire: Mots utiles (*Useful words*)

à	*at*	Nous sommes **à** l'Université Laval.
	in	Vous êtes **à** Québec.
de	*from*	Tu es **de** San Francisco. Je suis **d'**Omaha.
	of	Voici une photo **de** Montréal.
et	*and*	Anne **et** Sophie sont camarades de chambre.
ou	*or*	Qui est-ce? Juliette **ou** Sophie?
avec	*with*	Philippe est **avec** Pauline.
pour	*for*	Nous sommes **pour** la justice.
mais	*but*	Je suis français, **mais** mon cousin est canadien.

ÉLISION
de → d'

1 Vacances au Canada •

The following students are spending their summer in Canada. Tell where everyone is.

1. Antoine _____ à Québec.
2. Nous _____ à Montréal.
3. Tu _____ à Chicoutimi.
4. Ma cousine _____ à Toronto.
5. Vous _____ à Halifax.
6. Émilie et Léa _____ à Vancouver.
7. Je _____ à Ottawa.
8. Marc et Éric _____ à Victoria.

2 Tu ou vous? •

You are spending July in Chicoutimi at the home of your friend Anne. Ask the following people questions using **Tu es** or **Vous êtes,** as appropriate.

✳ (*the mailman*) ... de Chicoutimi?   ***Vous êtes de Chicoutimi?***

1. (*Anne's mother*) ... de Québec?
2. (*Anne's best friend*) ... canadienne?
3. (*Anne's brother*) ... avec un copain?
4. (*a lady in the park*) ... française?
5. (*Anne's cousin*) ... étudiant?
6. (*a little girl*) ... avec ton papa?
7. (*Anne's teacher*) ... américain?
8. (*an older tourist*) ... anglais?

3 Oui! •

The following students are from Quebec. Answer the questions about them in the affirmative, using **ils** or **elles,** as appropriate.

1. Pierre et Philippe sont à l'Université Laval?
2. Jacques et Thomas sont camarades de chambre?
3. Théo et Marie sont copains?
4. Isabelle et Léa sont avec une copine?
5. Marc et Antoine sont à la cafétéria?
6. Guy et Sophie sont à un match de rugby?

B. Les verbes en -er

TO DESCRIBE WHAT WE DO

To describe what we do, we use verbs like **parler** (*to speak*) and
habiter (*to live*). Most verbs with infinitives ending in **-er** are REGULAR.

infinitive	**parler**		**habiter**		
stem	**parl-**		**habit-**		ending
singular	Je	**parle** français.	J'	**habite** à Paris.	-e
	Tu	**parles** français.	Tu	**habites** à Québec.	-es
	Il/elle	**parle** anglais.	Il/elle	**habite** à Toronto.	-e
plural	Nous	**parlons** italien.	Nous	**habitons** à Rome.	-ons
	Vous	**parlez** espagnol.	Vous	**habitez** à Madrid.	-ez
	Ils/elles	**parlent** russe.	Ils/elles	**habitent** à Moscou.	-ent

The present tense forms of **-er** verbs consist of two parts:

STEM + ENDING

- The STEM does not change.
  It is the infinitive minus **-er.**

  parler → **parl-**
  habiter → **habit-**

- The ENDINGS change to agree with
  the subject.

  je **-e**   nous **-ons**
  tu **-es**   vous **-ez**

Before verbs beginning with a VOWEL SOUND, there is:

ÉLISION with   **je → j'**   **j'habite**   **j'étudie**

LIAISON with   **nous, vous, ils, elles**   **nous‿habitons**   **elles‿étudient**

The French present tense corresponds to three English forms.

Nathalie **parle** français.   { *Nathalie **speaks** French.*
*Nathalie **is speaking** French.*
*Nathalie **does speak** French.*

Quelques verbes en -er

parler	to speak, talk	Nous **parlons** français.
visiter	to visit	Vous **visitez** Québec.
aimer	to like, love	J'**aime** le sport.
étudier	to study	Claire **étudie** les finances.
habiter	to live	Ma cousine **habite** à Montréal.
inviter	to invite	J'**invite** un copain au restaurant.

4 Tourisme à Québec

A group of French students is in Quebec. Say what place each one is visiting, using the appropriate forms of **visiter**.

1. Léa et Mélanie _____ la Citadelle.
2. Nous _____ l'Université Laval.
3. Vous _____ les Plaines d'Abraham.
4. Éric et Théo _____ la cathédrale.
5. Claire _____ le Musée de l'Amérique française.
6. Tu _____ le vieux (old) Québec.
7. Thomas _____ le Parlement.
8. Je _____ Sainte-Anne-de-Beaupré.

5 Vive la différence!

People do different things. Express this by completing the sentences with the suggested verbs.

1. (parler) Nous _____ français. Vous _____ anglais.
2. (habiter) Alice _____ sur le campus. Éric et Antoine _____ dans un appartement.
3. (étudier) Tu _____ la physique. J'_____ l'histoire.
4. (aimer) Vous _cmaiz_ la musique classique. Nous _____ le rock.
5. (inviter) Pauline _____ un copain. Lucas _____ une copine.
6. (visiter) Nous _____ Québec. Vous _____ Montréal.

6 Et vous?

Choose a partner and talk about yourselves, using the suggestions in the box. Are you similar or different in what you do?

— Je...
— Moi, je...

• aimer	(le sport? la musique? le cinéma? ...?)
• parler	(anglais? français? espagnol? ...?)
• étudier	(la biologie? les maths? l'histoire? ...?)
• habiter	(sur le campus? dans un appartement? avec mes parents? ...?)

C. La négation · TO DESCRIBE WHAT WE DO NOT DO

To describe what we do not do, we use NEGATIVE sentences.
Compare the affirmative and negative sentences below.

Je suis à Québec.	Je **ne suis pas** à Montréal.	*I **am not** in Montreal.*
Anne est canadienne.	Elle **n'est pas** française.	*She **is not** French.*
Nous parlons français.	Nous **ne parlons pas** espagnol.	*We **don't speak** Spanish.*
Éric étudie l'histoire.	Il **n'étudie pas** l'anglais.	*He **doesn't study** English.*

In French, NEGATIVE sentences are formed as follows:	
subject + **ne** + verb + **pas** ... ↓ **n'** (+ vowel sound)	Nous **ne** visitons **pas** Paris. Nous **n'**habitons **pas** en France.

▰▰▶ The word **pas** can be used alone in short answers.

Tu parles français?   Oui, mais **pas** très bien.   *Yes, but **not** very well.*

---

7 Nous sommes différents ·

You and your partner are polar opposites. Say what you do and don't do.

✸ parler italien
  — *Je parle italien. Et toi?*
  — *Je ne parle pas italien.*

1. étudier les maths
2. habiter sur le campus
3. étudier la biologie
4. étudier beaucoup (*a lot*)
5. aimer l'art moderne
6. visiter les musées
7. être optimiste
8. être timide

---

8 Oui et non ·

We all do certain things, but not others. Express this for the following people.

✸ Alice habite à Québec. (à Montréal)   *Alice n'habite pas à Montréal.*

1. Nous parlons français. (anglais)
2. Vous visitez Paris. (Rome)
3. J'étudie la physique. (la biologie)
4. Tu es au café. (à l'université)
5. Pierre invite Mélanie. (Léa)
6. Pauline aime Lucas. (Théo)
7. Tu aimes la musique. (le sport)
8. Isabelle est française. (canadienne)

9 Et vous? ●

Get acquainted with your classmates. Ask them if they do the following. They will use one of the above expressions in their answers.

✳ parler italien
— *Tu parles italien?*
— *Bien sûr, je parle italien.*
ou — *Pas du tout! Je ne parle pas italien.*

1. parler russe?
2. étudier la physique?
3. étudier le week-end (*on weekends*)?
4. habiter dans un appartement?
5. aimer le rap?

6. aimer l'opéra?
7. visiter les musées?
8. être végétarien(ne)?
9. être pessimiste?
10. admirer le président?

D. L'expression négative *ne... jamais*   TO DESCRIBE WHAT WE NEVER DO

Note how the French indicate what they NEVER do.

Nous **ne parlons jamais** anglais en classe.   *We **never speak** English in class.*
Je **n'étudie jamais** le week-end.   *I **don't ever study** on weekends.*

The negative expression **ne (n')... jamais** (*never, not ever*) follows the same pattern as **ne... pas.**	
subject + **ne** + verb + **jamais** ... ↓ **n'** (+ vowel sound)	Anne **ne** parle **jamais** anglais. Vous **n'êtes jamais** sur le campus.

10 Jamais le week-end ●

With your partner, say what the following students do during the week (**en semaine**) and what they never do on weekends (**le week-end**).

✳ tu / étudier
— *En semaine, tu étudies.*
— *Le week-end, tu n'étudies jamais.*

1. nous / étudier
2. Isabelle / être sur le campus
3. vous / parler au professeur
4. tu / être au laboratoire

5. vous / dîner à la cafétéria
6. Éric / préparer le cours
7. Pauline / surfer sur Internet
8. tu / téléphoner à ton cousin

E. Le pronom *on* — TO MAKE GENERALIZATIONS

The French often use the pronoun **on** to make general statements.

À Québec, **on** parle français.　　　　*In Quebec City, **they (people)** speak French.*

Quand **on** est jeune, **on** aime le sport.　　*When **one** is (**you** are) young, **one** likes (**you** like) sports.*

The pronoun **on** is always used with a SINGULAR verb. It has many English equivalents.		
on + **il/elle**-form of verb	Ici, **on** travaille beaucoup.	*Here one works a lot.* *Here they work a lot.* *Here you work a lot.* *Here we work a lot.* *Here people work a lot.*

➡ There is liaison after **on** when the next word begins with a vowel sound.

　　On‿est comme **on‿est**.　　*We are like we are.*

➡ In conversation **on** is often used instead of **nous.**

　　On invite un copain?　　*Do we invite a friend?*

⑪ En Amérique

Explain what people do or do not do in America.

✴ parler français?
  On ne parle pas français.

1. parler espagnol?
2. aimer les sports?
3. admirer les athlètes?
4. être optimiste?
5. respecter l'environnement?
6. conserver l'énergie?
7. aimer la justice?
8. aimer la violence?

⑫ Mes copains et moi

Tell about you and your friends.

✴ étudier beaucoup (*a lot*)?
  On étudie beaucoup.
  ou ***On n'étudie pas beaucoup.***

1. habiter sur le campus?
2. parler français?
3. aimer le football?
4. aimer la musique classique?
5. parler de politique?
6. être libéral?
7. admirer le président?
8. être idéaliste?

Phonétique: Les voyelles /u/ et /i/

- The letters "ou" represent the sound /u/. Do not let the vowel glide, as in English.
  Répétez: <u>vou</u>s <u>nou</u>s <u>dou</u>ze éc<u>ou</u>te beauc<u>ou</u>p <u>sou</u>vent t<u>ou</u>j<u>ou</u>rs c<u>ou</u>sin

- The letters "i" and "y" represent the sound /i/ as in **Mimi.** Do not let the vowel glide.
  Répétez: <u>i</u>l am<u>i</u> m<u>i</u>d<u>i</u> s<u>i</u>x cop<u>i</u>ne auss<u>i</u> v<u>i</u>s<u>i</u>ter f<u>i</u>nance S<u>y</u>lv<u>i</u>e phys<u>i</u>que

À votre tour

Compréhension orale

You will hear people mentioning various activities. If they use an affirmative sentence to say what they are doing, mark **oui.** If they use a negative sentence to say what they are not doing, mark **non.**

	✹	1	2	3	4	5	6	7	8	9	10
oui											
non	X										

Conversation dirigée

You are at the International Club and strike up a conversation with a student from Quebec. Tell him/her more about yourself and your studies (using the list on p. 14). He/she will give you similar information.

First give your name, and then tell your partner (the student from Quebec) . . .
- what nationality you are
- what subjects you study
- what subjects you do not like
- in which city you live
- what subjects you like

Expression libre

Interview four classmates, recording their answers in the chart below. What are the similarities and differences? Begin your questions with **tu.**

	✹ Teresa	1.	2.	3.	4.
parler espagnol?	oui				
étudier le chinois?	non				
habiter sur le campus?	oui				
aimer le rap?	non				

Expression écrite

In the following e-mail, Élodie tells you about her student life in France. Write her a similar letter in which you describe your campus activities.

Chers amis,

Je m'appelle Élodie Martin. Je suis étudiante à l'Université de Montpellier. Je n'habite pas sur le campus. J'habite avec une copine.

J'étudie la sociologie. À l'université on étudie beaucoup, mais le week-end on n'étudie pas. Personnellement, j'aime la musique et le cinéma. Et vous?

Élodie

À Dakar

Objectives
- To ask yes/no questions
- To talk about our preferences
- To give the days of the week

 Malika and Ousmane are from Senegal. They live in Dakar and are students at the Université Cheikh Anta Diop. Here they introduce themselves and talk about what they like to do.

MALIKA:	Bonjour! Je m'appelle Malika.
OUSMANE:	Et moi, je m'appelle Ousmane. Nous sommes **étudiants** à l'Université de Dakar.
MALIKA:	J'**étudie** la biologie et Ousmane est étudiant en informatique. Il est **toujours** très **occupé** avec son **ordinateur**.
OUSMANE:	Mais non! J'aime aussi la musique, le cinéma, le sport… Je **joue** au basket et j'adore jouer au foot.
MALIKA:	Tu ne joues pas très **souvent**. Tu préfères **regarder** les **matchs** à la télé.
OUSMANE:	Tu exagères! J'aime **beaucoup** l'activité physique.
MALIKA:	**Dans ce cas**, est-ce que tu **veux aller** danser **samedi**?
OUSMANE:	Euh… je **voudrais** bien, mais je **dois** préparer un examen.
MALIKA:	Un examen? Tu **as** toujours une **bonne** excuse. En réalité, tu n'aimes pas danser. Tu préfères dîner au restaurant?
OUSMANE:	Au restaurant? Ah oui! C'est une **très bonne idée**!
MALIKA:	**Alors, à samedi**!

Glosses:
- *students*
- *am studying*
- *always / busy / computer*
- *play*
- *often / watch / games*
- *very much*
- *In that case / want / to go / Saturday*
- *would like / have to*
- *have / good*
- *very good idea*
- *So / see you Saturday*

À propos du texte

Vrai ou faux? (*True or false?*)

1. Malika habite à Dakar.
2. Elle est étudiante.
3. Elle ne parle pas français.
4. Elle étudie l'informatique.
5. Elle aime danser.
6. Ousmane aime les sports.
7. Il regarde les sports à la télé.
8. Il aime danser.

Note culturelle
Dakar et le Sénégal

Le Sénégal

Population: 10 millions
Capitale: Dakar
Religion: 90% Musulmans
Monnaie: le franc CFA*
Devise: Un peuple, un but, une foi
(*One people, one goal, one faith*)

Dakar is the capital of Senegal, a country where people speak many local languages and where French has been adopted as the common language of administration, business, and education.

From its beginnings as a small fishing village, Dakar has grown into a large cosmopolitan center of more than 2,200,000 people. With its busy harbor, it is one of the principal industrial and commercial hubs of West Africa, connecting these countries to the rest of the world.

Dakar is also a vibrant artistic center, known for its musicians, its dance groups, its cinematographers, and, increasingly, its high fashion. Combining bold designs with highly colored fabrics, local designers export Dakar elegance to the rest of the world.

Dakar has much to offer the visitor. Its numerous open-air and covered markets display an abundant array of exotic products, arts and crafts, and colorful hand-dyed fabrics. The **Musée de l'IFAN (Institut Fondamental de l'Afrique Noire)** features exhibits of modern and traditional African arts. The **Grande Mosquée de Ouakam** is a testimony to the Muslim faith of the Senegalese people. The most visited place, however, is the **Maison des Esclaves** on the nearby island of Gorée. This reconstituted jail, built on the site where captured African prisoners were held before their deportation to the Americas, is a cruel reminder of the horrors of the slave trade.

* **CFA** = Communauté Financière d'Afrique. The **CFA franc** is attached to the euro.

À votre avis

Would you like to visit Dakar? Why or why not?

La langue française

Vocabulaire: Activités

Qu'est-ce que tu fais?	*What are you doing?*	**J'étudie.**
Qu'est-ce que tu aimes faire?	*What do you like to do?*	**J'aime voyager.**

TOUS LES JOURS (*every day*)

écouter	to listen to	Marc et Céline **écoutent** la radio (un CD...).
		J'**écoute** mon copain.
regarder	to look at	Nous **regardons** le prof (une photo...).
	to watch	Je **regarde** la télé (un film...).
dîner	to have dinner	Tu **dînes** au restaurant (à la cafétéria...).
manger	to eat	Je **mange** un sandwich (une pizza, une salade...).
téléphoner (à)	to phone	Je **téléphone à** un ami.
travailler	to work	Je **travaille** à la cafétéria (pour mon oncle...).

LES LOISIRS (*leisure activities*)

chanter	to sing	Je **chante** dans une chorale (*choir*).
danser	to dance	Zoé et Richard **dansent** le rock.
jouer (à)	to play	Nous **jouons au** tennis et **au** volley (*volleyball*).
		Alice **joue au** foot (*soccer*) et **au** basket (*basketball*).
nager	to swim	Je **nage** dans l'océan.
voyager	to travel	Paul **voyage** avec un copain.

➠ The **nous** form of verbs in **-ger** ends in **-geons.**

Nous **nageons** bien.   Nous **mangeons** une omelette.   Nous **voyageons.**

➠ Note the constructions with **regarder, écouter,** and **téléphoner.**

Philippe **regarde**	...	Alice.
Philippe looks	*at*	*Alice.*

Céline **téléphone**	à	Pierre.
Céline is phoning	*...*	*Pierre.*

Alice **écoute**	...	le professeur.
Alice is listening	*to*	*the teacher.*

1 Ce week-end (*This weekend*)

Say what the following people are doing this weekend. Choose an activity for each person.

- nous   *we*
- vous   *you*
- Antoine   *Il*
- Émilie et Lisa   *They*
- Monsieur et Madame Charron   *They*
- je   *I*
- tu   *you*

★ *Émilie et Lisa jouent au tennis.*

2 Qu'est-ce qu'ils font?

Describe the activities of the following people by completing the sentences with the appropriate verb.

1. Clément _____ à la cafétéria.
2. Mélanie _____ une pizza.
3. Thomas _____ la radio.
4. Léa _____ un film.

5. Cécile _____ dans une chorale (*choir*).
6. Paul _____ au foot.
7. Lucas _____ en bus.
8. Ma cousine _____ dans une banque (*bank*).

3 Mes activités

Describe some activities you do and some that you do not do during the week and when you are on vacation. Compare activities with your partner.

En semaine
• *J'étudie.*
•
•

En vacances
• *Je joue au tennis.*
•
•

A. Questions à réponse oui ou non

TO ASK A YES/NO QUESTION

Often we ask questions to get a simple yes or no answer. Compare the statements and the corresponding YES/NO QUESTIONS below.

Tu joues au foot.	**Est-ce que** tu joues au foot?	*Do you play soccer?*
Paul habite à Paris.	**Est-ce que** Paul habite à Paris?	*Does Paul live in Paris?*
Il est français.	**Est-ce qu'**il est français?	*Is he French?*

In French, YES/NO QUESTIONS are commonly formed as follows:

est-ce que + subject + verb...	**Est-ce que** Pauline joue au tennis?
↓	
est-ce qu' (before a vowel sound)	**Est-ce qu'**elle joue au tennis?

➠ In French, as in English, your voice goes up at the end of a yes/no question.

Est-ce que tu aimes voyager?

➠ In conversational French, yes/no questions may be formed simply by intonation, without the addition of **est-ce que.** Compare:

Vous jouez au volley.   Vous jouez au volley?

À noter

Yes/no questions may also be formed by adding the tag expression **n'est-ce pas.**

| Tu habites à Paris. | Tu habites à Paris, **n'est-ce pas**? | *You live in Paris, don't you?* |
| Vous êtes français. | Vous êtes français, **n'est-ce pas**? | *You're French, aren't you?* |

→ When asking a **n'est-ce pas** question, the speaker expects a YES answer.

---

4 **Le club des sports** •

You are secretary of the Sports Club. Ask if the following people play certain sports.

✱ Anne-Marie / volley?   *Est-ce qu'Anne-Marie joue au volley?*

1. Carole / tennis?
2. Paul et Thomas / foot?
3. vous / basket?
4. tu / ping-pong?
5. Isabelle / golf?
6. ta cousine / rugby?
7. Antoine / baseball?
8. Lisa et Théo / basket?

Vocabulaire: Expressions utiles

bien	*well*	Tu chantes **bien.**
mal	*badly, poorly*	Je chante **mal.**
assez	*rather, fairly*	Vous dansez **assez** bien!
très	*very*	Anne joue **très** bien au tennis.
assez	*enough*	Vous n'étudiez pas **assez!**
peu	*not much*	Je mange **peu.**
beaucoup	*a lot, (very) much*	Nous regardons **beaucoup** la télé.
trop	*too much*	Tu travailles **trop!**
toujours	*always*	Nous parlons **toujours** français en classe.
souvent	*often*	Pauline ne dîne pas **souvent** au restaurant.
aussi	*also, too*	Je joue au volley. Je joue **aussi** au basket.
maintenant	*now*	**Maintenant,** nous sommes à l'université.

➡ In French, adverbs like **bien, mal, souvent** usually come immediately AFTER the verb. They NEVER come between the subject and the verb.

Je joue **souvent** au tennis.   *I **often** play tennis.*

5 Conversation

Ask your classmates if they do the following things.

❋ téléphoner souvent?
 — *Est-ce que tu téléphones souvent?*
 — *Oui, je téléphone souvent.*
ou — *Non, je ne téléphone pas souvent.*

1. voyager beaucoup?
2. chanter bien?
3. étudier trop?
4. manger assez?
5. jouer bien au volley?
6. dîner souvent au restaurant?
7. regarder souvent la télé?
8. habiter sur le campus maintenant?

6 D'autres questions

Ask your partner about what other people do.

❋ ton copain / téléphoner souvent?
 — *Est-ce que ton copain téléphone souvent?*
 — *Oui, il téléphone souvent.*
ou — *Non, il ne téléphone pas souvent.*

1. ton (ta) camarade de chambre / étudier assez?
2. tes parents / voyager souvent?
3. Céline Dion / chanter bien?
4. les Yankees / jouer mal?
5. les Américains / travailler trop?
6. les Français / manger bien?

B. La construction infinitive · TO SAY WHAT WE LIKE TO DO

Note how people express what they like or do not like to do.

J'aime **voyager**.	*I like to travel.*	*(I like traveling.)*
Nous n'aimons pas **étudier**.	*We don't like to study.*	*(We don't like studying.)*

The INFINITIVE is often used after verbs like **aimer,** according to the pattern:

subject + (**ne**) + main verb + (**pas**) + INFINITIVE...

Lisa **aime jouer** au foot.	Lisa *likes to play* soccer.
Elle **n'aime pas regarder** la télé.	She *does not like to watch* TV.

➡ In infinitive constructions the MAIN VERB is conjugated. It may be affirmative or negative.

Vous **aimez** voyager?   Non, nous **n'aimons pas** voyager.

> **À noter**
> - In French, the infinitive consists of one word, whereas in English the infinitive often includes the word *to*.
>
>   **parler**   *to speak*   **jouer**   *to play*
> - French often uses an infinitive where the equivalent English sentence contains a verb in *-ing*.
>
>   J'aime **chanter**.   *I like singing. I like to sing.*

7 **Expression personnelle** ·

Ask your partner if he/she likes to do the following activities.

✳ parler français
  — *Tu aimes parler français?*
  — *Bien sûr, j'aime parler français.*
ou — *Mais non, je n'aime pas parler français.*

1. parler en public
2. voyager en train
3. jouer au tennis
4. nager dans l'océan
5. chanter
6. regarder la télé
7. travailler en groupe
8. dîner à la cafétéria
9. manger végétarien
10. organiser des fêtes (*parties*)
11. échanger des textos (*instant messages*)
12. surfer sur Internet

8 **Qu'est-ce qu'ils aiment?** ·

Choose two of the following people and tell what things they like to do and do not like to do.

> - mon copain
> - ma copine
> - mon frère
> - ma soeur
> - mon camarade de chambre
> - ma camarade de chambre

Vocabulaire: Invitations

to invite a friend

Est-ce que tu veux...?	*Do you want to . . . ?*	**Est-ce que tu veux** dîner au restaurant?
Est-ce que tu peux...?	*Can you . . . ?*	**Est-ce que tu peux** téléphoner à mon cousin?

to accept an invitation

Oui, d'accord.	*Yes, all right, okay.*	
Je veux bien.	*I'd love to.*	Oui, **je veux bien.**
		Oui, **je veux bien** dîner au restaurant.
Je voudrais...	*I would like . . .*	Oui, **je voudrais** dîner à huit heures.
Je peux...	*I can . . .*	Oui, **je peux** téléphoner à ton cousin.

to refuse an invitation

Je ne veux pas.	*I don't want to.*	**Je ne veux pas** jouer au tennis.
Je regrette, mais...	*I am sorry, but . . .*	**Je regrette, mais...**
je ne peux pas...	*I can't . . .*	**je ne peux pas** dîner au restaurant.
je dois...	*I must, have to . . .*	**je dois** préparer l'examen.

➡ The expression **être d'accord** means *to agree*.

Tu es d'accord avec moi? Non, **je ne suis pas d'accord.**

9 Invitations •

Invite your partner to do the activities suggested by the illustrations. He/She will accept or refuse politely.

 | 1. | 2. | 3. | 4. | 5.

✻ — *[Kevin], est-ce que tu veux jouer au basket?*
— *Oui, je veux bien.*
ou — *Je regrette, mais je ne peux pas.*

10 Excuses •

Ask if your partner wants to do certain things. He/She will turn down your invitation and give you an excuse.

✻ — *Est-ce que tu veux jouer au tennis?*
— *Je ne peux pas.*
Je dois préparer l'examen.

INVITATIONS	EXCUSES
• jouer au tennis	• étudier
• nager	• travailler
• regarder la télé	• préparer l'examen
• jouer au basket	• dîner
• visiter un musée	• aider (*help*) un
• manger une pizza	copain

Vocabulaire: Les jours de la semaine (*Days of the week*)

Quel jour est-ce?   *What day is it?*

Quel jour sommes-nous?   *What day are we?*

   aujourd'hui   *today*   **Aujourd'hui,** nous sommes lundi.

   demain   *tomorrow*   **Demain,** c'est mardi.

lundi	**mardi**	**mercredi**	**jeudi**	**vendredi**	**samedi**	**dimanche**
Monday	*Tuesday*	*Wednesday*	*Thursday*	*Friday*	*Saturday*	*Sunday*

➠ To tell people when you are going to meet them, use the expression **à** + DAY.

   À samedi.   *See you Saturday.*   **À demain.**   *See you tomorrow.*

11 Quel jour? •

Invite your partner to do certain things with you. He/She will accept and ask you what day.
Decide on a day and conclude the conversation.

✳ — dîner au restaurant
   — *Est-ce que tu veux dîner au restaurant?*
   — *Oui, je veux bien! Quel jour?*
   — *Jeudi.*
   — *D'accord! À jeudi!*

• jouer au volley

• visiter la ville (*city*)

• étudier avec moi

• organiser une fête (*party*)

• regarder un film

• dîner dans un restaurant vietnamien

Phonétique: La voyelle /ə/

When the letter "e" occurs at the end of a word or when it is followed by only one consonant
sound, it is called a "mute e." It either is silent or is pronounced /ə/. Be careful not to
pronounce it like the /ɛ/ in *elle*.

• Répétez: je que ne demain mercredi vendredi samedi regarder regretter

À votre tour

Compréhension orale

You will hear people talking about various activities. If they mention an activity shown in Group A, mark row A. If the activity is shown in Group B, mark row B.

A   B

	✸	1	2	3	4	5	6	7	8	9	10	11	12
A	X		✗	✗		✗			✗		✗	✗	
B		✗			✗		✗	✗		✗			✗

Conversation dirigée

You meet a Senegalese student at the gym. You want to know more about him/her.

Ask your partner (the Senegalese student) . . .

- if he/she speaks French
- if he/she plays soccer
- if he/she plays tennis
- if he/she likes to play tennis
- if he/she lives on campus (**sur le campus**)

- if he/she eats at the cafeteria
- if he/she likes Italian food (**la cuisine italienne**)
- if he/she wants to have dinner with you tonight (**ce soir**)

Expression libre

Find out what type of sports your partner likes to play by asking a few yes/no questions. Then invite your partner to play a sport you both like. Decide on a day (**quel jour**) and a time (**à quelle heure**).

nom de votre partenaire	sport	jour	heure

➤ **Révision**
l'heure: p. 7

Expression écrite

Read the following e-mail from Hamadi in which he talks about his favorite leisure activities. Then write a similar letter about yourself.

Bonjour! J'aime la musique. J'aime le rap mais je préfère le rock. Je n'écoute jamais la musique classique. J'aime le sport. J'aime jouer au foot et au basket. J'aime aussi nager, mais je ne nage pas souvent.

J'aime manger, mais je n'aime pas manger à la cafétéria. On ne mange pas bien. Je ne mange jamais à la cafétéria. Je dîne souvent dans un restaurant chinois avec ma copine. Nous adorons la cuisine chinoise.

Hamadi

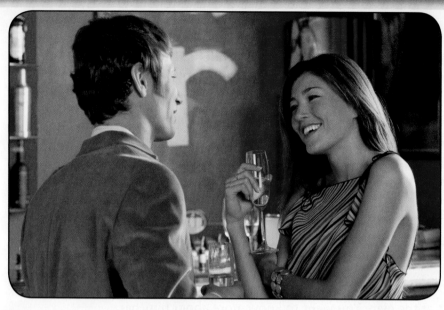

Objectives

- To ask for specific information
- To add emphasis to a statement
- To give dates

Isabelle and Jean-Pierre meet at a party in Geneva, Switzerland. Isabelle is Swiss. Jean-Pierre is from Belgium.

ISABELLE:	Je m'appelle Isabelle Lanson.	
JEAN-PIERRE:	Moi, je m'appelle Jean-Pierre Lamy. Je suis **belge**.	*Belgian*
ISABELLE:	Ah! **Où** est-ce que tu étudies?	*Where*
JEAN-PIERRE:	Je ne suis pas étudiant. Je suis à Genève pour mon **travail**.	*work, job*
ISABELLE:	Ah bon? **Pour qui** est-ce que tu travailles?	*For whom*
JEAN-PIERRE:	Pour une banque internationale. Je suis économiste.	
ISABELLE:	Tu aimes habiter à Genève?	
JEAN-PIERRE:	Bien sûr. J'adore l'ambiance cosmopolite.	
ISABELLE:	**Au fait**, est-ce que tu aimes la cuisine **suisse**?	*By the way / Swiss*
JEAN-PIERRE:	Bien sûr! **Pourquoi**?	*Why*
ISABELLE:	**Parce que** j'organise un dîner avec des copains. On va manger une fondue. Est-ce que tu veux dîner avec nous?	*Because*
JEAN-PIERRE:	Mais oui. Merci. **Quand**?	*When*
ISABELLE:	Le 28 octobre.	
JEAN-PIERRE:	Le 28 octobre? C'est le jour de mon **anniversaire**.	*birthday*
ISABELLE:	Alors, on va **célébrer** ton anniversaire **ensemble**. D'accord?	*celebrate / together*
JEAN-PIERRE:	**Super**!	*Great*

Note culturelle
Genève, ville internationale

La Suisse

Population: 6 millions
Capitale: Berne
Langues: allemand (69%)
français (22%)
italien (8%)
romanche (1%)
Monnaie: le franc suisse
Devise de Genève: Post tenebras lux
(*After the darkness, light*)

Geneva is the largest urban center of the French-speaking region of Switzerland. Located on the shores of the lake that bears its name, the city offers a beautiful view of the Alps.

In the course of its history, Geneva has always played a major international role in the domains of politics, business, and humanitarian outreach. Because of the neutrality of Switzerland in times of armed conflict, Geneva was chosen to be the seat of the League of Nations after World War I. At present, it serves as the European headquarters of the United Nations, regularly hosting international conferences on topics of global importance, such as scientific cooperation, disarmament, and aid to impoverished African nations.

Today, Geneva is also a world-class banking and business center. This role has evolved historically from the city's strategic location at the crossroads of important European trade routes. From the time of the Middle Ages, merchants have come to Geneva to exchange goods and finance their business dealings.

Over the past several centuries, Geneva has been a hub of humanitarian endeavors of all kinds. Because of the generosity and open-mindedness of its citizens, the city has provided a safe haven for foreigners in difficulty: French Huguenots and Italian Protestants persecuted in their own countries at the time of the Reformation, political exiles of various beliefs—mostly anonymous, some well-known, like Lenin prior to the Russian Revolution—and civilian refugees in time of war.

The humanitarian vocation of the city is probably best symbolized by the Geneva Convention, which established a code of ethics for combatants and protects the rights of prisoners of war. The major force behind the First Geneva Convention in 1864 was a local businessman named Henri Dunant, now best known for having founded the Red Cross. Headquartered in Geneva, **la Croix Rouge Internationale** brings humanitarian relief to victims of war and natural disasters in all parts of the world.

À votre avis

Which aspects of Geneva attract you the most? Explain.

La langue française

A. Questions d'information

To obtain specific information, we begin our questions with an INTERROGATIVE EXPRESSION that indicates the type of information we are looking for. Note the use of interrogative expressions in the questions below.

	questions	answers
(where)	**Où** est-ce que tu habites?	J'habite **à Bruxelles** en Belgique.
(when)	**Quand** est-ce que vous visitez Paris?	Nous visitons Paris **en septembre.**
(at what time)	**À quelle heure** est-ce qu'on dîne?	On dîne **à huit heures.**
(why)	**Pourquoi** est-ce que tu étudies le français?	**Parce que je veux travailler à Genève.**

INFORMATION QUESTIONS generally follow the pattern:

INTERROGATIVE EXPRESSION + **est-ce que** + subject + verb… ↓ **est-ce qu'**	**Où est-ce que** vous habitez? **Quand est-ce qu'**on dîne?

➡ In casual conversation, information questions can be formed by putting the interrogative expression at the end of the sentence and letting your voice rise.

> Vous habitez **où?**   Ils travaillent **quand?**

➡ Information questions can also be formed by INVERSION, that is, by putting the subject after the verb.

> Où **habite Anne-Marie?**   Où **habitez-vous?**

Vocabulaire: Expressions interrogatives

où?	where?	**Où** est-ce que vous habitez?
quand?	when?	**Quand** est-ce que ton cousin arrive à Genève?
à quelle heure?	at what time?	**À quelle heure** est-ce que vous dînez?
comment?	how? how well?	**Comment** est-ce que vous jouez au tennis?
pourquoi?	why?	**Pourquoi** est-ce que tu étudies la biologie?
parce que	because	**Parce que** je veux être médecin (*doctor*).

ÉLISION
parce que →
parce qu'

➡ Many interrogative expressions may also be used in statements.

> J'écoute la radio **quand** je dîne.   *I listen to the radio **when** I have dinner.*
>
> Voici la résidence **où** j'habite.   *Here is the dorm **where** I live.*

1 Conversation

At a party in Paris, Nicolas meets Rachel, a Belgian student. They engage in a conversation. Recreate the dialogue with your partner.

✸ où / habiter?   NICOLAS: *Où est-ce que tu habites?*
(à Bruxelles)   RACHEL: *J'habite à Bruxelles.*

1. où / étudier?
   (à l'Université de Louvain)
2. quand / parler français?
   (toujours)
3. pourquoi / être à Paris?
   (parce que j'aime la France)
4. quand / visiter le Louvre?
   (demain)
5. comment / parler anglais?
   (assez bien)
6. pourquoi / étudier l'anglais?
   (parce que je veux visiter l'Amérique)
7. quand / voyager en Amérique?
   (en octobre)
8. comment / voyager?
   (en bus)

2 Questions et réponses

Complete the questions on the left with interrogative expressions that correspond to the answers on the right.

✸ <u>*Où est-ce que*</u> vous dînez?   Au restaurant «Lucullus».

1. _____ tu dînes?   À sept heures et demie.
2. Pourquoi vous étudiez maintenant?   Parce que nous préparons l'examen.
3. Comment ton copain joue au tennis?   Il joue assez bien.
4. Quand vous jouez au volley?   En général, le samedi.
5. Pourquoi tu étudies l'espagnol?   Parce que je veux visiter le Mexique.
6. Où ton cousin travaille?   Il travaille à l'Office de Tourisme.
7. Pourquoi tu dînes dans un restaurant italien?   Parce que j'adore les spaghetti.
8. Quand vous voyagez en Italie?   En septembre.

3 Et vous?

Now let's talk about you.

1. Où est-ce que vous habitez?
2. À quelle université est-ce que vous étudiez?
3. Quels sujets (*Which subjects*) est-ce que vous étudiez?
4. En général, à quelle heure est-ce que vous arrivez sur le campus?
5. En général, où est-ce que vous dînez?
6. À quelle heure est-ce que vous dînez?
7. Quels programmes de télé est-ce que vous regardez?

À noter

The INTERROGATIVE ADJECTIVE **quel** (*which, what*) is frequently used in information questions.

    Quel jour sommes-nous?   **Quelle** heure est-il?

B. Questions avec *qui* et *que* — TO ASK ABOUT PEOPLE AND THINGS

To ask about PEOPLE, French uses the INTERROGATIVE PRONOUN **qui** (*who, whom*) in the following constructions.

qui?	*who(m)?*	**Qui** est-ce que tu invites au concert?
à qui?	*to who(m)?*	**À qui** est-ce que vous téléphonez?
de qui?	*about who(m)?*	**De qui** est-ce que tu parles?
avec qui?	*with who(m)?*	**Avec qui** est-ce que Pierre étudie?
pour qui?	*for who(m)?*	**Pour qui** est-ce que ton cousin travaille?

To ask WHO IS DOING something, the expression **est-ce que** is omitted.

qui + verb...?	*who . . . ?*	**Qui** habite ici?

To ask about THINGS, French uses the INTERROGATIVE PRONOUNS **que** and **quoi** (*what*) in the following constructions.

qu'est-ce que?	*what?*	**Qu'est-ce que** tu étudies?
de quoi?	*about what?*	**De quoi** est-ce que vous parlez?

➠ **Quoi** may also be used alone.

   Quoi?   *What?*

4 Un sondage *(poll)* •

Take a survey of your classmates to find out about their leisure activities. What is the most popular activity?

✶ jouer au volley?
   Qui joue au volley?

1. jouer au basket?
2. regarder souvent la télé?
3. surfer sur Internet?
4. écouter la musique classique?
5. jouer de la guitare?

6. regarder les films d'action?
7. aimer danser?
8. dîner au restaurant?
9. visiter les musées?
10. voyager?

5 Répète, s'il te plaît (Please repeat)

A classmate will mention what he/she is doing. Because of the noise, you can't quite hear the end of the sentence. Ask your partner to repeat the information you missed.

✱ J'invite [ma copine].
   Qui est-ce que tu invites?

1. J'écoute [un CD].
2. Je regarde [un film].
3. Je téléphone [à mon frère].
4. Je parle [à un copain].
5. Je mange [un sandwich].
6. Je prépare [mon cours d'anglais].
7. J'écoute [le professeur].
8. Je parle [de l'examen].

6 Conversation

Get better acquainted with your classmates by asking a few questions about what they do.

✱ avec qui? (étudier)
   — *Avec qui est-ce que tu étudies?*
   — *J'étudie avec un copain (avec mon/ma camarade de chambre).*

- avec qui? (parler français)

- avec qui? (jouer au tennis)

- à qui? (téléphoner le soir [*in the evening*])

- qu'est-ce que? (écouter à la radio)

- qu'est-ce que? (regarder à la télé en semaine [*during the week*])

- qu'est-ce que? (regarder à la télé le dimanche [*on Sundays*])

- de quoi? (parler avec ton copain/ta copine)

C. Les pronoms accentués

To refer to people, we use different types of pronouns. In the responses on the right, the pronouns in boldface print are called STRESS PRONOUNS.

| Tu dînes avec **tes parents?** | Oui, je dîne avec **eux.** |
| Tu travailles pour **Monsieur Leblanc?** | Oui, je travaille pour **lui.** |

FORMS

Each subject pronoun has a corresponding stress pronoun.

(subject pronoun)	stress pronoun	(subject pronoun)	stress pronoun
(je)	**moi**	(nous)	**nous**
(tu)	**toi**	(vous)	**vous**
(il) (elle)	**lui** **elle**	(ils) (elles)	**eux** **elles**

USES

Stress pronouns are used:

- to reinforce a subject pronoun
  Moi, je parle français.   *I speak French.*
  Vous, vous parlez anglais.   *You speak English.*

- after **c'est** and **ce n'est pas**
  — C'est Paul?
  — Non, ce n'est pas **lui.**   *No, it's not **him.***

- in short sentences where there is no verb
  — Qui parle français ici?
  — **Moi!**   *I do!*

- before and after **et** and **ou**
  Moi et lui, nous sommes français.   *He and I, (we) are French.*

- after PREPOSITIONS like **de, avec, pour**
  Voici Thomas. Nous parlons souvent **de lui.**   *We often talk **about him.***
  Voici Marc et Paul. Je joue au foot **avec eux.**   *I play soccer **with them.***
  Voici Monsieur Lucas. Nous travaillons **pour lui.**   *We work **for him.***

Expressions pour la conversation

to agree with a positive statement	to agree with a negative statement
Moi aussi. *Me too.*	**Moi non plus.** *Me neither.*
— J'aime voyager.	— Je n'aime pas voyager.
— **Moi aussi!**	— **Moi non plus!**

7 Oui!

Answer the following questions affirmatively using only pronouns.

✳ Patrick dîne avec Élise?
Oui, il dîne avec elle.

1. Julie joue au tennis avec Paul?
2. Alice étudie avec Mélanie?
3. Lucas voyage avec Jean-Pierre?
4. Isabelle parle français avec le professeur?
5. Pauline habite avec sa (*her*) cousine?
6. Élodie voyage avec ses (*her*) parents?
7. Philippe travaille pour son (*his*) oncle?
8. Madame Lambert travaille pour ses clients?

8 Oui ou non?

A classmate will ask you if you would like to engage in certain activities with well-known people and groups. Give your response.

✳ jouer au tennis avec Serena Williams?
— *Est-ce que tu veux jouer au tennis avec Serena Williams?*
— *Bien sûr, je voudrais jouer avec elle.*
ou — *Mais non, je ne veux pas jouer avec elle.*

1. jouer au golf avec Tiger Woods?
2. jouer au basket avec Shaquille O'Neal?
3. jouer au baseball avec les Yankees?
4. jouer au foot avec Mia Hamm?
5. chanter avec Avril Lavigne?
6. parler avec Oprah Winfrey?
8. travailler pour le président?

9 Et toi?

Say whether or not you do the following things. Then ask if your partner agrees with you.

✳ chanter bien
— *Je chante bien. Et toi?*
— *Moi aussi, je chante bien.*
ou — *Moi, je ne chante pas bien.*

— *Je ne chante pas bien. Et toi?*
— *Moi non plus, je ne chante pas bien.*
ou — *Moi, je chante bien.*

1. voyager souvent
2. travailler beaucoup
3. jouer au tennis
4. parler espagnol
5. jouer au basket
6. danser très bien
7. aimer la cuisine chinoise
8. être pessimiste

D. La date — TO GIVE THE DATE

Vocabulaire: La date, les mois et les saisons

Quelle est la date?	*What's the date?*
C'est le 2 avril.	*It's April second.*
Mon anniversaire est le 3 mai.	*My birthday is (on) May third.*
J'ai rendez-vous le 5 juin.	*I have a date/appointment (on) June fifth.*

un an	*year*
un mois	*month*

une année	*(whole) year*
une saison	*season*

janvier	avril	juillet	octobre
février	mai	août	novembre
mars	juin	septembre	décembre

le printemps	*spring*
l'été	*summer*
l'automne	*fall*
l'hiver	*winter*

In French, DATES are expressed with cardinal numbers (that is, numbers used in counting). The day always precedes the month.

le + number + month	**le trois** octobre **le vingt-cinq** septembre

➡ EXCEPTION: The first of the month is **le premier.**

> **le premier** avril   **le premier** octobre

➡ In writing, dates are abbreviated by giving the day before the month.

> 7/3 = le 7 mars   6/11 = le 6 novembre

🔟 Dates ·····································

Complete the following sentences with the appropriate dates.

1. Aujourd'hui, nous sommes...
2. Demain, c'est...
3. Mon anniversaire est...
4. Noël est...
5. La fête nationale (*national holiday*) est...
6. L'examen de français est...
7. Les vacances (*vacation*) commencent...
8. J'ai rendez-vous chez le dentiste...

Phonétique : Les voyelles /e/ et /ɛ/

- In French, the vowel /e/ is very tense. There is no glide, as in English.
  Répétez: <u>e</u>t <u>é</u>t<u>é</u> ann<u>ée</u> f<u>é</u>vrier d<u>é</u>cembre t<u>é</u>l<u>é</u>phon<u>er</u> <u>é</u>tudi<u>er</u> visit<u>ez</u>

- The vowel /ɛ/ is usually followed by a consonant sound.
  Répétez: <u>e</u>lle av<u>e</u>c hiv<u>e</u>r p<u>è</u>re m<u>è</u>re fr<u>è</u>re anniv<u>e</u>rs<u>ai</u>re <u>ê</u>tre

À votre tour

Compréhension orale

You will hear a series of questions in which different speakers ask for specific information. Listen carefully to each question, paying attention to the interrogative expression. Mark the logical answer.

	✷	1	2	3	4	5	6	7	8
A. À Paris.									
B. En septembre.	✓								
C. Assez bien.									

Conversation dirigée

At a party, you meet an exchange student from Switzerland.

Ask your partner (the Swiss student) . . .
- where he/she lives
- where he/she studies
- what he/she studies
- how he/she speaks English
- why he/she is in America **(en Amérique)**
- what he/she watches on TV
- at what time he/she has dinner
- what he/she likes to eat

Expression libre

Ask five different classmates when their birthdays are. Do any have the same birthday?

✷ — *Vanessa, quand est-ce ton anniversaire?*
— *C'est le 21 mai.*

NOM	✷ *Vanessa*					
ANNIVERSAIRE	*le 21 mai*					

Expression écrite

In the following e-mail to his new roommate, Stéphane talks about himself and asks some questions. Write a similar letter to a prospective French roommate, describing yourself and asking information questions.

```
Salut! Je m'appelle Stéphane.
J'habite à Genève. Et toi, où est-ce que tu habites?
J'étudie l'espagnol parce que je veux travailler au Mexique. Et toi, qu'est-ce que tu
étudies? Pourquoi?
En général je dîne à 7 heures. Et toi, à quelle heure est-ce que tu dînes? Qu'est-ce que
tu aimes manger?
Le week-end, j'aime jouer au basket. Et toi, est-ce que tu joues au basket? Comment
est-ce que tu joues?
  Stéphane
```

LA COMMUNICATION

Au téléphone

Quand on est **à la maison** (*at home*),

on utilise le téléphone.

Quand on n'est pas à la maison,

on utilise **un portable/un mobile** (*cell phone*).

on téléphone d'**une cabine téléphonique** (*phone booth*)
avec **une télécarte** (*phone card*).

Le téléphone **sonne** (*rings*).

La ligne (*line*) est **occupée** (*busy*).

C'est **le répondeur** (*answering machine*).

On peut **laisser un message** (*leave a message*).

▶ *Comment parler au téléphone*

Allô!	*Hello!*
Bonjour, Paul Dubois **à l'appareil.**	*Hello, Paul Dubois speaking.*
Qui est à l'appareil?	*Who is calling?*
Ici c'est Paul Dubois.	*This is Paul Dubois.*
Est-ce que je pourrais parler à Céline?	*May I speak to Céline?*
C'est de la part de qui?	*Who is calling?*
Un instant, s'il vous plaît.	*Just a moment, please.*
Ne quittez pas, s'il vous plaît.	*Please hold.*
Au revoir!	*Good-by!*
À lundi!	*See you (on) Monday!*
À bientôt!	*See you soon!*

HM **Recherches Internet**

Go to a French Internet site and find a cell phone you would like to buy.
For instance, use the French search engine **www.google.fr** and type in
portables or **mobiles.** How do models and prices compare with those in
your area?

The URL's mentioned in *Recherches Internet* sections were active sites at the time
of printing. However, due to the unpredictable nature of the Internet, HMCo
cannot guarantee that they will remain so.

Le portable

The adoption of a common cell phone standard called GSM (Global Service for Mobiles) has facilitated the creation of a vast and efficient cell phone network throughout Europe.

In France, most people make extensive use of their cell phones. This use, however, is limited by regulations and etiquette. For instance, it is prohibited to use a cell phone in certain public spaces or while you are driving. It is also considered inappropriate to use a cell phone wherever your conversation might inconvenience people around you, especially in a restaurant, at a party, or on public transportation.

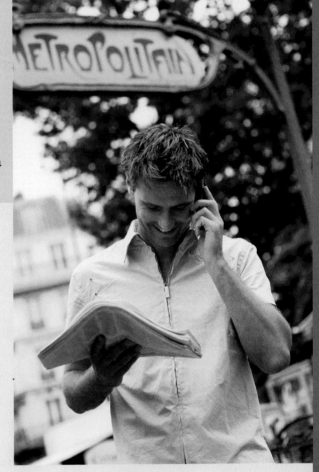

Conversation

Philippe calls Amélie to invite her to dinner.

PHILIPPE: Allô!

AMÉLIE: Allô? Qui est à l'appareil?

PHILIPPE: C'est moi, Philippe.

AMÉLIE: Ah, c'est toi! Ça va?

PHILIPPE: Oui, ça va. Dis (*Say*), Amélie, tu veux dîner avec moi?

AMÉLIE: Quand?

PHILIPPE: Mercredi.

AMÉLIE: Mercredi. D'accord! À quelle heure?

PHILIPPE: À huit heures?

AMÉLIE: Très bien! Alors (*So*), à mercredi, huit heures.

PHILIPPE: C'est ça (*Agreed*)! Au revoir, Amélie.

AMÉLIE: Au revoir, Philippe.

À votre tour

Au téléphone

Phone a classmate, using the conversation between Philippe and Amélie as a model. Suggest one of the following activities or another activity of your choice.

· dîner au restaurant
· jouer au tennis
· regarder un DVD
· manger une pizza

You should decide on a day and a time.

VIE PRATIQUE 2

Messages téléphoniques

Vous téléphonez et votre correspondant n'est pas là.

➡ *Comment laisser un message*

Veuillez laisser un message au beep sonore.	*Please leave a message at the tone.*
Ici Stéphanie.	*This is Stéphanie.*
Appelle-moi, s'il te plaît.	*Please call me.*
Je suis au 01.42.22.14.23.	*I am at 01.42.22.14.23.*
Mon numéro de portable est le 06.35.67.51.13.	*My cell phone number is 06.35.67.51.13.*

À votre tour

Messages téléphoniques

Imagine you are calling the following people who are not answering their phones.
Leave each one a message.

· Stéphane:
Give your name, as well as the day and time you are calling.
Ask if he wants to play soccer on Saturday.
Ask him to call you and leave your number.

· Florence:
Give your name and the day of the week.
Ask if she wants to have dinner at a restaurant tomorrow at seven.
Say you are also inviting Caroline.
Ask her to call you and leave your cell phone number.

En classe

Le professeur **donne** (*gives*) **des instructions:**

Écoutez.	*Listen.*
Répétez.	*Repeat.*
Encore une fois.	*Once more. Again.*
Répondez.	*Answer.*
Regardez.	*Look.*
Lisez.	*Read.*
Écrivez.	*Write.*
Faites l'exercice 3.	*Do exercise 3.*
Faites attention.	*Pay attention.*
Ouvrez vos livres.	*Open your books.*
Fermez vos cahiers.	*Close your notebooks.*
Prenez une feuille de papier.	*Take (out) a sheet of paper.*

Le professeur parle aux étudiants:

Très bien.	*Very good.*
Oui, c'est ça.	*Yes, that's it.*
Attention!	*Careful!*
Non, ce n'est pas ça.	*No, that's not it.*

➡ *Comment parler au professeur*

Savez-vous...?	*Do you know . . . ?*
Oui, je sais.	*Yes, I know.*
Non, je ne sais pas.	*No, I don't know.*
Comprenez-vous...?	*Do you understand . . . ?*
Oui, je comprends.	*Yes, I understand.*
Non, je ne comprends pas.	*No, I don't understand.*
Répétez, s'il vous plaît.	*Please repeat.*
Pouvez-vous répéter?	*Can you repeat?*
Comment dit-on «*cell phone*» **en français?**	*How do you say "cell phone" in French?*
Que signifie «répondeur»?	*What does "**répondeur**" mean?*

La France et les Français

La France

• Capitale: Paris
• Population: 62 millions
• Monnaie: l'euro
• Drapeau°: bleu, blanc, rouge
• Devise°: «Liberté, égalité, fraternité»
• Hymne national: La Marseillaise
• Fête° nationale: le 14 juillet

La République française est symbolisée par une jeune fille nommée° Marianne.

L'hexagone

La France est située° à l'ouest du continent européen. Elle a la forme générale d'un hexagone. C'est un pays° avec° un relief varié: plaines au nord et au centre, montagnes à l'est et au sud.

La France a des frontières° naturelles avec les pays voisins°: le Rhin avec l'Allemagne, les Alpes avec la Suisse et l'Italie, les Pyrénées avec l'Espagne. Les autres° frontières naturelles sont l'océan Atlantique à l'ouest et la Méditerranée au sud.

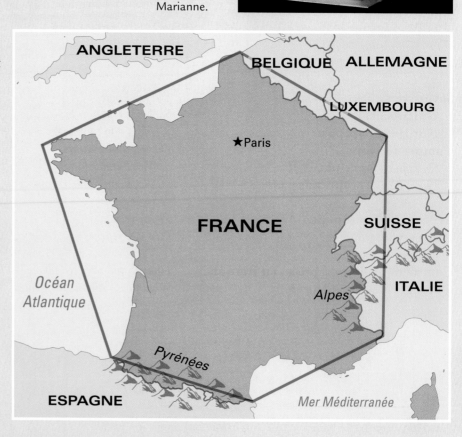

ANGLETERRE
BELGIQUE ALLEMAGNE
LUXEMBOURG
★Paris
FRANCE
SUISSE
Océan Atlantique
Alpes
ITALIE
Pyrénées
ESPAGNE
Mer Méditerranée

Drapeau *Flag* **Devise** *Motto* **Fête** *Holiday* **nommée** *named* **située** *located* **pays** *country* **avec** *with*
frontières *borders* **voisins** *neighboring* **autres** *other*

Les institutions

La France est une république constitutionnelle. Le Président de la République est élu° pour cinq ans°.

La France est une république laïque°. Il n'y a pas de° religion officielle. Toutes° les religions sont tolérées. Aucune° religion n'est privilégiée.

Le racisme et la discrimination sont des crimes. Les actes de racisme et de discrimination sont sévèrement° condamnés et punis°.

Liberté • Égalité • Fraternité
RÉPUBLIQUE FRANÇAISE

Économie, commerce et sciences

La France est la septième puissance° économique du monde (après° les États-Unis°, la Chine, le Japon, l'Inde, l'Allemagne et la Grande Bretagne).

Les principales industries de la France sont: l'automobile, la construction aéronautique et spatiale, les produits° chimiques°, les produits pharmaceutiques, l'électronique, l'informatique et le tourisme. La France est un pionnier dans le domaine de recherche contre le cancer et le SIDA°.

CARCASSONNE
Groupes 2006

www.carcassonne-tourisme.com

MICHELIN
Une meilleure façon d'avancer

Après la lecture
(After reading)
What are the most interesting facts that you learned about France?

Recherches Internet
(Exploration)
Find out more information about France. For example, you could check out:
www.premier-ministre.gouv.fr/en

élu *elected*   **ans** *years*   **laïque** *lay*   **Il n'y a pas de** *There is no*   **Toutes** *All*
Aucune *No*   **sévèrement** *severely*   **punis** *punished*   **puissance** *power*
après *after*   **États-Unis** *United States*   **produits** *products*   **chimiques** *chemical*
SIDA *AIDS*

Avant de lire
(*Before you read*)
What is the cultural makeup of today's French society?
- national origins
- religions

La France multiculturelle

La France a une population de 62 millions d'habitants°. La majorité des Français sont d'origine européenne, mais les non-Européens sont de plus en plus° nombreux°. Ils représentent environ° dix pour cent (10%) de la population. Les nouveaux° immigrants viennent° principalement du **Maghreb** (ou Afrique du Nord), de l'**Afrique occidentale** et de l'**Asie.**

La présence de ces immigrants donne un visage multiculturel et multiethnique à la France. Elle enrichit la vie° quotidienne° dans un grand nombre de domaines: musique, cuisine, langage. Malheureusement° la diversité des cultures crée° aussi des problèmes d'intégration et provoque un sentiment de xénophobie chez° une minorité de Français. Des organisations nationales comme° *SOS Racisme* luttent° pour les droits° des immigrants et contre° la discrimination.

PAYS D'ORIGINE DES IMMIGRANTS
le Maghreb (Afrique du Nord)
  l'Algérie
  le Maroc
  la Tunisie

l'Afrique occidentale
  le Sénégal
  le Mali
  le Cameroun

l'Asie
  le Vietnam
  la Chine
  le Cambodge
  Sri-Lanka

Le Nouvel An° chinois est célébré chaque année° à Paris.

---

habitants *inhabitants*   **de plus en plus** *more and more*   **nombreux** *numerous*   **environ** *about*   **nouveaux** *new*   **viennent** *come*   **vie** *life*   **quotidienne** *daily*   **Malheureusement** *Unfortunately*   **crée** *creates*   **chez** *in the minds of*   **comme** *like*   **luttent** *fight*   **droits** *rights*   **contre** *against*   **Nouvel An** *New Year*   **chaque année** *every year*

Des Français comme les autres°

Isabelle Adjani est une célèbre° actrice française. Elle est de père algérien et de mère allemande.

MC Solaar est le numéro un du rap français. Il est d'origine tchadienne.

Zinedine Zidane est le héros du football français moderne. Ce capitaine de l'équipe° victorieuse de la Coupe du Monde° est d'origine algérienne et berbère.

Kofi Yamgnane, ancien° secrétaire d'État à l'Intégration, est aussi le premier maire° noir° de France. Il est originaire du Togo.

HM **Recherches Internet**
(*Exploration*)
Find out more about one of the people pictured above.

Les religions en France

La majorité des Français sont catholiques (mais seulement° 10% sont pratiquants°). La France a la plus grande° population musulmane d'Europe (quatre millions) et la troisième plus grande population juive° du monde (après° Israël et les États-Unis).

LES RELIGIONS EN FRANCE

Parmi° les religions déclarées:

catholiques	82,0%
musulmans	7,0%
protestants	2,0%
juifs	1,0%
bouddhistes	0,7%
orthodoxes	0,3%

Après la lecture
(*After reading*)
How does France compare to the United States in terms of ethnic and religious diversity?

---

comme les autres *like the others* **célèbre** *famous* **équipe** *team* **Coupe du Monde** *World Cup* **ancien** *former*
maire *mayor* **noir** *black* **seulement** *only* **pratiquants** *practicing* **plus grande** *largest* **juive** *Jewish* **après** *after* **Parmi** *Among*

Avant de lire
(Before you read)
Can you name any events or festivities which the French like to celebrate?

Le calendrier des événements°

L'année° est marquée° par un certain nombre d'événements qui intéressent tous° les Français.

PRINTEMPS°

Mai: Le Festival de Cannes

En mai, les acteurs et actrices célèbres° arrivent à Cannes pour participer au grand festival mondial° de cinéma. Le jury choisit° le meilleur° film de l'année.

ÉTÉ°

Juin: La Fête de la Musique

Les Français saluent l'arrivée de l'été avec la Fête de la Musique. Il y a des concerts publics gratuits° dans toutes° les villes° de France. Ce jour-là°, tout le monde° fait° de la musique.

Juillet: La Fête Nationale

Les Français célèbrent leur fête nationale le 14 juillet avec un grand défilé° sur les Champs-Élysées. Le soir° on regarde les feux d'artifice° et on danse dans les rues°.

Juillet: Le Tour de France

Pendant° trois semaines de juillet, les coureurs° roulent° sur les routes de France. Le vainqueur° arrive triomphalement à Paris avec son maillot jaune°. Ici, Lance Armstrong, sept fois° victorieux du Tour de France.

événements *events* **année** *year* **marquée** *marked* **tous** *all* **printemps** *spring* **célèbres** *famous* **mondial** *worldwide* **choisit** *chooses* **meilleur** *best* **été** *summer* **gratuits** *free* **toutes** *all* **villes** *cities* **Ce jour-là** *That day* **tout le monde** *everyone* **fait** *makes* **Pendant** *During* **coureurs** *racers* **roulent sur** *pedal along* **vainqueur** *winner* **maillot jaune** *yellow jersey* **fois** *times* **défilé** *parade* **Le soir** *In the evening* **feux d'artifice** *fireworks* **rues** *streets*

AUTOMNE
Septembre: La Semaine de la Mode
Les grands couturiers° présentent leurs collections de printemps. Les mannequins° défilent° devant° une clientèle internationale.

HIVER°
Décembre: Le Réveillon° du Jour de l'An°
Le 31 décembre on célèbre l'arrivée du Nouvel An° avec le Réveillon. On boit° du champagne et on déguste° des huîtres°.

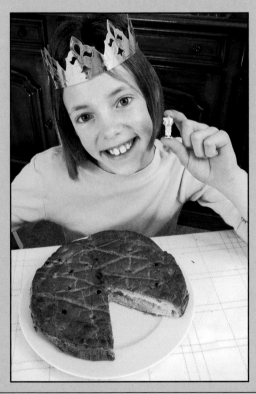

Janvier: La Fête des Rois*
Pendant° tout° le mois de janvier, les pâtisseries offrent des galettes des Rois. Dans ce gâteau° est cachée° une petite figurine de porcelaine. La personne qui trouve la figurine est couronnée° roi ou reine°, et ensuite° choisit° son partenaire.

> **Après la lecture**
> (*After reading*)
> Which of these festivities would you most like to participate in? Why?

> **Recherches**
> (*Exploration*)
> Find out more information about one of these festivities.

---

* **La Fête des Rois** (January 6) is Catholic in origin. The feast celebrates the arrival in Bethlehem of the three Magi who brought gifts to the Baby Jesus.

---

couturiers *fashion designers*   **mannequins** *models*   **défilent** *walk the runway*   **devant** *in front of*   **hiver** *winter*
Réveillon *New Year's Eve dinner*   **Jour de l'An** *New Year's Day*   **Nouvel An** *New Year*   **boit** *drinks*   **déguste** *savors*
huîtres *oysters*   **Pendant** *During*   **tout le** *the entire*   **gâteau** *cake*   **cachée** *hidden*   **couronnée** *crowned*   **reine** *queen*
ensuite *then*   **choisit** *chooses*

Unité 3

Entre amis

Leçon 7:
La vie est belle

Leçon 8:
À la terrasse d'un café

Leçon 9:
Vive la musique!

La vie est belle

*Nafi est une **jeune** Française d'origine sénégalaise. Elle est **étudiante** en sociologie à l'Université Toulouse. Aujourd'hui, elle parle de **sa vie.***	*young / student* *her life*

Est-ce que vous **avez** une **voiture**?	*have / car*
Moi, je n'ai pas de voiture,	
mais j'ai une **mobylette**.	*moped*
Je n'ai pas d'appartement,	
mais j'ai une **chambre** à la cité universitaire*.	*room*
Ma chambre n'est pas **grande**,	*large*
mais elle est **claire** et confortable	*sunny*
et il y a des plantes **partout**.	*everywhere*
J'ai un **ordinateur** portable.	*laptop*
Je n'ai pas de **télé**.	*TV*
Je n'ai pas de **chaîne-stéréo**,	*stereo*
mais j'ai un **baladeur MP3**.	*MP3 player*
Et bien sûr, j'ai des **livres**, beaucoup de livres.	*books*

---

*Cité universitaire: French university dormitory complex which may be located a certain distance from the classroom buildings.

Je n'ai pas de camarade de chambre,
    mais j'ai des copains et des copines.
Et j'ai aussi **un copain**.   *boyfriend*
En général, je n'ai pas de problèmes.
La vie est **belle**, n'est-ce pas?   *beautiful*

Vrai ou faux?

1. Nafi est étudiante.
2. Elle a une voiture.
3. Elle habite avec ses (*her*) parents.
4. Elle a un ordinateur.
5. Elle regarde souvent la télé.
6. Elle a des livres.
7. Elle a des copains.
8. Elle a une camarade de chambre.

Note culturelle
L'amitié (*Friendship*)

French and Americans both highly value friendship, but they cultivate it differently. French visitors are often surprised at how fast and easily Americans strike up casual "friendships" and how quickly these "friendships" are dissolved. For the French, "friendship" involves a deeper, more permanent, and more exclusive commitment. Friendships are formed early, often in high school or in college, and last a lifetime.

French students use different terms to describe various levels of friendly relationships.

- **Un copain / une copine** is a member of one's social group of the moment. It is someone whose company one appreciates and with whom one likes doing things together, such as going to the movies or organizing weekend parties. This social group constitutes **la bande des copains.**

- **Mon copain / ma copine** refers to the person of the opposite sex with whom one has a special, exclusive relationship, even though this relationship may be limited in time.

- **Un ami / une amie** is special. This is not just anybody with whom one has a friendly relationship. It is a person that one has known for some time, that one can always trust and confide in, and who will be there to help in times of difficulty or crisis. This type of relationship is unique and long-lasting, especially since French people tend not to move from region to region and hence remain more easily in touch with one another.

French adults refer to their circle of friends as **amis** rather than **copains.** They use the term **une connaissance** to refer to a person that they know casually but with whom they do not have a special relationship.

À votre avis

How would you explain the American concept of friendship to French visitors?

La langue française

A. Le verbe *avoir* — TO SAY WHAT WE HAVE

The verb **avoir** (*to have*) is one of the most common verbs in French. Its forms are irregular.

infinitive		**avoir**	*to have*	
singular	j'	**ai**	*I have*	J'**ai** une copine à Montréal.
	tu	**as**	*you have*	Est-ce que tu **as** un frère?
	il/elle/on	**a**	*he/she/one has*	Marc **a** une cousine à Québec.
plural	nous	**avons**	*we have*	Nous **avons** une voiture.
	vous	**avez**	*you have*	Est-ce que vous **avez** un vélo?
	ils/elles	**ont**	*they have*	Ils **ont** un appartement à Paris.

LIAISON
on_a
nous_avons
vous_avez
ils_ont

➡ **Avoir** is used in a certain number of expressions.

avoir besoin de (d')	*to need, to need to*	J'**ai besoin d'**un dictionnaire. Vous **avez besoin de** travailler.
avoir envie de (d')	*to want to feel like*	Thomas **a envie d'**une pizza. J'**ai envie de** regarder la télé.

1 Voitures

Say which types of cars the following people have. Use subject pronouns.

✳ ma cousine (une Ford)   *Elle a une Ford.*
   Pierre et moi, nous (une Fiat)   *Nous avons une Fiat.*

1. mon oncle (une Renault)
2. Émilie (une Volvo)
3. moi (une Jaguar)
4. M. et Mme Rémi (une Mercedes)
5. Monique et moi, nous (une Saab)
6. toi (une Chevrolet)
7. nous (une Alfa Romeo)
8. vous (une Peugeot)
9. Thomas et Julie (une Honda)
10. Jacques et toi, vous (une Toyota)

Vocabulaire: Les objets personnels

un portable
(un mobile)

un appareil-photo

un baladeur MP3

un ordinateur
(un ordinateur
portable)

un sac

une montre

une radio

une télé
(une télévision)

une chaîne-stéréo

une raquette

une guitare

2 Mes possessions

Make a list of which of the above objects you own. With a partner, compare your lists. How many objects do you both own?

✻ *J'ai un portable, ...*
[Kevin] et moi, nous avons un portable, ...

3 Préférences

As a graduation present, your aunt/uncle (your partner) is offering you the choice between two items. Express your preferences.

✻ ordinateur ou télé?
— *Tu préfères un ordinateur ou une télé?*
— *J'ai envie d'une télé.*
ou — *J'ai envie d'un ordinateur.*

1. portable ou baladeur?
2. télé ou radio?
3. appareil-photo ou guitare?

4. sac ou montre?
5. chaîne-stéréo ou ordinateur?
6. raquette ou guitare?

4 Quel objet?

Say what the following people feel like doing. Then say which object they need.

✻ Inès / jouer au tennis
Inès a envie de jouer au tennis.
Elle a besoin d'une raquette.

1. tu / téléphoner à un copain
2. nous / regarder un match de basket
3. vous / écouter de la musique

4. Éric et Théo / surfer sur Internet
5. Eva / prendre (*to take*) une photo
6. Thomas / écouter les nouvelles (*news*)

Vocabulaire: D'autres objets

Qu'est-ce que c'est? *What is it?*

C'est **un objet** (*object*).   C'est **une chose** (*thing*).

EN CLASSE

un cahier	*notebook*	**une calculatrice**	*calculator*
un crayon	*pencil*		
un livre	*book*		
un stylo	*pen*		

DANS LE GARAGE

un vélo	*bike*	**une bicyclette**	*bicycle*
un scooter		**une mobylette**	*moped*
un VTT	*mountain bike*	**une moto**	*motorcycle*
		une voiture	*car*

DANS LA CHAMBRE (*room*)

un CD		**une affiche**	*poster*
un DVD		**une photo**	
un lecteur CD (DVD)	*CD (DVD) player*	**une table**	
un baladeur CD (DVD)	*portable CD (DVD) player*	**une chaise**	*chair*
un téléphone			

verbs

marcher	*to work, run*	J'ai une télé mais elle **ne marche pas.**
utiliser	*to use*	J'**utilise** un ordinateur portable.

➡ The verb **marcher** also means *to walk.*

Je **marche** parce que ma voiture **ne marche pas.**

B. Le singulier des noms et des articles — TO TALK ABOUT ONE PERSON OR ONE OBJECT

> **Note linguistique: Noms et articles**
>
> . . . .
>
> NOUNS can designate PEOPLE, THINGS, or CONCEPTS.
> In French, each noun has a GENDER: it is either MASCULINE or FEMININE.
>
> - Masculine nouns are introduced by MASCULINE ARTICLES.
> - Feminine nouns are introduced by FEMININE ARTICLES.
>
> There are two different types of articles: DEFINITE (*the*) and INDEFINITE (*a, an*).

The DEFINITE and INDEFINITE ARTICLES have the following forms in the singular.

	definite article			indefinite article		
masculine	le (l')	**le** portable	**l'**ordinateur	un	**un** portable	**un** ordinateur
feminine	la (l')	**la** guitare	**l'**affiche	une	**une** guitare	**une** affiche

LIAISON
un‿ami
un‿ordinateur

➠ The articles **le** and **la** become **l'** before a vowel sound.

➠ A noun subject can be replaced by a pronoun of the same gender.

Voici **un sofa.**   **Il** est confortable.

Voici **une voiture.**   **Elle** est confortable.

> **À noter**
> It is important to know the gender of each noun, since the gender determines the forms of the words associated
>   with that noun, such as ARTICLES, ADJECTIVES, and PRONOUNS.
> Since there is no systematic way of predicting the gender of nouns designating objects and concepts, you should
>   learn each noun together with its article.
> Think of **un ordinateur** (rather than simply **ordinateur**), **une télé** (rather than **télé**).

5 Au centre commercial ·

You are visiting a large shopping mall near Paris. Point out the following objects to your partner.

✹ moto   *Regarde la moto.*

1. vélo
2. calculatrice
3. affiche
4. scooter
5. stylo
6. VTT
7. lecteur CD
8. DVD
9. chaîne-stéréo

6 Qu'est-ce que j'utilise? ·

Say which objects you would use in the following circumstances.

✹ J'écoute un CD.   *J'utilise un lecteur CD (un baladeur CD, ...)*

1. Je téléphone.
2. Je regarde un DVD.
3. Je dessine (*draw*).
4. Je signe un chèque.
5. Je fais (*do*) un problème de maths.
6. Je prends (*take*) des notes.
7. Je surfe sur Internet.
8. Je voyage.

7 **Sur ou sous?** (*On or under?*) •

Your partner is looking for certain objects. Tell him/her where each object is: **sur/sous la chaise** or **sur/sous la table.**

✸ — *Où est la photo?*
— *Elle est sur la table.*

1. appareil-photo	7. ordinateur
2. baladeur CD	8. portable
3. cahier	9. raquette
4. guitare	10. sac
5. livre	11. stylo
6. montre	12. téléphone

8 **Usages professionnels** •

In different professions, people use different objects. What are the following people likely to use?

✸ Mlle Marceau est photographe.   *Elle utilise un appareil-photo.*

1. Mme Launay est journaliste.
2. Julien est secrétaire.
3. Mlle Minot signe un contrat.
4. M. Lavie est représentant de commerce (*sales representative*).
5. Mme Durand est comptable (*accountant*).
6. Isabelle est étudiante (*student*).
7. Mélanie est musicienne.

9 Joyeux anniversaire

Make a list of five things that you would like to have for your birthday, ranking them in order of preference. (Price should not be a consideration.) With your partner, compare your wish lists.

✱ — *Pour mon anniversaire,*
je voudrais un VTT, ...
— *Moi, pour mon anniversaire,*
je voudrais...

Cadeaux d'anniversaire

1. *un VTT*
2.
3.
4.
5.

10 Contrôle de qualité

You are a supervisor at a Better Business Bureau. You are calling a consumer (your partner) to know if he/she is satisfied with certain products. The consumer's answers vary with each object. As you play the roles, use the appropriate indefinite articles (**un, une**) and pronouns (**il, elle**).

✱ montre / bien

CONTRÔLEUR: *Est-ce que vous utilisez une montre?*
CLIENT: *Oui, j'ai une montre.*
CONTRÔLEUR: *Comment est-ce qu'elle marche?*
CLIENT: *Elle marche bien.*

1. lecteur DVD / bien
2. portable / très bien
3. chaîne-stéréo / assez mal
4. appareil-photo / pas très bien
5. calculatrice / très mal
6. VTT / pas bien
7. voiture / mal
8. ordinateur portable / très bien

C. Le pluriel des noms et des articles — TO SPEAK ABOUT SEVERAL PEOPLE OR ITEMS

Nouns can be SINGULAR or PLURAL. Compare the singular and plural forms of the articles and nouns in the sentences below.

Où est **le prof?**   Où sont **les profs?**
Regarde **la photo.**   Regarde **les photos.**

> **RAPPEL**
> Final **-s** is silent:
> les photos̸
> les copines̸

J'ai **un livre.**   J'ai **des livres.**
J'invite **une copine.**   J'invite **des copines.**

In written French, the PLURAL of most nouns is formed as follows:	
singular noun + **s**	une **raquette** des **raquettes**

⟹ If the noun ends in **-s** (or **-x** or **-z**) in the singular, the singular and plural forms are the same.

un Français   **des Français**

⟹ Plural subject nouns can be replaced by **ils** or **elles,** depending on their gender.

— Où sont **les cahiers?**   — Où sont **les bicyclettes?**
— **Ils** sont sur la table.   — **Elles** sont dans le garage.

> **À noter**
> • Plurals of some nouns do not follow the above pattern:
>   un CD   **des CD**
>   une chaîne-stéréo   **des chaînes-stéréo**
> • Proper nouns are invariable. They do not take an **-s** in the plural.
>   une Renault   **des Renault**
>   M. et Mme Martin   **les Martin**

11 Où? •

Ask your partner where to find the people or objects in the box on the left. He/She will answer by choosing a logical response from the box on the right.

✸ *— Où sont les vélos?*
— Ils sont dans le garage.

• étudiants ᴹ• profs	• à l'université
ꜰ• mobylettes ꜰ• motos	• dans la classe
ᴹ• vélos ᴹ• crayons	• dans le garage
ᴹ• livres ᴹ• stylos	• sur (on) la table

	singular	plural			
PLURAL NOUNS are introduced by PLURAL ARTICLES.					
definite article	**le, la, l'**	**les**	**les** copains	**les** copines	**les** amis
indefinite article	**un, une**	**des**	**des** copains	**des** copines	**des** amis

LIAISON
les_amis
des_ordinateurs
des_affiches

➧ **Des** corresponds to the English *some*. While *some* is often omitted in English, **des** MUST be expressed in French. Contrast:

J'ai	**des**	amis à Québec.
I have	*(some)*	*friends in Quebec.*

Voici	**des**	photos de Paris.
Here are	*some*	*photos of Paris.*

➧ Because the final **-s** of the plural is silent, the singular and plural forms of regular nouns SOUND THE SAME. However, you can usually tell whether a noun is singular or plural by listening to the form of the article.

une voiture   **des** voitures

⓬ Le pluriel, s'il vous plaît

Transform each sentence by putting the underlined words in the plural, and making all necessary changes.

✹ Éric regarde une affiche.   *Éric regarde des affiches.*
L'ami de Pierre habite à Bruxelles.   ***Les amis de Pierre habitent à Bruxelles.***

1. Nous écoutons un CD.
2. Je regarde la photo.
3. J'ai un copain à Québec.
4. La voiture marche bien.
5. La cousine de Paul parle français.
6. L'ordinateur ne marche pas.
7. Vous utilisez un mobile.
8. Tu as une amie à Paris?

⓭ Shopping

You are in a department store looking for the following items. Indicate what you need to buy and ask the salesperson (your partner) if he/she has these items. The salesperson will answer affirmatively.

✹ — *Pardon, monsieur (madame).*
J'ai besoin d'un sac.
Est-ce que vous avez des sacs?
— *Bien sûr, nous avons des sacs.*

✹   1.   2.

3.   4.   5.

6.   7.   8.

D. L'article indéfini dans les phrases négatives

Compare the forms of the indefinite article in affirmative and negative sentences.

affirmative	negative	
Mélanie a **un** vélo?	Non, elle n'a **pas de** vélo.	*No, she doesn't have a bike.*
Paul a **une** télé?	Non, il n'a **pas de** télé.	*No, he doesn't have a TV set.*
Tu as **un** ordinateur?	Non, je n'ai **pas d'**ordinateur.	*No, I don't have a computer.*
Vous avez **des** copains à Paris?	Non, nous n'avons **pas de** copains à Paris.	*No, we don't have any friends (we have no friends) in Paris.*

After a NEGATIVE verb, **un, une, des** become **de (d')**.

pas un		Je n'ai **pas d'**ordinateur.
pas une	**pas de (d')**	Je n'ai **pas de** radio.
pas des		Je n'ai **pas de** crayons.

▸ After **être**, the articles **un, une, des** do NOT change.

Éric est **un** copain.   Philippe n'est **pas un** copain.

Ce sont **des** vélos.   Ce ne sont **pas des** VTT.

14 Possessions

Ask your classmates if they own the following.

✹ un ordinateur
— *Est-ce que tu as un ordinateur?*
— *Oui j'ai un ordinateur.*
ou — *Non, je n'ai pas d'ordinateur.*

1. un appareil-photo
2. une moto
3. une guitare
4. une clarinette
5. des DVD
6. des affiches
7. un baladeur MP3
8. un mobile
9. un boa
10. un alligator
11. des copains en France
12. une amie à Québec

15 Oui et non!

One cannot have everything. Say that the following people do not have the items in parentheses.

✹ Julien a un scooter. (une moto)
   Il n'a pas de moto.

1. Clara a un vélo. (une mobylette)
2. J'ai un ordinateur. (une calculatrice)
3. Nous avons des CD. (des DVD)
4. Tu as un mobile. (un téléphone)
5. Vous avez une chambre. (un appartement)
6. Thomas a un frère. (une soeur)
7. Léa a un ami à Toulouse. (une amie à Paris)
8. Les étudiants ont un cours de français. (un cours d'espagnol)

E. L'expression *il y a*

To talk about what THERE IS or what THERE IS NOT in a certain place, the French use the following constructions with **il y a.**

il y a	*there is* *there are*	Dans ma chambre (*in my room*), **il y a** une télé. Dans la classe, **il y a** 28 étudiants.
il n'y a pas de	*there is no, isn't any* *there are no, aren't any*	Dans la voiture, **il n'y a pas de** radio. Dans le livre, **il n'y a pas de** photos.
est-ce qu'il y a...?	*is/are there . . . ?*	**Est-ce qu'il y a** un crayon sur (*on*) la table?
qu'est-ce qu'il y a...?	*what is there . . . ?*	**Qu'est-ce qu'il y a** sur la chaise?

16 **Dans ma chambre** •

Ask whether your partner has the following in his/her room.

✹ des affiches
 — *Est-ce qu'il y a des affiches dans ta chambre?*
 — *Oui, il y a des affiches.*
ou — *Non, il n'y a pas d'affiches.*

1. une télé?	4. des photos?	7. une chaîne-stéréo?	10. des chaises?
2. un téléphone?	5. des plantes?	8. un ordinateur?	11. un bureau (*desk*)?
3. des posters?	6. un réfrigérateur?	9. un sofa?	12. un fantôme (*ghost*)?

17 **Qu'est-ce qu'il y a...?** •

Select one of the following locations and describe all of the things you can find there, using vocabulary that you know.

- Dans la classe, il y a...
- Dans le garage, il y a...
- Dans la rue (*street*), il y a...
- Dans le grenier (*attic*), il y a...
- Dans le laboratoire de langues, il y a...
- Dans une boutique d'audiovisuel, il y a...

Expression pour la conversation

to contradict a NEGATIVE statement or question: use **si** rather than **oui**

 — **Tu as** une guitare?   — **Tu n'as pas** de portable?

 — **Oui,** j'ai une guitare.   — **Si,** j'ai un portable.

18 **Contradictions** •

Contradict the following statements.

✹ Tu ne parles pas anglais!   *Mais si, je parle anglais!*

1. Tu n'habites pas en Amérique.	3. Tu n'es pas étudiant(e)!	5. Tu n'écoutes pas le prof!
2. Tu n'études pas le français.	4. Tu n'études pas beaucoup.	6. Tu n'aimes pas la musique!

Phonétique: Les voyelles nasales

Spoken French has three nasal vowels. Note the spellings for each sound. Although nasal vowels are written with an "n" or "m", this consonant is not pronounced.

Répétez :

/ɔ̃/   on   nom   crayon   montre   bonjour   onze

/ɑ̃/   an   quand   dimanche   janvier   chanter   manger   quarante
        en   souvent   vendredi   septembre   novembre   rendez-vous   trente

/ɛ̃/   in   matin   cinq   vingt   quinze   inviter
        ain   train   américain   Alain   maintenant
        (i)en   bien   canadien   italien
        un   un sac   un DVD   un CD   un VTT

Compréhension orale

You will hear people mentioning certain objects. If you see the object in Michèle's room, check row A. If it is in Pascal's room, check row B.

A.
La chambre de Michèle

B.
La chambre de Pascal

		1	2	3	4	5	6	7	8	9	10	11	12	13	14	15
A	Michèle															
B	Pascal															

Conversation dirigée

Next semester you are going to share an apartment with a French student. Right now you are planning ahead.

Ask your partner (the French student) . . .
- if he/she has a CD player
- if he/she has DVDs
- if there is a TV set in the apartment (**dans l'appartement**)
- if there is a refrigerator (**un réfrigérateur**)
- if he/she has a car

Expression libre

You have been hired by a French consumer research firm to do a market survey on the types of electronic equipment purchased by young Americans. Interview a few classmates to find out what they own.

Expression écrite

Read this letter from Philippe. Then write a similar letter describing your own living situation.

Chers amis,

J'habite sur le campus. J'ai un camarade de chambre qui s'appelle Alain. Dans la chambre il y a deux tables et deux chaises. Sur les murs°, il y a des affiches. Sur ma table, il y a des photos de ma famille. Dans la chambre il n'y a pas de téléphone, mais nous avons des portables.

Dans la chambre, il n'y a pas de réfrigérateur, mais il y a un four à micro-ondes°. Moi, j'aime la cuisine chinoise. Alain préfère les pizzas et les paninis.

Alain a une chaîne-stéréo et il écoute des CD de rock. Il a une guitare, mais il ne joue pas très bien. Moi, j'ai un lecteur CD et j'écoute des CD de musique classique.

Nous avons une télé et un lecteur DVD. Moi, je regarde des films français et anglais. Lui, il préfère M6°.

Mon camarade et moi, nous n'avons pas beaucoup de points communs! C'est la vie°.

Philippe

---

murs *walls*   **four à micro-ondes** *microwave oven*   **M6** = *French MTV station*   **vie** *life*

À la terrasse d'un café

*Léa et Raphaël sont **en ville**. Léa **remarque** **une jeune femme** blonde à la terrasse d'un café.*

in town / notices / young woman

LÉA:	Regarde la jeune femme à la terrasse du café...
RAPHAËL:	La jeune femme blonde?
LÉA:	Oui! Ce n'est pas Valérie Lestrade?
RAPHAËL:	L'**actrice de cinéma**? Non, ce n'est pas elle! Valérie Lestrade est **brune**.
LÉA:	Pas du tout! Elle est blonde, **assez grande**, très **jolie**... **Exactement comme** cette jeune femme! Regarde, elle **lit** un scénario de film!
RAPHAËL:	Mais non, c'est un magazine anglais. C'est probablement une touriste anglaise, ou américaine, ou australienne... **Je ne sais pas**, moi.
LÉA:	Je suis sûre que c'est Valérie Lestrade!
RAPHAËL:	**Alors**, **si** tu es sûre que c'est Valérie Lestrade, tu peux lui **demander** un autographe.
LÉA:	Non, je suis timide, moi.
RAPHAËL:	Écoute, tu n'es pas timide, mais tu as beaucoup d'imagination!

movie actress
dark-haired
rather / tall / pretty
Exactly / like / is reading

I don't know

So / if / to ask for

Vrai ou faux?

1. Léa et Raphaël sont dans un café.
2. Dans le café, il y a une jeune femme.
3. Elle est brune.
4. Elle est jolie.
5. Elle regarde un magazine.
6. C'est un magazine français.

Note culturelle
Les Français et le cinéma

The French are dedicated movie fans or **cinéphiles.** For them, cinema is an art form: **le septième art.** They also proudly claim it as a French invention. On December 28, 1895, two French scientists, **les Frères Lumière,** hung a bed sheet against the wall of a back room in a Parisian café. Against this improvised screen, they projected a short documentary film using a device of their invention called **le cinématoscope.** This first public performance, attended by thirty-three people, marked the birth of a totally new and revolutionary form of entertainment.

Today France has the largest film industry in Europe, with a production of nearly 200 films per year. Many French movies conform to the traditions of classic French theater. They focus primarily on human emotions and the complex nature of interpersonal relationships. Other movies present social satire or deal with current societal problems, such as racial integration. In contrast to American movies, action sequences are generally limited and only modest use is made of special effects.

Quelques stars du cinéma français (présent et passé)	
ACTEURS	**ACTRICES**
Daniel Auteuil	Isabelle Adjani
Jean-Paul Belmondo	Brigitte Bardot
Alain Delon	Emmanuelle Béart
Gérard Depardieu	Catherine Deneuve
Thierry Lhermitte	Sophie Marceau
Yves Montand	Simone Signoret
Jean Reno	Audrey Tautou

The French go to the movies mainly for relaxation and overwhelmingly prefer comedy, especially French comedy, to all other movie genres. They are partial to American sci-fi and adventure movies and love Hollywood blockbusters, but show limited interest in musical comedies and animated films. Because TV stations regularly include reruns of French movies in their prime-time programming, French people have ample opportunity to see their favorite actors and actresses in the comfort of their homes.

Every year France hosts several important film events. The most prestigious of these is the **Festival International du Film de Cannes,** which is held every May and is attended by movie celebrities from around the world. The best film of the year is awarded the coveted **Palme d'Or.**

À votre avis

Which French movie stars do you know?
What films have they played in?

La langue française

A. Adjectifs réguliers

TO DESCRIBE A PERSON OR AN OBJECT

> **Note linguistique**
>
> ADJECTIVES are used to describe people and things.
> In French, adjectives AGREE with the nouns and pronouns they modify
>
> • in GENDER (masculine or feminine) and
> • in NUMBER (singular or plural).

Note the forms of the adjectives in the following descriptions.

Lucas est **patient** et **calme.**   Léa est **patiente** et **calme.**

Pierre et Marc sont **patients** et **calmes.**   Eva et Julie sont **patientes** et **calmes.**

REGULAR ADJECTIVES take the following written endings.

	masculine	feminine		
singular	—	-e	patient	patient**e**
plural	-s	-es	patient**s**	patient**es**

➡ Adjectives that end in **-e** in the masculine singular remain the same in the feminine singular.

   Thomas est **idéaliste.**   Élodie est **idéaliste** aussi.

➡ Adjectives that end in **-s** or **-x** in the masculine singular remain the same in the masculine plural.

   Raphaël est **français.**   Nicolas et Philippe sont **français.**

   Kevin est **sérieux.**   Antoine et David sont **sérieux.**

➡ Adjectives that do not follow the above patterns are IRREGULAR.

PRONONCIATION

Feminine forms	**Plural forms**
If the masculine form of an adjective ends in a *silent consonant*, this consonant is pronounced in the feminine.	Since the final **-s** is not pronounced, singular and plural forms have the *same* pronunciation.

masculine	**feminine**	**singular**	**plural**
peti̸t	peti̲te	patien̸t	patien̸t̸s
gran̸d	gran̲de	anglaise	anglaise̸s
anglai̸s	anglai̲se		

Vocabulaire: Adjectifs de nationalité

On est...

anglais	**japonais**
français	**chinois**
américain	**canadien (canadienne)**
mexicain	**italien (italienne)**
espagnol (*Spanish*)	**russe** (*Russian*)
allemand (*German*)	**suisse** (*Swiss*)

➠ In French, adjectives of nationality are not capitalized, but nouns are.

Il est **français.**   Voici **un Français** (*a Frenchman*).

Elle est **anglaise.**   Voici **une Anglaise** (*an Englishwoman*).

1 Les nationalités

Give the nationalities of each of the following people.

✴ Marie et Pierre sont de Québec.
Marie est canadienne. Pierre est canadien.

1. Luigi et Silvia sont de Rome.
2. Clara et Pedro sont de Mexico.
3. Jim et Janet sont de Liverpool.
4. Mme Li et M. Chang sont de Beijing.
5. Boris et Olga sont de Moscou.
6. Isabelle et Thomas sont de Genève.
7. Karin et Hans sont de Berlin.
8. M. et Mme Katagiri sont de Tokyo.

2 Les amis

The following people have friends with similar personalities. Describe these friends.

✴ Alain est intelligent. (Et Monique?)
Monique est intelligente aussi.

1. Thomas est optimiste. (Et Lucie?)
2. Lucas est élégant. (Et Mathilde?)
3. Clément est indépendant. (Et Claire?)
4. Philippe est riche. (Et Noémie?)
5. Nicolas est idéaliste. (Et Marie et Caroline?)
6. Marc est brillant. (Et Léa et Isabelle?)
7. Thomas est arrogant. (Et Patrick et David?)
8. Pierre est impatient. (Et Zoé et Véronique?)

Vocabulaire: Les personnes et la description

Qui est-ce?

C'est...

un garçon	*boy*	**une fille**	*girl*
un jeune homme	*young man*	**une jeune fille**	*young woman*
un homme	*man*	**une femme**	*woman*
un monsieur	*gentleman*	**une dame**	*lady*
un étudiant	*student*	**une étudiante**	*student*
un voisin	*neighbor*	**une voisine**	*neighbor*
		une personne	*person*

Ce sont...   **des gens**   *people*

LA DESCRIPTION PHYSIQUE

beau (belle)	*handsome, beautiful*		
mignon (mignonne)	*cute*	**moche**	*plain, not good-looking*
joli	*pretty*		
blond	*blond*	**brun**	*dark-haired, brunette*
grand	*tall, big*	**petit**	*short, small, little*
fort	*strong*	**faible**	*weak*
rapide	*fast*	**lent**	*slow*

LA DESCRIPTION PERSONNELLE

intelligent	*smart*	**stupide**	*stupid*
drôle	*funny*		
amusant	*amusing*	**pénible**	*boring, tiresome*
intéressant	*interesting*		
sympathique [sympa]	*friendly, nice*	**antipathique**	*unpleasant*
gentil (gentille)	*nice*	**méchant**	*nasty, mean*
poli	*polite*	**impoli**	*impolite*
riche	*rich*	**pauvre**	*poor*
content	*happy*	**triste**	*sad*
généreux (généreuse)	*generous*	**égoïste**	*selfish*

➡ **Une personne** is always feminine, whether it refers to a male or female person.

➡ **Des gens** is always plural.

➡ In conversation, **sympathique** is shortened to **sympa,** which is invariable.

   un garçon **sympa**   une fille **sympa**

3 Oui et non!

Describe the following people using the appropriate forms of the suggested adjectives.

✸ Marilyn Monroe (brun ou blond?)
Marilyn Monroe n'est pas brune. Elle est blonde.

1. King-Kong (faible ou fort?)
2. Wonder Woman (gentil ou méchant?)
3. Oprah Winfrey (intéressant ou pénible?)
4. Bill Gates et Donald Trump (riche ou pauvre?)
5. Scrooge (généreux ou égoïste?)
6. Les Lakers (petit ou grand?)
7. Dracula et Frankenstein (sympathique ou antipathique?)
8. Bart Simpson (poli ou impoli?)
9. la tortue [*turtle*] (lent ou rapide?)
10. les bébés pandas (mignon ou moche?)

4 Expression personnelle

Describe yourself and other people by completing the following sentences with one or more adjectives of your choice.

1. Je suis...
2. Je ne suis pas...
3. J'ai une cousine. Elle est...
4. J'ai des amis. Ils sont...
5. J'ai un copain. Il n'est pas...
6. J'ai des professeurs. Ils sont...
7. J'ai une amie. Elle n'est pas...
8. J'ai une voisine. Elle est...
9. J'ai des voisins. Ils ne sont pas...
10. J'ai un(e) camarade de chambre. Il (Elle) est...

5 Les célébrités

Choose a famous person in one of the following categories. Describe this person using several adjectives in affirmative and negative sentences.

- un acteur
- une actrice
- un chanteur (*singer*)
- une chanteuse
- un athlète
- une athlète
- un comédien
- une comédienne
- une personnalité politique
- une personnalité historique
- une personnalité à la télé

B. Adjectifs irréguliers

Many IRREGULAR ADJECTIVES have their own patterns.

- adjectives in **-eux**

	masculine	feminine		
singular	-eux	-euse	Antoine est **sérieux.**	Alice est **sérieuse.**
plural	-eux	-euses	Les garçons sont **sérieux.**	Les filles sont **sérieuses.**

- adjectives in **-al**

	masculine	feminine		
singular	-al	-ale	Vincent est **loyal.**	Valérie est **loyale.**
plural	-aux	-ales	Les amis sont **loyaux.**	Les amies sont **loyales.**

- adjectives with irregular feminine forms

masculine	feminine		
-el	-elle	Éric est **ponctuel.**	Céline est **ponctuelle.**
-on	-onne	Théo est **mignon.**	Annick est **mignonne.**
-en	-enne	Marc est **canadien.**	Alice est **canadienne.**
-if	-ive	Bernard est **actif.**	Éliane est **active.**
-eur	-euse	Paul est **travailleur.**	Zoé est **travailleuse.**
-teur	-trice	Mon père est **conservateur.**	Ma mère n'est pas **conservatrice.**

À noter

Nouns that have endings similar to the above adjectives usually follow the same patterns.

irregular feminine forms	irregular plural forms
un champion → une championne	un journal → des journaux
un acteur → une actrice	un animal → des animaux

---

6 **Autoportrait** ·

Describe yourself, using adjectives in affirmative and negative sentences. If you wish, you may mention both good traits and bad traits. Compare your self-portrait with that of your partner.

Je suis...	*Je ne suis pas...*

Vocabulaire: Quelques adjectifs de personnalité

-eux / -euse	**ambitieux**	**ennuyeux** (*boring*)	**heureux** (*happy*)
	consciencieux	**généreux**	**malheureux** (*unhappy*)
	curieux	**sérieux**	**paresseux** (*lazy*)
-al / -aux (*pl*)	**génial** (*great*)	**libéral**	**loyal**
-el / -elle	**intellectuel**	**ponctuel**	**spirituel** (*witty*)
-on / -onne	**mignon** (*cute*)		
-en / -enne	**musicien** (*musical*)		
-if / -ive	**actif**	**impulsif**	**naïf**
	imaginatif	**intuitif**	**sportif** (*athletic*)
-eur / -euse	**travailleur** (*hard-working*)		
-teur / -trice	**conservateur**	**créateur** (*creative*)	

7 **Une question de personnalité** •

Determine whether or not the following people have the personality trait reflected by the adjective in parentheses.

✳ Léa et Caroline étudient beaucoup. (paresseux?)
Elles ne sont pas paresseuses.

1. Thomas et Nicolas jouent au foot et au tennis. (sportif?)
2. Cécile déteste les concerts. (musicien?)
3. Ivan et Théo sont très intelligents. (génial?)
4. Mes (*My*) cousines ne travaillent pas. (actif?)
5. Ces (*These*) artistes ont beaucoup d'imagination. (original?)
6. Isabelle est très contente. (heureux?)
7. Eva et Inès n'aiment pas voyager le vendredi 13. (superstitieux?)
8. La présidente désire changer la société. (conservateur?)
9. Madame Laval est très riche. (malheureux?)
10. Béatrice et Charlotte sont très drôles. (ennuyeux?)

8 **L'idéal** •

Make a list of qualities that you would like to find in the ideal man or woman. Then compare your descriptions with those of your classmates.

L'homme idéal est…	La femme idéale est…
Il n'est pas…	Elle n'est pas…

C. La place des adjectifs

Note the position of the adjectives in the sentences on the right.

J'ai un copain.   J'ai un copain **sympathique.**
Nous avons des cousins.   Nous avons des cousins **français.**

Marc a une voiture.   Il a une voiture **rapide.**
Voici des livres.   Voici des livres **intéressants.**

In French, most ADJECTIVES come AFTER the noun.	
article + noun + ADJECTIVE	un garçon **intelligent** des amis **sympathiques**

➡ A few common adjectives come BEFORE the noun.

une **petite** voiture   un **grand** appartement

9 C'est normal!

Who we are often reflects whom we associate with and what we do. Express this by completing the sentences with the appropriate form of the underlined adjectives.

✴ Thomas est géné reux. Il a une copine *généreuse.*

1. Alice est sympathique. Elle a des amis...
2. Isabelle est riche. Elle a des parents...
3. Les étudiants sont intelligents. Ils ont un professeur...
4. La présidente est honnête. Elle a des employés...
5. Vincent est conservateur. Il a des idées...
6. Luigi est italien. Il a une voiture...
7. Teresa et Maria sont mexicaines. Elles dînent dans un restaurant...
8. Monsieur Katagiri est japonais. Il aime la cuisine...
9. Monique est élégante. Elle a des vêtements (*clothes, m.*)...
10. Les Américains sont optimistes. Ils ont une attitude...

10 À votre avis (*In your opinion*)

Give your opinion on the following topics.

✴ le français / une langue / difficile?
   Le français est (n'est pas) une langue difficile.

1. le ski / un sport / dangereux?
2. le football américain / un sport / violent?
3. les SUV / des voitures / économiques?
4. l'argent (*money*) / une chose / importante?
5. la perception extra-sensorielle / un phénomène / réel?
6. les Américains / des gens / optimistes?
7. les Français / des gens / sympathiques?

Vocabulaire: Adjectifs qui précèdent le nom

bon (bonne)	*good*	J'ai un très **bon** appareil-photo.
mauvais	*bad, poor*	Nous n'avons pas de **mauvais** professeurs.
grand	*big, large; tall*	Mélanie a un **grand** appartement.
petit	*small; short*	Élodie a un **petit** ordinateur.
joli	*pretty*	Inès est une **jolie** fille.
jeune	*young*	Qui est le **jeune** homme avec qui vous parlez?
vrai	*true, real*	Vous êtes de **vrais** amis.

LIAISON

un bon_ami /bɔnami/
un petit_ordinateur
un grand_ᵗappartement

➡ In formal French, the indefinite article **des** becomes **de (d')** when it is followed by an adjective. Compare:

Vous êtes **des** étudiants brillants.   Vous êtes **de** bons étudiants.

---

11 Madame Hulot a de la chance! •

Madame Hulot, a French businesswoman, is very fortunate. Explain why in complete sentences, using the elements suggested.

✸ Mme Hulot / travailler / pour une compagnie (international)
Madame Hulot travaille pour une compagnie internationale.

1. elle / avoir / une secrétaire (compétent)
2. elle / travailler / avec des collègues (sympathique)
3. elle / avoir / un salaire (bon)
4. elle / avoir / des employés (dynamique)
5. elle / avoir / un directeur (intelligent)
6. elle / travailler / dans un bureau (grand)
7. elle / avoir / des amies (vrai)
8. elle / avoir / des voisins (bon)
9. elle / habiter / dans un appartement (joli)
10. elle / avoir / une voiture (rapide)

---

12 Expression personnelle •

Describe yourself using one of the suggested adjectives or another adjective of your choice. Compare your responses with your partner's.

1. Je suis étudiant(e) dans une université. (grand? petit?)
2. En général, je suis un(e) étudiant(e). (bon? sérieux? consciencieux?)
3. J'ai des professeurs. (bon? mauvais? sympathique? strict?)
4. En général, j'ai des notes (*grades*). (bon? mauvais? passable?)
5. J'ai des amis. (amusant? riche? vrai? loyal?)
6. J'habite dans un appartement/une maison. (grand? petit? moderne? confortable?)
7. J'ai une voiture. (grand? petit? rapide? confortable?)
8. J'ai des parents. (généreux? gentil? libéral? conservateur?)

D. *Il est* ou *c'est?*

To refer to PEOPLE and THINGS, the constructions **il/elle est** and **c'est** may both be used. The choice of construction depends on the words that follow.

	people	things
c'est + name (person, place) **c'est** + article + noun (+ adjective)	C'est **Nathalie.** C'est **une amie.** (*She is . . .*) C'est **une fille intelligente.** C'est **une bonne étudiante.**	C'est **Paris.** C'est **une voiture.** (*It is . . .*) C'est **une voiture française.** C'est **une petite voiture.**
il/elle est + adjective	Elle est **sympathique.** (*She is . . .*) Elle est **drôle.**	Elle est **rapide.** (*It is . . .*) Elle est **confortable.**

> LIAISON
> C'est‿Antoine.
> C'est‿un ami.

�➡ **C'est** has the following forms:

	affirmative	negative
singular	**C'est** Mélanie.	**Ce n'est pas** Élodie.
plural	**Ce sont** des CD.	**Ce ne sont pas** des DVD.

13 **Qui est-ce?** •

Explain who the following people are. First identify them and then give your personal opinion on their talent.

✹ Picasso (artiste / original?)   *C'est un artiste. Il est (n'est pas) original.*

1. Bruce Springsteen
   (musicien / génial?)
2. Tom Cruise
   (acteur / mignon?)
3. Angelina Jolie
   (actrice / jolie?)
4. Ivan le Terrible
   (tsar / sympathique?)
5. Einstein
   (physicien / brillant?)
6. les Beatles
   (musiciens / extraordinaires?)
7. les Marx Brothers
   (comédiens / drôles?)
8. les frères Wright
   (inventeurs / importants?)

➡ With names of professions, two constructions are possible.

	il/elle est + NOUN	**c'est** + ARTICLE + NOUN
(Philippe)	**Il est** étudiant.	**C'est un** étudiant.
(Céline)	**Elle est** journaliste.	**C'est une** journaliste.

➡ **C'est** is also used in the following construction.

c'est + STRESS PRONOUN	C'est Paul? Non, **ce** n'**est** pas **lui**.

➡ **Il/elle est** is used to indicate location or origin.

Où est Christine?   Elle est **à l'université.**   Elle est **de Paris.**

14 **Descriptions** ·

Complete the following descriptions with the appropriate form of **il est** or **c'est**.

1. Voici un jeune homme
   _____ David.
   _____ américain.
   _____ de Los Angeles.
   _____ étudiant.
   _____ un étudiant brillant.
   _____ sympathique.
   _____ un bon copain.

2. Voici une jeune fille
   _____ Cécile.
   _____ française.
   _____ grande et blonde.
   _____ une fille sympathique.
   _____ photographe.
   _____ une excellente photographe.
   _____ très compétente.

3. Voici une voiture
   _____ une Mercedes.
   _____ allemande.
   _____ confortable.
   _____ une très bonne voiture.

4. Voici un ordinateur
   _____ un PC.
   _____ un ordinateur japonais.
   _____ moderne.
   _____ très pratique.

5. Voici des gens
   _____ américains.
   _____ des touristes.
   _____ à Paris.
   _____ des gens de Chicago.

6. Voici des jeunes filles
   _____ jolies.
   _____ des étudiantes.
   _____ italiennes.
   _____ en France pour les vacances (*vacation*).

Vocabulaire: Expressions d'opinion

C'est...   *It's . . .*   *That's . . .*

Ce n'est pas...   *It's not . . .*   *That's not . . .*

vrai	*true*	**super**	*great*	**utile**	*useful*
faux	*false*	**génial**	*terrific*	**inutile**	*useless*
facile	*easy*		**amusant**	*fun*	
difficile	*hard, difficult*		**ennuyeux**	*boring*	

15 **Opinions personnelles** •

Say whether or not you like to do the following things and explain why. Compare your opinions with your partner's.

✹ étudier le week-end (*on weekends*)
Je n'aime pas étudier le week-end. Ce n'est pas amusant.

1. parler français
2. parler en public
3. voyager
4. danser
5. chanter
6. dîner à la cafétéria
7. jouer au volley
8. jouer du piano
9. surfer sur Internet
10. télécharger (*download*) la musique
11. nager dans une piscine (*pool*)
12. visiter les musées (*museums*)

Phonétique: Masculin - féminin

- Masculine adjectives, nouns, and articles in **-n, -nt,** or **-nd** end on a NASAL vowel. The **n** is not pronounced, nor is the **t** or **d.**

- Feminine adjectives, nouns, and articles in **-ne** or **-nne** do NOT have a nasal vowel and end on the consonant sound /n/.

Contrastez et répétez:

-un	u<u>n</u> - u<u>ne</u> br<u>un</u> - br<u>une</u>
-in	vois<u>in</u> - vois<u>ine</u>
-ain	améric<u>ain</u> - améric<u>aine</u> mexic<u>ain</u> - mexic<u>aine</u> afric<u>ain</u> - afric<u>aine</u>
-(i)en	ital<u>ien</u> - ital<u>ienne</u> canad<u>ien</u> - canad<u>ienne</u> paris<u>ien</u> - paris<u>ienne</u>
-on	b<u>on</u> - b<u>onne</u> mign<u>on</u> - mign<u>onne</u>

- Feminine adjectives in **-nte** or **-nde** keep the NASAL vowel and add the consonant sound /t/ or /d/. The **n** is not pronounced.

Contrastez et répétez:

-ant	amus<u>ant</u> - amus<u>ante</u> méch<u>ant</u> - méch<u>ante</u> intéress<u>ant</u> - intéress<u>ante</u>
-ent	cont<u>ent</u> - cont<u>ente</u> l<u>ent</u> - l<u>ente</u> intellig<u>ent</u> - intellig<u>ente</u>
-and	gr<u>and</u> - gr<u>ande</u>
-ond	bl<u>ond</u> - bl<u>onde</u>

À votre tour

Compréhension orale

In French, some boys' and girls' names sound the same. A few are even spelled the same. Listen carefully to the speaker's descriptions. If the adjective is masculine, circle the name in row A. If the adjective is feminine, circle the name in row B.

		1	2	3	4	5	6	7	8
A. ♂		René	André	Nöel	Claude	Camille	Joël	Michel	Dominique
B. ♀		Renée	Andrée	Nöelle	Claude	Camille	Joëlle	Michelle	Dominique

Conversation dirigée

You have heard that your partner has a cousin named Vanessa who is studying in Paris. Since you are going to Paris this summer, you would like to know more about her.

Ask your partner . . .
- if Vanessa is French
- if she is blond or dark-haired
- if she is an interesting person
- if she is a good student
- if she has French friends
- if she is fun to be with

Expression libre

Make a list of several movies that everyone has seen. With your partner prepare an oral description of one of the characters without identifying the person by name. Your classmates will try to guess the mystery identity.

Expression écrite

Read Zoé's description of her friend Céline. Write a similar letter in which you describe a real or imaginary friend.

> Chers amis,
>
> J'ai une copine. Elle s'appelle Céline. Elle a dix-neuf ans et elle est étudiante. C'est une bonne copine. Elle est sympathique et généreuse. Elle a des parents conservateurs, mais elle est très libérale.
>
> Céline est intelligente, mais ce n'est pas une très bonne étudiante. En classe, elle n'est pas attentive. Elle n'aime pas étudier. Elle préfère jouer au tennis. C'est une fille très sportive. Elle est aussi drôle et amusante. C'est une personne très intéressante.
>
> Zoé

Vive la musique!

 *Saïd et Yasmina parlent de **leurs loisirs préférés**. Ils ont une passion* **commune***: la musique.*

their / pastimes / favorite / common

Saïd

Dans ma famille, on est très **musicien**. **Alors**, mon loisir préféré c'est la musique. Ma soeur Aïcha chante et joue de la guitare. Et moi, je joue du **tambour**. Le week-end, nous jouons avec un groupe de jeunes du quartier où nous habitons.

musical / So

drum

J'aime aussi les sports. Je joue au foot et au basket. J'aime regarder les **matchs** de foot à la télé. Ce soir, je vais regarder le match France-Italie.

games

Yasmina

J'adore la musique parce que j'aime danser. J'aime le rock et le rap, mais ma musique préférée est le raï. C'est une musique d'origine algérienne.

J'aime aussi **aller** au cinéma. J'aime les films d'aventure et les comédies. Je n'aime pas les films de science-fiction. Samedi, **je vais** aller au cinéma avec une copine. Nous allons **voir** une comédie américaine.

to go

I'm going

to see

Après le film, nous allons dîner. Il y a un très bon restaurant **marocain** dans le **quartier** où nous habitons. Ma copine adore le couscous.

Moroccan

neighborhood

Vrai ou faux?

1. Saïd joue de la guitare.
2. Il est sportif.
3. Il joue souvent au volley.
4. Le soir, il va jouer au foot avec des copains.
5. Yasmina aime la musique algérienne.
6. Elle aime le cinéma.
7. Elle aime les films d'horreur.
8. Elle va dîner dans un restaurant vietnamien.

Note culturelle
Les Français et la musique

The French love music. According to a recent poll, 74% of those surveyed consider music to be an indispensable part of their lives. In fact, listening to music is the primary form of entertainment for French people of all ages, ahead of reading or going to the movies.

The French love to sing. Eighty-three percent sing frequently or occasionally, be it at the wheel of their cars, in the shower, during family reunions, at work, or simply when feeling happy. Forty percent of secondary school students play at least one instrument, the most popular being the piano and the guitar. In music classes, 35% have learned to play the recorder.

The French enjoy all types of music, although specific tastes reflect age and social class. Their preferences go to French songs (66%), pop and rock (29%), classical music (22%), and songs by international artists (22%).

Other forms of music reflecting the multi-ethnic diversity of the French population are rapidly gaining in popularity. **Le rap,** which combines American rhythms and French lyrics, is a favorite in the African and North African immigrant milieu. **Le reggae** and **le zouk,** its counterpart from the French West Indies, provide dance music enjoyed by young people of all backgrounds. **Le raï,** a kind of soul music originally from Algeria but transformed in France, has become popular all across Europe.

The French government, recognizing the importance of music for people of all generations, has instituted a special annual event, **la Fête de la Musique,** which celebrates the first day of summer. On June 21, free public concerts are given all across France, from Paris to the smallest villages, and everyone is invited to participate. Although begun in France, this event now takes place all around the world, in more than 100 counries and 250 cities, including New York.

Sources: **Francoscopie 2003;** TNS-SOFRES poll "Les Français et la musique", 27 juin 2005

À votre avis

Are French and American tastes in music similar or different? Explain.

La langue française

A. L'usage de l'article défini dans le sens général
TO EXPRESS GENERAL OPINIONS

When using nouns in a general sense, the French often use the definite article **(le, la, les).** Compare the following French and English statements.

J'aime **les sports.**	*I like* **sports** *(in general).*
Le tennis est un sport intéressant.	***Tennis*** *(in general) is an interesting sport.*
Les Français aiment **le cinéma.**	*(Generally speaking,)* ***French people*** *like* ***movies.***
Les écologistes respectent **la nature.**	*(Generally speaking,)* ***ecologists*** *respect* ***nature.***

> In contrast to English, French uses the DEFINITE ARTICLE **(le, la, les)** to introduce ABSTRACT nouns and nouns used in a GENERAL or COLLECTIVE sense.

1 Préférences personnelles

Indicate your preferences on the following topics. Does your partner agree with you?

✺ le cinéma ou le théâtre?
— *Je préfère le cinéma.*
— *Moi aussi, je préfère le cinéma.*
ou — *Moi, je préfère le théâtre.*

1. le sport ou la musique?
2. le jogging ou la gymnastique?
3. le volleyball ou le basketball?
4. l'histoire ou les sciences?
5. le rap ou le rock?
6. les hamburgers ou les pizzas?
7. la cuisine chinoise ou la cuisine mexicaine?
8. l'art moderne ou l'art classique?
9. les comédies ou les films d'action?
10. les documentaires ou les westerns?

2 Pour ou contre *(For or against)*

Express the views of the following people by saying if they are for **(pour)** or against **(contre)** certain things.

✺ les étudiants (l'injustice)
Les étudiants sont contre l'injustice.

1. les écologistes (l'énergie nucléaire / l'environnement)
2. les pacifistes (la paix [*peace*] / la guerre [*war*])
3. les Américains (l'injustice / la démocratie)
4. les femmes (l'égalité des sexes / le machisme [*male chauvinism*])
5. les jeunes (l'autorité / le progrès)
6. les terroristes (la violence / l'anarchie)

B. Les prépositions à et de + l'article défini

The PREPOSITIONS **à** and **de** have several meanings.

à	*at*	Le docteur Mercier arrive **à** l'hôpital.
	to	Il parle **à** son (*his*) assistant.
de	*of*	Voici une photo **de** Rachid.
	from	Il est **de** Tunis.
	about	Nous parlons **de** lui.

Note the forms of the definite article with the prepositions **à** and **de.**

Voici **le** garçon	Paul parle **au** garçon.	Léa parle **du** garçon.
Voici **la** fille.	Paul parle **à la** fille.	Léa parle **de la** fille.
Voici **l'**étudiant.	Paul parle **à l'**étudiant.	Léa parle **de l'**étudiant.
Voici **les** étudiants.	Paul parle **aux** étudiants.	Léa parle **des** étudiants.

The prepositions **à** and **de** contract with **le** and **les** to form single words.

à + le → au	**au** garçon	de + le → du	**du** garçon	LIAISON
à + les → aux	**aux** filles	de + les → des	**des** filles	aux ᶻétudiants des étudiants

⟹ There is no contraction with **la** and **l'.**

③ Conversations •

Say to whom the following people are talking and your partner will say what they are talking about.

✱ l'étudiant (le professeur / l'examen)
  — *L'étudiant parle au professeur.*
  — *Il parle de l'examen.*

1. le professeur (les étudiants / les cours)
2. Éric (le voisin / le match de foot)
3. Pauline (le cousin de Léa / le concert de rock)
4. Isabelle (le frère de Nicolas / les vacances [*vacation*])
5. mon oncle (les voisins / la politique internationale)
6. le président (le public / le problème de l'énergie)

4 Oui ou non? •

Ask your partner if the following people are doing certain things. He/She will say no and give the correct information, using the expression in parentheses.

✳ Mélanie / être à / le cinéma? (le concert de rock)
— *Est-ce que Mélanie est au cinéma?*
— *Non, elle est au concert de rock.*

1. Thomas / dîner à / la cafétéria? (le restaurant marocain)
2. Léa / parler de / le concert? (le film)
3. Victor / arriver de / le musée? (le café)
4. le professeur / parler de / les examens? (le problème de maths)
5. Pauline / étudier à / la Sorbonne? (l'Université de Strasbourg)
6. Madame Moreau / téléphoner à / les clients japonais? (la cliente américaine)
7. Monsieur Martin / parler à / la mère de Cécile? (les voisins)
8. les sénateurs / parler de / la situation internationale? (le problème de l'énergie)

Vocabulaire: Deux verbes — *jouer* et *penser*

jouer	*to play*	L'actrice **joue** un rôle intéressant.
jouer à	*to play (a sport or game)*	Je **joue au** tennis, mais je ne **joue** pas **au** volley.
jouer de	*to play (an instrument)*	Je **joue du** piano, mais je ne **joue** pas **de la** guitare.
penser	*to think, to believe*	Je **pense,** donc (*therefore*) je suis.
penser à	*to think about (to direct one's thoughts toward)*	Je ne **pense** pas **à l'**examen.
		À qui **penses**-tu? Je **pense à** mon copain.
		À quoi **penses**-tu? Je **pense aux** vacances (*vacation*).

➠ To ask someone's opinion on a given topic, the French use **penser de.**

Qu'est-ce que tu penses de...? *What do you think of . . . ?* *What is your opinion of . . . ?*

Qu'est-ce que tu penses du film?

➠ To respond, the French use **penser que.**

Je **pense qu'**il est génial! *I think (that) it is brilliant!*

Unlike English, the conjunction **que** (*that*) cannot be omitted in French.

Vocabulaire: Sports, jeux et musique

Avez-vous...   **un passe-temps** (*pastime*)?

des loisirs (*leisure activities*)?

UN SPORT	UN JEU	UN INSTRUMENT DE MUSIQUE	
le tennis	**le bridge**	**un piano**	**une flûte**
le foot (*soccer*)	**les cartes** (*cards*)	**un violon**	**une guitare**
le volley	**les échecs** (*chess*)		
le basket	**les jeux vidéo**		
le football américain	**les jeux sur ordinateur**		

➡ In French, some names of sports are often shortened.

le football - le foot   le volleyball - le volley   le basketball - le basket

5 Les loisirs ···

Ask your partner whether he/she plays the following sports, games, or instruments. (Use **jouer à** and **jouer de,** as appropriate.)

✳ le golf
— *Est-ce que tu joues au golf?*
— *Oui, je joue au golf.*
ou — *Non, je ne joue pas au golf.*

1. le tennis	4. le foot	7. le basket	10. la batterie (*drums*)
2. le piano	5. la guitare	8. le violon	11. les jeux vidéo
3. les échecs	6. les cartes	9. la clarinette	12. les jeux sur ordinateur

6 Opinions personnelles ·····························

Ask your partner's opinion about the following people or topics. He/She will answer, using one of the suggested adjectives.

✳ les films de science-fiction?
— *Qu'est-ce que tu penses des films de science-fiction?*
— *Je pense qu'ils sont géniaux (excellents, ennuyeux...).*

1. les examens
2. le cours de français
3. la cuisine française
4. le football américain
5. les films américains
6. l'art moderne
7. les Yankees
8. le président

facile	**difficile**
fort	**faible**
bon	**mauvais**
génial	**violent**
excellent	**pénible**
super	**ennuyeux**

C. Le verbe *aller* — TO SAY WHERE WE ARE GOING

The verb **aller** (*to go*) is irregular.

infinitive		**aller**	
present	je	vais	Je **vais** au cinéma.
	tu	vas	Tu **vas** au concert.
	il/elle/on	va	Elle **va** au restaurant.
	nous	**allons**	Nous **allons** à l'université.
	vous	**allez**	Vous **allez** au café.
	ils/elles	vont	Ils **vont** au musée.

> **LIAISON**
> nous‿allons
> vous‿allez

➡ **Aller** cannot be used alone. It is generally used with a destination.

Quand est-ce que tu vas à Paris?   *When are you going to Paris?*

Je vais à Paris en septembre.   *I am going (to Paris) in September.*

➡ **Aller** is also used with **bien** and **mal** to describe a physical or mental state.

Nous **allons bien.**   *We are feeling (doing) fine.*

7 Les vacances

The following foreign students will be spending summer vacation at home. Say where each of them is going.

✳ Michiko est japonaise.   *Elle va à Tokyo.*

1. Vous êtes canadiens.
2. Je suis anglais.
3. Tu es chinois.
4. Luis et Marcos sont espagnols.
5. Nous sommes américains.
6. Olga est russe.

> **Beijing**
> **Madrid**
> **Manchester**
> **Montréal**
> **Saint-Petersbourg**
> **San Francisco**
> **Tokyo**

8 Week-end

On weekends, students do not go to the university, but they do go other places. Say whether or not the following students are going to the places in parentheses.

✳ Thomas (le cours de maths)   *Thomas ne va pas au cours de maths.*

1. Inès (l'université)
2. moi (le cinéma)
3. nous (le centre de sport)
4. toi (la fac)
5. les étudiants (le café)
6. mon copain (le restaurant chinois)
7. vous (les cours)
8. Pierre et Isabelle (le concert)

Vocabulaire: Ma ville

Où est-ce que tu habites?

J'habite dans... **un appartement**   **une maison**   *house*
                  un quartier   *district*   **une ville**   *town*
                                                    une rue   *street*

Où êtes-vous?

Je suis... **en ville**   *downtown*   **à la maison**   *(at) home*

Dans ma ville (mon quartier, ma rue), il y a...

un bureau	*office*	**une banque**	*bank*
un café		**une bibliothèque**	*library*
un centre commercial	*mall*	**une boutique**	*shop*
un cinéma		**une école**	*school*
un magasin	*store, shop*	**une gare**	*(train) station*
un musée	*museum*	**une piscine**	*swimming pool*
un parc	*park*	**une plage**	*beach*
un stade	*stadium*	**une poste**	*post office*
un supermarché	*supermarket*	**une université**	
un théâtre			

➠ French students often refer to their college as **la fac (= la faculté).**

9 Où vont-ils? ·

Say where the following people are going, depending on what they do, like to do, or need to do.

✹ Monique et Marie sont étudiantes.   ***Elles vont à l'université (à la fac).***

1. Catherine est serveuse (*waitress*).
2. Monsieur Moulin est secrétaire.
3. Alain voyage en train.
4. Léa aime l'art moderne.
5. Thomas aime les westerns.
6. Cécile aime le jogging.
7. Nicolas aime nager.
8. Isabelle aime le shopping.
9. Eva a besoin d'un livre.
10. David a besoin d'argent (*money*).
11. Noémie a besoin de savon (*soap*).
12. Mathilde a besoin de timbres (*stamps*).

10 Préférences personnelles ·

Ask your classmates about their preferences.

✹ aller à (le concert ou le cinéma?)
    — ***Tu préfères aller au concert ou au cinéma?***
    — ***Je préfère aller au cinéma.***

1. dîner à (la cafétéria ou le restaurant?)
2. nager à (la plage ou la piscine?)
3. étudier à (la bibliothèque ou la maison?)
4. regarder un film à (la télé ou le cinéma?)
5. aller à (le théâtre ou le musée?)

D. Le futur proche: *aller* + infinitif — TO TALK ABOUT FUTURE EVENTS

Note how FUTURE actions are described in French.

Je **vais dîner** au restaurant.　*I **am going to have dinner** at the restaurant.*
Marc **va jouer** au foot.　*Marc **is going to play** soccer.*
Nous **n'allons pas étudier.**　*We **are not going to study.***

To express events or actions that are GOING TO TAKE PLACE in the NEAR FUTURE, French uses the construction:		
aller + INFINITIVE	Je **vais voyager.** Nous **allons nager.**	*I **am going to travel.*** *We **are going to swim.***

➡ In negative sentences, the expression **ne... pas** goes around the verb **aller.**

Je **ne vais pas** travailler.　*I **am not going** to work.*

11 **Ce week-end** (*This weekend*) •

Ask whether your partner is going to do the following things this weekend.

✴ travailler
　—*Tu vas travailler ce week-end?*
　—*Oui, je vais travailler.*
ou —*Non, je ne vais pas travailler.*

1. étudier
2. nager
3. danser
4. voyager
5. aller au cinéma
6. inviter des copains
7. organiser une fête
8. jouer au basket
9. dîner au restaurant
10. aller au musée

12 **Pas le dimanche!** •

Say that on Sunday the following people are not going to do what they do during the week.

✴ Tu étudies.　*Dimanche tu ne vas pas étudier.*

1. M. Mercier travaille.
2. Mme Dumas voyage.
3. Éric va au bureau.
4. Je vais à l'université.
5. Le prof écoute les étudiants.
6. Nous dînons à la cafétéria.
7. Tu travailles dans un supermarché.
8. Vous préparez l'examen.

13 **C'est évident!** •

Choose two or three of the following people. Decide where they are going and say what they are going to do there. Use elements of A and B in logical sentences.

✱ *Paul et Léa vont à la piscine. Ils vont nager.*

moi
nous
Paul et Léa
Élodie
Marc
vous
toi
les touristes

A: DESTINATION
• le musée
• la plage *beach*
• la piscine *pool*
• la bibliothèque
• la discothèque
• le centre commercial
• la banque
• le stade

B: ACTIVITÉ
• nager
• surfer
• danser
• changer des dollars
• regarder des livres
• regarder un match de foot
• faire du shopping (*to shop*)
• regarder l'exposition (*exhibit*) de photos

Vocabulaire: Les déplacements (*Getting around*)

Je suis...   Je vais...
   ici   *here*   **là**   *there*   **là-bas**   *over there*

Je vais à l'université...
   à pied   *on foot*   **en bus**   **en avion**   *by plane*
   à vélo   *by bike*   **en train**   **en voiture**   *by car*

arriver à	*to arrive (at)*	J'**arrive au** café.
arriver de	*to come (from)*	Tu **arrives du** restaurant.
entrer (dans)	*to enter*	Nous **entrons dans** le magasin.
passer	*to spend (time)*	Je **passe** une heure au café.
passer par	*to go by*	Vous **passez par** la bibliothèque.
rentrer à	*to go back to*	Éric **rentre à** Paris.
rentrer de	*to come back from*	Il **rentre de** Québec.
rester	*to stay*	Nous **restons** à la maison.

14 **Et vous?** •

Describe your usual routine by completing the following sentences with one of the suggested expressions or a similar phrase.

1. Je vais à l'université... (à pied? en vélo? en voiture? en bus?)
2. J'arrive là-bas... (à huit heures? à midi?)
3. Je passe par la bibliothèque... (à neuf heures? à trois heures et demie?)
4. Je reste là-bas... (une heure? deux heures?)
5. Je rentre chez moi... (à cinq heures? à minuit?)
6. Le week-end, je ne ne vais pas à la fac. Je vais... (en ville? au cinéma? au supermarché?)
7. Quand je voyage, je voyage généralement... (en bus? en train? en avion?)

E. La préposition *chez*

Note how the French use **chez** to indicate where they are or where they are going.

Paul est **chez Céline.**	*Paul is **at Céline's** (**house**).*
Nous allons **chez un copain.**	*We are going **to a friend's** (**place**).*
Je vais **chez le dentiste.**	*I'm going **to the dentist's** (**office**).*
J'étudie **chez moi.**	*I am studying **at home**.*
Éric travaille **chez lui.**	*Éric works **at his place/house**.*

To refer to someone's home, residence, or place of work, the French use the expression:

chez + {	NOUN	**chez** Léa	**chez** des copains	**chez** le dentiste	LIAISON
	STRESS PRONOUN	**chez** elle	**chez** eux	**chez** lui	chez_elle chez_eux

In questions, the interrogative expression **chez qui** is used.

Chez qui est-ce que vous allez? *To whose place are you going?*

> **À noter**
> **Chez** is used only with people. With places, the preposition **à** is used. Compare:
> | Je vais **chez le pharmacien.** | *I am going **to the pharmacist's**.* |
> |---|---|
> | Je vais **à la pharmacie.** | *I am going **to the pharmacy**.* |

15 La tempête (*Storm*) •

Because of a storm, people are staying home. Say what they are doing there.

✱ Clément regarde la télé. *Il regarde la télé chez lui.*

1. Monsieur Thomas travaille.
2. Nous dînons.
3. Tu prépares l'examen.
4. Céline regarde un DVD.
5. J'écoute des CD.
6. Marc et Thomas étudient.
7. Vous jouez aux jeux vidéo.
8. Brigitte et Zoé mangent une pizza.

16 Chez qui? •

Complete the following sentences with **chez** and a person of your choice.

1. Le week-end, je vais...
2. Je passe les vacances...
3. Je dîne parfois (*sometimes*)...
4. Je joue parfois aux jeux sur ordinateur...
5. Je suis souvent...
6. Je regarde des DVD...

Phonétique: La voyelle /a/

In French, the letter "a" always represents the sound /a/, which is like the English *ah*. It never sounds like the "a" in *all, at,* or *agree.*

Répétez:

/a/   la va ça ma là-bas avec stade café plage gare
      arrivez passer appartement basket magasin actif libéral

À votre tour

Compréhension orale

Listen carefully to the speakers and determine whether they are talking about present or future events. Check A or B, as appropriate.

	1	2	3	4	5	6	7	8	9	10	11	12
A. le présent												
B. le futur												

Conversation dirigée

Winter vacation is a few weeks away. You meet a friend from Quebec in the library and begin talking about vacation plans. Ask your friend (your partner) . . .

- where he/she is going
- if he/she is going to travel by car or by plane
- to whose place he/she is going
- how long **(combien de temps)** he/she is going to stay there
- what he/she is going to do **(faire)**
- when he/she is going to come back

Expression libre

You plan to get together with your partner next Saturday. List three things you would like to do if the weather is nice **(s'il fait beau)** and three things you would do if it rains **(s'il pleut)**.

s'il fait beau

1.
2.
3.

s'il pleut

1.
2.
3.

Expression écrite

In the following letter, Matthieu describes his life on campus. Write a similar letter in which you talk about yourself.

```
Chers amis,
   Je suis étudiant à l'Université Stendhal à Grenoble. J'habite dans une résidence° et
je vais à l'université en bus. Je mange au restaurant universitaire. Parfois°, je vais
manger une pizza en ville.
   Après les cours, je vais au centre sportif. Là, je joue au basket avec des copains.
Le week-end, je ne reste pas sur le campus. Généralement, je vais au cinéma avec ma
copine. J'aime les films d'action et elle préfère les comédies. Parfois des copains
organisent une fête°. Alors nous allons chez eux et nous dansons toute la nuit°.
   Matthieu
```

---

résidence *dorm*   **Parfois** *Sometimes*   **fête** *party*   **toute la nuit** *all night*

LA VILLE

En ville

Dans mon quartier, il y a...

un parc	**une banque** (*bank*)
un jardin (*garden*) **public**	**une mairie** (*city hall*)
un centre sportif	**une piscine** (*pool*) **municipale**
un commissariat de police (*police station*)	**une caserne de pompiers** (*fire station*)

▶ ***Comment expliquer*** (*to explain*) ***où on habite***

Où habitez-vous?

J'habite | 10, rue Victor Hugo.
25, avenue Descartes.
120, boulevard Léon Blum.
18, place de la République.

> **une rue**
> **une avenue**
> **un boulevard**
> **une place** (*square*)

Où est-ce exactement?

C'est dans	**le centre-ville.**	**le quartier** Saint-Jean.
	la banlieue (*suburbs*).	**un lotissement** (*development*).

C'est près d'ici? (*Is it near here?*)

Oui, c'est	**tout près** (*very close*).	Non, c'est	**assez loin** (*pretty far*).
	à 100 mètres.		**à trois kilomètres.**
	à dix minutes à pied.		**à vingt minutes en bus.**

Comment est-ce qu'on peut aller là-bas?

On peut y aller	**à pied.**	On peut **prendre** (*take*)	**un bus.**
	à vélo.		**un train.**
	en taxi.		**le métro** (*subway*).

Dans quel genre de résidence habitez-vous?

J'habite dans	**un appartement.**	**une maison individuelle.**
	un immeuble (*apartment building*).	**une tour** (*high rise*).
		une résidence universitaire (*dormitory*).

À quel étage (*floor*) habitez-vous?

J'habite | **au premier étage** (*second floor*).
au troisième étage (*fourth floor*).
au rez-de-chaussée (*first floor*).

Les villes françaises

French cities have not been built on a geometric grid pattern as have many American cities. As a result, the streets are not identified by numbers or compass directions. Instead, they often bear the name of important historical figures, notably writers (Victor Hugo), scientists (Descartes), and politicians (Léon Blum).

High rises are located in the suburbs, and not in the downtown area. In the older sections of the city, buildings are contiguous and not higher than six or seven stories. Small shops, boutiques, and cafés often occupy the ground floor, called the **rez-de-chaussée.** The numbering of the floors begins with the second floor, which is **le premier étage,** the third floor being **le deuxième étage,** and so on.

À votre tour

1. Ma ville

Décrivez votre ville ou votre quartier. Mentionnez les lieux (*places*) et les bâtiments (*buildings*) publics.

> Dans ma ville (mon quartier) , il y a...
> Il n'y a pas (de)...

2. Où habites-tu?

Demandez à votre partenaire quelques (*some*) questions sur son lieu (*place*) de résidence.

- · l'adresse
- · le genre de résidence
- · le quartier
- · l'étage
- · si c'est près
- · comment aller là-bas

HM Recherches Internet

Find and print out the map of a French city or town. (Go to **www.mapquest.com** and look under "maps" and "France.") Which streets are named after people? Do you recognize any of those people? Which streets are names of places? Compare maps with your classmates.

Renseignements

▶ *Pour demander un renseignement* (information)

Pardon,	monsieur,	**pouvez-vous me dire...**
Excusez-moi,	madame,	

où | est la poste?
| **se trouve** (*is located*) l'Office du Tourisme?

Bien sûr, monsieur (madame), ...

c'est | **dans** la rue... **sur** la place...
| **dans** l'avenue... **sur** le boulevard...

Où est-ce?

C'est | **tout droit** (*straight ahead*).   C'est | **en haut** (*at the top; upstairs*).
| **à droite** (*to/on the right*). | **en bas** (*at the bottom; downstairs*).
| **à gauche** (*to/on the left*).

Comment est-ce qu'on y va? (*How do you get there?*)

Vous | **prenez** (*take*) la rue Colbert.
| **traversez** (*cross*) le boulevard Colbert.
| **allez** | tout droit **jusqu'à** (*until*) la rue Victor Hugo.
| **continuez** (*keep going*) |
| **tournez** | à gauche dans l'avenue Pasteur.
| | à droite sur le boulevard du Parc.

Merci | **bien.**   Je **vous remercie** (*thank you*).
| **beaucoup.**
| **infiniment.**

Conversation

Émilie cherche (is looking for) la poste de Villeneuve. Elle demande à un passant (passerby) comment aller là-bas.

ÉMILIE: Pardon, Monsieur, pouvez-vous me dire où est la poste?
PASSANT: Bien sûr, Mademoiselle, c'est dans la rue d'Albi.
ÉMILIE: Est-ce que c'est loin d'ici?
PASSANT: Mais non, c'est à deux cent mètres à pied.
ÉMILIE: Pouvez-vous me dire comment je peux aller là-bas?
PASSANT: Eh bien, d'abord vous allez tout droit.
Vous traversez la place du Marché
et vous tournez à gauche dans la rue Colbert.
Puis vous continuez jusqu'à la rue d'Albi.
ÉMILIE: Je vous remercie.

À votre tour

1. En ville

Choisissez l'une des destinations ci-dessus (*above*) et demandez à votre partenaire où c'est. Utilisez les formules de politesse usuelles.

2. À Villeneuve

Vous arrivez à Villeneuve. Choisissez un endroit où vous voulez aller. Demandez à votre partenaire...

- où se trouve cette destination
- si c'est loin
- comment aller là-bas

LA FRANCE D'OUTRE-MER

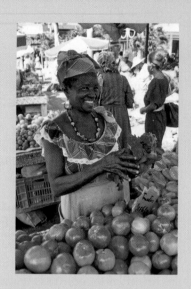

La France d'outre-mer —overseas

Il y a une France européenne et une France d'outre-mer°. La France d'outre-mer est constituée par° un certain nombre de départements et de territoires dispersés dans le monde° entier. Les départements et territoires d'outre-mer font partie intégrante° de la France. Leurs habitants sont citoyens° français. Ils ont les mêmes° droits° et les mêmes obligations que tous° les Français.

Voici quelques-uns° de ces départements et territoires.

Département/Territoire	Population	Capitale	Produits
Saint-Pierre et Miquelon	7 000	Saint-Pierre	poisson°
la Guyane française	100 000	Cayenne	fruits tropicaux, sucre°, bananes, riz°, tabac°
la Martinique	350 000	Fort-de-France	sucre, bananes, ananas°
la Guadeloupe	400 000	Basse-Terre	sucre, bananes, ananas
la Polynésie française	600 000	Papeete	fruits tropicaux, café, vanille, noix de coco°
la Réunion	600 000	Saint-Denis	sucre, vanille

Un peu d'histoire

Les départements et territoires d'outre-mer sont les vestiges de l'immense empire colonial établi par la France entre° le dix-septième et le dix-neuvième siècles° en Amérique, en Afrique et en Asie.

1763	La France perd° son empire colonial en Amérique, mais elle garde° les «îles à rhum°»: la Guadeloupe et la Martinique.
1848	L'esclavage° est aboli° dans toutes° les colonies françaises.
1946	Les départements et territoires d'outre-mer sont constitués.
1950–1960	Les colonies françaises d'Asie et d'Afrique deviennent° des républiques indépendantes.

d'outre-mer *overseas*   **est constituée par** *consists of*   **monde** *world*   **font partie intégrante** *are an integral part*   **citoyens** *citizens*
mêmes... que *same . . . as*   **droits** *rights*   **tous** *all*   **quelques-uns** *some*   **poisson** *fish*   **sucre** *sugar*   **riz** *rice*   **tabac** *tobacco*
ananas *pineapple*   **noix de coco** *coconut*   **entre** *between*   **siècles** *centuries*   **perd** *loses*   **garde** *keeps*   **îles à rhum** *rum islands*
esclavage *slavery*   **aboli** *abolished*   **toutes** *all*   **deviennent** *become*

Amérique du Nord

Saint-Pierre et Miquelon

Saint-Pierre et Miquelon sont deux petites îles situées au sud° de Terre-Neuve° dans l'Atlantique Nord°.

À l'origine ces îles servaient° de base pour les pêcheurs de morue° venus° de Normandie et de Bretagne.

Pendant la Prohibition, elles ont servi° de base aux trafiquants d'alcool.

Aujourd'hui, la France maintient une base navale à Saint-Pierre.

Port de Saint-Pierre

Amérique du Sud

La Guyane française

La Guyane est un pays° de forêt tropicale situé au nord-est° de l'Amérique du Sud. La majorité de sa population est d'origine africaine.

La Guyane est célèbre° pour son ancienne° colonie pénitentiaire° de l'Île du Diable°.

Ce territoire français entre dans l'ère moderne avec la création du centre spatial de Kourou. C'est d'ici que se lance° la fusée° européenne *Ariane*.

L'Île du Diable

Après la lecture
What are the two most interesting facts that you have discovered about overseas France?

Recherches
See the French film *La Veuve de Saint-Pierre* (*The Widow of Saint-Pierre*). The action takes place in Saint-Pierre in the 19th century.

---

sud *south* **Terre-Neuve** *Newfoundland* **Atlantique Nord** *North Atlantic* **servaient de** *served as* **pêcheurs de morue** *cod fishermen* **venus** *who came* **ont servi** *served* **pays** *country* **nord-est** *northeast* **célèbre** *known* **ancienne** *former* **pénitentiaire** *penal* **Île du Diable** *Devil's Island* **se lance** *is launched* **fusée** *rocket*

Avant de lire
Are you familiar with the French West Indies? What do you know about these islands?

La Martinique et la Guadeloupe

La Martinique et la Guadeloupe sont des îles volcaniques situées à 600 kilomètres au sud-est de Porto Rico. La population de ces îles est d'origine diverse: principalement africaine, mais aussi européenne, indienne et libanaise.

Le Carnaval°

À la Martinique, le grand événement° annuel est le Carnaval. C'est un festival extraordinaire de musique, de danse, de rythme, d'exubérance... et de bonne humeur. Dans les rues° les orchestres jouent des airs de zouk et de musique créole. Les jeunes gens sont masqués et portent° des costumes rouges. Tout le monde° participe à la fête. On danse, on rit°, on s'amuse°. Mercredi soir, on brûle° publiquement «Vaval», une immense effigie de papier mâché qui représente le Carnaval. La fête est finie°.

Le zouk

Le zouk est une musique de danse typiquement antillaise. Elle représente la fusion de rythmes caraïbes, africains, français et espagnols. L'instrument principal est le tambour°. Les autres instruments sont le synthétiseur, la basse, la guitare, le banjo et la clarinette. Le chanteur° chante en créole.

---

tambour *drum*   **chanteur** *singer*

Carnaval *Mardi Gras*   **événement** *event*   **rues** *streets*
portent *wear*   **Tout le monde** *Everyone*   **rit** *laughs*
s'amuse *has fun*   **brûle** *burns*   **finie** *over, finished*

Aimé Césaire et la Négritude

Dans les années 1930°, un groupe de jeunes intellectuels d'origine africaine arrive à Paris. L'un d'eux° s'appelle Aimé Césaire. Il vient° de la Martinique. Ces jeunes intellectuels fondent un mouvement philosophique, littéraire et politique appelé *la Négritude*. Ce mouvement affirme l'existence d'une identité noire, distincte et respectable.

Aimé Césaire exprime° ses idées dans un livre intitulé° *Cahiers du retour au pays natal*°. Il rentre° à la Martinique où il prend une part° très active dans la vie politique. Il est élu° maire° de Fort-de-France et député° de l'île. Dans ce rôle, il représente la Martinique à l'Assemblée Nationale française.

Le concept de négritude joue° un rôle très important dans l'histoire du vingtième siècle°. Il inspire les mouvements indépendantistes dans les colonies françaises qui obtiennent leur indépendance dans les années 1960. C'est aussi une source d'inspiration pour le mouvement du «*Black Power*» aux États-Unis.

> Je suis un Martiniquais, un Africain transporté.
> Mais je suis avant tout° un homme.
> Et un homme qui veut quoi°?
> L'accomplissement° de l'humanité dans l'homme.
> — Aimé Césaire

Le créole martiniquais

Le créole martiniquais est la langue populaire de la Martinique et de la Guadeloupe. Cette langue est née° du contact entre° les esclaves° noirs° et les Européens. Influencé par les langues africaines, le créole contient des mots° d'origine principalement française, mais aussi espagnole et anglaise.

Voici quelques expressions en créole martiniquais:

créole	français
Ça ou fé?	Comment allez-vous?
Moin bien.	Je vais bien.
Ça ou lé?	Qu'est-ce que vous voulez?
Moin pa savé.	Je ne sais pas.

HM Recherches Internet
Download a zouk song and share it with your classmates.

Après la lecture
Would you like to visit Martinique? Why?

Dans les années 1930 *In the 1930 s* **L'un d'eux** *One of them* **vient** *comes* **exprime** *expresses* **intitulé** *entitled*
Cahiers du retour au pays natal *Notebook of a Return to the Native Land* **rentre** *returns* **prend une part** *plays a role*
élu *elected* **maire** *mayor* **député** *representative* **joue** *plays* **siècle** *century* **avant tout** *above all else* **veut quoi** *wants what*
accomplissement *fulfillment, realization* **née** *born* **entre** *between* **esclaves** *slaves* **noirs** *black* **mots** *words*

Avant de lire
Do you know where the islands of Tahiti and La Réunion are located?

Pacifique Sud

La Polynésie française et Tahiti

La Polynésie française est un archipel° de petites îles° disséminées dans le Pacifique Sud. L'île principale est Tahiti. La majorité de la population est d'origine polynésienne et parle une langue proche° de l'hawaïen. Il y a aussi des Européens et des Chinois.

Les Tahitiens sont célèbres° pour leur hospitalité et leur bonne humeur. De grandes fêtes ont lieu° en juillet. Il y a des danses folkloriques, des cérémonies traditionnelles et des épreuves sportives°. Le grand événement° est la course° de pirogues°.

Course de pirogues à Tahiti

Océan Indien

La Réunion

La Réunion est une île volcanique située dans l'Océan Indien à 1.500 kilomètres des côtes° de l'Afrique de l'est. Sa population est d'origine très diverse: européenne, africaine, chinoise, indienne et libanaise.

Aujourd'hui la Réunion est le paradis des touristes et des éco-touristes. Les adeptes° de plongée sous-marine° peuvent° admirer les bancs de corail rouge°.

Une plage à l'île de la Réunion

Après la lecture
Would you rather spend a week in Tahiti or in Réunion? Explain why.

---

archipel *archipelago, group* **îles** *islands* **proche de** *close to* **célèbres** *known* **ont lieu** *take place*
épreuves sportives *athletic contests* **événement** *event* **course** *race* **pirogues** *canoes* **côtes** *coasts*
adeptes *enthusiasts* **plongée sous-marine** *scuba diving* **peuvent** *can* **bancs de corail rouge** *red coral reefs*

D'où venons-nous? Que sommes-nous? Où allons-nous?

Vahine no te vi

Paul Gauguin, peintre° de l'exotisme (1848–1903)

Paul Gauguin est un peintre post-impressionniste. Cet artiste français travaille d'abord° dans une banque. À l'âge de vingt-cinq ans il découvre° sa véritable vocation: la peinture°. Avec son ami Van Gogh, il peint° les paysages° de Bretagne et de Provence.

À quarante ans, Gauguin a besoin° d'une inspiration nouvelle°. Il quitte° la France et va à la Martinique. Puis, il part° pour Tahiti. Là il découvre des gens° simples et heureux. Il apprend° leur langue et adopte leur style de vie° primitif. Ses amis tahitiens deviennent° ses modèles. Il fait° leur portrait avec des couleurs chaudes° et opulentes. Il utilise le bleu, le rouge, l'ochre, le mauve...

Mais Gauguin cherche° une solitude plus complète. Il quitte Tahiti pour Hiva Oa, une île perdue° de la Polynésie. Là, il continue à peindre. Et c'est là où il meurt° en 1903.

> **HM) Recherches Internet**
> **Find some of Gauguin's paintings.**
> **Print a copy of your favorite one.**

---

peintre *painter*   **d'abord** *at first*   **découvre** *discovers*   **peinture** *painting*   **peint** *paints*   **paysages** *landscapes*   **a besoin de** *needs*
nouvelle *new*   **quitte** *leaves*   **part** *leaves*   **gens** *people*   **apprend** *learns*   **vie** *life*   **deviennent** *become*   **fait** *does*   **chaudes** *warm*
cherche *is looking for*   **perdue** *lost*   **meurt** *dies*

Unité 4

Notre monde personnel

Ma famille

Deux étudiants français, Vatea et Thomas, parlent de leur famille.

Vatea

Je m'appelle Vatea. J'habite à Tahiti. Je suis étudiante à l'Université de la Polynésie française. J'habite chez mes parents à Papeete. Mon **père** travaille à la poste. Ma **mère** est prof au **Lycée** Paul Gauguin.

    J'ai une soeur **aînée** et un **petit** frère. Ma soeur s'appelle Emmanuelle. Elle est **mariée**. Elle habite à Moorea avec son **mari** et ses deux **enfants**. Mon frère s'appelle Teiki. Il va au lycée. Il adore **faire de la planche à voile**.

    Mes grands-parents maternels habitent chez nous. J'ai beaucoup d'**oncles** et de **tantes**.

    Nous n'avons pas d'**animaux domestiques**.

father
mother / high school
older / younger
married / husband / children
to go windsurfing

uncles / aunts
pets

Thomas

Je m'appelle Thomas. J'habite à Tours, mais je suis étudiant à l'Université Bordeaux. Je **fais des études de droit**.

    Mes parents sont **divorcés**. J'habite chez mon père. Il travaille dans une banque. Ma mère est remariée. Elle ne travaille pas. Mon **beau-père** est assez sympa.

    J'ai une soeur et un **demi-frère**. Ma soeur est mariée et elle a deux enfants. Ce sont mes **neveux**. Ma nièce Victoire **a trois ans**. Mon neveu Clément a deux ans.

    Et j'ai un **chat**. Il s'appelle Attila... mais, il est très gentil.

study law
divorced
stepfather

half brother
nephews / is 3 years old

cat

1. Où habite Vatea?
2. Où travaillent ses (*her*) parents?
3. Comment s'appellent sa soeur et son frère?
4. Quel est le sport préféré de son frère?
5. Est-ce que Vatea a une grande famille? Expliquez.
6. Qu'est-ce que Thomas étudie?
7. Où est-ce qu'il fait ses études?
8. Quel travail a son père?
9. Est-ce que ses parents sont mariés?
10. Qu'est-ce qu'il pense de son beau-père?

Note culturelle
La famille en France

Pour 74% des Français, l'objectif le plus important de l'existence est d'avoir une famille heureuse. La famille reste une valeur° fondamentale même si° son concept a évolué°.

Quand on parle de «famille», on parle généralement du groupe constitué par° le père, la mère et les enfants. Dans le monde moderne, ce groupe social est souvent modifié. La famille est «monoparentale» quand il y a un seul parent ou quand les parents se séparent ou se divorcent. En France, un mariage sur deux° finit par un divorce. La famille est «recomposée» quand l'un des parents se remarie°. Pour beaucoup de jeunes couples français, la création d'une famille ne nécessite pas la formalité du mariage. Aujourd'hui, quatre naissances° sur dix ont lieu° dans des familles où les parents ne sont pas mariés et vivent° en «union libre°».

À côté de la famille nucléaire, il y a aussi une famille plus grande°, et parfois° plus° permanente. Cette famille comprend° tous° les gens apparentés°: grands-parents, oncles, tantes, cousins, cousines, neveux, nièces, etc. Pour les Français, ce groupe familial constitue une zone très importante de confort, de confiance° et de sécurité. La solidarité est une vertu° familiale.

Les relations° sont fréquentes entre° les membres d'une même° famille, particulièrement quand ils habitent dans la même région. Les enfants passent° les vacances chez leurs cousins. Les petits-enfants° rendent visite° à leurs grands-parents pour Noël ou le Nouvel An. Et tout le monde° se retrouve° pour les grandes fêtes de famille°: mariages, anniversaires, cérémonies civiles et religieuses. Comme° on est en France, ces réunions familiales sont toujours l'occasion d'un repas° fastueux°.

Comparez la famille en France et aux États-Unis. Quelles sont les similarités et les différences?

---

valeur *value*   **même si** *even if*   **évolué** *evolved*   **par** *by*   **un... sur deux** *one out of two*   **se remarie** *remarries*   **naissances** *births*
ont lieu *happen*   **vivent** *live*   **libre** *free*   **plus grande** *larger*   **parfois** *sometimes*   **plus** *more*   **comprend** *includes*   **tous** *all*
apparentés *related*   **confiance** *trust*   **vertu** *virtue*   **relations** *contacts*   **entre** *among*   **même** *same*   **passent** *spend*
petits-enfants *grandchildren*   **rendent visite** *visit*   **tout le monde** *everyone*   **se retrouve** *gets together*
fêtes de famille *family gatherings*   **Comme** *Since*   **repas** *meal*   **fastueux** *sumptuous*

La langue française

Vocabulaire: La famille et les relations personnelles

LA SITUATION FAMILIALE

On est...

marié (*married*)	**divorcé**
célibataire (*single*)	**remarié**

LA FAMILLE

la famille	*family*		
les parents	*parents*		
le mari	*husband*	**la femme**	*wife*
le père	*father*	**la mère**	*mother*
le beau-père	*stepfather*	**la belle-mère**	*stepmother*
les enfants	*children*		
le fils	*son*	**la fille**	*daughter*
le frère	*brother*	**la soeur**	*sister*
le demi-frère	*half brother*	**la demi-soeur**	*half sister*
le frère aîné	*older brother*	**la soeur aînée**	*older sister*
le petit frère	*little brother*	**la petite soeur**	*little sister*
les grands-parents	*grandparents*		
le grand-père	*grandfather*	**la grand-mère**	*grandmother*
les petits-enfants	*grandchildren*		
le petit-fils	*grandson*	**la petite-fille**	*granddaughter*
les parents	*relatives*		
l'oncle	*uncle*	**la tante**	*aunt*
le cousin	*cousin (male)*	**la cousine**	*cousin (female)*
le neveu	*nephew*	**la nièce**	*niece*

PRONONCIATION
la femme /fam/
le fils /fis/

LES ANIMAUX DOMESTIQUES

un animal			
un chien	*dog*	**un oiseau**	*bird*
un chat	*cat*	**un poisson rouge**	*goldfish*

PLURIELS IRRÉGULIERS
un neveu   des neveux
un animal   des animaux
un oiseau   des oiseaux

➡ Note the use of **de** to express family relationships.

   La soeur de Vatea habite à Moorea.   *Vatea's sister* lives on Moorea.
   Où habitent **les neveux de Thomas?**   *Where do Thomas' nephews* live?

➡ Most adjectives ending in **-é** are derived from **-er** verbs and correspond to English adjectives in *-ed*.

   divorcé *divorced*   **remarié** *remarried*   **préféré** *preferred (favorite)*

1 La famille Balard

With your partner, identify the following people by name. Begin your questions with **Qui est** or **Qui sont**.

✹ la nièce de Marc Balard
— *Qui est la nièce de Marc Balard?*
— *C'est Élodie Lebeuf.*

1. la nièce de Maurice Lebeuf
2. la tante de Léa
3. le cousin de Nicolas
4. le neveu de Martine Mallet
5. la grand-mère d'Élodie
6. la fille de Jean Balard
7. les parents d'Éric
8. les petits-fils de Julie Gasse

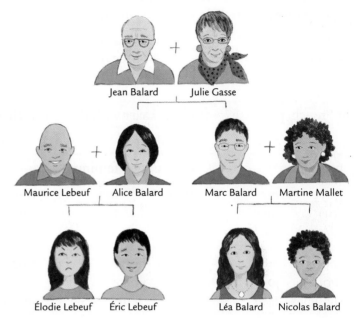

2 Les relations familiales

Use the family tree in **Activité 1** to define the relationships between the following people.

✹ Éric / Maurice Lebeuf
Éric est le fils de Maurice Lebeuf.

1. Léa / Nicolas
2. Martine Mallet / Léa
3. Jean Balard / Élodie
4. Alice Balard / Nicolas
5. Marc Balard / Martine Mallet
6. Alice Balard / Maurice Lebeuf
7. Éric / Marc Balard
8. Élodie / Maurice Lebeuf
9. Léa / Éric
10. Nicolas / Élodie

3 Et vous?

1. Avez-vous des frères et des soeurs? Combien de frères? Combien de soeurs? Quel âge est-ce qu'ils ont?
2. Avez-vous des cousins? des cousines? Où habitent vos (*your*) cousins et vos cousines?
3. Où habitent vos grands-parents? Est-ce que vous allez chez eux? Quand?
4. Combien d'enfants ont vos grands-parents? Combien de petits-enfants?
5. Dans votre (*your*) famille, est-ce qu'il y a souvent des réunions de famille? Allez-vous à ces (*these*) réunions? Qui va à ces réunions?
6. Avez-vous un chien? Comment s'appelle-t-il? Avez-vous un chat? Comment s'appelle-t-il?
7. Avez-vous d'autres (*other*) animaux domestiques? Quels animaux?

A. Les adjectifs possessifs — EXPRESSING PERSONAL RELATIONSHIPS AND OWNERSHIP

POSSESSIVE ADJECTIVES are used to express RELATIONSHIP between PEOPLE and OWNERSHIP. Note the forms of the possessive adjectives in the following sentences.

— C'est **ton** frère?
— Oui, c'est **mon** frère.

— C'est **ta** cousine?
— Non, ce n'est pas **ma** cousine.

— Ce sont **tes** livres?
— Oui, ce sont **mes** livres.

In French, possessive adjectives AGREE with the nouns they introduce.

possessor		singular		plural			
		masculine	feminine				
(je)	*my*	**mon**	**ma**	**mes**	**mon** vélo	**ma** radio	**mes** CD
(tu)	*your*	**ton**	**ta**	**tes**	**ton** vélo	**ta** radio	**tes** CD
(il/elle)	*his, her, its*	**son**	**sa**	**ses**	**son** vélo	**sa** radio	**ses** CD
(nous)	*our*	**notre**		**nos**	**notre** vélo	**notre** radio	**nos** CD
(vous)	*your*	**votre**		**vos**	**votre** vélo	**votre** radio	**vos** CD
(ils/elles)	*their*	**leur**		**leurs**	**leur** vélo	**leur** radio	**leurs** CD

> **LIAISON**
> There is liaison after possessive adjectives.
> mon‿oncle
> ton‿oncle
> mes‿amis
> leurs‿amis

➡ The feminine forms **ma, ta, sa** become **mon, ton, son** before a vowel sound.

mon‿amie Claire   BUT   **ma** meilleure (*best*) amie

ton‿affiche   BUT   **ta** petite affiche

➡ The choice between **son, sa,** and **ses** depends <u>only</u> on the gender and number of the noun that follows and <u>not</u> on the gender and number of the owner.

Voici Frédéric.		**Voici Caroline.**	
Voici **son** vélo.	*his* bike	Voici **son** vélo.	*her* bike
Voici **sa** radio.	*his* radio	Voici **sa** radio.	*her* radio
Voici **ses** livres.	*his* books	Voici **ses** livres.	*her* books

> **À noter**
> French uses the construction **à** + STRESS PRONOUN to clarify who the owner is.
> Voici Pierre. Voici sa voiture **à lui.**   Voici Léa. Voici sa voiture **à elle.**

4   Millionnaire •

Imagine that you have worked hard and that you are now a millionaire. Answer your partner's questions about your possessions.

✹ la Jaguar?
— *C'est ta Jaguar?*
— *Bien sûr, c'est ma Jaguar.*

1. l'avion (*plane*)
2. l'Alfa Roméo
3. la piscine
4. les motos

5. l'appartement à Paris
6. la villa à Monaco
7. le château en Irlande
8. les chevaux (*horses*)

5   La fête du Quatorze juillet •

Say that everyone is inviting a friend or relative to the Bastille Day festivities.

✹ Nicolas / une cousine
Nicolas invite sa cousine.

1. Philippe / une copine
2. Marc / des cousins
3. Pauline / un ami
4. Claire / une amie

5. Nathalie / des cousines
6. Thomas / une soeur
7. Mélanie / un frère
8. Antoine / des voisins

6   Le jour de l'An (*New Year's Day*) •

New Year's Day is a good time to visit or keep in touch with friends and relatives. Complete the following sentences with the appropriate possessive adjectives.

✹ Nous téléphonons à / le cousin
Nous téléphonons à notre cousin.

1. Vous téléphonez à / les parents
2. Nous invitons / les voisins
3. Vous allez chez / l'oncle
4. Marc et Claire téléphonent à / la tante
5. Monsieur et Madame Laval invitent / les neveux
6. Mes copains dînent chez / les grands-parents
7. Nous allons chez / les amis

7   Oui ou non? •

Read about the following people. On the basis of this information, say whether or not they do the things in parentheses. Use appropriate possessive adjectives.

✹ Claire est sérieuse. (préparer les examens?)
Oui, elle prépare ses examens.

1. Raphaël est égoïste. (aider les amis?)
2. Les étudiants sont paresseux. (étudier les leçons?)
3. Pauline est généreuse. (aider la camarade de chambre?)
4. Emma et Léa aiment la musique. (écouter les CD?)
5. Mes parents sont sociables. (inviter les voisins?)
6. Clément est individualiste. (aimer l'indépendance?)

B. La possession avec *de*

Another way to indicate RELATIONSHIP and OWNERSHIP is to use a construction with **de**.

Voici **le copain de Clara.**   *Here is **Clara's friend.***
Voici **la maison de mon cousin.**   *Here is **my cousin's house.***

RELATIONSHIP and OWNERSHIP can be expressed by the following construction:		
le la les } NOUN + **de (d')** + { RELATED PARTY OWNER	**le père d'Amélie** **la voiture de mes parents** **les livres du prof**	RAPPEL de + le = du de + les = des

8 **Objets trouvés** (*Lost and found*) •

Your partner found several objects. Help him identify the owners.

✱ la montre (David)
   — *Voici une montre.*
   — *C'est la montre de David.*

1. le portable (Nathalie)
2. l'appareil-photo (Clément)
3. le sac (Mélanie)
4. les CD (Thomas)
5. le lecteur de DVD (Inès)
6. l'ordinateur (Emma)
7. les livres (le professeur)
8. le vélo (mon neveu)

9 **Curiosité** •

You want to know more about the friends and other acquaintances of the people below. Ask the appropriate questions.

✱ Paul a une copine. (sympathique?)
   Est-ce que la copine de Paul est sympathique?

1. Camille a un cousin. (marié?)
2. Thomas a des amis. (amusants?)
3. Élise a un oncle. (riche?)
4. Céline a des grands-parents. (généreux?)
5. Le dentiste a un assistant. (compétent?)
6. Le prof a une secrétaire. (gentille?)
7. La voisine a des chats. (mignons?)
8. Les voisins ont un chien. (méchant?)

C. L'expression *être à* — TO INDICATE OWNERSHIP

Note how OWNERSHIP can be expressed in French.

— Les CD **sont à** Claire?	*Do these CDs **belong to** Claire?*
— Oui, ils **sont à** elle.	*Yes, they **belong to** her. (They are hers.)*
— Le livre **est au** professeur?	*Does this book **belong to** the teacher?*
— Oui, il **est à** lui.	*Yes, it **belongs to** him. (It is his.)*

The expression **être à** (*to belong to*) is used to indicate OWNERSHIP.

être à +	NOUN or NAME	Le CD-ROM **est à Thomas.**
	STRESS PRONOUN	L'ordinateur **n'est pas à lui.**

To ask about ownership, use the following pattern.

à qui	**est** + singular object?	**À qui est** le livre?	***Whose** book **is** this?*
	sont + plural object?	**À qui sont** les CD?	***Whose** CDs **are** these?*

10 Après la fête (*After the party*) •

Last night you and your partner gave a party. Now you are trying to find out to whom certain things belong.

✸ l'appareil-photo / Pauline
— *À qui est l'appareil-photo?*
— *Il est à Pauline.*

1. la guitare / Mélanie
2. le portable / Thomas
3. le lecteur MP3 / Éric
4. les lunettes (*glasses*) / ma soeur

5. le DVD / le copain d'Éric
6. les CD / les étudiants anglais
7. le sac / l'amie de Claire
8. la stéréo / le cousin de Marc

> **RAPPEL**
> à + le = au
> à + les = aux

11 Rendez à César (*Render unto Caesar*) •

You and your partner are arguing about who owns some of the objects you have found.

✸ la montre (Nicolas / Mélanie)
— *La montre est à Nicolas.*
— *Mais non, elle n'est pas à lui.*
 Elle est à Mélanie.

1. le stylo (Léa / Marc)
2. les cahiers (Vincent / Mathilde)

3. le vélo (ton copain / Claire)
4. les CD (Pierre et Michel / moi)

> **RÉVISION**
> Review stress pronouns, p. 64.

D. Le verbe *faire*

The verb **faire** (*to do, to make*) is irregular. It is used in many expressions.

infinitive	**faire**	Qu'est-ce que nous allons **faire?**
present	**je fais**	Je **fais** un sandwich.
	tu **fais**	Qu'est-ce que tu **fais** ici?
	il/elle/on **fait**	Céline **fait** du shopping.
	nous **faisons**	Nous ne **faisons** pas la cuisine.
	vous **faites**	Qu'est-ce que vous **faites?**
	ils/elles **font**	Qu'est-ce qu'ils **font** à l'université?

PRONONCIATION
faisons /fəzɔ̃/

Expressions avec *faire*

faire attention (à)	*to pay attention (to)*	Je **fais attention** quand le professeur parle.
	to be careful (about)	**Faites**-vous **attention à** votre budget?
faire le ménage	*to do the housework*	Nicolas **fait le ménage.**
faire la cuisine	*to do the cooking*	Je déteste **faire la cuisine.**
faire la vaisselle	*to do the dishes*	Qui **fait la vaisselle** chez vous?
faire du shopping	*to shop*	Je **fais mon shopping** le samedi.
faire les courses	*to go food shopping*	Je **fais les courses** à Monoprix.
faire des études	*to study*	Nous **faisons des études** de français.
faire les devoirs	*to do homework*	Nous ne **faisons** pas **nos devoirs.**
faire des économies	*to save money*	Je ne **fais** pas **d'économies.**
faire un voyage	*to take, go on a trip*	Paul **fait un voyage** à Québec.
faire une promenade	*to take a walk*	Nous **faisons une promenade** dans le parc.
	to go for a ride	Emma **fait une promenade** à vélo.
faire un match	*to play a game*	Raphaël **fait un match** de tennis.

12 Dans la cuisine •

In this family, everyone loves to cook. Say what each person is doing, using the appropriate forms of **faire.**

1. Mes cousins _____ un dessert.
2. Ma soeur _____ une pizza.
3. Je _____ une tarte (*pie*).
4. Vous _____ des sandwichs.

5. Nous _____ une salade.
6. Mon frère _____ une salade de tomates.
7. Tu _____ une salade de fruits.
8. Marc et Léa _____ des quiches.

13 **Occupations de week-end** •

Weekends are for relaxation, *not* for work. Say what the following people do or do not do on weekends.

✳ Nicolas / la vaisselle? *Non, il ne fait pas la vaisselle.*

1. nous / une promenade à pied?
2. mes copines / du shopping?
3. moi / les devoirs?
4. Laure / le ménage?
5. les Dupont / un petit voyage à Paris?
6. Carole et André / un match de tennis?
7. toi / une promenade en auto?
8. mon frère / une promenade à vélo?

14 **Qui fait quoi?** •

Living in a dorm or an apartment requires sharing tasks. Explain who does what: you, your roommate, or both of you.

	moi	*mon/ma camarade de chambre*	*nous deux*
• faire le ménage			
• faire les courses			
• faire la cuisine			
• faire la vaisselle			
• faire le budget			
• faire attention aux dépenses			

15 **Et vous?** •

Answer the following questions and compare your answers with your partner's.

1. Faites-vous du shopping le week-end? Où est-ce que vous faites votre shopping?
2. Quand vous êtes chez vous, qui fait la cuisine? Qui fait la vaisselle? Qui fait le ménage?
3. Est-ce que vous aimez faire la cuisine? Avez-vous une spécialité?
4. Faites-vous attention quand vous avez un examen? Quand vous faites vos devoirs?
5. Faites-vous des économies pour les vacances?
6. Faites-vous souvent des voyages? Où allez-vous?
7. Allez-vous faire un voyage pendant (*during*) les vacances? Où allez-vous aller?
8. Faites-vous des matchs de tennis? des matchs de basket? Avec qui? Qui gagne?
9. Aimez-vous faire des promenades en voiture? à vélo? à pied? Où allez-vous?

Vocabulaire: Le temps et les saisons

LE TEMPS (*weather*)

Quel temps fait-il?	*How's the weather?*			

Aujourd'hui...   *Today . . .*

il fait beau	*it's beautiful*	**il fait chaud**	*it's hot*
il fait bon	*it's nice*	**il fait froid**	*it's cold*
il fait mauvais	*it's terrible*		

chaud	*hot, warm*
froid	*cold*

il fait du vent	*it's windy*	**il pleut**	*it's raining*
il fait du soleil	*it's sunny*	**il neige**	*it's snowing*

le vent	*wind*
le soleil	*sun*
la pluie	*rain*
la neige	*snow*

Demain...   *Tomorrow . . .*

il va faire beau	*it's going to be beautiful*	**il va pleuvoir**	*it's going to rain*
il va faire froid	*it's going to be cold*	**il va neiger**	*it's going to snow*

Quelle température fait-il?	*What's the temperature?*
Il fait 18 degrés.	*It's 18° (Centigrade).*

LES SAISONS (*seasons*)

le printemps	*spring*	**au printemps**	*in spring*
l'été	*summer*	**en été**	*in summer*
l'automne	*fall*	**en automne**	*in fall*
l'hiver	*winter*	**en hiver**	*in winter*

LIAISON
en_été
en_automne
en_hiver

> ▶ **Le temps** has two different meanings.
>
> | | |
> |---|---|
> | *weather* | **Le temps** est mauvais aujourd'hui. |
> | *time* | Je n'ai pas **le temps** d'étudier. |

---

16 Le temps ·

1. Quel temps fait-il aujourd'hui?
2. Quel temps va-t-il faire demain?
3. Est-ce qu'il neige dans votre région?
4. Est-ce qu'il pleut? en quelle saison?
5. Quel temps fait-il en hiver? au printemps? en été? en automne?
6. Qu'est-ce que vous faites quand il y a du soleil? quand il pleut?

Phonétique: Les lettres "ch"

In French, the letters "ch" are always pronounced /ʃ/ as in <u>Chicago</u>.

Répétez: <u>ch</u>ien <u>ch</u>at <u>ch</u>aud <u>ch</u>er <u>ch</u>anter mar<u>ch</u>er ri<u>ch</u>e blan<u>ch</u>e <u>Ch</u>arles

Compréhension orale

You will hear what certain people are doing. If these activities take place inside the home, mark row A. If the activities take place outside the home, mark row B.

	✹	1	2	3	4	5	6	7	8
A.									
B.	✔								

Conversation dirigée

You are sharing an apartment with a roommate who is very nice but not well organized. In fact, the apartment is getting rather messy.

Ask your roommate (your partner) . . .
- if he/she is going to do his/her homework tonight
- when he/she is going to do the dishes
- when he/she is going to do the house cleaning
- if he/she is going to clean the kitchen, too

Expression libre

Avec votre partenaire, vous allez décrire vos familles respectives. Par exemple:
- Combien de frères et de soeurs avez-vous?
- Quel âge ont-ils?
- Qu'est-ce qu'ils font?
- Où habitent vos cousins et cousines?
- Qu'est-ce qu'ils font? etc.

Est-ce qu'il y a beaucoup de similarités entre vos familles?

Expression écrite

Votre famille va recevoir un(e) étudiant(e) français(e) pendant un mois pendant les vacances. Composez une petite lettre où vous décrivez les différents membres de votre famille.

Rien n'est parfait

Objectives

- To talk about clothes
- To describe what we purchase
- To discuss prices
- To point out people and things

*Marité habite à Fort-de-France à la Martinique. **La semaine prochaine**, elle est invitée au mariage de sa cousine. Elle a besoin d'une **nouvelle robe** pour **cette** occasion. Elle va dans un magasin de la rue Victor Hugo avec sa copine Julie.*

    Next week
    new dress / that

JULIE:	Dis, Marité, regarde cette robe!	
MARITÉ:	**Quelle** robe?	*Which*
JULIE:	Cette robe **jaune**. Elle est très élégante.	*yellow*
MARITÉ:	Oui, elle est très belle. **Combien** est-ce qu'elle **coûte**?	*How much / cost*
JULIE:	**Trois cents** euros.	*300*
MARITÉ:	Oh là là! Elle est beaucoup **trop chère**.	*too expensive*
JULIE:	Et cette robe **rouge**? Elle n'est pas très chère. Elle coûte **seulement quatre-vingts** euros.	*red / only* *80*
MARITÉ:	Quelle robe? Cette robe-là? Quelle horreur!	
JULIE:	Et cette robe **bleue**? Elle est très chic... et elle est **en solde**.	*blue / on sale*
MARITÉ:	Quel est le **prix**?	*price*
JULIE:	Seulement cent vingt euros!	
MARITÉ:	Ça, c'est dans mon budget.	

*Marité va **essayer** la robe. Elle revient **déçue**.*   *to try on / disappointed*

MARITÉ: Elle est très jolie et elle ne coûte pas trop cher. Mais regarde!
Elle est trop longue...

JULIE: **Rien n'est parfait!**   *Nothing is perfect*

À propos du texte

1. Pourquoi est-ce que Marité a besoin d'une nouvelle robe?
2. Où est-ce qu'elle va?
3. Est-ce qu'elle achète la robe jaune? Pourquoi pas?
4. Est-ce qu'elle achète la robe rouge? Pourquoi pas?
5. Qu'est-ce qu'elle pense de la robe bleue?
6. À votre avis, qu'est-ce qu'elle va faire?

Note culturelle
Les Français et la mode°

On parle toujours de l'élégance française. Pour beaucoup de gens, Paris est la capitale de la mode. Les maisons de couture° françaises ont une réputation internationale: Christian Dior, Chanel, Yves St. Laurent, Givenchy, Jean-Paul Gaultier, Christian Lacroix, Sonia Rykiel... Chaque° année, ces grands couturiers° présentent leurs nouvelles° créations à un élégant public international.

Les jeunes Français, eux aussi, ont besoin d'affirmer leur personnalité par° leur apparence physique. Pour cela°, chacun° choisit° son «look». Ce look s'exprime° en particulier par le style de vêtements° qu'on porte°: chic, classique, moderne, sport, original, hip-hop, etc. Le style des chaussures° est aussi un élément très important du look.

Les vêtements et les produits° de beauté représentent la dépense° principale des jeunes Français. Suivant° leurs ressources personnelles et l'importance qu'ils donnent à leur look, ils peuvent° acheter° leurs vêtements dans une boutique spécialisée, un grand magasin°, une grande surface° ou même au marché aux puces°. Les jeunes gens «branchés°» achètent leurs vêtements dans des chaînes de magasins spécialisés dans la «mode-jeunes»°, comme Zara, Mango, H&M et Kookaï.

À votre avis

Comparez l'importance de la mode en France et aux États-Unis.

mode *fashion*   **maisons de couture** *fashion houses*   **Chaque** *Each*   **couturiers** *designers*   **nouvelles** *new*   **par** *by*
cela *that*   **chacun** *each person*   **choisit** *chooses*   **s'exprime** *is expressed*   **vêtements** *clothes*   **porte** *wears*
chaussures *shoes*   **produits** *products*   **dépense** *expenditure*   **Suivant** *Depending on*   **peuvent** *can*   **acheter** *buy*
grand magasin *department store*   **grande surface** *discount house*   **marché aux puces** *flea market*   **«branchés»** *"in"*
mode-jeunes *youth fashion*

Vocabulaire: Les vêtements

Pour acheter des **vêtements** (*clothes*), on va dans...

un grand magasin	*department store*	**une boutique**	*shop*
un centre commercial	*shopping mall*	**une grande surface**	*discount store*

des lunettes (*f.*)
une chemise
un pantalon
des chaussures (*f.*)

un chemisier
une jupe
des collants (*m.*)

un chapeau
une cravate
une veste (*jacket*)
un imper
un costume

une robe
un manteau
des sandales (*f.*)

un blouson
un pull
un jean
des bottes (*f.*)

▸ Nouns that end in **-eau** in the singular end in **-eaux** in the plural.

un **chapeau**   des **chapeaux**   un **manteau**   des **manteaux**

verbes

porter	*to wear*	Aujourd'hui je vais **porter** un jean et un tee-shirt.
essayer	*to try*	Parler français, c'est difficile... mais nous **essayons.**
	to try on	Vous **essayez** une robe.

1 Aujourd'hui

Describe the clothes that the following people are wearing today.

1. Aujourd'hui, je porte...
2. Le/La prof porte...
3. L'étudiant(e) à ma droite (*on my right*) porte...
4. L'étudiant(e) à ma gauche (*on my left*) porte...

2 Vêtements pour toute (*every*) occasion

Describe what you wear in the following situations.

1. Quand je vais à la campagne (*to the country*), je porte...
2. Quand je vais à une entrevue professionnelle, je porte...
3. Quand je vais en boîte (*to a [night] club*), je porte...
4. Quand je vais à un mariage, je porte...
5. Quand je vais à la plage, je porte...
6. Quand il pleut, je porte...
7. Quand il neige, je porte...
8. Quand il fait chaud, je porte...

Les vêtements de sport

une casquette

un polo

un survêt

un tee-shirt

un short

des chaussettes (f.)

des baskets (m.)

des tennis (m.)

des lunettes (f.) de soleil

un maillot de bain

LES COULEURS

bleu

vert

jaune

orange

rouge

rose

violet (violette)

marron

gris

blanc (blanche)

noir

Les couleurs

De quelle couleur...? *What color . . . ?*
  — **De quelle couleur** est ta casquette?
  — Elle est **bleue.**

⟹ Adjectives of color agree with the nouns they modify.

EXCEPTION: **orange** and **marron** are invariable and do not take endings.

un polo **vert**   un tee-shirt **orange** et **marron**
une chemise **verte**   des cravates **orange** et **marron**

Le prix (*price*)

cher (chère)   *expensive*   Les chaussures italiennes sont **chères.**
bon marché   *inexpensive, cheap*   Les lunettes de soleil sont **bon marché.**

⟹ **Bon marché** is an invariable expression. It does not take adjective endings.

---

3 **Descriptions** ·

Describe what one of the people in the *Vocabulaire* is wearing, including the color of each item. Your partner will identify the corresponding picture.

4 **De quelle couleur?** ·

Give the colors of the following objects.

✱ les tomates   ***Les tomates sont rouges.***

1. les bananes
2. les roses
3. le raisin (*grapes*)
4. le vin (*wine*)
5. l'émeraude
6. le drapeau (*flag*) américain
7. le drapeau français
8. la statue de la Liberté

A. Les verbes *acheter* et *préférer*

Verbs like **acheter** (*to buy*) and **préférer** (*to prefer*) end in **e** or **é** + consonant + **-er.**
Note that in the **je, tu, il,** and **ils** forms, the **e** or **é** of the stem becomes **è.**

infinitive	acheter	préférer
present	J' **achète** une veste.	Je **préfère** la veste bleue.
	Tu **achètes** une cravate.	Tu **préfères** la cravate jaune.
	Il/Elle **achète** un imper.	Il/Elle **préfère** l'imper gris.
	Nous **achetons** un jean.	Nous **préférons** le jean noir.
	Vous **achetez** un short.	Vous **préférez** le short blanc.
	Ils/Elles **achètent** un pull.	Ils/Elles **préfèrent** le pull rouge.

PRONONCIATION

achète	/aʃɛt/
achetons	/aʃətɔ̃/ /aʃtɔ̃/
préfère	/prefɛr/
préférons	/preferɔ̃/

5 **Au centre commercial** •

The following people are in a shopping center. Describe what they can buy with the money they have.

✱ Raphaël a 35 dollars.
   Avec trente-cinq dollars, il achète des lunettes de soleil
   (une chemise, une casquette, deux tee-shirts).

▷ **RÉVISION**
Review numbers from
1–60 on pp. 6, 22.

1. Nous avons 60 dollars.
2. Tu as 20 dollars.
3. Pauline et Mélanie ont 40 dollars.
4. Céline a 25 dollars.
5. Vous avez 50 dollars.
6. Antoine a 30 dollars.
7. J'ai 15 dollars.
8. Mes cousins ont 45 dollars.

> une chemise
> un tee-shirt
> un jean
> un pantalon
> un survêt
> des sandales
> des baskets
> des lunettes de soleil

Verbes comme *acheter* et *préférer*

acheter	*to buy*	Qu'est-ce que tu **achètes?**
amener	*to bring (a person)*	Nicolas **amène** sa copine au concert.
préférer	*to prefer*	**Préfères**-tu le manteau ou l'imper?
célébrer	*to celebrate*	Je **célèbre** mon anniversaire le 3 mai.
considérer	*to consider*	Je **considère** Paul comme (*as*) un ami.
espérer	*to hope*	J'**espère** visiter Paris en été.
posséder	*to own*	Mon oncle **possède** une maison à Nice.

➥ In French, there are two verbs that correspond to the English *to bring*.

> **amener** + PEOPLE   J'**amène** une copine au pique-nique.
> **apporter** + THINGS   J'**apporte** des sandwichs au pique-nique.

6 La fête (*The party*) •

Everyone is bringing someone or something to the party. Complete the sentences below with the appropriate forms of **amener** or **apporter**.

✱ *Nous __amenons__ un copain.   Marc __apporte__ une pizza.*

1. Tu _____ ton appareil-photo.
2. Philippe _____ sa soeur.
3. Nous _____ des copains.
4. Vous _____ des sodas.
5. Michèle _____ des chips.
6. Antoine et Vincent _____ leur cousine.
7. Raphaël _____ ses CD.
8. Mon cousin _____ son camarade de chambre.
9. J' _____ ma guitare.
10. Léa et Émilie _____ leurs cousins.

7 Et vous? •

1. Quand est-ce que vous célébrez votre anniversaire? Comment est-ce que vous célébrez votre anniversaire? Est-ce que vous amenez vos amis au restaurant quand ils célèbrent leur anniversaire?
2. Est-ce que vous achetez souvent des vêtements? Où est-ce que vous achetez vos vêtements? Quelles marques (*brands*) préférez-vous?
3. Qu'est-ce que vous achetez aussi avec votre argent (*money*)?
4. Quand vous allez à une fête, est-ce que vous amenez vos amis? Qui amenez-vous? Qu'est-ce que vous apportez?
5. Est-ce que vous espérez aller en France un jour? Quand?
6. Est-ce que vous espérez être très riche? Pourquoi (pas)?
7. Est-ce que vous possédez un ordinateur? un lecteur DVD? un appareil-photo numérique? De quelles marques?
8. Est-ce que vous considérez l'avenir (*future*) avec optimisme? Pourquoi (pas)?

B. L'adjectif interrogatif *quel* TO ASK FOR SPECIFICS

To ask about SPECIFIC people or things, we use INTERROGATIVE ADJECTIVES.

Quelle veste est-ce que tu achètes?   *Which (what) jacket are you buying?*

Quels amis est-ce que tu invites?   *Which (what) friends are you inviting?*

The INTERROGATIVE ADJECTIVE **quel** (*which, what*) agrees with the noun it introduces. It has the following written forms.

	singular	plural		
masculine	**quel**	**quels**	**Quel** pantalon? **Quels** cousins?	LIAISON
feminine	**quelle**	**quelles**	**Quelle** robe? **Quelles** copines?	quels‿amis quelles‿amies

➠ **Quel** may be separated from the noun it modifies by the verb **être**.

Quelle est la **date** de l'examen?   *What is the date of the exam?*

Quel est le **nom** de ta nièce?   *What is the name of your niece?*

8 La boutique •

You are walking around the duty-free shop at the Paris airport. Whenever you point out something, your partner asks you to be more specific.

✹ les vestes (bleues)
— *Regarde les vestes!*
— *Quelles vestes?*
— *Les vestes bleues.*

1. l'appareil-photo (japonais)
2. les lunettes (italiennes)
3. la robe (blanche)
4. le parfum (français)
5. les montres (suisses)
6. les polos (bleus)
7. le blouson (rouge)
8. les cravates (jaunes)
9. les imper (gris)
10. la robe (verte)

9 Préférences •

Ask your partner what some of his/her favorite things or places are. Then agree or disagree. (Note: **préféré** = *favorite*.)

✹ la cuisine
Quelle est ta cuisine préférée?
C'est la cuisine chinoise.
Moi aussi, c'est la cuisine chinoise (la cuisine italienne...)

1. le restaurant
2. le magasin
3. les couleurs
4. les sports
5. le programme de télé
6. la marque (*brand*) de chaussures
7. la marque de vêtements
8. le genre (*type*) de musique

C. L'adjectif démonstratif *ce* — TO POINT OUT PEOPLE OR THINGS

To POINT OUT people or things, we use DEMONSTRATIVE ADJECTIVES.

Regarde **cette** veste.	*Look at **this** jacket.*
Qui sont **ces** filles?	*Who are **those** girls?*

The DEMONSTRATIVE ADJECTIVE **ce** (*this, that*) agrees with the noun it introduces. It has the following forms.

	singular	plural			
masculine	**ce** **cet** (+ VOWEL SOUND)	**ces**	**ce** blouson **cet** ami	**ces** blousons **ces** amis	LIAISON cet_ordinateur ces_affiches
feminine	**cette**	**ces**	**cette** veste **cette** amie	**ces** vestes **ces** amies	

➡ To distinguish between a person or object that is close by and one that is farther away, the French may use **-ci** or **-là** after the noun.

Alain achète **cette chemise-ci.**	*Alain is buying **this shirt** (over here).*
Marc achète **cette chemise-là.**	*Marc is buying **that shirt** (over there).*

10 Aux Galeries Lafayette •

You and your partner are shopping at the Galeries Lafayette, a large department store in Paris. Whenever your partner points out an item, you ask him/her to be more specific.

✴ un blouson
 — *Regarde ce blouson.*
 — *Quel blouson?*
 — *Ce blouson-ci.*

1. un imper
2. une casquette
3. des chaussures
4. une cravate
5. un pull
6. des livres
7. un ordinateur
8. des affiches
9. des lunettes
10. un survêt

Expression pour la conversation

to emphasize a statement

Eh bien... *Well . . .* **Eh bien,** moi, j'achète ce jean.

---

11 Désaccord (*Disagreement*) •

Whenever you go shopping with your partner, you disagree on your preferences.

✴ un CD
 — *Quel CD est-ce que tu préfères?*
 — *Je préfère ce CD-ci.*
 — *Eh bien, moi, je préfère ce CD-là.*

1. un blouson
2. une veste
3. des sandales
4. des bottes
5. une chemise
6. une cravate
7. une montre
8. des DVD

D. Le verbe *payer*

Verbs like **payer** (*to pay, pay for*) end in **-yer.**
Note how in the **je, tu, il,** and **ils** forms, the **y** of the stem becomes **i.**

infinitive	**payer**	
present	je **paie**	Je **paie** le restaurant.
	tu **paies**	Tu **paies** le logement.
	il/elle/on **paie**	Christiane **paie** le repas.
	nous **payons**	Comment **payons**-nous?
	vous **payez**	Vous **payez** en euros.
	ils/elles **paient**	Les Américains **paient** en dollars.

PRONONCIATION
paie   /pe/
payons /pejɔ̃/

Verbes conjugués comme *payer*

payer	*to pay, pay for*	Nous **payons** avec une carte de crédit.
employer	*to employ, hire*	Le magasin **emploie** des étudiants.
	to use	J'**emploie** un ordinateur.
envoyer	*to send*	Paul **envoie** un email à Patrick.
essayer	*to try, try on*	Julie **essaie** une robe.
nettoyer	*to clean*	Tu **nettoies** l'appartement.

12 **La fin du mois** (*The end of the month*) •

Say what the following people or companies do at the end of the month.

✳ moi / nettoyer / l'appartement
  Je nettoie l'appartement.

1. Mme Rousseau / payer / le loyer (*rent*)
2. Philippe / envoyer / un chèque à la banque
3. toi / nettoyer / le garage
4. nous / payer / le téléphone
5. l'entreprise / employer / des employés temporaires
6. les magasins / envoyer / les notes (*bills*) aux clients
7. vous / nettoyer / la maison
8. moi / payer / ma carte de crédit
9. les employés / nettoyer / le bureau

Vocabulaire: Les nombres de 60 à l'infini

60	soixante	80	quatre-vingts	100	cent
61	soixante et un	81	quatre-vingt-un	101	cent un
62	soixante-deux	82	quatre-vingt-deux	102	cent deux...
63	soixante-trois...	83	quatre-vingt-trois...	200	deux cents
69	soixante-neuf	89	quatre-vingt-neuf	201	deux cent un...
70	soixante-dix	90	quatre-vingt-dix	1 000	mille
71	soixante et onze	91	quatre-vingt-onze	10 000	dix mille
72	soixante-douze	92	quatre-vingt-douze...	100 000	cent mille
73	soixante-treize...	98	quatre-vingt-dix-huit	1 000 000	un million
79	soixante-dix-neuf	99	quatre-vingt-dix-neuf	10 000 000	dix millions

À noter

70 = 60 + 10
71 = 60 + 11
80 = 4 x 20
90 = 4 x 20 + 10

expressions

| **combien** | *how much* | **Combien** coûte le livre? |
| | | **Combien** coûtent les CD? |

coûter *to cost*

| **combien de** + NOUN | *how much* | **Combien de** temps est-ce que tu as? |
| | *how many* | **Combien de** copains est-ce que tu invites? |

⟹ In writing numbers, French uses:
  SPACES between the hundreds   **2 000 000** d'euros
  COMMAS to indicate decimals   **8,50** euros

⟹ Note the construction: **million(s)** + **de** + NOUN
  deux millions **de** dollars

À noter

- **Quatre-vingts** takes no **-s** when followed by a number.
  quatre-vingts   BUT   quatre-vingt-douze
- The plural of **cent** takes no **-s** when followed by a number.
  deux cents   BUT   deux cent dix
- **Mille** never takes an **-s**.
  mille   vingt mille
- **Million** takes an **-s** in the plural.
  un million   deux millions

13 Au Bon Marché •

You are shopping at the Bon Marché, a department store in Paris. Ask your partner how much the following items cost.

AU BON MARCHÉ
3 500 €
170 €
120 €
75 €
260 €
85 €
90 €

14 Combien? • • • • • • • • • •

With your partner, estimate the prices of the following items.

- un iPod
- un appareil-photo numérique
- un vélo
- un VTT (*mountain bike*)
- une guitare électrique
- une moto Harley-Davidson
- une Rolls Royce

E. Les adjectifs *beau, nouveau, vieux*

The adjectives **beau** (*pretty, beautiful; handsome*), **nouveau** (*new*), and **vieux** (*old*) are IRREGULAR. They usually come BEFORE the noun they modify.

Singular			
• masculine + consonant	un **beau** costume	un **nouveau** vélo	un **vieux** livre
• masculine + vowel sound	un **bel** homme	un **nouvel** ami	un **vieil** ami
• feminine	une **belle** robe	une **nouvelle** moto	une **vieille** dame
Plural			
• masculine	les **beaux** manteaux	les **nouveaux** pulls	les **vieux** vêtements
• feminine	les **belles** chaussures	les **nouvelles** robes	les **vieilles** personnes

⟹ Liaison is required with adjectives that come before the noun.

les belles‿affiches

les nouveaux‿ᶻamis

les vieux‿ᶻordinateurs

À noter
Note the difference between the adjectives **nouveau** and **neuf**.
   Nouveau (nouvelle) means *new* in the sense of "newly acquired."
      It comes BEFORE the noun.   J'ai une **nouvelle** voiture.
   Neuf (neuve) means *new* in the sense of "brand new."
      It comes AFTER the noun.   Ce n'est pas une voiture **neuve**.

15 Pas de chance! (*No luck!*) •

You are showing the new things you have bought to your partner. He/She prefers the old things and explains why. (NOTE: **plus** = *more*)

✳ des chaussures
— *Tu aimes mes nouvelles chaussures?*
— *Non, je préfère tes vieilles chaussures.*
— *Pourquoi?*
— *Elles sont plus belles.*

1. un polo
2. un imper
3. des baskets
4. une montre
5. un survêt

6. des lunettes de soleil
7. une casquette
8. des affiches
9. un ordinateur

Phonétique: Les voyelles /o/ et /ɔ/

• closed /o/
At the end of a word, the letters **-o, -ot, -au,** and **-eau** represent the vowel sound /o/. Do not let the vowel glide, as in English.

Répétez:

   radi<u>o</u>   styl<u>o</u>   vél<u>o</u>   phil<u>o</u>   gé<u>o</u>   stéré<u>o</u>   maill<u>ot</u>   Marg<u>ot</u>
   <u>au</u>   ch<u>au</u>d   b<u>eau</u>   nouv<u>eau</u>   chap<u>eau</u>   mant<u>eau</u>   ois<u>eau</u>

• open /ɔ/
In the middle of a word or when followed by a consonant sound, the letters **-o-** and **-au-** usually represent the vowel sound /ɔ/, which is somewhat similar to the "u" in the English word *up*.

Répétez:

   b<u>o</u>tte   sh<u>o</u>rt   r<u>o</u>be   c<u>o</u>stume   c<u>o</u>llants   éc<u>o</u>le   m<u>o</u>bile   Nic<u>o</u>le
   ch<u>au</u>ssures   ch<u>au</u>ssettes   m<u>au</u>vais   <u>Au</u>stralie   <u>Au</u>rélie

À votre tour

Compréhension orale

You will hear people talking about different articles of clothing. If the article is worn by Luc, check row A. If it is worn by Léa, check row B.

Luc   Léa

	1	2	3	4	5	6	7	8	9	10
A. **Luc**										
B. **Léa**										

Conversation dirigée

You are in a shopping mall conducting a survey for *La Mode,* a French fashion magazine. Interview two or three shoppers (your classmates), whom you address as **vous.**

Ask the shoppers . . .
- what colors they prefer
- where they buy their clothes
- where they buy their shoes
- what clothes they are going to buy for the summer **(pour l'été)**
- what clothes they are going to buy for the winter **(pour l'hiver)**

Expression libre

Avec votre partenaire vous êtes invité(e)s à l'un des événements suivants. Choisissez quel événement et décrivez les vêtements que vous allez porter à cette occasion.

- un pique-nique à la plage
- un week-end à la campagne (*country*)
- la nuit des Oscars
- une semaine de ski
- une semaine à Tahiti

Expression écrite

Le mois prochain, vous êtes invité(e) à deux mariages: un mariage très élégant et un mariage simple mais original. Décrivez les vêtements que vous allez porter pour chaque (*each*) mariage.

Pour le mariage élégant, je vais porter...

Et pour le mariage simple et original, ...

Le rêve et la réalité

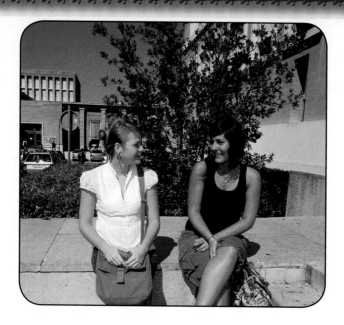

Objectives

- To describe one's home
- To make comparisons
- To talk about one's finances

Sophie et Mathilde sont étudiantes à Paris. Elles habitent chez leurs parents et vont **ensemble** *à la fac. Un jour, après les cours, Sophie parle à sa copine.*

together

SOPHIE:	Tu **sais** quoi?	*know*
MATHILDE:	Non! Quoi?	
SOPHIE:	Je vais **louer** une **chambre**.	*to rent / room*
MATHILDE:	Où ça?	
SOPHIE:	Au Quartier latin. C'est **près de** la fac.	*near*
MATHILDE:	Et comment est-elle cette chambre? grande? confortable?	
SOPHIE:	Pas vraiment! Elle est **moins** grande que ma chambre chez mes parents et elle est moins confortable.	*less*
MATHILDE:	Mais alors, tu as des problèmes avec ta famille?	
SOPHIE:	Mais non, j'adore mes parents. Ce sont les **meilleurs** parents **du monde**. Mais voilà, je voudrais être **plus** indépendante!	*best* / *in the world / more*
MATHILDE:	Comment? Être plus indépendante? Mais tu es **libre** chez toi! Et en plus, tu as une très jolie chambre.	*free*
SOPHIE:	Oh...	
MATHILDE:	Tu exagères! C'est **la plus belle** chambre de l'appartement, **la plus grande**... Et puis, tu as une **salle de bains**. **Au fait**, est-ce qu'il y a une salle de bains dans la chambre du Quartier latin?	*the most beautiful* / *the largest / bathroom / By the way*

SOPHIE:	Non, il y a une **douche** dans un **placard**, mais il y a une kitchenette.	*shower / closet*
MATHILDE:	**Tu parles!** Tu ne fais jamais la cuisine! Et combien coûte cette chambre?	*You bet!*
SOPHIE:	Cinq cents euros par mois!	
MATHILDE:	Cinq cents euros par mois! C'est probablement la chambre la plus chère du quartier, et toi, tu n'es pas la fille la plus riche du monde. Et au fait, comment vas-tu payer ton voyage à la Réunion cet été?	
SOPHIE:	Bon, bon... Tu as peut-être raison! Je vais rester chez mes parents pour le moment. **Après tout**, la vie de famille, c'est sympa... et aussi, c'est moins cher!	*After all*

À propos du texte

1. Où habite Sophie?
2. Qu'est-ce qu'elle veut faire?
3. Pourquoi est-ce qu'elle veut quitter ses parents?
4. Est-ce que la chambre du Quartier latin est confortable? Expliquez.
5. Combien est-ce qu'elle coûte?
6. Comment est la chambre de Sophie en comparaison?
7. Finalement, qu'est-ce que Sophie décide de faire? Pourquoi?
8. Êtes-vous d'accord avec cette décision? Expliquez.

Note culturelle
Le logement° des étudiants

Beaucoup d'étudiants français vont à l'université dans leur ville d'origine. Dans ce cas, ils habitent généralement chez leurs parents et profitent des avantages de la vie° familiale.

Le logement devient° un problème quand ils décident de faire leurs études universitaires dans une autre° ville. S'ils ont de la chance°, ils peuvent° loger dans une cité ou une résidence universitaire près° du campus. Malheureusement° les places dans ces résidences sont limitées. Beaucoup d'étudiants doivent louer° une chambre en ville. Ces «chambres d'étudiants» ne représentent pas un logement idéal. Elles sont généralement très petites. Le confort est minimal et le loyer° très élevé°.

À votre avis

Est-ce que les étudiants américains ont un problème comparable de logement? Expliquez.

---

logement *housing* **vie** *life* **devient** *becomes* **une autre** *another* **ont de la chance** *are lucky* **peuvent** *can* **près de** *near*
Malheureusement *Unfortunately* **doivent louer** *have to rent* **loyer** *rent* **élevé** *high*

La langue française

Vocabulaire: Le logement

J'habite... **en ville**   *in town*   **dans une résidence**   *in a dorm*

Je vais				
chercher	*to look for*	**un studio**	*studio apartment*
trouver	*to find*	**un appartement**	*apartment*
louer	*to rent*	**une maison**	*house*

Dans cette maison, il y a...

un salon	*(formal) living room*	**une chambre**	*bedroom*
un living	*(informal) living room*	**une pièce**	*room*
des meubles	*furniture*	**une cuisine**	*kitchen*
un garage	*garage*	**une salle à manger**	*dining room*
un jardin	*garden*	**une salle de séjour**	*family room*
		une salle de bains	*bathroom*
des WC	*toilets*	**des toilettes**	*toilets*

un placard   un mur   une douche

une fenêtre   une porte

une baignoire

un fauteuil   une étagère

un lit

une chaise   un sofa

une table

une lampe

un bureau   un tapis

➧ When one noun modifies another, the pattern is:

     main noun + **de** + descriptive noun

une <u>salle</u> de bains	*bath<u>room</u>*
une <u>lampe</u> de table	*table <u>lamp</u>*
un(e) <u>camarade</u> de chambre	*room<u>mate</u>*

1 **Où sont-ils?** ·

Read what the following people are doing and say in which part of the house they are.

✺ Pierre répare sa voiture.   *Alors, il est dans le garage.*

1. Isabelle regarde la télé.
2. Marie-Noëlle fait ses devoirs.
3. Clément joue du piano.
4. Nous dînons.
5. Vous faites la vaisselle.
6. Tu fais tes devoirs.
7. Monique consulte son email.
8. Jean-Marc se lave (*washes up*).
9. Mélanie fait des sandwichs.
10. Mme Martin regarde les roses.
11. M. Thibaud se rase (*is shaving*).
12. Je répare mon vélo.
13. Élodie et Luc mangent une pizza.
14. Louise se bronze (*is getting a tan*).

2 **Chez moi?** ·

Describe where you live and also where your family lives. Complete the following sentences and then compare your answers with your partner's.

1. J'habite dans... (un studio? une maison? une résidence à l'université?)
2. Dans ma chambre, il y a... (quels meubles?)
3. Les murs de ma chambre sont... (blancs? de quelle couleur?)
4. Chez mes parents, il y a... (combien de pièces? combien de chambres?)
5. Ma chambre à la maison est... (grande? petite? confortable?)
6. La cuisine est... (grande? petite? moderne? ancienne [*old*]? neuve? bien équipée?)
7. Les murs de la cuisine sont... (de quelle couleur?)
8. Dans le salon, il y a... (quels meubles?)
9. Dans la salle à manger, il y a... (quels meubles?)
10. Avec ma maison, il y a aussi... (un garage? un jardin? une piscine?)

Vocabulaire: Les prépositions de lieu (*place*)

dans	*in*	La télé est **dans** la salle de séjour.
par	*through, by*	Je passe **par** la cuisine pour aller au garage.
entre	*between*	Lyon est **entre** Paris et Nice.
sur	*on*	Il y a un ordinateur **sur** mon bureau.
sous	*under*	Mes chaussettes sont **sous** le lit.
devant	*in front of*	La chaise est **devant** le bureau.
derrière	*in back of, behind*	Le jardin est **derrière** la maison.
près de*	*near*	J'habite **près de** l'université.
loin de*	*far from*	Habitez-vous **loin du** campus?
à côté de*	*next to*	Il y a un café **à côté du** cinéma.
en face de*	*across from, opposite*	**En face du** cinéma, il y a un restaurant.
à droite de*	*to the right of*	La salle de bains est **à droite de** la chambre.
à gauche de*	*to the left of*	La cuisine est **à gauche du** salon.

➡ The expressions marked with an asterisk (*) are used without **de** when they are not followed by a noun. Compare:

J'habite **à côté**.	*I live **nearby (next door)**.*
J'habite **à coté de** l'université.	*I live **next to** the university.*
Est-ce que tu habites **loin**?	*Do you live **far (away)**?*
Non, je n'habite pas **loin du** campus.	*No, I don't live **far from** the campus.*

3 **Et vous?** •

1. Habitez-vous sur le campus?
2. Sinon (*If not*), habitez-vous loin ou près de l'université?
3. Qui habite à côté de chez vous?
4. Qui habite en face de chez vous?
5. Est-ce qu'il y a des magasins près de votre maison? Quels magasins?
6. Est-ce qu'il y a un parc dans votre ville? Est-ce que vous passez souvent par ce parc?
7. Est-ce que votre maison a un jardin? Est-ce qu'il est devant ou derrière la maison?
8. Comment s'appelle l'étudiant(e) à votre droite? Comment s'appelle l'étudiant(e) à votre gauche?
9. Combien d'étudiants est-ce qu'il y a entre vous et le/la prof?

4 **Où est-ce?** •

You are sometimes disorganized. Right now you are looking for the following items. Ask your partner to help you.

✴ mon manteau
   — *Où est mon manteau?*
   — *Il est à côté de la fenêtre (à gauche de la fenêtre).*

1. mes livres
2. ma guitare
3. ma raquette de tennis
4. mon jean
5. mes chaussures
6. mon PC
7. mes chaussettes
8. mon sac
9. mon mobile
10. le chat

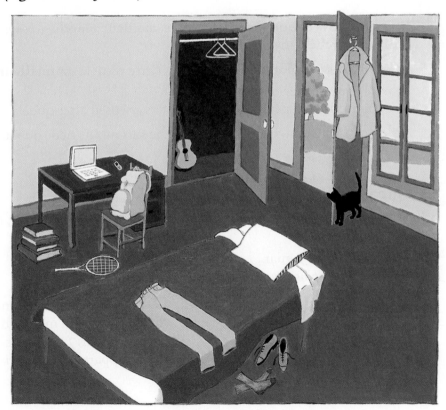

A. Le comparatif — TO MAKE COMPARISONS

To make COMPARISONS, we use the COMPARATIVE form of adjectives.

Le sofa est **plus cher que** le fauteuil.	*The sofa is **more expensive than** the armchair.*
La cuisine est **plus petite que** le salon.	*The kitchen is **smaller than** the living room.*

Pauline est **moins riche qu'**Alain.	*Pauline is **less rich than** Alain.*
Mais elle est **moins égoïste que** lui.	*But she is **less selfish than** he (is).*

Je suis **aussi sérieux que** toi.	*I am **as serious as** you (are).*
Tu n'es pas **aussi gentil que** moi.	*You are not **as nice as** I (am).*

COMPARISONS with ADJECTIVES are expressed according to the following patterns.

[+]	**plus**		**plus cher (que)**	*more expensive (than)*
[–]	**moins**	ADJECTIVE (+ **que...**)	**moins cher (que)**	*less expensive (than)*
[=]	**aussi**		**aussi cher (que)**	*as expensive (as)*

LIAISON
plus_actif
moins_actif

➡ The comparative of **bon** (*good*) is **meilleur** (*better*). **Meilleur** agrees with the noun it modifies.

Cette pizza-ci est **bonne**. Cette pizza-là est **meilleure**.

➡ The comparative of **bon marché** (*cheap*) is **meilleur marché** (*cheaper*). **Meilleur marché** is invariable.

Cette veste-ci est **bon marché**. Cette veste-là est **meilleur marché**.

➡ In comparisons with people, STRESS PRONOUNS are used after **que**.

Mon copain est plus riche que **moi**. Je suis moins riche que **lui**.

---

5 Comparaisons de prix •

In your opinion, is the first object more expensive, less expensive, or as expensive as the second one?

✱ une BMW / une Jaguar
Une BMW est plus (aussi, moins) chère qu'une Jaguar.

1. une télé / un ordinateur
2. un CD / un DVD
3. un sandwich / une pizza
4. un mobile / un baladeur MP3
5. une casquette / des lunettes de soleil
6. un short / un maillot de bain
7. une Ferrari / une Rolls-Royce
8. un appartement à Paris / un studio à New York

Expressions pour la conversation

to express one's opinion

à mon avis   *in my opinion*   **À mon avis,** cet appartement est très cher.

selon moi   *according to me*   **Selon moi,** vous payez trop (*too much*).

6 À votre avis

Compare the following people or things, using the suggested adjective. Your partner will also express his/her opinion.

✴ le français / difficile / l'allemand
— *À mon avis, le français est aussi difficile que l'allemand.*
— *Selon moi, le français est moins difficile que l'allemand.*

1. le football / violent / le basket
2. le ski / dangereux / le patinage (*ice skating*)
3. l'amitié (*friendship*) / importante / l'argent
4. Dracula / sympathique / King Kong
5. Bill Gates / riche / Donald Trump

6. les adolescents / idéalistes / les adultes
7. les étudiants / conservateurs / leurs parents
8. les Français / intellectuels / les Américains
9. les Red Sox / bons / les Yankees
10. la cuisine française / bonne / la cuisine chinoise

7 Préférences personnelles

Your partner will ask you to indicate your preference on the following choices. Explain your response using the comparative form of one of the adjectives in parentheses.

✴ louer un appartement ou une chambre? (cher, grand, confortable)
— *Est-ce que tu préfères louer un appartement ou une chambre?*
— *Je préfère louer une chambre parce que la chambre est moins chère que l'appartement.*

1. étudier le français ou l'espagnol? (difficile, important, intéressant)
2. avoir une voiture ou une moto? (cher, confortable, dangereux)
3. acheter une voiture de sport ou un minivan? (rapide, pratique, économique)
4. porter un jean ou un pantalon? (élégant, confortable)
5. manger une pizza ou une salade? (cher, bon, riche en calories)
6. avoir un chien ou un chat? (gentil, méchant, intelligent)

8 Et vous?

1. En général, êtes-vous plus optimiste que vos parents? plus idéaliste? moins conservateur/conservatrice?
2. Êtes-vous plus ou moins âgé(e) (*older*) que votre frère ou que votre soeur? aussi individualiste? plus généreux/généreuse?
3. Êtes-vous aussi sérieux/sérieuse que vos copains? plus travailleur/travailleuse (*hard-working*)? moins sportif/sportive?
4. Êtes-vous meilleur(e) en français que les étudiants de la classe?

B. Le superlatif — TO MAKE ABSOLUTE COMPARISONS

SUPERLATIVE constructions are used to compare people or things with the rest of a group. Note the superlative forms of the adjectives in the following sentences.

Anne est la fille **la plus gentille** de la classe.	Anne is **the nicest** girl in the class.
C'est l'hôtel **le plus moderne** de la ville.	It's **the most modern** hotel in the city.
Quel est le magasin **le moins cher**?	Which is **the least expensive** store?
Qui sont les étudiants **les moins sérieux**?	Who are **the least serious** students?

SUPERLATIVE ADJECTIVES are formed according to the pattern:

le/la/les { plus / moins } ADJECTIVE	le/la/les plus moderne(s)	the most modern
	le/la/les moins moderne(s)	the least modern

⟹ The superlative of **bon/bonne** is **le meilleur/la meilleure** (the best).

Léa est **une bonne** athlète.	C'est **la meilleure** athlète de l'université.

⟹ After a superlative construction, French uses the preposition **de** where English uses in.

le café le plus cher **de** la ville	the most expensive café **in** town
les meilleurs étudiants **de** la classe	the best students **in** the class

⟹ In a superlative construction, the POSITION of the superlative adjective (BEFORE or AFTER the noun) is usually the SAME as the basic adjective.

Voici une fille **sympathique**.	C'est la fille **la plus sympathique** de mes amies.

9 À mon avis

Name your candidates in the following categories. Then compare your choices with those of your classmates.

1. La plus grande université américaine, c'est...
2. La meilleure université, c'est...
3. Le plus grand bâtiment (building) du campus, c'est...
4. La résidence la plus confortable, c'est...
5. La résidence la moins confortable, c'est...
6. Le restaurant le plus cher de la ville, c'est...
7. La plus jolie ville des USA, c'est...
8. La personne la plus riche, c'est...
9. Le sport le plus intéressant, c'est...
10. Le sport le plus dangereux, c'est...
11. Mon cours le plus intéressant, c'est...
12. Mon cours le moins intéressant, c'est...

10 Les Oscars •

In your opinion, who is the best in each of the categories below? Then conduct a poll asking your classmates for their opinions.

1. le meilleur acteur de cinéma
2. la meilleure actrice
3. le meilleur chanteur
4. la meilleure chanteuse
5. le meilleur athlète professionnel
6. la meilleure athlète
7. le comédien le plus drôle
8. la comédienne la plus drôle
9. la meilleure émission de télé (*TV show*)
10. le meilleur film de l'année
11. la meilleure équipe (*team*) de baseball
12. la meilleure équipe de football américain

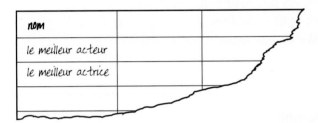

11 C'est vrai! •

You and your partner agree on what is the best.

✸ une boutique chère / la ville
— *C'est une boutique chère.*
— *C'est vrai! C'est la boutique la plus chère de la ville.*

1. un hôtel moderne / la ville
2. un bon restaurant / le quartier
3. une étudiante sérieuse / le cours
4. un prof sympathique / l'université
5. une fille sportive / le club
6. une grande pièce / la maison
7. une chaise confortable / le salon
8. un beau jardin / le quartier

Vocabulaire: Finances personnelles

noms

l'argent (*m.*)	*money*	**les dépenses** (*f.*)	*expenses*
un coût	*cost*	**la scolarité**	*tuition*
un prix	*price*	**la pension**	*room and board*
un chèque	*check*	**le logement**	*housing*
une carte de crédit	*credit card*	**un repas**	*meal*
		les loisirs (*m.*)	*leisure activities*
		les transports (*m.*)	*transportation*

verbes

coûter	*to cost*	L'appartement **coûte** 600 dollars par mois.
dépenser	*to spend*	Combien **dépensez**-vous pour les repas?
gagner	*to earn*	Combien d'argent **gagnez**-vous?
	to win	Qui va **gagner** le match de basket?

expressions

par jour	*per day*	Je dépense dix dollars **par jour** pour les repas.
par semaine	*per week*	Je gagne 180 euros **par semaine.**
par mois	*per month*	Combien dépenses-tu **par mois** pour les loisirs?

12 Mon budget personnel ·

Prepare a (real or imaginary) budget of your monthly expenses. Then compare your list with your partner's.

✺ *— Combien est-ce que tu dépenses pour le logement?*
  — Je dépense... dollars.

Dépenses	
la scolarité	_____
le logement	_____
les repas	_____
les transports	_____
le téléphone	_____
les loisirs	_____
les livres	_____

13 Et vous? ·

1. Combien coûte la scolarité à votre université?
2. Si vous habitez sur le campus, combien coûte la pension?
3. Si vous n'habitez pas sur le campus, combien payez-vous pour votre logement?
4. Combien dépensez-vous pour les livres?
5. Avez-vous des cartes de crédit? Combien?
6. Au restaurant, payez-vous avec une carte de crédit ou en liquide (*cash*)?
7. En général, payez-vous vos dépenses par chèque ou avec une carte de crédit?
8. Est-ce que vous avez un job? Si oui, où est-ce que vous travaillez? Combien d'heures par semaine?
9. Combien d'argent est-ce que vous gagnez par heure? par semaine?
10. Est-ce que vous travaillez pendant les vacances?
11. Si oui, où est-ce que vous travaillez? Combien d'argent est-ce que vous gagnez?

C. Les questions avec inversion

In conversational French, questions are usually formed with **est-ce que**. However, when the subject of the question is a PRONOUN, French speakers often use INVERSION; that is, they invert or reverse the order of the subject pronoun and the verb. Note the position of the subject in these questions:

with **est-ce que**	with inversion
Est-ce que tu habites sur le campus?	**Habites-tu** sur le campus?
Où **est-ce que vous dînez** ce soir?	Où **dînez-vous** ce soir?
Quand **est-ce qu'ils étudient**?	Quand **étudient-ils**?

INVERTED QUESTIONS are formed according to the patterns:	
VERB – SUBJECT PRONOUN …?	INTERROGATIVE EXPRESSION + VERB – SUBJECT PRONOUN …?
Vas-tu au cinéma?	Quand **vas-tu** au cinéma?
Habitez-vous sur le campus?	Où **habitez-vous** maintenant?

➡ In inverted questions, the verb and pronoun subject are joined with a hyphen.

➡ In inverted questions, the liaison sound /t/ links the verb to the subject pronouns **il/elle/on** and **ils/elles**.

> Que fait-il?   Que font-elles?

If the **il/elle/on**-form of the verb ends in a VOWEL, the letter **-t-** is inserted between the verb and the pronoun so that this liaison can occur. Compare:

Où travaille-t-il?	BUT	Où est-il?
Où habite-t-elle?		Fait-elle les courses?
Où va-t-on?		Que fait-on demain?

➡ In infinitive constructions, it is the CONJUGATED VERB that is inverted.

> **Aimes-tu** faire les courses?   Où **allez-vous** faire les courses?

➡ In inverted questions, **qu'est-ce que** becomes **que**.

> **Qu'est-ce que** vous faites?   **Que** faites-vous?

➡ Inversion may also occur in short information questions where the subject is a NOUN, according to the pattern:

> interrogative expression + verb + noun subject

> Où **habite Paul**?   À quelle heure **passe le bus**?

14 **Faisons connaissance** (*Getting to know each other*) • • • • • • • • • • • • • • • • • •

Choose a classmate you don't know very well and ask one another a few questions. How many traits do you have in common?

✱ où / habiter?
— *Où habites-tu?*
— *J'habite à Chicago.*
 Et toi, où habites-tu?
— *Moi, j'habite à Denver.*

1. combien de frères et de soeurs / avoir?
2. quelle voiture / avoir?
3. combien de cours / avoir?
4. quels sujets / étudier?
5. où / aller pendant les vacances?
6. combien d'argent / dépenser pour le téléphone?
7. où / dîner avec tes copains?

15 **Les étudiants français** •

The French students below are spending a semester at your university. You want to know more about them. Ask your partner, who will guess at an answer.

✱ [Lucas et Thomas]
— *Aiment-ils le football américain?*
— *Je pense qu'ils aiment (qu'ils n'aiment pas) le football américain.*

LES ÉTUDIANTS
Mélanie
Raphaël
Lucas et Thomas
Eva et Mélanie

LES QUESTIONS	
• être sympathique(s)	• jouer au volley
• parler anglais	• jouer au tennis
• habiter sur le campus	• aller au cinéma
• aimer le rap	• aimer le football américain

 Phonétique: L'accent final

In French words and phrases, all the syllables are very EVEN, except the last one, which is LONGER than the others. Always be sure to pronounce this **accent final.**

Répétez:

bu<u>reau</u> pla<u>card</u> cui<u>sine</u> mai<u>son</u> écono<u>mie</u> philoso<u>phie</u> grands-pa<u>rents</u>
apparte<u>ment</u> salle à man<u>ger</u> carte de cré<u>dit</u> par se<u>maine</u> lunettes de so<u>leil</u>
Vous cher<u>chez</u>. Nous ne cherchons <u>pas</u>. Vous ne trouvez pas l'a<u>dresse</u>.

À votre tour

Compréhension orale

You will hear several students talking about places where they live. If they are talking about their room at the **Cité universitaire,** check row A. If they are talking about their parents' house, check row B.

	1	2	3	4	5	6	7	8	9	10
A. la chambre										
B. chez les parents										

Conversation dirigée

You have just arrived in Strasbourg, where you will be studying for several months. You phone a real estate agency to try to find a furnished apartment. The agent has an apartment, but you need more information.

Find out from your partner (the real estate agent) . . .
- if the apartment is near the university
- how many rooms it has
- if it has a large bathroom
- if it has a modern kitchen
- which room is the largest
- what furniture there is in the bedroom
- what furniture there is in the living room
- how much it costs per month

Expression libre

Vous cherchez un(e) camarade de chambre pour l'année prochaine. Interviewez votre partenaire pour obtenir un maximum d'information sur lui/elle. Utilisez l'inversion. Voici quelques suggestions.

- être végétarien(ne)?
- avoir des plantes?
- avoir un chien ou un chat?
- faire le ménage?
- faire les courses?
- faire la cuisine?
- avoir une chaîne-stéréo?
- téléphoner souvent?
- avoir beaucoup de (*many*) visiteurs?
- organiser souvent des fêtes (*parties*)?
- regarder la télé après (*after*) minuit?
- étudier tard (*late*) le soir?

Sur la base de cette interview, décidez si vous allez choisir votre partenaire comme camarade de chambre.

Expression écrite

Décrivez votre chambre à un(e) étudiant(e) français(e).
- Comment est votre chambre?
- Quels meubles est-ce qu'il y a?
- Aimez-vous votre chambre? Pourquoi ou pourquoi pas?

L'ACHAT DES VÊTEMENTS

Les vêtements

➡ *Comment acheter des vêtements*

Vous désirez, madame (mademoiselle, monsieur)?
    Je cherche une veste.
    Je voudrais | **voir** (*to see*) vos chaussures de sport.
                essayer cette veste.

Quelle est votre **taille** (*size*)?
    Je **fais du trente-huit.** (*I'm size 38.*)

Quelle est votre **pointure** (*shoe size*)?
    Je **fais du quarante.**

Est-ce que ce pantalon **vous va** (*fits you*)?
    Oui, il **me va** (*fits me*) | bien.
                        à merveille (*beautifully*).

Non, il ne me va pas.
    Il est **trop** (*too*) | **grand/petit.**
                   long/court (*long/short*).
                   large/étroit (*wide/narrow*).
                   serré (*tight*).

Est-ce que **ce pull / cette chemise vous plaît**? (*Do you like this sweater/shirt?*)
    Oui, **il/elle me plaît beaucoup.** (*I like it a lot.*)

Espace Créateurs du Printemps Haussmann

Créé en 1865, le Printemps Haussmann est le grand magasin de référence, situé en plein cœur de Paris. À quelques pas de la Madeleine, plus de 45 000 m² avec les plus prestigieuses marques de mode, luxe, beauté et design.

HM **Recherches Internet**

Allez sur le site d'une compagnie française de vente en ligne, par exemple, *La Redoute* (**www.laredoute.fr**). Imprimez (*Print*) votre sélection de vêtements et décrivez ces vêtements à votre partenaire.

Les soldes

En France, les magasins de vêtements et de chaussures font des soldes° seulement° deux fois° par an à des dates fixées par l'administration: en janvier pour les collections d'hiver et en juillet pour les collections d'été.

soldes *sales*   **seulement** *only*   **deux fois** *twice*

FEMMES							Les tailles	HOMMES						
robes et manteaux								**chemises**						
tailles européennes	36	38	40	42	44	46	48	tailles européennes	37	38	39	40	41	42	43
tailles américaines	6	8	10	12	14	16	18	tailles américaines	14½	15	15½	15¾	16	16½	17

complets et manteaux

tailles européennes	46	48	50	51	54	56	58
tailles américaines	36	38	39	40	42	44	46

FEMMES							Les pointures	HOMMES						
pointures européennes	36	37	38	39	40	42	44	45	pointures européennes	40	42	44	45	46	48	50	52
pointures américaines	5	6	7	7½	8	9	10	10½	pointures américaines	7	8	9	9½	10	11	12	13

À votre tour

Aux Galeries Lafayette

Vous allez aux Galeries Lafayette, un grand magasin de Paris, pour acheter des vêtements et des chaussures. Votre partenaire va jouer le rôle du vendeur / de la vendeuse (*salesperson*). Composez et jouez un dialogue où vous dites...

· quel genre d'articles vous désirez acheter

· quelle est votre taille (et quelle est votre pointure)

· si l'article vous va ou non

Les accessoires

Si vous cherchez **un cadeau** (*gift*) pour votre ami(e), vous **pouvez** (*can*) acheter **un accessoire.**

un mouchoir

un foulard

une ceinture

un sac à main

une chaîne

une bague

une écharpe

un portefeuille

un bracelet

une cravate

des boucles d'oreilles

▷ *Comment décrire les accessoires*

Ce foulard est **en soie** (*silk*). **en coton.** **en polyester.**	C'est un foulard **en soie.**
Cette écharpe est **en laine** (*wool*).	C'est une écharpe **en laine.**
Ce sac est **en cuir** (*leather*). **en plastique.**	C'est un sac **en cuir.**
Cette bague est **en argent** (*silver*). **en or** (*gold*).	C'est une bague **en argent.**

HM **Recherches Internet**

Allez sur le site d'une boutique française, par exemple, *Hermès* (**www.hermes.com**). Choisissez un foulard (un carré), un châle, une cravate ou un bracelet. Décrivez votre sélection à votre partenaire.

Conversation

Noémie fait du shopping au Bon Marché, un grand magasin à Paris.
Elle cherche une ceinture.

VENDEUSE: Vous désirez, Mademoiselle?

NOÉMIE: Je cherche une ceinture.

VENDEUSE: En cuir ou en plastique?

NOÉMIE: Je préfère les ceintures en cuir.

VENDEUSE: Est-ce que cette ceinture vous plaît?

NOÉMIE: Oui, elle me plaît. Combien coûte-t-elle?

VENDEUSE: Vingt euros.

NOÉMIE: Bon, je vais l'acheter (*buy it*).

À votre tour

Au Bon Marché

Vous allez au Bon Marché pour acheter un des objets suivants. Avec votre partenaire, composez un dialogue semblable (*similar*) à la conversation entre Noémie et la vendeuse.

1.

argent / <u>or</u> / 78 €

2.

coton / <u>laine</u> / 20 €

3.

<u>soie</u> / polyester / 120 €

4.

argent / <u>plastique</u> / 5 €

5.

<u>coton</u> / cuir / 15 €

6.

<u>cuir</u> / faux cuir / 30 €

Paris

Avant de lire
Que savez-vous de Paris?
• son histoire
• ses monuments

Paris, ville lumière°

Paris est une très belle ville avec de larges avenues, de beaux immeubles°, des monuments historiques et beaucoup° de musées. Paris est la capitale politique de la France et aussi sa capitale administrative, financière et économique. Toutes° les décisions importantes sont prises° à Paris. Les idées, les mouvements artistiques et la mode viennent° de Paris. C'est pourquoi on appelle souvent Paris la «Ville Lumière».

Un peu d'histoire

Paris a plus° de deux mille ans.

300 av. JC°	• À l'origine une tribu celte, les Parisii, occupe l'île de la Cité.
100–200 apr. JC°	• Une ville romaine°, Lutetia, se développe° sur la rive gauche.
12ᵉ–14ᵉ siècles	• Au Moyen Âge°, on construit° la cathédrale de Notre Dame et on établit° l'Université de Paris.
17ᵉ–18ᵉ siècles	• Les rois° de France abandonnent Paris pour Versailles au dix-septième siècle mais le gouvernement y est rétabli° après° la Révolution.
1890–1939	• À la fin° du dix-neuvième siècle, Paris devient° la «Ville Lumière» et attire° les écrivains° et les artistes du monde° entier.
1940–1944	• Paris est occupée par les Allemands en 1940 et libérée par les Alliés en 1944.
1980–2000	• Dans les années° 1980, Paris se modernise° avec la construction de nouveaux monuments à l'intérieur de la ville, et la construction de grandes tours° commerciales à l'extérieur.

Ville Lumière *City of Lights*   **immeubles** *buildings*   **beaucoup de** *many*   **Toutes** *All*   **prises** *made*   **viennent** *come* **plus de** *more than*   **av. JC = avant Jésus-Christ** *B.C.*   **apr. JC = après Jésus-Christ** *A.D.*   **romaine** *Roman*   **se développe** *develops* **Au Moyen Âge** *In the Middle Ages*   **construit** *builds*   **établit** *establishes*   **rois** *kings*   **y est rétabli** *is reestablished there*   **après** *after* **fin** *end*   **devient** *becomes*   **attire** *attracts*   **écrivains** *writers*   **monde** *world*   **années** *years*   **se modernise** *becomes more modern* **tours** *high rises*

Les Monuments

La Seine traverse° Paris et la divise°
en deux parties°: **la rive° droite** et
la rive gauche.

L'Arc de Triomphe

L'Arc de Triomphe a été construit° au dix-
neuvième siècle pour célébrer les victoires de
Napoléon. Sous l'arche principale, il y a le
tombeau° du soldat° français inconnu°.

Le Louvre

Le Louvre est un ancien° palais° royal. Aujourd'hui c'est
le grand musée national français. Une pyramide de verre°,
construite par l'architecte sino-américain I. M. Pei, facilite
l'accès aux Galeries.

La Tour Eiffel, éclairée°
à l'entrée du nouveau
millénaire°.

La Tour Eiffel

La Tour Eiffel a été
construite pour
l'Exposition Universelle
de 1889. Aujourd'hui,
c'est le monument
français le plus visité°
de France. Elle est
illuminée le soir°. Pour
les grandes occasions, il
y a des feux d'artifice°.

Après la lecture
Quel monument parisien aimeriez-vous
visiter? Pourquoi?

HM Recherches Internet
Téléchargez plusieurs photos de Paris et faites un
album virtuel de ces photos. Montrez ces photos à la
classe.

---

traverse *crosses* **la devise** *divides it* **parties** *parts* **rive** *bank* **a été construit** *was built* **tombeau** *tomb* **soldat** *soldier*
inconnu *unknown* **éclairée** *illuminated* **millénaire** *millennium* **le plus visité** *the most visited* **le soir** *in the evening*
feux d'artifice *fireworks* **ancien** *former* **palais** *palace* **verre** *glass*

Rive gauche...

Le Quartier Latin

Au Moyen Âge°, les étudiants de l'Europe entière venaient° étudier à l'Université de Paris, à la Sorbonne. Ils étaient° français, espagnols, anglais, allemands, hongrois°... Pour communiquer entre eux°, ils parlaient° une langue commune: le latin.

Aujourd'hui le Quartier Latin est toujours° le quartier° des étudiants. On y° trouve aussi des vieilles librairies, des cafés sympathiques, des clubs de jazz, des restaurants vietnamiens, grecs et marocains.

Saint Germain des Prés

Au Moyen Âge, il y avait° une grande abbaye° avec une église, des jardins pour les cultures° et des prés° pour les animaux.

Aujourd'hui, Saint Germain des Prés est un quartier «chic», avec beaucoup de boutiques de mode. C'est le lieu de rendez-vous° des Parisiennes élégantes.

Au Moyen Âge *In the Middle Ages*   **venaient** *would come*   **étaient** *were*   **hongrois** *Hungarians*   **entre eux** *among themselves*
parlaient *would speak*   **toujours** *still*   **quartier** *district*   **y** *there*   **il y avait** *there were*   **abbaye** *monastery*   **cultures** *crops*
prés *meadows*   **lieu de rendez-vous** *meeting place*

... et Rive droite

Montmartre

Montmartre est une colline° dominée par une église blanche, le Sacré-Coeur°. Au dix-huitième siècle°, la colline était° couverte° de vignes°. Au dix-neuvième siècle, c'était un village d'artistes avec des cabarets et des bals populaires.

Aujourd'hui, Montmartre est un quartier populaire et pittoresque très apprécié des Parisiens et des touristes. Et on peut° toujours trouver un artiste pour faire votre portrait.

Les Champs-Élysées

Autrefois° c'était un quartier pour les Parisiens chics et élégants. Maintenant, c'est un quartier pour tout le monde°. Il y a des fast-food et des cafés chers, des magasins bon marché et un grand nombre de cinémas qui présentent les derniers° films français et étrangers°. C'est aux Champs-Élysées qu'a lieu° le défilé° du 14 juillet et l'arrivée du Tour de France.

Après la lecture
Imaginez que vous allez passer une semaine à Paris. Préfériez-vous un hôtel sur la rive droite ou sur la rive gauche? Pourquoi?

HM Recherches Internet
Informez-vous sur un quartier de Paris de votre choix.
• monuments
• lieux intéressants
• choses à faire

---

colline *hill*   **Sacré-Coeur** *Sacred Heart*   **siècle** *century*   **était** *was*   **couverte de** *covered with*   **vignes** *vineyards*   **peut** *can*
Autrefois *In the past*   **tout le monde** *everybody*   **derniers** *latest*   **étrangers** *foreign*   **a lieu** *takes place*   **défilé** *parade*

Paris, capitale artistique

Avant de lire

Que savez-vous de l'École de Paris?
• les artistes
• leur style artistique

Entre 1900 et 1940, Paris est le pôle d'attraction de tous° les artistes du monde°. Ces artistes forment des colonies à Montmartre et à Montparnasse. Il y a des Russes, des Espagnols, des Allemands, des Italiens, des Lituaniens, des Roumains°... et des Américains. Ils sont venus° à Paris pour trouver la liberté totale d'expression. Là, ils trouvent aussi l'inspiration personnelle.

Tous ces artistes constituent l' «École de Paris». Ce n'est pas véritablement° une école, mais plutôt° un tourbillon° de création artistique où chacun° exprime° des idées nouvelles. Des mouvements d'avant-garde naissent°: le cubisme avec Picasso et Braque, le surréalisme avec Ernst et Dalí.

En 1940, l'armée allemande arrive à Paris et les colonies d'artistes disparaissent°.

Marc Chagall, *Les mariés° de la Tour Eiffel* (Musée national d'art moderne de Paris)

Robert Delaunay, *Tour Eiffel* (Musée national d'art moderne de Paris)

Quelques artistes de l'École de Paris

Constantin Brancusi (Roumanie)	**Alberto Giacometti** (Suisse)	**Pablo Picasso** (Espagne)
Marc Chagall (Russie)	**Joan Miró** (Espagne)	**Man Ray** (États-Unis)
Salvador Dalí (Espagne)	**Moïse Kisling** (Pologne)	**Diego Rivera** (Mexique)
Max Ernst (Allemagne)	**Amadeo Modigliani** (Italie)	**Chaim Soutine** (Lituanie)
Tsuguharu Foujita (Japon)	**Piet Mondrian** (Hollande)	**Victor Vasarely** (Hongrie)

tous *all* **monde** *world* **Roumains** *Romanians* **sont venus** *came* **véritablement** *really* **plutôt** *rather* **tourbillon** *whirlwind* **chacun** *each one* **exprime** *expresses* **naissent** *are born* **disparaissent** *disappear* **mariés** *bride and groom*

Des Américains à Paris

Avant de lire

Connaissez-vous des Américains célèbres qui ont passé beaucoup de temps à Paris?
• artistes
• écrivains
• personnalités politiques

Paris a toujours attiré° les Américains: touristes par millions, mais aussi personnalités politiques, artistes, musiciens et écrivains°.

À la Libération de Paris en août 1944, les soldats américains défilent (*march*) sur les Champs-Élysées.

Benjamin Franklin

En 1775, il arrive à Paris comme représentant° de la jeune nation américaine. Il gagne l'amitié° des Français et obtient° l'alliance de la France contre° l'Angleterre.

John Adams et John Jay

Ils rejoignent Benjamin Franklin à Paris en 1783. Le 3 septembre, ils signent le traité de paix° avec l'Angleterre. Ce jour-là°, les États-Unis deviennent° officiellement une nation indépendante.

Mary Cassatt

En 1866, à l'âge de 22 ans, elle va à Paris pour étudier la peinture°. Encouragée par Degas, elle devient° une grande artiste impressionniste.

Ernest Hemingway

Il séjourne à Paris dans les années 1920 avec d'autres° membres de la «génération perdue°». En 1944, il retourne à Paris avec l'armée américaine.

Joséphine Baker

Elle arrive à Paris en 1925 avec un groupe de musiciens de jazz. Immédiatement elle obtient un succès extraordinaire comme chanteuse et danseuse. Pendant la deuxième guerre°, elle participe à la Résistance française.

James Baldwin

Il visite la France en 1948 et décide de s'installer à Paris. C'est là qu'il écrit° sa biographie *Go Tell It to the Mountain* et ses romans°.

Après la lecture

Quels sont les trois faits les plus importants que vous avez appris sur Paris?

 Recherches Internet

Choisissez un artiste de l'École de Paris et informez-vous sur lui. Selectionnez un de ses tableaux que vous aimez et imprimez-le.

---

a attiré *has attracted*   **écrivains** *writers*   **représentant** *representative*   **amitié** *friendship*   **obtient** *obtains*   **contre** *against*   **traité de paix** *peace treaty*   **Ce jour-là** *On that day*   **deviennent** *become*   **peinture** *painting*   **devient** *becomes*   **d'autres** *other*   **perdue** *lost*   **la deuxième guerre** *World War II*   **écrit** *writes*   **romans** *novels*

Unité 5

Chez les Français

Une question de priorité

Objectives
- To describe certain feelings and needs
- To make suggestions

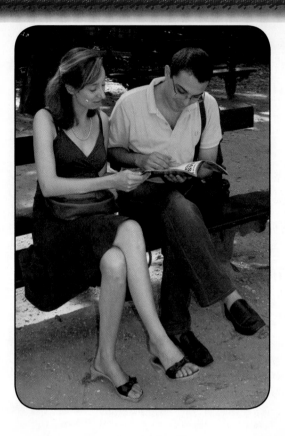

Céline et Alain sont au Jardin du Luxembourg. Alain regarde un magazine. Céline, elle, a envie d'aller au restaurant. — *feels like going*

CÉLINE:	Dis, Alain, est-ce que tu **as l'intention de** rester **longtemps** ici? Moi, j'**ai faim**.

intend / long
I'm hungry

ALAIN: **Attends** une minute. Je **finis** cet article... — *Wait / finish*

CÉLINE: Qu'est-ce que c'est?

ALAIN: C'est un **sondage** sur les priorités des jeunes Français. — *poll*

CÉLINE: Très intéressant! Et alors?

ALAIN: Ils **choisissent** la famille, le **métier** et les amis avant l'argent. — *choose / job*

CÉLINE: Ils ont raison! L'argent ne fait pas le **bonheur**. — *happiness*

ALAIN: Beaucoup sont aussi concernés par l'**avenir** de la planète... Ils **ont peur** de la pollution, des épidémies... — *future / are afraid*

CÉLINE: Je **suis absolument d'accord** avec eux... Mais écoute, pour le moment ma priorité à moi, c'est d'aller au restaurant... J'**ai très envie** d'un steak-frites. — *absolutely agree* / *really feel like*

ALAIN: Tu **as bien raison**! Moi aussi, j'ai faim. — *are right*

CÉLINE: Alors, allons au restaurant.

À propos du texte

1. Quel est le sujet du sondage?
2. Quelle est la priorité de Céline?
3. Où vont Alain et Céline?

Note culturelle
Les jeunes Français et le bonheur

Les Français sont des gens heureux. En très grande majorité (94%), ils déclarent être satisfaits de leur existence.

En quoi consiste le bonheur pour les jeunes Français? Radio-France a réalisé° une enquête° à ce sujet auprès de jeunes de 15 à 24 ans. Voici leurs priorités, par ordre d'importance.

Les éléments qui comptent le plus	Rang
· la famille	1
· trouver un métier° intéressant	2
· les amis	3
· l'amour	4
· le sport	5
· le développement intellectuel	6
· la musique	7
· la santé	8
· l'argent	9

À votre avis

1. Quels sont les trois éléments qui comptent le plus pour vous actuellement?
2. Est-ce que les Français et les Américains ont les mêmes (*same*) priorités? Expliquez.

a réalisé *carried out*   **enquête** *poll*   **métier** *job, profession*

Source: Enquête Sofres et Radio France, novembre 2003

La langue française

A. Expressions avec *avoir* TO TALK ABOUT AGE AND FEELINGS

French uses expressions with **avoir** to describe age, physical states, and feelings.

Nathalie **a vingt ans.** *Nathalie is twenty (years old).*
Nous **avons soif.** *We are thirsty. We feel thirsty.*
J'**ai envie de** manger. *I want to eat. I feel like eating.*

RAPPEL

j'**ai**	nous_**avons**
tu **as**	vous_**avez**
il **a**	ils_**ont**

Expressions avec *avoir*

avoir... ans	*to be . . . years old*	J'**ai dix-neuf ans.**
avoir faim	*to be, feel hungry*	Tu **as faim.** Tu vas au restaurant.
avoir soif	*to be, feel thirsty*	J'**ai soif.** Je voudrais un Orangina.
avoir chaud	*to be, feel hot/warm*	Lucas **a chaud**! Il va à la plage.
avoir froid	*to be, feel cold*	J'**ai froid.** Où est mon pull?
avoir sommeil	*to be, feel sleepy*	Il est minuit. Claire **a sommeil.**
avoir peur (de)	*to be afraid (of)*	**Avez**-vous **peur de** l'examen?
avoir raison	*to be right*	Est-ce que le prof **a raison**?
avoir tort	*to be wrong*	Mes copains **ont tort**!
avoir besoin de	*to need*	Mon copain **a besoin d'**argent.
(+ INFINITIVE)	*to need, to have to*	Il **a besoin de** travailler.
avoir envie de	*to want, feel like*	Nous **avons envie d'**un steak.
(+ INFINITIVE)	*to feel like, to want to*	Nous **avons envie de** manger.
avoir l'intention de	*to intend, plan to*	As-tu **l'intention de** voyager cet été?

▶ To ask how old someone is, use the expression **quel âge.**

 Quel âge as-tu? **Quel âge a ton frère?**

▶ When giving someone's age, the word **ans** (*years*) must be used.

 Mon frère a **quinze ans.** *My brother is fifteen.*

❶ L'âge

Quel âge ont les personnes suivantes? Complétez les phrases.

1. Moi, j'ai...
2. Ma copine...
3. Mon copain...
4. Mon/Ma camarade de chambre...
5. Ma mère...
6. Mon grand-père...

184 Unité 5~Leçon 13

2 Quel âge ont-ils?

D'après vous, quel âge ont ces personnes? Est-ce que votre partenaire est d'accord avec vous?

✸ — *Je pense que cette femme a trente-cinq ans.*
  — *Mais non, elle a quarante ans.*

✸	1	2	3	4	5	6

3 Hou là là!

Indiquez comment les personnes suivantes se sentent (*feel*).

1. Nous sommes au Sahara! La température est de 40° Celsius.

   J'...   Mélanie...   Paul et David...

2. Nous sommes au Pôle Nord. La température est de –20° Celsius. Brrr.

   Tu...   Vous...   Est-ce que Charlotte...?

3. Le réfrigérateur est vide (*empty*) et le restaurant est fermé (*closed*).

   Isabelle...   Mes copains...   Est-ce que vous...?

4. Il n'y a pas de soda, pas d'eau minérale, pas de jus de fruits...

   J'ai...   Francine...   Nous...

5. Il y a un fantôme (*ghost*) dans la maison.

   Cécile...   Nous...   Les enfants...

6. Nous avons étudié (*studied*) et maintenant il est deux heures du matin.

   J'...   Vous...   Mes camarades de chambre...

4 Expression personnelle

Complétez les phrases suivantes avec l'une des expressions entre parenthèses ou avec une expression de votre choix. Comparez vos réponses avec votre partenaire.

1. En ce moment, j'ai besoin... (d'argent? de loisirs? d'encouragement? ...)

2. J'ai peur... (des examens? du professeur? de la solitude? de l'avenir [*future*]? ...)

3. J'ai besoin... (d'étudier? de travailler? d'aller en vacances? ...)

4. Ce soir, je n'ai pas envie... (de faire mes devoirs? d'aller à la bibliothèque? de regarder la télé? ...)

5. Ce week-end, j'ai envie... (d'aller au cinéma? de faire une promenade à vélo? de dîner dans un restaurant chinois? ...)

6. Cet été, j'ai l'intention... (de travailler? de visiter Québec? d'aller en France? ...)

7. Avec mon argent, j'ai envie... (d'acheter un nouveau mobile? d'acheter un VTT? de faire un voyage? ...)

8. Après l'université, j'ai l'intention... (de trouver un emploi? de rester chez mes parents? de me marier [*to get married*]? ...)

B. Les verbes réguliers en *-ir*

Some French verbs end in **-ir** in the infinitive. Many of these verbs are conjugated like **finir** (*to finish*). Note the forms of **finir,** paying special attention to the endings.

infinitive	**finir**	Je vais **finir** le match.	stem + ending	
present	je **finis**	Je **finis** l'examen.		-is
	tu **finis**	Tu **finis** la leçon.		-is
	il/elle/on **finit**	Elle **finit** le livre.	**fin-**	-it
	nous **finissons**	Nous **finissons** à midi.		-issons
	vous **finissez**	Quand **finissez**-vous?		-issez
	ils/elles **finissent**	Ils **finissent** à une heure.		-issent

PRONONCIATION: The forms of the present tense sound the SAME in the singular **je, tu, il/elle** forms.

➡ The present tense stem of **-ir** verbs is formed as follows:

> STEM = INFINITIVE minus **-ir**

5 Au restaurant •

Des amis sont au restaurant. Dites ce que chacun choisit.

1. Mélanie est végétarienne. Elle...
2. Nous avons très faim. Nous...
3. Vous avez soif. Vous...
4. Tu n'as pas très faim. Tu...
5. Pauline et Léa ont froid. Elles...
6. J'adore les desserts. Je...

> un soda
> un chocolat chaud
> un steak-frites
> une salade de tomates
> un sandwich
> une tarte aux pommes (*apple pie*)

6 Les bons et les mauvais étudiants •

Dites ce que font (ou ne font pas) les étudiants suivants.

1. réussir aux examens?
2. finir les devoirs?
3. choisir les cours très faciles?
4. réfléchir pendant l'examen?

les bons étudiants	**les mauvais étudiants**
Vous...	Nous...
Je...	Tu...
Claire et Marc...	Thomas et Léa...
Nous...	Vous...

Verbes réguliers en *-ir*

finir	*to finish, end*	Le programme **finit** à deux heures.
choisir	*to choose, select*	Qu'est-ce que vous **choisissez,** une pizza ou une omelette?
réfléchir (à)	*to think (about)*	Nous **réfléchissons à** l'avenir (*future*).
réussir	*to be successful*	Vas-tu **réussir** dans tes projets?
réussir (à)	*to pass (an exam)*	Les bons étudiants **réussissent** toujours **à** leurs examens.
grossir	*to gain weight*	Je ne **grossis** pas parce que je ne mange pas beaucoup.
maigrir	*to lose weight*	Est-ce que vous **maigrissez?**

7 **C'est évident.** (*It's obvious.*) •

Complétez les phrases avec l'un des verbes suggérés. Soyez logique.

1. David étudie beaucoup. Il _____ aux examens.
2. Vous mangez trop! Vous _____.
3. Nous sommes au régime (*on a diet*). Nous _____.
4. Élodie et Léa sont dans une boutique. Elles _____ des robes.
5. Marc et Lucas jouent au tennis. Ils _____ le match.
6. Tu _____ à la question.

> choisir
> finir
> grossir
> maigrir
> réfléchir
> réussir

8 **Et vous?** •

1. À quelle heure finit le cours de français?
2. À quelle date finissent les cours cette année?
3. Quels cours allez-vous choisir le semestre prochain (*next*)?
4. Quand vous allez au restaurant, est-ce que vous choisissez un menu cher ou bon marché?
5. Quand vous êtes en vacances, est-ce que vous maigrissez ou est-ce que vous grossissez?
6. Quand vous faites du sport, est-ce que vous maigrissez?
7. Est-ce que vous réfléchissez souvent aux problèmes de la société? à votre avenir (*future*)? à la politique? à la possibilité d'une attaque terroriste?
8. En général, est-ce que vous réussissez à vos examens? aux examens de français?

Some French verbs end in **-re** in the infinitive. Many of these verbs are conjugated like **vendre** (*to sell*). Note the forms of **vendre,** paying special attention to the endings.

infinitive	**vendre**	Je vais **vendre** mes CD.	stem + ending		
present	je **vends**	Je **vends** ma télé.		**-s**	**LIAISON**
	tu **vends**	Qu'est-ce que tu **vends**?		**-s**	In liaison, the final **-d** is pronounced /t/:
	il/elle/on **vend**	Céline **vend** sa guitare.	**vend-**	—	vend ‿ 'il
					vend ‿ 'elle
	nous **vendons**	Nous **vendons** nos livres.		**-ons**	vend ‿ 'on
	vous **vendez**	Vous **vendez** votre moto?		**-ez**	
	ils/elles **vendent**	Ils **vendent** leur maison.		**-ent**	

➡ The present tense stem of **-re** verbs is formed as follows:

> STEM = INFINITIVE minus **-re**

➡ The **"d"** of the stem is silent in the singular forms but is pronounced in the plural forms.

9 **Rendez-vous** •

Les personnes suivantes sont dans un café. Dites qui elles attendent.

✹ Jérôme (sa copine) *Jérôme attend sa copine.*

1. nous (des copains)
2. vous (votre cousine)
3. moi (Mathilde)
4. toi (Julie)
5. Élodie (Céline)
6. les étudiants (les étudiantes)
7. Julien et moi, nous (Charlotte)
8. Annette et toi, vous (son fiancé)
9. on (des amis)
10. Clément et Lucas (Mélanie et Léa)

10 **Qu'est-ce qu'ils font?** •

Complétez les phrases avec les verbes suggérés. Soyez logique!

1. Tu joues mal! Tu —— ton match.
2. Nous travaillons dans une boutique. Nous —— des CD.
3. En classe, les bons étudiants —— aux questions du prof.
4. Les touristes sont à la gare. Ils —— le train.
5. Répète, s'il te plaît. J' —— mal!
6. Élodie est à Québec. Elle —— à ses cousins canadiens.
7. À la fin (*end*) du semestre, les étudiants —— les livres à la bibliothèque.

> attendre
>
> entendre
>
> perdre
>
> rendre
>
> rendre visite
>
> répondre
>
> vendre

Verbes réguliers en -re

attendre	*to wait (for)*	J'**attends** un ami.
entendre	*to hear*	**Entendez**-vous l'ambulance?
perdre	*to lose*	Pourquoi est-ce que tu **perds** patience?
perdre (son) temps	*to waste (one's) time*	Je n'aime pas **perdre mon temps.**
rendre	*to give back*	Je **rends** les CD à Pierre.
rendre visite à	*to visit (someone)*	Nous **rendons visite à** nos cousins.
répondre (à)	*to answer*	Vous **répondez à** un email.
vendre	*to sell*	Pourquoi **vends**-tu ton ordinateur?

➠ Note the difference between the French and English in the following constructions:

Je réponds	**à**	**Laure.**
I am answering	—	*Laure.*

Je rends visite	**à**	**Jérôme.**
I am visiting	—	*Jérôme.*

J'attends	—	**Émilie.**
I am waiting	*for*	*Émilie.*

➠ There are two French verbs that correspond to the English verb *to visit*.

visiter + PLACES   Nous **visitons** Paris.
rendre visite à + PEOPLE   Nous **rendons visite à** des amis à Paris.

⑪ Oui ou non?

Informez-vous sur les personnes suivantes et dites si oui ou non elles font les choses entre parenthèses.

✸ Jérôme est impatient. (attendre ses amis?)
   Il n'attend pas ses amis.

1. Vous êtes des étudiants sérieux. (étudier? réussir à l'examen? répondre aux questions du prof?)
2. Toi, tu n'es pas sérieux! (finir tes devoirs? réfléchir? parler français en classe?)
3. Cet employé est compétent. (travailler bien? perdre son temps? répondre aux questions des clients?)
4. Inès est une championne de squash. (jouer bien? gagner ses matchs? perdre souvent?)
5. Nous sommes au régime (*on a diet*). (grossir? maigrir? perdre des kilos?)
6. Je suis à l'aéroport de Roissy. (attendre un ami? regarder les avions [*planes*]? entendre les trains?)
7. Nous sommes en vacances à Paris. (visiter la Tour Eiffel? rendre visite à nos amis français? parler espagnol?)

D. L'impératif — TO GIVE ORDERS AND MAKE SUGGESTIONS

To give orders or make suggestions, we use the IMPERATIVE.

à Pierre	**Nettoie** ta chambre!	*Clean your room!*
	Ne reste pas ici!	*Don't stay here!*
à M. Dumas	**Vendez** votre voiture!	*Sell your car!*
	N'achetez pas cette moto!	*Don't buy that motorcycle!*
à mes amis	**Finissons** les devoirs!	*Let's finish the homework!*
	N'attendons pas Michel!	*Let's not wait for Michel!*

For regular verbs and most irregular verbs, the forms of the imperative are similar to the corresponding forms of the present tense.

infinitive	**parler**	**finir**	**attendre**	**aller**
imperative				
(tu)	**parle**	**finis**	**attends**	**va**
(vous)	**parlez**	**finissez**	**attendez**	**allez**
(nous)	**parlons**	**finissons**	**attendons**	**allons**

➡ For all **-er** verbs, including **aller,** the **-s** of the **tu**-form is dropped.

Tu parles anglais.   **Parle** français, s'il te plaît.

Tu vas au café.   **Va** à la bibliothèque!

➡ The negative imperative is formed as follows:

ne + VERB + **pas...**	**Ne perdez pas** votre temps!
	N'allons pas au cinéma!

➡ The verbs **être** and **avoir** have irregular imperative forms.

être	**avoir**		
sois	**aie**	**Sois** sérieux.	**Aie** tes livres avec toi!
soyez	**ayez**	**Soyez** à l'aéroport à midi!	**Ayez** vos passeports sur vous!
soyons	**ayons**	**Soyons** courageux!	**N'ayons** pas peur!

12 **Avant le week-end** •

Vous partez (*are leaving*) ce week-end. Demandez à votre camarade de chambre de faire certaines choses. Il/Elle va accepter ou refuser.

✸ faire le ménage
— *Fais le ménage, s'il te plaît.*
— *D'accord, je vais faire le ménage.*
ou — *Non, je ne veux pas faire le ménage.*

1. nettoyer l'appartement
2. faire la vaisselle
3. faire les courses
4. aller au supermarché
5. acheter des provisions (*food*)
6. payer le loyer (*rent*)
7. rendre les livres à la bibliothèque
8. répondre au téléphone

13 Baby-sitting •

Vous faites du baby-sitting chez vos deux petits cousins. Dites-leur (*Tell them*) de faire ou de ne pas faire certaines choses.

✴ manger vos sandwichs   *Mangez vos sandwichs.*

1. finir votre dîner
2. faire vos devoirs
3. aller dans votre chambre
4. regarder la télé
5. être gentils
6. être impolis
7. faire du bruit (*noise*)
8. avoir peur de la nuit

14 Une question de circonstances •

Proposez à vos amis de faire ou de ne pas faire certaines choses, suivant (*according to*) les circonstances.

✴ Nous sommes en vacances. (étudier? voyager?)
   N'étudions pas! Voyageons!

1. Nous sommes à Paris. (parler anglais? parler français?)
2. C'est dimanche. (aller à la bibliothèque? aller au cinéma?)
3. Il fait beau. (jouer aux jeux d'ordinateur? faire une promenade?)
4. Il pleut. (rendre visite à nos amis? jouer aux cartes?)
5. Il neige. (louer des skis? aller à la piscine?)
6. Il y a un examen demain. (aller au café? étudier?)

15 Bons conseils! •

Certaines personnes aiment donner des conseils (*to give advice*). Exprimez les conseils des personnes suivantes. Pour cela, utilisez l'impératif des expressions entre parenthèses dans des phrases affirmatives ou négatives.

✴ Madame Chartier parle à son fils qui n'a pas assez d'argent pour acheter un ordinateur. (chercher un job?)
   Cherche un job!

1. Le professeur parle aux étudiants. (réfléchir à la question? réussir à l'examen? répondre bien? avoir peur de l'examen?)
2. Le médecin parle à un patient. (grossir? maigrir? faire du sport?)
3. La directrice parle à son assistant. (finir votre travail? répondre à cette lettre? être poli avec les clients?)
4. Le professeur d'art dramatique parle à un jeune acteur. (parler distinctement? être nerveux? avoir peur?)
5. Julie parle à son partenaire pendant le match de tennis. (être impatient? faire attention? perdre ta concentration?)

E. Les expressions *quelqu'un, quelque chose* et leurs contraires

To refer to unspecified people or things, French uses the following
IMPERSONAL EXPRESSIONS in affirmative or negative sentences.

Expressions impersonnelles

quelqu'un	*someone*	— Tu attends **quelqu'un**?
ne... personne	*no one, not anyone*	— Non, je **n'**attends **personne.**
quelque chose	*something*	— Vous faites **quelque chose** ce soir?
ne... rien	*nothing, not anything*	— Non, nous **ne** faisons **rien.**

Ne... personne and **ne... rien** are negative expressions consisting of two parts.

ne + verb (+ **à, de, avec...**) +	**personne**	Je **ne** parle **à personne.**
	rien	Vous **ne** faites **rien.**

➡ When **personne** and **rien** are the subjects of a sentence, they come
BEFORE the verb. The verb is introduced by **ne.**

> **Personne n'**est ici!   **Rien n'**est impossible.

➡ **Personne** and **rien** can stand alone.

> Qui est là?   **Personne!**
>
> Que fais-tu?   **Rien!**

16 La grippe (*flu*) •

Vous avez la grippe. Répondez négativement à votre partenaire.

❋ faire quelque chose ce soir?
   — *Tu fais quelque chose ce soir?*
   — *Non, je ne fais rien.*

1. inviter quelqu'un aujourd'hui?
2. manger quelque chose?
3. attendre quelqu'un cet après-midi?
4. regarder quelque chose à la télé?
5. téléphoner à quelqu'un?
6. préparer quelque chose pour le dîner?

17 Non! •

Dites ce que les personnes suivantes ne font pas. Utilisez les expressions **ne... personne** ou **ne...
rien** avec les verbes entre parenthèses.

❋ Pauline n'a pas d'appétit. (manger)
   Elle ne mange rien.

1. Thomas est inactif. (faire)
2. Céline est égoïste. (aider)
3. Je fais des économies. (dépenser)
4. Vous n'avez pas d'argent. (acheter)
5. Ces garçons sont timides. (parler à)
6. Hélène déteste les conseils. (écouter)
7. Tu n'es pas sociable. (inviter chez toi)
8. Je n'ai pas de mobile. (téléphoner à)

Phonétique: La lettre «s»

- At the beginning of a word, the letter "s" is pronounced /s/.

  Répétez: soif sommeil sac septembre Stéphane Sylvie

- Between vowels, "s" is pronounced /z/.

  Répétez: raison besoin loisirs choisir visite fusion

- Between vowels, "ss" is pronounced /s/.

  Répétez: finissez maigrissons intéressant expression passion

  Contrastez: nous choisissons Lise réussit Isabelle ne grossit pas

À votre tour

Compréhension orale

Le professeur décrit certains étudiants. S'il décrit un bon élève, marquez la rangée A. S'il décrit un mauvais élève, marquez la rangée B.

		1	2	3	4	5	6	7	8
A.	👍								
B.	👎								

Conversation dirigée

You are visiting Paris with two French friends. It is a hot day and you are tired.

Ask your partners . . .
- if they feel warm
- if they are thirsty
- if they feel like going to a café
- what they are going to choose (**un Perrier? une limonade?**)
- what they intend to do afterwards (**après**)

Expression libre

Avec votre partenaire, faites des projets pour ce week-end.

- Chacun va décrire ce qu'il/elle a envie de faire (ou de ne pas faire).
- Trouvez deux activités d'intérêt commun.
- De quoi avez-vous besoin pour faire ces activités?
- Décidez quand (quel jour? à quelle heure?) vous allez faire ces activités.

Expression écrite

Vous organisez une fête avec votre camarade de chambre ce week-end. Faites une liste de quatre choses qu'il/elle doit faire. Utilisez l'impératif. Indiquez aussi ce que vous allez faire.

> *Nettoie la chambre.*
> *Moi, je vais nettoyer la salle de bains.*

Un mois à Paris

L'été dernier, Denis Marcotte, un étudiant québécois, **a fait** un **stage** d'informatique à Paris. **De retour** à Québec, il **a parlé** de cette expérience avec son copain Yannick.	*did / internship* *Back / spoke*

YANNICK:	Alors, qu'est-ce que **tu as fait** pendant ton stage?	*did you do*
DENIS:	J'**ai** beaucoup **travaillé** mais j'**ai appris** beaucoup de choses... Et j'**ai rencontré** des gens très sympathiques.	*worked / learned* *met*
YANNICK:	Est-ce que **tu as eu** le temps de visiter la ville?	*did you have*
DENIS:	Bien sûr, j'**ai visité** beaucoup de monuments: la Tour Eiffel, le musée d'Orsay, le Louvre... Un jour j'**ai décidé** de visiter le cimetière du Père Lachaise.	*visited* *decided*
YANNICK:	Tu as visité un cimetière? Quelle drôle d'idée!	
DENIS:	Pas du tout! C'est un endroit extrêmement touristique.	
YANNICK:	**Tu plaisantes!** Pourquoi touristique?	*You're kidding*
DENIS:	Parce que beaucoup de gens célèbres sont **enterrés** là: des artistes, des poètes, des musiciens... Il y a **même** Jim Morrison.	*buried* *even*
YANNICK:	**Tu as trouvé** sa tombe?	*Did you find*
DENIS:	Non, j'**ai cherché**, mais je n'ai pas trouvé. **Par contre**, j'**ai fait la connaissance** d'une charmante étudiante italienne.	*looked / However* *met*
YANNICK:	Ah bon? Raconte!	
DENIS:	Non, mais **dis donc**, Yannick, tu es un peu trop curieux!	*hey*

À propos du texte

1. Où est-ce que Denis est allé un jour?
2. Qu'est-ce qu'il a cherché là-bas?
3. Qui est-ce qu'il a rencontré?

Note culturelle
La France, un pays touristique

La France est la première destination touristique du monde. Chaque° année 75 millions de touristes visitent le pays. Ces touristes viennent d'Allemagne, d'Angleterre, de Hollande, de Belgique, des pays de l'Europe de l'Est et aussi de Chine et du Japon. Les Américains sont des visiteurs enthousiastes, mais leur nombre a légèrement° diminué° depuis les événements du 11 septembre.

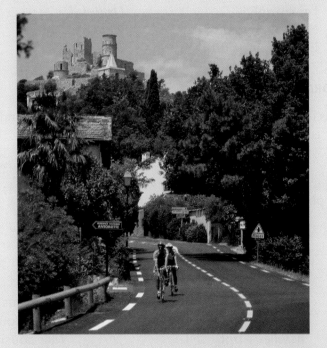

Les étrangers° viennent en France pour des raisons° très variées. Certains viennent pour l'histoire et la culture, d'autres° pour la cuisine et beaucoup pour voir° des paysages° différents. Les jeunes, les étudiants en particulier, viennent en France pour apprendre la langue et pour rencontrer° des Français et des Françaises de leur âge. Certains s'inscrivent° à une université pour des cours d'été. D'autres passent les vacances dans une famille avec qui ils font un échange. D'autres font du camping. D'autres visitent la France en train avec un Eurailpass. Et les sportifs peuvent découvrir° une région à vélo ou à pied.

À votre avis

Pour vous, quelles sont les raisons de visiter la France? Qu'est-ce que vous aimeriez faire?

Chaque *Each*   **légèrement** *slightly*   **diminué** *diminished*   **étrangers** *foreigners*
raisons *reasons*   **d'autres** *others*   **voir** *to see*   **paysages** *landscapes*
rencontrer *to meet*   **s'inscrivent** *register*   **découvrir** *discover*

La langue française

A. Le passé composé avec *avoir* — TO DESCRIBE PAST ACTIONS AND PAST EVENTS

To describe past actions and past events, the French use the PASSÉ COMPOSÉ.
Note the forms of the passé composé and its English equivalents.

J'**ai voyagé.**	*I **traveled.***
Nous **avons visité** Paris.	*We **visited** Paris.*
Elles **ont loué** une voiture.	*They **rented** a car.*

FORMS

As its name indicates, the PASSÉ COMPOSÉ is a compound past tense.
It is composed of two words:

$$\text{AUXILIARY VERB} + \text{PAST PARTICIPLE}$$

present of **avoir** + past participle	
j' **ai**	J'**ai visité** Paris.
tu **as**	Tu **as visité** Nice.
il/elle/on **a**	Marc **a visité** Versailles.
} **visité**	
nous **avons**	Nous **avons visité** l'Alsace.
vous **avez**	Vous **avez visité** la Provence.
ils/elles **ont**	Mes cousins **ont visité** la Bretagne.

LIAISON
on‿a
nous‿avons
vous‿avez
ils‿ont

➡ The PAST PARTICIPLE of regular verbs is formed by replacing the infinitive ending with the corresponding past participle ending.

infinitive ending	past participle ending		
-er	-é	voyag**er** → voyag**é**	Nous **avons voyagé** en France.
-ir	-i	fin**ir** → fin**i**	J'**ai fini** le livre sur Paris.
-re	-u	vend**re** → vend**u**	Ils **ont vendu** leur auto.

USES

The passé composé is used to describe what HAPPENED IN THE PAST. It has several English equivalents.

J'**ai visité** Paris.	*I visited Paris.*
	I have visited Paris.
	I did visit Paris.

1 **À Paris** •

Dites quels monuments ou quels endroits les personnes suivantes ont visités hier (*yesterday*). Utilisez le passé composé de **visiter**.

✸ Jérôme / le Louvre   ***Hier, Jérôme a visité le Louvre.***

1. Sylvia / le musée Picasso
2. nous / le Centre Pompidou
3. vous / la Cité des Sciences
4. mes amis / le Quartier latin
5. moi / Notre Dame
6. toi / le musée d'Orsay
7. Antoine et David / la Tour Eiffel
8. Céline et Mélanie / la Défense

2 **Avant le départ** •

Dites ce que ces personnes ont fait avant (*before*) d'aller en France.

✸ Jim Leary / acheter un guide   ***Jim Leary a acheté un guide.***

1. moi / acheter des lunettes de soleil
2. nous / louer une voiture
3. Alice / téléphoner à son copain français
4. vous / réserver un hôtel
5. David / envoyer un email à son oncle
6. Mélanie / finir ses examens
7. mes cousines / choisir des vêtements d'été
8. Thomas / vendre sa voiture
9. moi / rendre les livres à la bibliothèque

3 **En France** •

Maintenant dites ce que ces personnes ont fait pendant leur voyage. Soyez logique dans votre choix de verbes. Dans certains cas, il y a plusieurs (*several*) possibilités!

1. Nous _____ le château de Versailles.
2. J' _____ dans un restaurant «trois étoiles (*stars*)».
3. Vous _____ des escargots (*snails*).
4. Élodie _____ un cadeau (*gift*) pour son copain.
5. Marc et Thomas _____ un email à leurs parents.
6. Tu _____ visite à tes amis français.
7. Isabelle _____ des cartes postales (*postcards*).
8. Mme Martin _____ des vêtements dans une boutique de mode.

| acheter |
| dîner |
| envoyer |
| manger |
| visiter |
| choisir |
| rendre |

4 **Samedi dernier** (*Last Saturday*) •

Dites ce que les personnes suivantes ont fait samedi dernier.

	Pauline	Léa et Marc	nous	vous
le matin	• travailler • ranger sa chambre	• aider leurs parents • nettoyer le garage	• rendre les livres à la bibliothèque	• nettoyer l'appartement
l'après-midi	• jouer au tennis • gagner	• jouer au volley • perdre	• visiter un musée	• acheter des vêtements • choisir des chemises
le soir	• envoyer un email • répondre à un message	• rendre visite à des copains • dîner chez eux	• organiser une fête • danser	• finir les devoirs • regarder la télé

5 **Les nouvelles** (*News*) •

Vous travaillez comme journaliste à la télévision française. Annoncez les événements suivants.

✹ le président / parler / à la télé   *Le président a parlé à la télé.*

1. des terroristes / attaquer / le train Paris-Nice
2. les sénateurs / voter / le budget
3. les Chinois / lancer (*launch*) / une station spatiale
4. un chimiste japonais / inventer / un nouveau textile artificiel
5. la femme du président / inaugurer / l'exposition (*exhibit*) Gauguin
6. le musée du Louvre / rendre / la *Mona Lisa* à l'Italie
7. la France / perdre / la Coupe du Monde (*World Cup*)
8. un jeune Espagnol / gagner / le Tour de France

6 **Hier soir** •

Avec votre partenaire, comparez ce que vous avez fait hier soir.

✹ étudier (quoi?)
   — *J'ai étudié pour mon cours de maths. Et toi?*
   — *Moi, j'ai étudié pour mon cours de français.*

1. dîner (où?)   3. parler (avec qui?)   5. envoyer un email (à qui?)
2. manger (quoi?)   4. téléphoner (à qui?)   6. regarder (quel programme de télé?)

7 **Et vous?** •

Décrivez quelques événements personnels, réels ou imaginaires.

quand?	qui?	quoi?
• hier • le week-end dernier (*last weekend*) • pendant (*during*) les vacances • à l'école secondaire	• moi • mon copain et moi, nous • mes copains et moi, nous • mon/ma camarade de chambre et moi, nous • ma famille et moi, nous • mes parents	acheter... regarder... dîner... manger... étudier... regarder... visiter... voyager... choisir...

✹ *Le week-end dernier, ma camarade de chambre et moi, nous avons acheté des vêtements. J'ai choisi un tee-shirt et un jean.*

> **Note linguistique**
> • • • • • • • • • • • • • •
>
> French uses two main tenses to describe the past: the PASSÉ COMPOSÉ and the IMPERFECT.
>
> • The PASSÉ COMPOSÉ is used to tell WHAT HAPPENED.
> • The IMPERFECT is used to describe WHAT CONDITIONS WERE or WHAT WAS GOING ON.
>
> In **Unité 8,** you will learn the forms of the imperfect and how to use it together with the passé composé to narrate past events.

B. Le passé composé: forme négative

Compare the verbs in each set of sentences.

affirmative	negative
J'**ai visité** Paris.	Je **n'ai pas visité** Marseille.
Nous **avons voyagé** en bus.	Nous **n'avons pas voyagé** en train.
David **a choisi** ce livre-ci.	Il **n'a pas choisi** ce livre-là.
Tu **as vendu** tes CD.	Tu **n'a pas vendu** ton lecteur de CD.

> **RAPPEL**
> je n'ai pas
> tu n'as pas
> il n'a pas
> nous n'avons pas
> vous n'avez pas
> ils n'ont pas

For most verbs, the NEGATIVE form of the PASSÉ COMPOSÉ is formed as follows:

subject + NEGATIVE of **avoir** + past participle

| Je **n'ai pas** | répondu. | *I didn't answer. I haven't answered.* |
| Léa **n'a pas** | téléphoné. | *Léa didn't call. Léa hasn't called.* |

➡ The negative expression **ne... jamais** follows the same pattern.

Nous **n'avons jamais téléphoné.**   We ***never called.***

---

8 Pourquoi pas? •

Expliquez à votre partenaire pourquoi vous n'avez pas fait certaines choses.

✹ réussir à l'examen? (étudier)
 — *Tu as réussi à l'examen?*
 — *Non, je n'ai pas réussi à l'examen.*
 — *Pourquoi pas?*
 — *Parce que je n'ai pas étudié!*

1. étudier? (trouver mon livre)
2. répondre au professeur? (entendre la question)
3. trouver la solution au problème? (réfléchir)
4. acheter une voiture? (vendre ma moto)
5. téléphoner à ta copine? (trouver son numéro de téléphone)
6. gagner beaucoup d'argent? (travailler)

---

9 Tant pis! (*Too bad!*) •

Dites ce que les personnes n'ont pas fait. Faites des phrases logiques avec les verbes suggérés.

✹ Florence n'a pas sa raquette.
 Elle n'a pas joué au tennis.

1. Nous n'avons pas faim.
2. Thomas n'a pas de patience.
3. Tu n'as pas ton maillot de bain.
4. Caroline n'a pas ses livres.
5. Nous n'avons pas d'argent.
6. Vous n'avez pas votre portable.
7. Ils n'ont pas de baladeur.
8. Mes cousins n'ont pas leur télé.

> dîner
> nager
> écouter un CD
> étudier
> jouer au tennis
> téléphoner
> attendre ton copain
> regarder le match de foot
> acheter des vêtements

Expressions pour la conversation

to find out if people have ever done certain things

| **déjà?** | *ever, already* | Tu as **déjà** visité Québec? |
| **ne... pas encore** | *not yet* | Je **n'**ai **pas encore** visité Québec. |

10 **Activités** •

Demandez à vos camarades si oui ou non ils ont fait les choses suivantes.

✹ gagner à la loterie?
— *Tu as gagné à la loterie?*
— *Oui, j'ai déjà gagné à la loterie.*
ou — *Non, je n'ai pas encore gagné à la loterie.*
(Non, je n'ai jamais gagné à la loterie.)

1. voyager au Tibet?
2. visiter Beijing?
3. skier dans les Alpes?
4. danser la valse (*waltz*)?
5. piloter un avion?
6. trouver un trésor (*treasure*)?
7. téléphoner au Président?
8. rencontrer (*meet*) Dracula?

C. Les questions au passé composé

Note how questions are formed in the passé composé:

| **Est-ce que tu as travaillé** ce week-end? | *Did you work this weekend?* |
| **Où est-ce que Paul a travaillé**? | *Where did Paul work?* |

QUESTIONS in the PASSÉ COMPOSÉ are usually formed as follows:

[interrogative expression] + **est-ce que** + subject + PASSÉ COMPOSÉ...

| **Est-ce que** Sylvie **a téléphoné?** | **À qui est-ce qu'**elle **a téléphoné?** |

⟹ In conversational French, statements in the passé composé may be transformed into yes/no questions by using a RISING INTONATION.

Charlotte a téléphoné? Lucas a visité Paris?

⟹ Questions in the passé composé may also be formed by INVERTING **avoir** and its pronoun subject.

As-tu voyagé? **A-t-il** dîné?

Où **as-tu** voyagé? À quelle heure **a-t-il** dîné?

11 **Bavardages** (*Chit chat*) •

Lisez ce que les personnes suivantes ont fait. Posez des questions à votre partenaire sur leurs activités.

✴ Alice a voyagé. (quand? en juin)
— *Alice a voyagé!*
— *Ah vraiment? Quand est-ce qu'elle a voyagé?*
— *En juin.*

1. Anne a voyagé au Canada.
(comment? en train)
2. Isabelle a visité Moscou.
(avec qui? une copine)
3. Éric et Paul ont travaillé.
(où? dans un café)
4. Philippe a trouvé un job.
(où? dans un supermarché)
5. Caroline a visité Genève.
(quand? en juillet)
6. Léa et Élise ont acheté des vêtements.
(où? aux Galeries Lafayette)
7. Thomas a envoyé une carte.
(à qui? à sa cousine)

12 **Conversation libre** •

Engagez une conversation avec votre partenaire. Il/Elle va répondre affirmativement. Continuez la conversation avec des questions comme **quand? où? avec qui? comment? pourquoi?** Utilisez votre imagination.

✴ visiter Québec?
— *Est-ce que tu as visité Québec?*
— *Bien sûr, j'ai visité Québec.*
— *Quand est-ce que...*

1. visiter la France?
2. dîner dans un restaurant japonais?
3. organiser une fête?
4. jouer dans un orchestre (*band*)?
5. voyager en hélicoptère?
6. gagner à la loterie?
7. jouer dans un film?
8. participer à un marathon?

Vocabulaire: Quand?

noms

un an	*year*	**une année**	*(whole) year*
un anniversaire	*birthday*	**une date**	*date*
un jour	*day*	**une journée**	*(whole) day*
un mois	*month*	**une saison**	*season*
un week-end	*weekend*	**une semaine**	*week*
un matin	*morning*		
un après-midi	*afternoon*	**une nuit**	*night*
un soir	*evening*	**une soirée**	*(whole) evening*

adjectifs

premier (première)	*first*	Lundi est le **premier** jour de la semaine.
prochain	*next*	Où vas-tu la semaine **prochaine**?
dernier (dernière)	*last*	La semaine **dernière**, nous avons joué au tennis.

expressions

avant	*before*	Nettoie ta chambre **avant** le week-end.
après	*after*	Je vais étudier **après** le dîner.
pendant	*during*	J'ai travaillé **pendant** les vacances.
avoir lieu	*to take place*	La fête (*party*) va **avoir lieu** samedi soir.

Premier usually comes before the noun.
Dernier and **prochain** usually come after the noun with EXPRESSIONS OF TIME, such as **mois, semaine,** etc.

    le mois **dernier**   la semaine **prochaine**

MAINTENANT	AVANT	APRÈS
aujourd'hui	**hier** (*yesterday*)	**demain**
	avant-hier (*the day before yesterday*)	**après-demain** (*the day after tomorrow*)
ce matin	hier matin	demain matin
cet après-midi	hier après-midi	demain après-midi
ce soir	hier soir	demain soir
mardi	mardi dernier	mardi prochain
le 8 janvier	le 8 janvier dernier	le 8 janvier prochain
en mars	en mars dernier	en mars prochain
cette semaine	la semaine dernière	la semaine prochaine
ce week-end	le week-end dernier	le week-end prochain
ce mois-ci	le mois dernier	le mois prochain
cet été	l'été dernier	l'été prochain
cette année	l'année dernière	l'année prochaine

The construction **le** + DAY OF THE WEEK is used to express repeated events.

Repeated occurrence	**Le samedi,** je vais au cinéma.	*(On) Saturdays . . .*
One occurrence	**Samedi,** je vais au théâtre avec Léa.	*(On/This) Saturday . . .*

13 Qu'est-ce que tu as fait? (*What did you do?*) •

Demandez à votre partenaire quand il/elle a fait les choses suivantes. Votre partenaire va répondre en utilisant une expression du *Vocabulaire*.

✸ célébrer ton anniversaire
  — *Quand as-tu célébré ton anniversaire?*
  — *J'ai célébré mon anniversaire en juin dernier (le mois dernier).*

1. jouer aux jeux sur ordinateur
2. téléphoner à tes parents
3. louer un DVD
4. nettoyer ta chambre
5. rendre visite à tes cousins
6. voyager en bus
7. télécharger un CD
8. amener un(e) ami(e) au cinéma
9. choisir un cadeau (*gift*) pour un(e) ami(e)
10. rendre un livre à la bibliothèque
11. acheter des vêtements
12. envoyer un email
13. répondre à une lettre
14. tchatter en ligne

14 Avant et après •

Décrivez une ou deux choses que vous avez faites (*did*) et deux ou trois choses que vous allez faire aux temps indiqués. Comparez vos réponses avec votre partenaire.

> • Hier soir...   • Demain...
> • Le week-end dernier...   • Le week-end prochain...
> • L'été dernier...   • L'été prochain...

Un diamant
pour hier,
aujourd'hui et demain

Les Tourmalines
tout simplement !
C.C. place des Halles - 67000 STRASBOURG - Tél. 03 88 22 10 58

D. Les participes passés irréguliers

Some irregular verbs have IRREGULAR PAST PARTICIPLES.

infinitive	past participle	passé composé
avoir	**eu**	Nous **avons eu** une bonne surprise.
être	**été**	Jacqueline **a été** en France en juin.
faire	**fait**	Mes parents **ont fait** un voyage au Canada.

> **PRONONCIATION**
> The past participle **eu** is pronounced /y/ as in **tu**.

➡ Note the two possible meanings of **être** in the passé composé.

| Paul **a été** malade. | *Paul **has been** sick.* |
| Il **a été** à l'hôpital. | *He **went** to the hospital.* |

➡ The passé composé of **il y a** is **il y a eu.**

Il y a eu un accident hier.   ***There was** an accident yesterday.*

15 **Et toi?** •

Demandez à votre partenaire s'il/elle a fait les choses suivantes aux moments indiqués.

✻ faire une promenade ce matin?
— *Est-ce que tu as fait une promenade ce matin?*
— *Oui, j'ai fait une promenade ce matin.*
ou — *Non, je n'ai pas fait de promenade ce matin.*

> **RAPPEL**
> pas un
> pas une } → pas de
> pas des

1. faire tes devoirs hier soir?
2. être au cinéma samedi dernier?
3. être en ville hier?
4. être en France l'été dernier?
5. faire des économies le mois dernier?
6. avoir la grippe (*flu*) l'hiver dernier?
7. avoir un rendez-vous samedi dernier?
8. avoir des amis chez toi le week-end dernier?

16 **Oui ou non?** •

Informez-vous sur les personnes suivantes et dites si oui ou non elles ont fait les choses indiquées.

✻ Martin est très impatient.
• attendre ses amis?   *Il n'a pas attendu ses amis.*

1. Tu n'es pas prudent(e) (*careful*).
• faire attention?
• avoir un accident?
2. Cet ingénieur est très compétent.
• faire des erreurs dans les calculs (*calculations*)?
• avoir des problèmes avec l'ordinateur?
3. Annie est la championne de notre club.
• faire un excellent match?
• avoir le premier prix (*prize*)?
4. Oh là là! J'ai eu une très mauvaise grippe!
• être malade (*sick*)?
• avoir envie d'aller au cinéma ?

Phonétique: La voyelle /y/

The letter "u" is pronounced /y/. Round your lips as you say /i/. Practice: dit - d<u>u</u>.

Répétez: vend<u>u</u>   rend<u>u</u>   répond<u>u</u>   perd<u>u</u>   <u>eu</u>   il y a <u>eu</u>

     L<u>u</u>cie a perd<u>u</u> le n<u>u</u>méro de J<u>u</u>lie.

À votre tour

Compréhension orale

Claire et Julien parlent de leurs activités. S'ils utilisent le présent, marquez la rangée A: aujourd'hui. S'ils utilisent le passé composé, marquez la rangée B: hier.

		1	2	3	4	5	6	7	8	9	10
A. aujourd'hui	avril 10										
B. hier	avril										

Conversation dirigée

Your best friend has just returned from a month in France. You want to know more about his/her trip.

Ask your partner . . .

- if he/she liked Paris
- which monuments he/she visited
- which other cities **(quelles autres villes)** he/she visited
- how he/she traveled **(en bus? en train? en voiture?)**
- what souvenirs **(quels souvenirs)** he/she bought
- how much he/she spent

Expression libre

Vous faites une enquête (*survey*) sur ce que font les étudiants américains après les classes. Choisissez trois camarades et posez-leur les questions suivantes sur ce qu'ils ont fait hier soir. Inscrivez les résultats de votre enquête.

- à quelle heure / dîner?
- combien de temps (*how long*) / étudier?
- quel programme / regarder à la télé?
- quelle musique / écouter?
- combien de messages email / répondre?

nom			
l'heure du dîner			
heures d'étude			
programme de télé			
musique			
nombre de messages			

Expression écrite

Comment s'appelle votre copain? votre copine? Écrivez un petit paragraphe où vous parlez de vos activités de ce week-end. N'utilisez pas le verbe **aller**, mais utilisez votre imagination.

Ma copine s'appelle Melissa. Samedi après-midi, nous avons été à un match de basket. ...

Souvenirs de vacances

Objectives

- To talk about vacation plans
- To describe where we went
- To give complete dates

Trois étudiants parlent de leurs vacances de l'été dernier.

Pauline

En juillet, je **suis restée** chez moi. En août, je **suis allée** en Bretagne. Là, j'ai travaillé comme **animatrice** dans un centre de vacances pour enfants handicapés. J'ai fait un travail utile et intéressant. Et puis, je suis allée à **la mer** et j'ai gagné un peu d'argent.

stayed / went
counselor

ocean

Clément

Comme d'habitude, je suis allé en Savoie où ma famille a un chalet de montagne. Un jour, j'ai décidé avec mon cousin de **faire l'ascension de** la Tournette. Nous **sommes partis** à six heures du matin et à dix heures nous **sommes arrivés** au **sommet**. Malheureusement, quand nous **sommes descendus**, j'ai **glissé** sur un **rocher** et je **me suis cassé la jambe**. Je suis resté trois jours à l'hôpital… Là, **j'ai fait la connaissance** d'une jeune fille très sympathique. Alors, **tout** est bien qui finit bien.

As usual
to climb
left
reached / summit
went down / slipped / rock / broke my leg / met

all

Laure

Moi, je suis allée au Canada avec deux copines de mon école de commerce. D'abord, nous avons fait un **stage** d'un mois dans une banque à Montréal. Après, nous avons loué un camping-car et nous **sommes parties à la conquête** de l'Ouest… Trois semaines après, nous sommes arrivées à Vancouver. De là, nous **sommes rentrées** en France.

internship

set out to "conquer"
returned

1. Qui a eu un accident?
2. Qui a fait un voyage à l'étranger (*abroad*)?
3. Qui a fait un travail social?
4. Selon vous, qui a passé les vacances les plus intéressantes? Pourquoi?

Note culturelle
Les vacances des Français

Pour les Français, la qualité de la vie° dépend d'un bon équilibre entre le travail et le temps libre°. Les loisirs et les vacances prennent donc° une place très importante dans le calendrier personnel de chacun°.

Les Français bénéficient légalement de cinq semaines de vacances ou «congés° payés» par an. Ils prennent généralement un mois de vacances en été et une semaine supplémentaire en hiver. Ils prennent aussi des week-ends prolongés° au cours de l'année.

Pour la majorité des Français, le terme de «vacances» est synonyme d'évasion°. En été, 80 pour cent des Français quittent° leur domicile°. Les «grands départs» ont lieu au premier juillet et au premier août. Ces jours-là, des millions de Français partent° en vacances. Où vont-ils? Vers le soleil, vers la montagne° et surtout vers les plages de l'Atlantique et de la Méditerranée. Pour beaucoup, c'est l'occasion de rendre visite à des parents ou des amis. D'autres° vont à l'étranger°, principalement en Espagne, en Italie, mais aussi au Portugal, en Grèce, en Turquie, au Maroc et en Tunisie. En hiver, un grand nombre de Français font du ski, mais les destinations exotiques comme la Réunion ou l'île Maurice gagnent en popularité.

Pour beaucoup de Français, les vacances constituent l'élément capital de l'existence. Cette obsession des vacances est encouragée par les médias et la publicité qui rappellent° continuellement leur importance. Quelqu'un a remarqué avec humour que le calendrier français était divisé en trois parties inégales°: un mois, août, pendant lequel° les Français sont en vacances; deux mois, septembre et octobre, pendant lesquels ils parlent des vacances passées; et neuf mois pendant lesquels ils préparent les vacances suivantes°. Pour les Français, «les vacances, c'est sacré°».

À votre avis

Comparez l'importance du temps libre et des vacances en France et aux États-Unis.

vie *life* **libre** *free* **donc** *therefore* **chacun** *each person* **congés** *leave* **prolongés** *extended* **évasion** *getting away* **quittent** *leave* **domicile** *home* **partent** *leave* **montagne** *mountains* **D'autres** *Others* **à l'étranger** *abroad* **rappellent** *remind* **inégales** *unequal* **lequel** *which* **suivantes** *next* **sacré** *sacred*

Source: Sondage Bluepanel, September 2002.

La langue française

Vocabulaire: Les vacances et les sorties

Les vacances (*vacation*)
En été, on peut...

rester à la maison	*to stay home*
partir en vacances	*to leave, go on vacation*

On peut **passer** (*spend*) les vacances...

à la mer	*at the ocean*
à la montagne	*in the mountains*
à la campagne	*in the country*

Pendant (*During*) les vacances, on peut aussi...

voyager (*to travel*)   **à l'étranger** (*abroad*)
faire un voyage (*to take a trip*)

étranger (étrangère)	*foreign*
un étranger, une étrangère	*foreigner*

Quand on voyage, on peut...
visiter des **endroits** intéressants

un endroit	*place*

Les sorties (*Going out*)
Le week-end, on peut...

sortir (*to go out*) | **seul(e)** (*alone, by oneself*)
                            avec des copains

Quand on sort, on peut...

retrouver		des gens sympathiques
rencontrer	*meet*	des gens sympathiques
faire la connaissance de		gens sympathiques

➡ French has three different ways of expressing TO MEET someone.

retrouver	*to meet (as planned)*	J'**ai retrouvé** mes copains au café.
rencontrer	*to meet, run into*	J'**ai rencontré** Alice dans la rue.
faire la connaissance de	*to meet (for the first time)*	J'**ai fait la connaissance de** cette personne à la fête hier.

A. Les verbes *sortir*, *partir* et *dormir*

The verbs **sortir** (*to go out*), **partir** (*to leave*), and **dormir** (*to sleep*) are irregular in the present tense.

infinitive	sortir	partir	dormir	endings
present	Je **sors** avec Marc.	Je **pars** à Paris.	Je **dors** peu.	-s
	Tu **sors** maintenant.	Tu **pars** en vacances.	Tu **dors** trop.	-s
	Il **sort** avec Anne.	On **part** en voyage.	Elle **dort** en classe.	-t
	Nous **sortons** ce soir.	Nous **partons** à une heure.	Nous **dormons** mal.	-ons
	Vous **sortez** demain?	Vous **partez** en voiture.	Vous **dormez** bien.	-ez
	Ils **sortent** souvent.	Elles **partent** à six heures.	Ils **dorment**.	-ent
passé composé	Je **suis sorti.**	Je **suis parti.**	J' **ai dormi.**	

➡ The above verbs have two stems in the present.

PLURAL STEM infinitive minus **-ir**	SINGULAR STEM infinitive minus last consonant + **-ir**
sort(ir) **part**(ir) **dorm**(ir)	**sor**(tir) **par**(tir) **dor**(mir)

1 Et vous?

1. En général, est-ce que vous dormez bien ou mal?
2. Combien d'heures par jour dormez-vous?
3. Est-ce que vous sortez le week-end? Quel jour?
4. Allez-vous sortir ce week-end? Avec qui?
5. Quand est-ce que vous allez partir en vacances?
6. Pendant les vacances, préférez-vous aller à la mer ou à la montagne?
7. Préférez-vous passer les vacances avec vos copains ou avec votre famille?
8. Où avez-vous passé vos vacances l'année dernière? Avez-vous fait la connaissance des personnes intéressantes? Qui?
9. Avez-vous voyagé à l'étranger? Où?
10. Qu'est-ce que vous allez faire pendant les vacances prochaines?
11. Est-ce qu'il y a des étudiants étrangers à votre université? De quelle nationalité?

2 Bonne nuit?

Est-ce que les personnes suivantes dorment bien ou non?

✹ Matteo est nerveux.   *Il ne dort pas bien.*

1. Je n'ai pas de problèmes.
2. Tu as la grippe (*flu*).
3. Mes copains sont malades (*sick*).
4. Vous avez des cauchemars (*nightmares*).
5. Nous sommes très calmes.
6. Thomas a des insomnies.
7. Vous habitez à la campagne.
8. Léa est en vacances.

Verbes conjugués comme *sortir, partir* et *dormir*

sortir	*to go out, leave*	Nous **sortons** samedi soir.
sortir avec	*to go out with, to date*	Raphaël **sort** avec Charlotte.
partir	*to leave*	Céline **part** en vacances.
dormir	*to sleep*	En général, je **dors** bien.
sentir	*to smell*	Est-ce que vous **sentez** ce parfum?
	to feel	Je **sens** une douleur (*pain*) dans le dos (*back*).

The verbs **sortir, partir,** and **quitter** all mean *to leave,* but they are not interchangeable. Compare:

		(alone)	+ places	+ people
partir (de)	*to leave, go away*	Je **pars.**	Je **pars de** Nice.	—
sortir (de)	*to leave, go out (of)*	Je **sors.**	Je **sors de** la cuisine.	—
quitter	*to leave (behind)*	—	Je **quitte** Paris.	Je **quitte** mes amis.

3 Conversations •

Posez des questions à votre partenaire et continuez la conversation.

✸ dormir bien?
 • combien d'heures par jour?

— *Est-ce que tu dors bien?*
— *Oui, je dors bien. (Non, je ne dors pas bien.)*
— *Combien d'heures par jour est-ce que tu dors?*
— *Je dors sept heures par jour.*

1. sortir le week-end?
 • quel jour?
 • avec qui?

2. quitter le campus aujourd'hui?
 • à quelle heure?
 • aller où?

3. partir en vacances cet été?
 • aller où?
 • rester combien de temps?

4. partir en voyage?
 • partir où?
 • partir quand?

4 Dialogues •

Complétez les dialogues suivants avec le verbe approprié: **sortir, partir** ou **quitter.**

A. — Qu'est-ce que tu fais ce soir?
   — Je _____ avec une copine.
   — À quelle heure est-ce que tu _____ la maison?
   — Je _____ à sept heures.

B. — À quelle heure est-ce que le train _____?
   — Il _____ la gare à six heures et demie.

C. — Quand est-ce que vous _____ le campus?
   — Nous _____ en vacances le 15 mai.

B. Le passé composé avec *être* — TO DESCRIBE WHERE WE WENT

Note the forms of the PASSÉ COMPOSÉ in the following sentences:

Léa **est sortie** ce week-end.   Elle **est allée** au cinéma.

Mes cousins **sont partis** en vacances.   Ils **sont allés** à Québec.

> The PASSÉ COMPOSÉ of certain verbs of MOTION, like **aller, sortir,** and **partir,** is formed with **être** as follows:
>
> present of **être** + PAST PARTICIPLE

When a verb is conjugated with **être** in the passé composé, the PAST PARTICIPLE agrees with the SUBJECT in gender and number.

	masculine	feminine
singular	je **suis** **allé** tu **es** **allé** il/on **est** **allé**	je **suis** **allée** tu **es** **allée** elle **est** **allée**
plural	nous **sommes** **allés** vous **êtes** **allé(s)** ils **sont** **allés**	nous **sommes** **allées** vous **êtes** **allée(s)** elles **sont** **allées**
negative	Je **ne suis pas allé** à Paris.	Anne **n'est pas allée** à Nice.
interrogative	**Est-ce que tu es allé** à la mer? Où **est-ce que tu es allé?**	**Est-elle allée** en France? Où **est-elle allée?**

RAPPEL
je suis
tu es
il est
nous sommes
vous _êtes
ils sont

5 **À la mer ou à la montagne?** •

Dites si les personnes suivantes sont allées à la mer ou à la montagne.

✳ Raphaël et Stéphane ont visité Cancun.
   Ils sont allés à la mer.

1. Élise a fait un voyage au Colorado.
2. Vous avez nagé dans l'océan Atlantique.
3. Tu as passé une semaine sur la Riviera.
4. Nous avons photographié le Mont Blanc.
5. Ma copine a fait du parapente (*paragliding*).
6. Charlotte et Élodie ont passé les vacances à Tahiti.
7. J'ai fait du VTT dans les Alpes.
8. Matteo a visité le Népal.

Quelques verbes conjugués avec *être*

> Most verbs conjugated with **être** in the passé composé are VERBS OF MOTION. They indicate movement to and from, in and out, etc.

aller	(allé)	*to go*	Nous **sommes allés** en France.
arriver	(arrivé)	*to arrive, to come*	Élise **est arrivée** à Tours le 8 juin.
partir	(parti)	*to leave*	Pierre **est parti** d'Annecy le 5 septembre.
entrer	(entré)	*to enter, to come in*	Je **suis entré** dans l'appartement.
sortir	(sorti)	*to go out*	Pauline **est sortie** avec un copain.
monter	(monté)	*to go up, to climb, to get on*	Vous **êtes montés** à la Tour Eiffel? Nous **sommes montés** dans le bus.
descendre	(descendu)	*to go down, to get off, to stop (at a place)*	Ils **sont descendus** à la station Opéra. Mon père **est descendu** à cet hôtel.
tomber	(tombé)	*to fall*	Je **suis tombé** de bicyclette.
passer	(passé)	*to pass, to go (by)*	Nous **sommes passés** par Tours.
rester	(resté)	*to stay, to remain*	Ils ne **sont** pas **restés** à Marseille.
rentrer	(rentré)	*to go back, to get back*	Nicolas **est rentré** chez lui.
retourner	(retourné)	*to return, to go back*	Nous **sommes retournés** à Québec.

▶ When names of places are used with verbs of motion, they are always introduced by a PREPOSITION such as **à, de, en, dans, par** (*by, through*), **pour, chez,** etc.

Je suis entré **dans** l'appartement.	*I entered the apartment.*
Paul est rentré **chez** lui.	*Paul returned home.*

▶ When followed directly by a NOUN, some of these verbs describe an ACTION rather than a motion. In this case, the passé composé is conjugated with **avoir.**

passer	*to spend (time)*	Nous **avons passé** une semaine à Paris.
	to pass, to give	J'**ai passé** le livre à mon copain.
monter	*to bring up*	Céline **a monté** sa valise (*suitcase*).
descendre	*to bring down*	Tu **as descendu** tes bagages.

---

6 Qui est sorti? ·

Dites si oui ou non les personnes suivantes sont sorties ce week-end.

✱ Mélanie a fait ses devoirs.
Elle n'est pas sortie.

1. M. Martin a fait les courses.
2. Catherine a fait le ménage.
3. Nous avons acheté des vêtements.
4. Tu es allé au cinéma.
5. J'ai joué aux jeux vidéo.
6. Tu as retrouvé des copains au café.
7. Vous avez rendu visite à vos cousins.
8. Ils ont dîné chez eux.

7 Enquête ·

Interviewez plusieurs camarades de classe et demandez-leur s'ils ont fait les choses suivantes le week-end dernier. Inscrivez les résultats de votre enquête.

✷ — *Julie, tu es restée chez toi le week-end dernier?*
　— *Non, je ne suis pas restée à la maison.*
　— *Est-ce que tu es partie en week-end?*
　— *Oui, je suis partie en week-end. ...*

NOM:	*Julie*		
• rester chez toi	*non*		
• partir en week-end	*oui*		
• quitter le campus			
• sortir avec des copains			
• aller au cinéma			
• faire les courses			
• acheter des vêtements			
• dîner en ville			
• rentrer tard (*late*)			

8 La journée de Mlle Laval ·

Mademoiselle Laval travaille dans une agence de tourisme. Décrivez sa journée d'hier.

1. arriver au bureau à huit heures
2. téléphoner à des clients
3. répondre à son email
4. envoyer des faxes
5. aller au restaurant
6. retourner au bureau
7. vendre des billets d'avion
8. préparer des documents
9. partir du bureau à six heures
10. sortir avec une amie
11. dîner au «Petit Zinc»
12. rentrer chez elle à onze heures

9 Le 14 juillet (*Bastille Day*) à Paris ·

Le 14 juillet est la fête nationale en France. Des copains ont célébré la fête à Paris. Expliquez ce qu'ils ont fait.

1. nous / passer sur les Champs-Élysées
2. vous / regarder le défilé (*parade*)
3. Mathilde / écouter la musique militaire
4. Éric / monter à la Tour Eiffel
5. vous / retrouver des copains
6. nous / descendre dans la rue
7. toi / rencontrer des amis
8. mes cousins / aller dans un café
9. Léa et Christine / aller à un concert public
10. on / danser dans la rue
11. Zoé / regarder les feux d'artifices (*fireworks*)
12. nous / rentrer très tard (*late*)

10 Des vacances différentes...

Ces étudiants français ont fait différentes choses pendant les vacances. Choisissez quelqu'un et décrivez ses vacances.

	Émilie	Clément	Pauline et Zoé
en juin	• rester chez elle • travailler • gagner de l'argent	• acheter une tente • partir à la campagne • faire du camping	• faire un voyage en Amérique • arriver à New York • monter à la statue de la Liberté
en juillet	• partir en vacances • aller à la mer • nager	• faire du VTT • tomber dans un ravin • rester dix jours à l'hôpital	• louer une voiture • voyager avec des copines • visiter l'Ouest
en août	• rendre visite à des amies • sortir avec elles • rentrer chez elle	• rentrer chez lui • étudier • retourner à l'université	• aller dans l'Arizona • descendre dans le Grand Canyon • rentrer chez elles

11 Un séjour à Paris

Marie-Cécile, une jeune fille suisse, a passé quelques jours à Paris. Regardez son journal. Posez des questions à votre partenaire sur son séjour.

✷ quel jour / arriver à Paris?
— *Quel jour est-ce que Marie-Cécile est arrivée à Paris?*
— *Elle est arrivée le jeudi 18 juin.*

1. quel jour / partir de Paris?
2. combien de jours / rester à Paris?
3. comment / arriver à Paris?
4. comment / partir?
5. dans quel hôtel / descendre?
6. quel jour / monter à la Tour Eiffel?
7. quel musée / visiter?
8. où / acheter des vêtements?
9. combien d'argent / dépenser?
10. quel jour / dîner à l'Hippopotame?
11. avec qui / dîner samedi?
12. où / aller avec lui?

jeudi 18 juin	arriver - gare de Lyon, 11h30 hôtel Esmeralda visite du Louvre dîner à l'Hippopotame
vendredi 19 juin	matin: visite du musée Picasso midi: rendez-vous avec Claudine cinéma soir: dîner chez Claudine
samedi 20 juin	matin: Tour Eiffel après-midi: Bon Marché pantalon, 2 chemises (60 €) soir: dîner avec Marc, discothèque
dimanche 21 juin	départ - aéroport d'Orly 10h 45

12 Un voyage •

Demandez à votre partenaire de décrire un voyage (réel ou imaginaire). Vous pouvez utiliser les suggestions suivantes.

❋ — *Où est-ce que tu es allé(e)?*
   — *Je suis allé(e) à Tahiti.*
   — *Quand est-ce que tu es parti(e)?*
   — ...

> • où / aller?
> • comment / voyager?
> • quand / partir?
> • combien de temps / rester là-bas?
> • quels endroits / visiter?
> • qu'est-ce que / faire?
> • qui / rencontrer?
> • de qui / faire la connaissance?
> • où / sortir?
> • quand / rentrer?

Vocabulaire: L'existence

la vie	*life*	**la mort**	*death*	
naître	**(né)**	*to be born*	Quand **es**-tu **né**? Je **suis né** en 1985.	
mourir	**(mort)**	*to die*	Ma grand-mère **est morte** le 14 septembre 2002.	

➠ **Naître** and **mourir** are generally used in the passé composé, which is formed with **être**.

13 Histoire de famille •

Béatrice décrit la vie de ses grands-parents. Jouez le rôle de Béatrice.

❋ mon grand-père / naître en Normandie
   Mon grand-père est né en Normandie.

1. ma grand-mère / naître à Paris
2. il / faire son service militaire
3. elle / aller à l'université
4. il / rencontrer ma grand-mère
5. ils / partir au Canada
6. ils / avoir deux enfants
7. ils / créer une entreprise
8. ils / faire fortune
9. ils / rentrer en France
10. ils / retourner en Normandie
11. elle / mourir l'année dernière
12. il / mourir en janvier

C. L'emploi du passé avec *il y a*

Note the use of the expression **il y a** in the following sentences.

Paul a téléphoné **il y a** dix minutes.   *Paul phoned ten minutes **ago.***

Émilie est rentrée **il y a** deux jours.   *Émilie came back two days **ago.***

To indicate HOW LONG AGO an event occurred, the following construction is used:	
passé composé + **il y a** + elapsed time	Je suis allé en France **il y a dix mois.**

14 Quand? •

Dites quand les personnes suivantes ont fait certaines choses.

✳ Nathalie / téléphoner / une heure
   Nathalie a téléphoné il y a une heure.

1. Mélanie / rentrer / dix minutes
2. Nicolas / partir / deux heures
3. Élodie / aller au cinéma / deux jours
4. Clément / organiser une fête / une semaine
5. Thomas / aller à Québec / six mois
6. Philippe / avoir un accident / un an
7. Mlle Rémy / acheter sa voiture / deux ans
8. M. Thibaut / faire la connaissance de sa femme / dix ans

15 Mes activités •

Dites quand vous avez fait les choses suivantes. (Inventez une réponse si c'est nécessaire.)
Comparez vos réponses avec votre partenaire.

1. téléphoner à mes parents?
2. aller au cinéma?
3. aller chez le dentiste?
4. sortir avec des copains?
5. nettoyer ma chambre?
6. faire un voyage?
7. arriver à cette université?
8. avoir mon diplôme de high school?
9. faire la connaissance de mon meilleur copain?

D. La date et l'année — HOW TO GIVE THE COMPLETE DATE

Note how dates are expressed in French and English.

Je suis né **le 24 juin 1990.** — *I was born (**on**) June 24, 1990.*

Ma mère est née **le premier mai 1965.** — *My mother was born (**on**) May 1, 1965.*

To express the DATE, French uses the following construction:	
le + number + month + year	le 5 [cinq] avril 2004
	le 20 [vingt] mai 1985

⟶ **RÉVISION**
numbers: pp. 6, 22, 153
dates: p. 66

⟶ The first day of the month is **le premier** (abbreviated **le 1er**).

le premier juin 2006 — *(on) June first, 2006*

Years from 1100 to 1999 can be expressed in two ways:	Years 2000 and after are expressed only one way:
1 960 **mille neuf cent** soixante 19 60 **dix-neuf cent** soixante [The word **cent** cannot be left out.]	2 000 **deux mille** 2 006 **deux mille** six

16 Dates de naissance •

Avec vos camarades de classe, comparez vos dates de naissance. Découvrez qui est né…

• la même (*same*) année
• le même mois
• le même jour

✱ *Je suis né(e) le 21 décembre 1987. Et toi?*

17 Dates historiques •

Faites correspondre les dates et les événements.

1. le 12/10/1492
2. le 4/7/1776
3. le 1/1/1863
4. le 7/12/1941
5. le 22/11/1963
6. le 11/9/2001

- l'attaque sur Pearl Harbor
- la destruction du World Trade Center
- la déclaration de l'émancipation des esclaves
- l'assassinat de John Kennedy
- la déclaration de l'Indépendance
- l'arrivée de Colomb en Amérique

E. La place de l'adverbe au passé composé

Compare the position of the adverbs **bien, souvent,** and **beaucoup** in the PRESENT and PASSÉ COMPOSÉ.

Léa joue **bien** au tennis.	Elle a **bien** joué.
Nous voyageons **souvent.**	Nous avons **souvent** voyagé.
David ne travaille pas **beaucoup.**	Il n'a pas **beaucoup** travaillé.

When ADVERBS OF MANNER, like **bien** and **souvent,** and ADVERBS OF QUANTITY, like **beaucoup,** are used in the passé composé, the word order is:

subject + (**ne**) auxiliary verb (**pas**) + ADVERB + past participle...

J'ai **bien** dormi.   Elle n'est pas **beaucoup** sortie.

➡ ADVERBS OF TIME, like **hier** and **aujourd'hui,** and ADVERBS OF PLACE, like **ici** and **là-bas,** come AFTER the past participle.

François est rentré **hier.**   Nous avons travaillé **ici.**

18 Causes et conséquences •

Lisez ce que les personnes suivantes ont fait et dites si oui ou non elles ont fait les choses entre parenthèses.

✸ Les étudiants ont réussi à l'examen. (travailler beaucoup?)
 Ils ont beaucoup travaillé.

1. Tu as eu un cauchemar (*nightmare*). (dormir mal?)
2. Vous avez perdu le match. (jouer bien?)
3. Nous sommes allés dans un excellent restaurant. (dîner bien?)
4. Charlotte est fatiguée. (dormir assez?)
5. Raphaël a fait du sport. (maigrir beaucoup?)
6. Vous n'êtes jamais sortis de chez vous. (voyager peu?)
7. Tu n'as pas trouvé la solution du problème. (chercher assez?)
8. Je suis malade (*sick*). (manger trop?)
9. Nous n'avons pas d'argent. (sortir beaucoup?)

Phonétique: La consonne /r/

The French letter "r" never represents the sound of the English "r".
In French, the consonant /r/ is a soft sound pronounced at the back of the throat.
To practice the French /r/, say "ah" and then clear your throat: a-ra a-ra

Répétez: pars sors dors pour jour mer faire heure
  Raphaël restez rencontrez retournez
  sortir partir dormir retrouver personne
  J'arrive à Paris mercredi soir.

À votre tour

Compréhension orale

Vous allez entendre plusieurs personnes décrire certaines activités. Si la personne parle de ses vacances, marquez la rangée A. Si elle parle d'un week-end, marquez la rangée B.

	1	2	3	4	5	6	7	8	9	10
A. vacances										
B. week-end										

Conversation dirigée

It's the day after spring break. Your partner has come back to school with a very nice tan.

Ask your partner . . .
- where he/she went
- how he/she traveled
- how many days he/she stayed there
- if he/she stayed in a hotel or with friends
- what he/she did
- if he/she met someone interesting (and if so, whom)
- when he/she got back

Expression libre

Décrivez un voyage que vous avez fait avec votre famille ou avec des copains. Vous pouvez décrire:

- en quelle année vous avez fait ce voyage
- où vous êtes allé(e) et où vous êtes resté(e)
- comment vous avez voyagé
- pendant combien de temps vous êtes resté(e) là-bas
- quels endroits intéressants vous avez visités
- quand vous êtes parti(e) et quand vous êtes rentré(e)

Si vous voulez, vous pouvez illustrer votre présentation avec des images.

Expression écrite

Décrivez ce que vous avez fait samedi dernier.

> *Samedi matin, je suis resté(e) chez moi.*
> *J'ai rangé ma chambre et après ...*
>
> *Samedi après-midi ...*
>
> *Samedi soir ...*

LES SORTIES

Les spectacles

On va...   pour...

au cinéma   **voir** (*to see*) **un film.**
au théâtre   **voir** | **une pièce de théâtre** (*play*).
                                                     | **une comédie musicale.**

dans une salle de concert   **assister à** | **un concert.**
                                                           | **un spectacle musical.**

                                            écouter | **un récital.**
                                                        | **un groupe musical.**
                                                        | **un chanteur.**
                                                        | **une chanteuse.**

dans une salle de spectacles   **voir un spectacle de variétés** (*show*).
                                            écouter | **un comédien.**
                                                        | **une comédienne.**

▶ *Quand on va au cinéma*

Quel film est-ce qu'on va **voir**?

On va voir *Bon Voyage.*

Où est-ce qu'on joue ce film?

Au Publicis Cinéma.

À quelle heure est le film?

Il y a | **une première séance** (*show*) à 14 heures.
       | **une deuxième séance** à 17 heures 10

Combien coûtent les **billets** (*tickets*)?

Sept euros.

(HM) **Recherches Internet**

Vous êtes à Paris et vous désirez inviter un(e) ami(e) à un spectacle. Sur Internet, cherchez trois spectacles différents. Indiquez aussi l'endroit, l'heure et le prix. (Il y a beaucoup de sites que vous pouvez consulter, par exemple: **www.ticketac.com, www.sortiraparis.com** ou **www.theatreonline.com.**)

Concert de Metal-rock	Olympia	20 h 30	45 euros

Le cinéma en France

Les Français adorent aller au cinéma. Ils vont voir des films français ou des films américains en version française° ou en version originale avec des sous-titres° français.

Chaque° année en février a lieu° la *Nuit des César*. Le jury donne un César au meilleur film français de l'année et aussi au meilleur acteur, à la meilleure actrice et aux meilleurs jeunes espoirs°, masculin et féminin, du cinéma français.

En juillet, les Français célèbrent la *Fête du Cinéma*. Pendant trois jours, ils peuvent aller au cinéma à des prix réduits°.

---

en version française *dubbed in French* **sous-titres** *subtitles* **Chaque** *Every* **a lieu** *takes place*
jeunes espoirs *promising young actors* **réduits** *reduced*

À votre tour

1. Enquête

Vous faites une enquête pour le magazine français Top-Spectacles. Interviewez plusieurs étudiants. Demandez-leur...

- quel genre de spectacles ils préfèrent
- à quel spectacle ils sont allés récemment

2. Une invitation au cinéma

Vous voulez inviter votre partenaire au cinéma ce week-end. Votre partenaire accepte, mais il/elle veut connaître...

- le nom du film
- le cinéma
- l'heure du film

Créez le dialogue correspondant.

Cinema

▶ *Pour parler d'un film*

Quel film est-ce que tu as vu? (*Which movie did you see?*)
   J'ai vu *Maxime et Julia.*

   Quel genre de film est-ce?
      C'est | **une comédie.**
            | **une comédie dramatique.**
            | **un drame psychologique.**
            | **un film d'animation.**
            | **un film documentaire.**
            | **un film d'aventure.**
            | **un film policier** (*detective movie*).
            | **un film historique.**
            | **un film de science-fiction.**
            | **un film d'épouvante** (*horror movie*).

   Qui est...
      | **le réalisateur / la réalisatrice** (*director*)?
      | **l'acteur principal?**
      | **l'actrice principale?**

   Comment est...
   Comment as-tu trouvé...
      | **l'action?**
      | **le scénario** (*script*)?
      | **les dialogues?**
      | **la mise en scène** (*setting*)?
      | **les effets spéciaux?**
      | **les costumes?**

      C'est | **super** | **moyen** (*so-so*)
            | **excellent** | **médiocre**
            | **bon** | **mauvais**
            | **pas mal** | **nul** (*of no interest*)

   Quelle est ton opinion générale sur ce film?
      Le film **vaut** (*is worth*)...
         ★ une étoile   ★★★★★ cinq étoiles

Bon Voyage

Réalisateur:	Jean-Paul Rappeneau
avec	Isabelle Adjani
	Gérard Depardieu
et	Virginie Ledoyen
	Yvan Attal
	Peter Coyote

Résumé: L'action a lieu° au printemps 1940. L'armée allemande entre en France. Une actrice, un homme politique° et une étudiante quittent Paris pour des raisons diverses...

a lieu *takes place*   **homme politique** *politician*

À votre tour

1. Débats

En classe, choisissez un film populaire récent. Divisez la classe en deux groupes:

- ceux qui ont aimé
- ceux qui n'ont pas aimé

Chaque groupe va donner son opinion sur les différents éléments du film.

2. Un film français

En groupes de deux ou trois, regardez un film français. Puis faites une présentation générale de ce film en classe.

- le nom et le genre du film
- les acteurs principaux
- le scénario

  Où a lieu le film? à quelle époque?

  Qui sont les protagonistes principaux?

  Quelle est l'action principale?

- le nombre d'étoiles que vous donnez au film

QUELQUES FILMS FRANÇAIS

- *Bon Voyage*
- *Les Choristes*
- *Adèle H*
- *Un long dimanche de fiançailles*
- *Le Fabuleux Destin d'Amélie Poulain*

LES RÉGIONS FRANÇAISES

Avant de lire
Quelles provinces françaises connaissez-vous?
Qu'est-ce que vous savez de ces provinces?

Les régions de France

La France est divisée° administrativement en 96 départements regroupés en 22 grandes régions. Ces régions correspondent plus ou moins° aux anciennes° provinces royales. Chaque° région a une identité caractérisée par sa géographie, son histoire, son économie, son architecture et ses traditions.

Un peu d'histoire

À l'origine, la France était° un petit royaume° centré sur la région de Paris. Cette région était habitée par une tribu germanique, les Francs, qui ont donné leur nom au pays°.

Au cours des siècles°, la France s'est progressivement agrandie° par l'acquisition pacifique des provinces environnantes°. Soumises° à l'autorité royale, ces provinces conservaient cependant une grande autonomie culturelle. Chacune° avait° sa langue, ses coutumes° et son mode de vie°.

La Révolution française (1789–1799) a aboli° la monarchie et divisé les provinces en départements. Elle a aussi uniformisé les institutions et généralisé l'usage de la langue française dans tout° le pays. Malgré° cet effort de centralisation, les différences locales n'ont pas complètement disparu°. Elles font aujourd'hui l'originalité de chaque région.

QUELQUES PROVINCES
(et leur date de rattachement à la France)

• la Provence (15ᵉ siècle)

• la Bretagne (16ᵉ siècle)

• la Bourgogne (16ᵉ siècle)

• l'Alsace (17ᵉ siècle)

• la Lorraine (18ᵉ siècle)

• la Savoie (19ᵉ siècle)

---

divisée *divided*   **plus ou moins** *more or less*   **anciennes** *former*   **Chaque** *Each*   **était** *was*   **royaume** *kingdom*   **pays** *country*
Au cours des siècles *Across the centuries*   **s'est... agrandie** *increased in size*   **environnantes** *neighboring*   **Soumises à** *Subjected to*
Chacune *Each one*   **avait** *had*   **coutumes** *customs*   **vie** *life*   **a aboli** *abolished*   **tout le** *the entire*   **Malgré** *In spite of*   **disparu** *disappeared*

La Normandie

Cette province, située sur l'Atlantique, a une histoire riche et complexe. Au neuvième siècle, la Normandie a été occupée par les Vikings qui ont adopté le christianisme et les coutumes° françaises. Au onzième siècle, un duc de Normandie, Guillaume le Conquérant°, a conquis° l'Angleterre et introduit° la langue française dans ce pays°. Au dix-huitième siècle, beaucoup de Normands ont émigré au Canada et introduit le français en Amérique du Nord.

Le 6 juin 1944 (*D-Day*), les troupes américaines ont débarqué sur les plages d'Omaha et de Utah pour libérer la France de l'occupation allemande. Aujourd'hui ces plages attirent° beaucoup de touristes venus rendre hommage au sacrifice de ces soldats américains. Une autre manifestation de l'amitié franco-américaine est le Festival de Cinéma américain qui a lieu° chaque° année à Deauville, une station balnéaire° très populaire.

L'Abbaye Mont-Saint-Michel

Le port de Honfleur. C'est de ce port qu'est parti Samuel de Champlain, le fondateur de Québec.

La tapisserie de Bayeux raconte la conquête de l'Angleterre par Guillaume, duc de Normandie.

Après la lecture
Qu'est-ce que vous avez appris sur les anciennes provinces françaises?

HM **Recherches Internet**
• Informez-vous sur D-Day et la bataille de Normandie.
• Visitez le site du Cimetière Américain de Normandie: www.abmc.gov/no.htm

---

coutumes *customs* **Guillaume le Conquérant** *William the Conqueror* **conquis** *conquered* **introduit** *introduced* **pays** *country*
attirent *attract* **a lieu** *takes place* **chaque** *each* **station balnéaire** *seaside resort*

La Provence

Au premier siècle, la Provence était° la province la plus riche° de l'empire romain. Au dix-neuvième siècle, son climat doux° a attiré° les touristes venus d'Angleterre et de Russie. La luminosité de ses paysages a inspiré de nombreux° artistes: Cézanne, Van Gogh, Matisse et Picasso.

Aujourd'hui la Provence a des vocations multiples: tourisme sur la Côte d'Azur°, haute technologie avec le centre scientifique de Sophia Antipolis, vie° culturelle avec les nombreux festivals: Festival du Cinéma de Cannes, Festival du Théâtre à Avignon, Festival du Jazz à Juan-les-Pins ...

Une spécialité provençale: la bouillabaisse

La bouillabaisse est une soupe de poissons° avec des tomates, des épices° et de l'ail°.

La Touraine

Au seizième siècle, les rois° de France ont choisi la Touraine comme° lieu° de résidence. Ils y ont construit° de magnifiques châteaux, agrémentés° de jardins bien ordonnées° «à la française». Le roi François Ier était un patron des arts et des lettres. Il a attiré en Touraine l'artiste italien Léonard de Vinci à qui° il a acheté la fameuse «Mona Lisa».

Aujourd'hui les touristes peuvent visiter ces châteaux. Le soir ils peuvent aussi assister aux spectacles «Son et Lumière°» qui évoquent en paroles° et en musique les splendeurs du passé°.

Le Clos-Lucé, demeure de Léonard de Vinci

Une spécialité tourangelle: les rillettes

Les rillettes sont une sorte de pâté à base de porc. Avec les rillettes on peut faire des sandwichs délicieux.

était *was* **la plus riche** *the richest* **doux** *gentle* **a attiré** *attracted* **de nombreux** *numerous* **Côte d'Azur** *Riviera* **vie** *life*
poissons *fish, seafood* **épices** *spices* **ail** *garlic* **rois** *kings* **comme** *as* **lieu** *place* **y ont construit** *built there*
agrémentés *rendered more beautiful* **bien ordonnées** *formal* **à qui** *from whom* **Son et Lumière** *sound and light*
paroles *words* **passé** *past*

L'Alsace

Dans son histoire, l'Alsace a été tour à tour° allemande et française. Le passé° germanique de cette province se manifeste° dans l'architecture de ses maisons, dans sa langue alsacienne et dans sa cuisine riche et variée.

À cause° de sa situation° centrale, l'Alsace a aujourd'hui une vocation européenne. Sa capitale Strasbourg est le siège° du Parlement européen et de l'Institut international des droits° de l'homme.

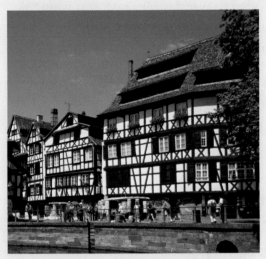

Une maison alsacienne avec colombages°

Le château de Chenonceaux est le cadeau° d'un roi de France à une jolie femme. Il est construit° sur une rivière.

Une spécialité alsacienne: la choucroute garnie

La choucroute° alsacienne est un plat de choucroute accompagnée de jambon fumé°, de saucisses°, de lard° et de pommes de terre°.

Après la lecture
Quelle région aimeriez-vous visiter? Pourquoi?

 Recherches Internet
Faites des recherches supplémentaires sur une province de votre choix:
• climat et géographie
• monuments historiques
• choses à faire

---

tour à tour *alternately*   **passé** *past*   **se manifeste** *is evident*   **À cause de** *Because of*   **situation** *location*   **siège** *seat*   **droits** *rights*
colombages *half-timbers*   **cadeau** *gift*   **construit** *built*   **choucroute** *sauerkraut*   **jambon fumé** *smoked ham*   **saucisses** *sausages*
lard *bacon slabs*   **pommes de terre** *potatoes*

Avant de lire
Quels sont les vins et fromages français que vous connaissez?

La carte des vins...

La France est un important producteur de vin. Les meilleurs° vins viennent des régions où les conditions naturelles sont les plus° favorables à la culture de la vigne°: Bordeaux, Bourgogne, Champagne, Alsace, Rhône, Touraine, Provence, etc.

Les vins de chaque° région ont des caractéristiques distinctives car° ils sont produits° avec des cépages° et suivant° des méthodes spécifiques à cette région. Les grands vins portent° le nom de la localité où ils sont produits, par exemple, Chablis en Bourgogne ou Vouvray en Touraine.

Les régions et leurs vins

Région	Type de vin	Cépages principaux
Bourgogne	vins rouges vins blancs	pinot noir chardonnay
Bordeaux	vins rouges vins blancs	cabernet sauvignon, merlot sauvignon blanc
Alsace	vins blancs	riesling, gewürztztraminer
Champagne	vins blancs	chardonnay, pinot noir
Touraine	vins blancs	chenin blanc
Rhône (nord) (sud)	vins rouges vins rouges	syrah grenache

---

meilleurs *best*   **plus** *most*   **culture de la vigne** *wine growing*   **chaque** *each*   **car** *because*   **produits** *produced*   **cépages** *grape varieties*
suivant *according to*   **portent** *bear*

... et des fromages

I l y a plus° de quatre cents (400) variétés de fromages français. Comme° pour les vins, chaque° région produit° ses spécialités de fromages. Ces fromages se distinguent° par leur forme (ronde, carrée°, rectangulaire, conique ou pyramidale), leur consistence (pâte molle° ou pâte dure°) et par leur procédé° de fabrication. Chacun° a sa saveur particulière.

Les facteurs de qualité d'un vin

1. l'origine géographique
Les conditions naturelles d'une localité ou *terroir* (composition du sol°, exposition au soleil°, climat) déterminent les caractéristiques du vin.

2. l'année (ou millésime)
Les conditions climatiques influencent la qualité du raisin°.

3. le producteur
Son *savoir-faire* et sa compétence sont des éléments indispensables.

Comment lire° une étiquette°

1 →
2 →
3 →

---

plus de *more than* **Comme** *As* **chaque** *each*
produit *produces* **se distinguent** *are distinguished* **carrée** *square*
pâte molle *soft cheese* **pâte dure** *hard cheese*
procédé *means* **Chacun** *Each one* **sol** *soil*
soleil *sun* **raisin** *grape* **lire** *to read* **étiquette** *label*

Après la lecture
Quelles sont les choses les plus intéressantes que vous avez apprises sur les fromages français?

HM Recherches Internet
Faites une liste de dix autres fromages français. De quelles régions viennent-ils?

Unité
6

Bon appétit!

Un grand gourmand

*Emma a un job d'été. Elle travaille pour le **Syndicat d'Initiative** de Tours.* tourist office
*Cette semaine, elle fait une **enquête** sur le tourisme en Touraine. Aujourd'hui,* survey
elle parle avec un jeune couple de touristes étrangers.

EMMA:	Bonjour! De quel **pays venez**-vous?	country / come
LUI:	Nous sommes **hollandais**.	Dutch
ELLE:	Nous venons d'Amsterdam.	
EMMA:	C'est la première **fois** que vous venez en France?	time
LUI:	Non, nous venons **tous les étés**. Cette année nous avons décidé de visiter la Touraine.	every summer
EMMA:	Qu'est-ce que vous faites **pendant** votre voyage?	during
ELLE:	Eh bien, nous visitons les châteaux de la Loire. Nous venons de visiter le château d'Amboise. Demain, nous allons visiter le château de Chenonceaux.	
EMMA:	Pourquoi avez-vous choisi de **venir** en Touraine?	to come
ELLE:	C'est une belle région avec beaucoup de monuments historiques. J'adore l'histoire.	
EMMA:	Et vous, **vous vous intéressez** aussi à l'histoire de France?	are you interested
LUI:	Euh… Pas spécialement. Mais j'adore la cuisine française… les bons **vins**, les **fromages**, les spécialités régionales. Nous n'avons pas **ça** chez nous.	wines cheeses / that
EMMA:	Je vois, vous êtes un fin gourmet*.	
ELLE:	Où plutôt un grand gourmand**!	

---

* **Un fin gourmet** est une personne qui apprécie les qualités de la bonne cuisine.
** **Un grand gourmand** est une personne qui adore manger et qui mange beaucoup.

À propos du texte

1. Quelle est la nationalité des deux touristes?
2. Quelle région de France visitent-ils?
3. Qu'est-ce qu'ils font pendant leur voyage?
4. Qu'est-ce que la jeune femme aime?
5. Qu'est-ce que le jeune homme aime?

Note culturelle
L'art de manger à la française

La France est le pays de la «gastronomie». Les Français pratiquent et cultivent l'art de bien manger. Pour eux, la bonne cuisine est un aspect très important de la culture. Aujourd'hui la cuisine française a une réputation internationale. En quoi consiste l'art de manger à la française? Voici quelques principes.

- **La qualité est plus importante que la quantité.**
  Bien manger est le contraire de beaucoup manger. La qualité des aliments° et l'harmonie des saveurs° sont les ingrédients essentiels d'un bon repas.

- **Un repas est un événement° organisé.**
  Les plats° sont servis dans un ordre prédéterminé. Pour apprécier la saveur individuelle des éléments, on mange séparément la viande°, les légumes° et la salade.

- **Un repas est une expérience esthétique.**
  Une bonne table doit être aussi une belle table. La présentation des plats et la décoration de la table sont des éléments indispensables à la qualité d'un repas.

- **Un repas est un acte social et convivial.**
  On mange pour être en famille ou avec des amis. Un bon repas est toujours accompagné d'une conversation animée à laquelle° tous° les convives° participent.

À votre avis

1. Quelles différences voyez-vous entre la conception d'un repas français et d'un repas américain?
2. Quelle conception préférez-vous? Pourquoi?

---

aliments *foods*   **saveurs** *flavors*   **événement** *event*   **plats** *dishes*   **viande** *meat*   **légumes** *vegetables*   **à laquelle** *in which*   **tous** *all*   **convives** *guests*

La langue française

A. Le présent avec *depuis* — TO DESCRIBE HOW LONG ACTIONS HAVE BEEN GOING ON

The following sentences describe HOW LONG or SINCE WHEN certain actions HAVE BEEN GOING ON. Compare the use of verbs in French and English.

Nous **voyageons depuis** un mois.	We *have been traveling* for a month.
Je **visite** Tours **depuis** deux jours.	I *have been visiting* Tours *for* two days.
Léa **habite** à Paris **depuis** mai.	Léa *has been living* in Paris *since* May.
Nous **sommes** ici **depuis** ce matin.	We *have been* here *since* this morning.

To describe what people have been doing SINCE a certain point in time or FOR a certain period of time, French uses the construction:

PRESENT + **depuis** +	DURATION of activity STARTING POINT in time	Je **suis** à Tours **depuis un mois.** Je **suis** à Tours **depuis le 2 juin.**

▸ Note the corresponding interrogative expressions.

Depuis quand...?	*Since when . . . ?*	— **Depuis quand** voyagez-vous? — Depuis septembre.
Depuis combien de temps...?	*For how long . . . ?*	— **Depuis combien de temps** habites-tu ici? — Depuis deux ans.

▸ Although both **depuis** and **pendant** correspond to the English *for* (+ *length of time*), they have different meanings and are used with different tenses. Compare:

Pierre **habite** à Tours **depuis** deux ans.	Pierre *has been living* in Tours *for* two years. (*The action is continuing: he still lives there.*)
Léa **a habité** à Tours **pendant** deux ans.	Léa *lived* in Tours *for* two years. (*The action ended in the past: she no longer lives there.*)

1 En France

Ces étudiants américains sont en France. Dites depuis quand ils font certaines choses.

✱ Robert / habiter à Paris / septembre
Robert habite à Paris depuis septembre.

1. Julie / habiter à Toulouse / le 3 mai
2. nous / étudier à l'Alliance française / octobre
3. Charlotte et Claire / louer un appartement à Paris / le 15 novembre
4. vous / étudier le français / le mois d'octobre
5. moi / travailler pour une agence de voyages / le printemps
6. Barbara / sortir avec un copain français / juin dernier
7. toi / déjeuner au restaurant universitaire / janvier

Expressions pour la conversation

to introduce a question

| **Dites...** | *Say . . .* | **Dites,** où est-ce que vous habitez? |
| **Dis donc...** | *Say . . . , Hey . . .* | **Dis donc,** où est-ce que tu habites? |

2 Dis donc...

Demandez à votre partenaire depuis combien de temps il/elle fait les choses suivantes. (Si c'est nécessaire, inventez une réponse.)

✱ être à l'université
— *Dis donc, depuis combien de temps es-tu à l'université?*
— *Je suis à l'université depuis deux ans (six mois...).*

1. habiter dans cette ville
2. étudier le français
3. avoir un ordinateur
4. avoir l'âge de voter
5. avoir ton diplôme de high school
6. avoir une voiture
7. être dans la salle de classe (*classroom*)
8. faire cet exercice

3 Quelle expression?

Complétez les phrases avec **pendant** ou **depuis**.

1. Nous voyageons en France _____ le 15 juin. Nous sommes restés à Paris _____ une semaine.
2. J'ai voyagé en Europe _____ une semaine. Je suis chez moi _____ mardi.
3. Éric et David sont au gymnase _____ dix heures. Ils ont joué au basket _____ une heure.
4. Martine est au café _____ ce matin. Elle a attendu Pierre _____ vingt minutes.
5. Patrick a fait la connaissance d'Isabelle _____ les vacances. Ils sort avec elle _____ avril.
6. Il a fait beau _____ cinq jours. Il pleut _____ hier.

B. Le verbe *venir*

The verb **venir** (*to come*) is irregular.

infinitive		**venir**	Quand vont-ils **venir**?
present	je **viens**		Je **viens** de France.
	tu **viens**		Tu **viens** avec nous?
	il/elle/on **vient**		Mon copain **vient** chez moi pour dîner.
	nous **venons**		Nous **venons** de chez un ami.
	vous **venez**		Vous **venez** à midi, n'est-ce pas?
	ils/elles **viennent**		Elles **viennent** au café avec nous.
passé composé	je **suis** venu(e)		Elles **sont venues** avec leurs amis.

PRONONCIATION
viens	/vjɛ̃/
venons	/vənɔ̃/
viennent	/vjɛn/

➠ The passé composé of **venir** is conjugated with **être**.

➠ Note the interrogative expression:

D'où...?	*From where . . . ?*	**D'où** venez-vous?

Verbes conjugués comme *venir*

venir	*to come*	Thomas **vient** demain.
		Ses cousins **sont venus** hier.
devenir	*to become*	Avec l'âge, on **devient** plus patient.
		Cet artiste **est devenu** riche et célèbre (*famous*).
revenir	*to come back*	Quand est-ce que tu **reviens**?
		Quand est-ce que ta tante **est revenue** de Paris?

➠ After **devenir,** nouns designating professions are generally used WITHOUT **un** or **une** (except when these nouns are modified by an adjective).

Après l'université, Céline est devenue **architecte**.   *After college, Céline became **an architect**.*

4 La conférence internationale ·

Les étudiants suivants participent à une conférence internationale. Donnez leur nationalité et leur ville d'origine.

✸ Charlotte (française / Marseille)
Charlotte est française. Elle vient de Marseille.

1. Luis et Carlos (mexicains / Puebla)
2. nous (américains / San Francisco)
3. ces étudiants (indiens / New Delhi)
4. ces étudiantes (suisses / Genève)
5. vous (japonais / Tokyo)
6. moi (canadien / Québec)
7. toi (anglais / Londres)
8. Boris (russe / Moscou)

5 Après l'université ·

Dites ce que les personnes suivantes sont devenues après l'université.

✸ Delphine / architecte
Delphine est devenue architecte.

1. nous / photographes
2. vous / interprète
3. Cécile / actrice
4. ces étudiants / journalistes
5. moi / professeur de français
6. toi / pianiste
7. Alice et Mélanie / femmes d'affaires (*businesswomen*)
8. Jean-Claude / pharmacien

6 Et vous? ·

1. De quelle ville venez-vous?
2. D'où vient votre père? votre mère? votre meilleur ami? votre meilleure amie?
3. Est-ce que vos amis viennent souvent chez vous? Quand? Pourquoi?
4. Est-ce que le français devient plus facile pour vous?
5. Depuis que vous êtes à l'université, est-ce que vous devenez plus patient(e)? plus libéral(e)? plus indépendant(e)? plus tolérant(e)? plus optimiste? plus réaliste?
6. Avez-vous l'intention de revenir à cette université l'année prochaine?

C. Le passé récent avec *venir de* — TO TALK ABOUT RECENT ACTIVITIES

The following sentences describe events or actions that HAVE JUST TAKEN PLACE.
Note how this is expressed in French.

Charlotte **vient de téléphoner.**	*Charlotte (has) just called.*
Nous **venons de rentrer.**	*We **just came (have just come)** back.*
Tes amis **viennent de partir.**	*Your friends **(have) just left.***

To express an action or event that has just happened in the RECENT PAST, French uses the following construction:

present tense of **venir** + **de** + INFINITIVE	Je **viens de finir** ce livre. Mon copain **vient d'**acheter une moto.	ÉLISION de → d'

7 D'où reviennent-ils? •

Dites d'où reviennent les personnes suivantes et ce qu'elles viennent de faire. Faites des phrases logiques avec les éléments des colonnes A et B.

✸ Julie   *Julie revient de la bibliothèque. Elle vient d'étudier.*

1. Pierre
2. nous
3. vous
4. mes copains
5. Nicole et Laure
6. toi
7. Mme Prévost
8. M. Duval
9. moi

A
la piscine
le restaurant
la bibliothèque
le supermarché
le bureau
la poste
le stade
le magasin de vêtements
le cinéma

B
dîner
étudier
nager
jouer au foot
travailler
voir (*to see*) un film
acheter des fruits
acheter une chemise
envoyer une lettre

8 Trop tard! (*Too late!*) •

Vous téléphonez à votre partenaire pour savoir si (*to find out if*) vos amis sont avec lui/elle. Il/Elle répond négativement et explique pourquoi.

✸ Céline (sortir)
— *Allô! Est-ce que Céline est avec toi?*
— *Non, elle n'est pas ici. Elle vient de sortir.*

1. Pauline (partir)
2. Élodie (aller au cinéma)
3. Nicolas (aller au gymnase)
4. Zoé (téléphoner d'un café)
5. Thomas (sortir avec des copains)
6. Antoine (quitter l'appartement)
7. Éric et Pierre (partir pour la bibliothèque)
8. Léa et Mathilde (sortir avec Marc)

9 Pourquoi? •

Demandez à vos camarades pourquoi ils se sentent ainsi (*feel the way they do*). Ils vont répondre
avec la réponse suggérée ou une réponse de leur choix.

✹ — *Pourquoi es-tu triste?*
   — *Je viens d'avoir une dispute avec mon copain.*
ou — *Je viens d'avoir un «C» à l'examen de maths.*

┌─────────────────────────────────┐ ┌─────────────────────────────────────┐
│ POURQUOI?   │ │ PARCE QUE...   │
│ • triste   │ │ • avoir une dispute avec un copain │
│ • content(e)   │ │ • réussir à l'examen de...   │
│ • fatigué(e)   │ │ • jouer au tennis   │
│ • heureux (heureuse)   │ │ • gagner à la loterie   │
│ • de bonne humeur (*in a good mood*) │ • téléphoner à mon copain   │
│ • de mauvaise humeur   │ │ • perdre mon portefeuille (*wallet*) │
└─────────────────────────────────┘ └─────────────────────────────────────┘

D. L'article défini avec les noms géographiques

TO TALK ABOUT PLACE NAMES

Note the use of the definite article with geographical names.

Paris est la capitale de **la France.**   Nous allons visiter **le Portugal** en août.
Le Texas est un état (*state*) américain.   Béatrice va faire du ski dans **les Alpes.**

The DEFINITE ARTICLE is used to introduce most GEOGRAPHICAL NAMES: continents, countries, states, provinces, rivers, mountains, etc.		
le/la/les + geographical name	**l'**Amérique **le** Canada **la** France **la** Seine **les** Alpes	**l'**Europe **l'**Ontario **la** Touraine **le** Mississippi **le** lac Huron

▸ The names of a few countries, especially island countries, are used without articles.

   Israël, Cuba, Porto Rico, Tahiti, Madagascar

▸ The definite article is NOT used with cities, unless the article is part of their name.

   Paris, New York BUT **le Havre, le Caire** (*Cairo*)**, la Nouvelle Orléans, la Havane**

Vocabulaire: Pays et nationalités

le monde	*world*	**une région**	
un continent		**une province**	
un pays	*country*	**une nationalité**	
un état	*state*	**une langue**	*language*

Les directions

le nord

l'ouest   **l'est**

le sud

l'Europe	**européen**	**l'Amérique**	**américain**
l'Allemagne	**allemand**	**le Canada**	**canadien**
l'Angleterre	**anglais**	**les États-Unis**	**américain**
la Belgique	**belge**	**le Mexique**	**mexicain**
la France	**français**	**Cuba**	**cubain**
la Hollande	**hollandais**		
l'Irlande	**irlandais**	**l'Asie**	**asiatique**
l'Italie	**italien**	**la Chine**	**chinois**
le Portugal	**portugais**	**la Corée**	**coréen**
la Russie	**russe**	**le Japon**	**japonais**
la Suisse	**suisse**	**l'Inde**	**indien**
		le Vietnam	**vietnamien**
l'Afrique	**africain**		
le Maroc	**marocain**	**le Moyen-Orient**	
l'Égypte	**égyptien**	**Israël**	**israélien**
le Sénégal	**sénégalais**	**le Liban**	**libanais**
		la Palestine	**palestinien**
l'Australie	**australien**		

▶ The gender of a country or state is indicated by its ending.

FEMININE: ending in **-e**	MASCULINE: not ending in **-e**
la Chin**e** **la** Florid**e**	**le** Japon **le** Colorad**o**
la Suiss**e** **la** Californi**e**	**le** Brésil **le** Texa**s**

EXCEPTIONS: **le** Mexique **le** Maine **le** New Hampshire **le** Tennessee

▶ Names of languages are MASCULINE and are NOT capitalized.

Le français et **l'espagnol** sont des langues d'origine latine.

10 Tourisme

Faites une liste, par ordre de préférence, de cinq pays que vous voudriez visiter. Comparez votre liste avec votre partenaire.

> *Je voudrais visiter...*
> 1.
> 2.
> 3.
> 4.
> 5.

11 Préférences

Complétez les phrases avec un adjectif de nationalité.

1. J'aime la cuisine...
2. Je dîne souvent dans un restaurant...
3. Je voudrais avoir une voiture...
4. Je voudrais avoir des copains...
5. J'aime l'art...
6. J'aime la musique...

12 En voyage

Les personnes suivantes ont voyagé cet été. Utilisez les renseignements (*information*) suivants et dites quel pays chaque personne a visité.

✹ Julien a fait une croisière (*cruise*) sur le Nil.
  Il a visité l'Égypte.

1. Nous avons fait un film d'une corrida (*bullfight*).
2. Vous avez fait une promenade sur la Grande Muraille (*Great Wall*).
3. Thomas a acheté un CD de musique mariachi.
4. Sarah a visité la basilique Saint-Pierre à Rome.
5. Antoine et Vincent ont acheté des cartes postales de Berlin.
6. J'ai fait du rafting dans le Colorado.
7. Tu as visité le Kremlin.
8. Julie et Aurélie ont visité les temples bouddhistes à Kyoto.

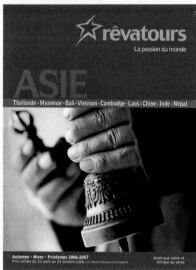

13 Et vous?

1. Dans quelle région des États-Unis habitez-vous?
2. Comment s'appelle l'état où vous habitez? Quelle est sa capitale?
3. Comment s'appelle l'état où vous êtes né(e)?
4. Quels états avez-vous visités?
5. Quel état préférez-vous? Pourquoi?

> **À noter**
> Some state names that end in **-a** in English end in **-e** in French and are feminine.
>
>   la Californie, la Caroline du Nord, la Caroline du Sud, la Floride, la Géorgie, la Louisiane, la Pennsylvanie, la Virginie, la Virginie de l'Ouest
>
> Other state names in **-a** retain their English spelling and are masculine.
>
>   l'Alabama, l'Alaska, l'Arizona, le Dakota du Nord, le Dakota du Sud, l'Indiana, l'Iowa, le Minnesota, le Montana, le Nebraska, le Nevada, l'Oklahoma

E. L'emploi des prépositions avec les noms géographiques

The prepositions **à, en,** and **de** are used with place names to express movement and location.

	city	feminine place name	masculine place name	plural place name
	J'aime Paris.	J'aime **la** France.	J'aime **le** Canada.	J'aime **les** États-Unis.
to	Je vais **à** Paris.	Je vais **en** France.	Je vais **au** Canada.	Je vais **aux** États-Unis.
in	Je suis **à** Paris.	Je suis **en** France.	Je suis **au** Canada.	Je suis **aux** États-Unis.
from	Je viens **de** Paris.	Je viens **de** France.	Je viens **du** Canada.	Je viens **des** États-Unis.

➡ With masculine US states, **dans le** is often used instead of **au** to express location.

   Mon cousin habite **dans le** Vermont.   Mes amis vont **dans le** Colorado.

➡ Note how French distinguishes between cities and states having the same name.

   Je suis **à** New York.   Albany est **dans l'état de** New York.
   Tu habites **à** Washington.   Mon cousin habite **dans l'état de** Washington.

14 Transit à Roissy •

Les voyageurs suivants sont en transit à l'aéroport de Paris, Charles de Gaulle. Dites de quels pays ces voyageurs viennent et dans quels pays ils vont.

✸ Paul (le Canada / la Suisse)   ***Paul vient du Canada. Il va en Suisse.***

1. nous (le Sénégal / le Canada)
2. vous (les Bermudes / le Japon)
3. Silvia (l'Italie / la Belgique)
4. Jacqueline (le Portugal / l'Angleterre)
5. François (la Suisse / les États-Unis)
6. Bob et Bill (les États-Unis / l'Allemagne)

15 Expression personnelle •

Complétez les phrases suivantes avec le nom d'un pays. Utilisez la préposition qui convient.

1. J'habite…
2. Je suis allé(e)…
3. Je ne suis jamais allé(e)…
4. Je voudrais passer les vacances…
5. Je voudrais travailler…
6. J'ai envie de faire un voyage…

Phonétique: La lettre «h»

In French, unlike English, the letter "h" is always silent.

- *le «h muet»:* Most words that begin with "h" are treated as if they began with a vowel sound. Before a "mute h," elision and liaison are required.

   Répétez: l'homme un‿homme des‿hommes l'histoire j'habite
        En‿hiver, nous‿habitons à l'hôtel.

- *le «h aspiré»:* Some words that begin with "h" are treated as if they began with a consonant sound. Before an "aspirate h" there is never elision or liaison.*

   Répétez: la Hollande les Hollandais un héros le hockey le huit
        Les Hollandais jouent au hockey le huit octobre.

* Words with an "aspirate h" are marked in the end vocabulary with an asterisk.

À votre tour

Compréhension orale

Vous allez entendre neuf phrases. Chaque phrase contient le nom d'un pays. Marquez le continent où ce pays se trouve (*is located*).

	✹	1	2	3	4	5	6	7	8	9
A. l'Europe	✔									
B. l'Asie										
C. les Amériques										

Conversation dirigée

Last August your friend traveled around Europe on a Eurail Pass. Since you are going to Europe this July, you would like to know more about your friend's trip.

Ask your partner . . .
- in which country he/she started (**commencer**) his/her trip
- which countries he/she visited
- if he/she went to Spain and to Portugal
- which countries he/she preferred
- when he/she came back to the United States

Expression libre

Cet été vous allez faire un voyage autour (*around*) du monde avec votre partenaire, mais chacun (*each one*) va proposer un itinéraire différent.

D'abord (*First*), préparez votre itinéraire. Mentionnez:
- quels pays vous allez visiter
- pourquoi vous avez choisi ces pays
- ce que vous allez faire dans chaque pays

Comparez votre itinéraire avec votre partenaire. Puis (*Then*), décidez quel va être votre itinéraire définitif.

Expression écrite

Imaginez que vous visitez l'Europe avec un Eurail Pass. Écrivez une carte postale à un ami où vous décrivez (*describe*) ce que vous venez de faire cette semaine.

Petit déjeuner du matin

 *Le **petit déjeuner** est le premier **repas** de la journée. Il **fournit** l'énergie nécessaire aux activités du matin. Il doit donc être nutritif et **équilibré**. **Plusieurs** jeunes Français **décrivent** leur petit déjeuner.*

breakfast / meal / provides
balanced / Several
describe

Antoine (19 ans)

Chez nous, le petit déjeuner est très classique. On **mange** du **pain** avec du **beurre** et de la **confiture** et on **boit** du café avec du **lait** et du **sucre**. Le dimanche, on mange **parfois** des croissants... si **quelqu'un se lève** pour aller à la **boulangerie**.

eat / bread
butter / jam / drink / milk
sugar / sometimes
someone / gets up / bakery

Eva (17 ans)

Je **prends** un petit déjeuner «à l'américaine». Je commence par du **jus** d'orange et **ensuite** je mange des céréales avec du lait ou du yaourt. Avec ça, je bois du café noir ou du **thé**.

have / juice
then
tea

Émilie (25 ans)

Moi, je **fais attention** aux calories. Alors, mon petit déjeuner est assez **léger**. Je prends du yaourt **nature** et je mange un fruit. **En général**, c'est un kiwi ou une orange. Parfois je mange de la **compote de pomme**. Et comme **boisson**, je bois du thé **sans** sucre.

pay attention / light
plain / Generally
applesauce / beverage
without

Thomas (15 ans)

Le petit déjeuner est mon repas préféré. Je **prends** du chocolat chaud et je mange des **tartines de pain grillé** avec du beurre et de la marmelade. Après, je vais au lycée.

have
toast

Raphaël (18 ans)

Pour moi, ça dépend de **ce qu'**il y a dans le réfrigérateur. Parfois c'est des *what*
biscottes* avec de la confiture. Parfois, c'est du pain avec du **fromage** ou du *cheese*
beurre. Et je bois toujours un grand **bol** de café au lait**. *bowl*

Nicolas (31 ans)

Je n'ai pas le **temps** de **prendre** le petit déjeuner chez moi. Parfois je vais *time / to have*
dans un café et je **commande** des croissants avec un café-crème***. *order*

---

* **Biscotte:** *dried white toast (zwieback), "continental toast"*
** **Café au lait:** *half coffee, half hot milk, served at home in a high bowl or **bol**.*
*** **Café-crème:** *espresso with hot milk, served in cafés in a small cup*

À propos du texte

1. Qu'est-ce que c'est qu'un petit déjeuner «classique»?
2. Qu'est-ce que c'est qu'un petit déjeuner «à l'américaine»?
3. Selon vous, qui a le petit déjeuner le plus nutritif? Pourquoi?
4. Qui a le petit déjeuner le moins nutritif? Pourquoi?
5. Qui a le petit déjeuner le plus comparable au vôtre (*yours*)? Pourquoi?

Note culturelle
Le petit déjeuner français

En France, le petit déjeuner est un repas simple et léger.
Il y a différentes façons° de prendre le petit déjeuner.

- La majorité des Français (51%) choisissent la formule
  traditionnelle: pain, beurre et confiture, café. Souvent
  le pain est remplacé par d'autres produits°: biscottes,
  croissants, viennoiseries°.

- Vingt-neuf pour cent (29%) prennent seulement une
  boisson chaude: café, thé ou chocolat.

- Douze pour cent (12%) — et surtout les jeunes femmes
  — préfèrent un petit déjeuner «équilibré°» avec fruits
  frais°, yaourt, muesli°, eau minérale ou thé.

- Huit pour cent (8%) adoptent une
  formule américaine simplifiée: jus
  d'orange, céréales avec du lait, thé
  ou café.

À votre avis

1. Quelles sont les différences entre un petit déjeuner
   français typique et un petit déjeuner américain?
2. Quel est le petit déjeuner le plus nutritif? le plus
   équilibré? le moins riche en calories?
3. Quelle formule de petit déjeuner préférez-vous: la
   formule française ou la formule américaine?

---

façons *ways*   **produits** *products*   **viennoiseries** *Viennese pastries*   **équilibré** *balanced*   **frais** *fresh*   **muesli** *granola*

Source: Sondage Ipsos, 9 août 2002 [www.ipsos.fr/CanalIpsos/articles/997.asp]

Vocabulaire: Les plats

Quel est ton **plat préféré** (*favorite dish*)?
C'est le **poulet rôti** (*roast chicken*).

J'aime...	Je n'aime pas...
J'adore...	Je n'aime pas **tellement** (*that much*)...
Je préfère...	Je déteste...

LE MATIN

le pain   **les céréales** (*f.*)   **la confiture**   **un oeuf**   **les oeufs sur le plat**

À MIDI ET LE SOIR

les *hors-d'oeuvre (*m.*)	le jambon (*ham*)	le saucisson (*salami*)	la soupe
(*appetizers*)	le pâté	le melon	la salade de tomates
la viande (*meat*)	**le poulet** (*chicken*)	**le rosbif** (*roast beef*)	**le veau** (*veal*)
	le porc	**le boeuf** (*beef*)	
le poisson (*fish*)	**le thon** (*tuna*)	**le saumon** (*salmon*)	**la sole**
les autres plats (*m.*)	**les pâtes** (*f.*) (*pasta*)	**les frites** (*f.*) (*French fries*)	**le riz** (*rice*)
	la salade	**le fromage** (*cheese*)	**le yaourt**
le dessert	**le gâteau** (*cake*)	**la tarte** (*pie*)	**la glace** (*ice cream*)
les ingrédients (*m.*)	**le beurre** (*butter*)	**le sel** (*salt*)	**la moutarde** (*mustard*)
	la crème (*cream*)	**le poivre** (*pepper*)	**la mayonnaise**
	la margarine	**le sucre** (*sugar*)	**le ketchup**

*__*hors-d'oeuvre__ begins with an "aspirate h": **le hors-d'oeuvre**   **les hors-d'oeuvre**

1 Les courses (*Shopping*)

Vous avez fait les courses. Votre partenaire vous demande où sont certains produits. Dites-lui s'ils sont sur la table ou dans le réfrigérateur.

 le pain
— *Où est le pain?*
— *Il est sur la table.*

1. le poulet
2. le gâteau
3. le fromage
4. la glace

5. le jambon
6. les oeufs
7. la moutarde
8. la confiture

9. le beurre
10. le sel
11. le yaourt
12. le riz

2 Au «Duc de Normandie»

Vous dînez au «Duc de Normandie». Indiquez quels plats vous préférez. Comparez vos choix avec votre partenaire.

Au Duc de Normandie
melon ou salade de tomates
✦ ✦
rosbif ou poulet à la crème
✦ ✦
frites ou pâtes
✦ ✦
salade ou fromage
✦ ✦
glace ou tarte maison

1. Comme (*For*) hors-d'oeuvre, je préfère...

2. Comme viande, ...

3. Avec la viande, ...

4. Après le plat principal, ...

5. Comme dessert, ...

3 Une question de goût (*A matter of taste*)

Faites une liste de plats que vous aimez et que vous n'aimez pas. Comparez votre liste avec votre partenaire.

J'aime...	J'aime beaucoup...	Je n'aime pas...	Je déteste...
•	•	•	•
•	•	•	•

A. L'article partitif: *du, de la, des*   TO REFER TO UNSPECIFIED QUANTITIES

When we talk about certain foods, we may refer to a whole item or to an unspecified quantity of that item.

The illustrations below depict whole items: an entire chicken, a whole loaf of bread, a whole pie, a single egg. The nouns are introduced by INDEFINITE ARTICLES: **un, une.** Voici...	The illustrations below depict a part or some quantity of these items: some chicken, some pieces of bread, a slice of pie, a serving of eggs. The nouns are introduced by PARTITIVE ARTICLES: **du, de la, des.** Voilà...
un poulet	**du** poulet
un pain	**du** pain
une tarte	**de la** tarte
un oeuf	**des** oeufs

FORMS

The PARTITIVE ARTICLE has the following forms:

singular	masculine	**du** **de l'** (+ VOWEL SOUND)	**du** fromage, **du** pain **de l'**argent
	feminine	**de la** **de l'** (+ VOWEL SOUND)	**de la** salade, **de la** glace **de l'**omelette
plural		**des**	**des** pâtes, **des** oeufs

USES

PARTITIVE ARTICLES are used to refer to AN UNSPECIFIED QUANTITY or A CERTAIN AMOUNT of something.

Voici **du** pain et voilà **de la** confiture.	*Here is **some** bread and there is **some** jam.*
Julie mange **du** fromage.	*Julie is eating **(some)** cheese.*
Veux-tu **des** oeufs?	*Do you want **(any)** eggs?*

➡ While *some* and *any* may be left out in English, the articles **du, de la,** and **des** must always be used in French.

➡ The partitive article is generally used in the singular **(du, de la).** The plural form **des** is the same as the plural of **un, une.**

Voici **des frites.**	*Here are **(some) French fries.***
Veux-tu **des spaghetti**?	*Do you want **(any) spaghetti?***

À noter

Partitive articles are not only used with foods. They may also introduce other concrete or abstract nouns.

Nous avons **de l'argent.**	*We have **(some) money.***
Avez-vous **du temps** ce soir?	*Do you have **(any) time** tonight?*
Tu as **du courage**!	*You have **(a lot of) courage.***
Michel écoute **de la musique.**	*Michel is listening to **(some) music.***

4 **Au choix** •

Vous travaillez dans un restaurant à Québec. Proposez les choix suivants à un(e) client(e). Il/Elle va répondre.

✳ le melon ou la soupe?
—*Voulez-vous du melon ou de la soupe?*
—*Je voudrais du melon (de la soupe), s'il vous plaît.*

1. le jambon ou le saucisson?
2. le rosbif ou le poulet?
3. le thon ou la sole?
4. le riz ou les pâtes?
5. le beurre ou la margarine?
6. le fromage ou la salade?
7. la tarte ou le gâteau?
8. le yaourt ou la glace?

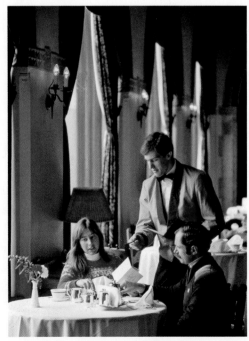

5 Au «Lion d'or»

Vous dînez au «Lion d'or». Demandez les choses suivantes au serveur/à la serveuse.

✹ —S'il vous plaît, je voudrais du pain.
—Voilà du pain, monsieur (mademoiselle).

✹	1.	2.
3.	4.	5.
6.	7.	8.

6 Le dîner d'hier

Demandez à trois camarades ce qu'ils ont mangé hier pour le dîner. Inscrivez les résultats de votre enquête.

✹ —Frank, qu'est-ce que tu as mangé hier?
—J'ai mangé du poulet, de la salade et de la glace.

NOM	Frank			
PLATS	poulet salade glace			

B. Le verbe *boire*

The verb **boire** (*to drink*) is irregular.

infinitive	**boire**	Qu'est-ce que tu vas **boire?**
present	je **bois**	Moi, je **bois** du jus d'orange.
	tu **bois**	Tu **bois** de la limonade?
	il/elle/on **boit**	Éric **boit** toujours de l'eau minérale.
	nous **buvons**	Nous ne **buvons** pas de vin.
	vous **buvez**	**Buvez**-vous du thé?
	ils/elles **boivent**	Mes parents **boivent** du champagne.
passé composé	j'**ai** bu	Mes amis **ont bu** du café ce matin.

Vocabulaire: Boissons

le café	coffee		**une boisson**	beverage, drink
le thé	tea		**l'eau** (f.)	water
le thé glacé	iced tea		**l'eau minérale**	mineral water
le lait	milk		**la limonade**	lemon soda
le jus d'orange	orange juice		**la bière**	beer
le jus de raisin	grape juice			
le jus de tomate	tomato juice			
le cidre	cider			
le vin	wine			

7 **Une réception** •

Vous êtes invité(e) à une réception par la famille de vos amis français. Dites ce que chacun boit.
(Utilisez l'article partitif.)

✷ M. Dupont / le champagne
Monsieur Dupont boit du champagne.

1. Marc / le Perrier
2. Stéphanie / la limonade
3. mes amis / l'eau minérale
4. vous / le jus de tomate
5. nous / le vin blanc
6. moi / le jus d'orange
7. toi / la bière
8. Isabelle et Didier / le vin

8 **Préférences** •

Indiquez ce que vous buvez dans les circonstances suivantes. Comparez vos préférences avec
votre partenaire.

✷ Quand j'ai très soif...
Quand j'ai très soif, je bois de l'eau (de la limonade, du thé glacé...)

1. Le matin...
2. Quand j'étudie...
3. Quand j'ai froid...
4. Avec mes amis...
5. Quand je mange un hamburger...
6. Quand je mange du poisson...
7. Quand je vais dans un restaurant français...
8. Quand je vais dans un restaurant chinois...
9. Quand je célèbre mon anniversaire...
10. Le 31 décembre...

C. L'emploi idiomatique de *faire*   TO TALK ABOUT SOME PERSONAL ACTIVITIES

Note the use of the PARTITIVE ARTICLE in the following expressions with **faire**.

Nous **faisons du** volley.	*We **play** (**practice**) volleyball.*
Je **fais de la** danse moderne.	*I **am doing** modern dance.*
Faites-vous **de la** guitare?	***Do** you **play** the guitar?*
Avez-vous **fait de** l'italien?	***Did** you **study** (**have** you **studied**) Italian?*
J'**ai fait du** théâtre.	*I **was active in** (**did**) theater.*
Ces étudiants **font de la** politique.	*These students **are involved in** politics.*

The verb **faire** is used in the following PARTITIVE construction with several meanings: *to practice, play, or do* (*a sport*); *to play* (*an instrument*); *to study* (*a subject*); *to be active or involved in* (*an activity*).

faire	du (de l')	+ noun	**faire du** football, **faire de** l'allemand
	de la (de l')		**faire de la** photo, **faire de** l'informatique
	des		**faire des** maths, faire **des** affaires (*business*)

9 **Qu'est-ce qu'ils font?** •

Dites ce que les personnes font, en choisissant une activité suggérée. Soyez logique.

1. Dans le parc, nous...
2. À l'université, Claire...
3. À Washington, les sénateurs...
4. À la montagne en hiver, vous...
5. Au conservatoire de musique, tu...
6. À la campagne, David et Mélanie...
7. À la mer, je...
8. Dans la classe d'art, tu...

> le ski
> la natation (*swimming*)
> le jogging
> la marche (*hiking*)
> le piano
> l'espagnol
> la politique
> la poterie
> les maths

D. L'article partitif au négatif

Note the forms of the partitive article in the NEGATIVE answers below.

Tu bois **du** vin?	Non, je **ne** bois **pas de** vin.	*I don't drink (any) wine.*
Tu manges **de la** viande?	Non, je **ne** mange **pas de** viande.	*I don't eat (any) meat.*

After NEGATIVE expressions, such as **ne... pas** and **ne... jamais:**	
du, de la (de l'), des → **de (d')**	Je **ne** mange **pas de** pain. Je **ne** bois **jamais de** limonade. Je **ne** veux **pas de** pâtes. Je **n'**ai **pas d'**argent.

⟹ Note the use of **pas de** in short sentences.

Non, merci, **pas de** café pour moi!   *No thanks, **no** coffee for me!*

> **À noter**
> The regular partitive is used after **ce n'est pas.**
> Est-ce que c'est du rosbif?   Non, **ce n'est pas du rosbif,** c'est du porc.

10 Une végétarienne ·

Émilie est végétarienne. Dites si oui ou non elle mange les plats suivants.

Émilie mange...
Elle ne mange pas...

• rosbif	• jambon
• fromage	• saucisson
• poulet	• melon
• salade de tomates	• pâtes

11 Au café ·

Le serveur/La serveuse propose certaines choses aux clients. Jouez les rôles d'après le modèle.

✸ SERVEUR: *Qu'est-ce que vous désirez <u>avec votre steak?</u>*
  CLIENT: *Je voudrais <u>des frites,</u> s'il vous plaît.*
  SERVEUR: *Voulez-vous aussi <u>de la salade?</u>*
  CLIENT: *Non, merci, pas de salade.*

1. sur votre pizza?
   du fromage
   du jambon

2. avec votre salade?
   de la vinaigrette
   du poivre

3. avec votre hamburger?
   du ketchup
   de la moutarde

4. avec votre café?
   du sucre
   de la crème

12 Au régime (*On a diet*) •

Décrivez les plats que les personnes suivantes mangent ou ne mangent pas. Puis dites ce que ces personnes boivent ou ne boivent pas.

1. un mannequin (*fashion model*)
2. une personne diabétique
3. une personne allergique aux produits laitiers (*dairy products*)
4. une personne qui veut maigrir

13 Et vous? •

Décrivez certaines choses que vous faites et certaines choses que vous ne faites pas. Utilisez les suggestions suivantes ou votre imagination.

Je mange... Je ne mange pas...	Je bois... Je ne bois pas...	Je fais... Je ne fais pas...
• le poisson	• l'eau	• le ski
• le porc	• l'eau minérale	• le yoga
• la soupe	• le jus d'orange	• la méditation
• le caviar	• le jus de tomates	• la politique
• le beurre	• le vin	• le jogging
• les escargots (*snails*)	• la bière	• le théâtre
• les épinards (*spinach*)	• le champagne	• la boxe
• ??	• ??	• ??

Phonétique: Les consonnes /ʒ/ et /g/

- *la consonne* /ʒ/: The consonant /ʒ/ is similar to the "soft g" in *mirage*. Do not pronounce a /d/ before the /ʒ/. Note the spellings in French.

j	je jambon jus Japon Jean
g before **e, i, y**	âge fromage manger intelligent Gigi gymnastique
ge before **a, o, u**	nageons mangeons voyageons

- *la consonne* /g/: The consonant /g/ is similar to the "hard g" of *game*, but is more tense. Note the spellings in French.

g before **a, o, u**	gare gâteau magasin gauche Margot Auguste
g before **l, r**	glace anglais grand gris maigrir
gu before **e, i, y**	langue vague guitare guide Guy

À votre tour

Compréhension orale

Plusieurs personnes parlent de leurs repas. Écoutez bien. Si la personne mentionne un plat, marquez la rangée A. Si elle mentionne une boisson, marquez la rangée B.

		1	2	3	4	5	6	7	8	9	10
A.											
B.											

Conversation dirigée

Your partner went to a nice restaurant last Saturday and you want to know more about the meal.

Ask your partner . . .
- which restaurant he/she went to
- if he/she ate meat or fish (if so, what meat? what fish?)
- if he/she ate cheese and salad
- what he/she drank
- what he/she had for **(comme)** dessert
- what he/she did after dinner **(après le dîner)**

Expression libre

Avec votre partenaire, décrivez votre petit déjeuner de ce matin. Dites ce que vous avez mangé et ce que vous avez bu. Quels sont les éléments communs de vos petits déjeuners respectifs?

Expression écrite

François, un étudiant français, va passer deux semaines chez vous cet été. Dans un email, vous décrivez deux repas typiques dans votre famille: le déjeuner (*lunch*) et le dîner.

```
Salut François,
Voici deux repas typiques dans notre famille.
Pour le déjeuner, nous mangeons... et nous buvons...
Pour le dîner, ...
```

Trois amis sont dans un café. Ils discutent d'un sujet important: comment célébrer l'anniversaire de leur copine Charlotte. Celle-ci va avoir vingt ans mercredi prochain.

RAPHAËL: Dites, qu'est-ce qu'on va faire pour l'anniversaire de Charlotte?

LUCAS: J'ai une idée. On peut l'inviter à dîner à la «**Toque** Blanche». Il y a un nouveau chef. **On dit** que sa cuisine est extraordinaire.

chef's hat
They say

LÉA: Oui, mais c'est un restaurant très snob. Charlotte préfère les choses simples. Je suis sûre qu'elle ne va pas aimer...

RAPHAËL: Alors, qu'est-ce que tu proposes?

LÉA: On peut organiser un dîner chez moi! J'adore **faire la cuisine**.

to cook

LUCAS: Excellente idée! Ce sera très sympa... Qu'est-ce qu'on va manger?

LÉA: Et bien, comme hors-d'oeuvre, on va **prendre** du saumon **fumé** avec de la **crème fraîche**. Et ensuite on va manger un colombo de porc. Charlotte adore la cuisine martiniquaise.

have / smoked
sour cream

RAPHAËL: Un colombo? Qu'est-ce que c'est?

LÉA: C'est de la viande de porc préparée avec des épices exotiques et **servie** avec des légumes. C'est délicieux.

served

LUCAS: Moi, je vais **commander** un gâteau au chocolat chez le pâtissier.

to order

RAPHAËL: Très bon **choix**! J'adore le chocolat! Et bien, moi, je vais apporter une **bouteille** de champagne.

choice
bottle

LÉA: **Parfait**... Tout est organisé. Maintenant il faut inviter Charlotte.

Perfect

LUCAS: Tiens, **justement**, la voilà qui arrive.

as a matter of fact

Charlotte entre dans le café.

Tous: Salut, Charlotte.

CHARLOTTE: Salut.

LÉA: Dis Charlotte, qu'est-ce que tu fais mercredi soir?

CHARLOTTE: Comment? Vous avez oublié? C'est mon anniversaire. Je vais avoir vingt ans. Alors, pour célébrer cette occasion, mes parents m'ont invitée à dîner à la «Toque Blanche». Il y a un nouveau chef. On dit que sa cuisine est extraordinaire! Génial, non?

À propos du texte

1. Quel événement est-ce que les amis vont célébrer?
2. Qui va préparer le repas? Décrivez le menu.
3. Qu'est-ce que Charlotte annonce à ses amis?
4. Est-ce que c'est une bonne ou mauvaise surprise? Expliquez.
5. À votre avis, qu'est-ce que les amis vont faire?

Note culturelle
Les repas° français

Les Français déjeunent° entre° midi et deux heures. Beaucoup de gens déjeunent au restaurant, au café ou à la cafétéria de l'entreprise où ils travaillent. Certaines personnes rentrent chez elles et déjeunent en famille.

On dîne généralement après sept heures. Le dîner est un repas familial servi° à table. Tous° les membres de la famille se réunissent° et discutent° des événements° de la journée°.

Les repas sont des événements constitués d'une série de plusieurs° plats. Voici l'organisation typique des repas français.

DÉJEUNER

• des hors-d'oeuvre variés
  (salade de tomates, saucisson)
• un plat principal
  (viande ou poisson avec légumes)
• une salade verte
• un choix° de fromages
• un dessert

DÎNER

• une soupe
• un plat principal léger° (omelette ou pâtes)
• un fromage et/ou un fruit

À votre avis

1. Comparez l'heure des repas en France et aux États-Unis.
2. Comparez la composition du déjeuner et du dîner en France et aux États-Unis.
3. Comparez le rôle du dîner dans la vie familiale en France et aux États-Unis.

---

repas *meals*   **déjeunent** *have lunch*   **entre** *between*   **servi** *served*   **Tous** *All*   **se réunissent** *get together*   **discutent** *discuss*
événements *events*   **journée** *day*   **plusieurs** *several*   **choix** *choice*   **léger** *light*

La langue française

Vocabulaire: Les repas et la nourriture

À quelle heure est...

- **le dîner** (*dinner, supper*)
- **le déjeuner** (*lunch*)
- **le petit déjeuner** (*breakfast*)
- **le repas** (*meal*)

Est-ce que vous aimez...

- **la cuisine** (*cooking*) chinoise
- **la nourriture** (*food*) exotique

Quel plat est-ce que vous allez...

- **commander** (*to order*)
- **préparer** (*to prepare, make*)
- **servir** (*to serve*)

Nous allons...

- **dîner** (*to have dinner*)
- **déjeuner** (*to have lunch*)
- **prendre le petit déjeuner** (*to have breakfast*)
- **prendre le repas** (*to have the meal*)

faire la cuisine	*to cook*
faire les courses	*to shop for food*
faire un régime	*to go on a diet*

un serveur	*server, waiter*
une serveuse	*server, waitress*

▶ The verb **servir** is conjugated like **dormir.**

je **sers**   nous **servons**   j'ai **servi**

1 Préférences

Complétez les phrases avec une expression de votre choix.

1. Mon repas préféré est...
   - ○ le déjeuner
   - ○ le dîner
   - ○ le petit déjeuner

2. En général, je déjeune...
   - ○ chez moi
   - ○ au restaurant
   - ○ à la cafétéria
   - ○ ??

3. Le samedi, je prends mon petit déjeuner...
   - ○ à 7 heures
   - ○ à 9 heures
   - ○ à 11 heures
   - ○ ??

4. J'aime (je déteste) la cuisine...
   - ○ chinoise
   - ○ mexicaine
   - ○ italienne
   - ○ ??

5. J'aime (je déteste) la nourriture...
   - ○ exotique
   - ○ végétarienne
   - ○ bio (*organic*)
   - ○ ??

6. J'aime (je déteste)...
   - ○ faire la cuisine
   - ○ faire les courses
   - ○ faire un régime
   - ○ ??

2 Et vous?

1. Où avez-vous dîné hier soir? avec qui? Qu'est-ce que vous avez mangé?
2. Avec qui et où allez-vous déjeuner (avez-vous déjeuné) aujourd'hui?
3. Quelle est votre cuisine préférée? Quel est votre plat préféré?
4. Qui prépare les repas chez vous? Qui fait les courses?
5. Aimez-vous faire la cuisine? Quelles sont vos spécialités?
6. Faites-vous un régime? Qu'est-ce que vous mangez? Qu'est-ce que vous ne mangez pas?
7. Travaillez-vous comme serveur/serveuse? Dans quel restaurant? Quels plats est-ce que vos clients commandent?

A. Les verbes *prendre* et *mettre*

The verbs **prendre** (*to take*) and **mettre** (*to put*) are irregular.

infinitive	prendre		mettre	
present	je	**prends**	je	mets
	tu	**prends**	tu	mets
	il/elle/on	**prend**	il/elle/on	met
	nous	prenons	nous	**mettons**
	vous	prenez	vous	**mettez**
	ils/elles	prennent	ils/elles	**mettent**
passé composé	j'**ai** pris		j'**ai** mis	

PRONONCIATION

prenons	/prənɔ̃/
prenez	/prəne/
prennent	/prɛn/

Verbes conjugués comme *prendre* et *mettre*

prendre	*to take*	Cécile **prend** des photos.
	to take (along)	Je ne **prends** pas mon appareil-photo.
	to take (transportation)	Les touristes **prennent** le bus.
	to have (food/drink)	Est-ce que tu **prends** du fromage?
reprendre	*to have seconds*	Vous **reprenez** de la soupe?
apprendre	*to learn*	Pauline **a appris** l'italien.
apprendre à + INFINITIVE	*to learn (how) to*	Nous **apprenons à** jouer au golf.
comprendre	*to understand*	Je ne **comprends** pas ta question.
	to include	Le service (*tip*) est **compris.**

mettre	*to put, to place*	Je **mets** du sucre dans mon café.
	to wear, to put on	Stéphane **a mis** un pull.
	to turn on	Est-ce que tu peux **mettre** la télé?
	to give (a grade)	Le prof **met** des bonnes notes (*grades*).
	to set (the table)	Qui a **mis** la table?
remettre	*to put back*	**Remets** le lait au réfrigérateur.
promettre	*to promise*	Je **promets** d'être à l'heure.
permettre	*to let, allow*	Léa **permet** à Zoé de prendre son vélo.
	to permit	Les chiens ne sont pas **permis** ici.

3 Qu'est-ce qu'ils prennent?

Dites ce que prennent les personnes suivantes. Utilisez le verbe **prendre** et les mots suggérés dans des phrases logiques.

1. J'ai faim. Je...
2. Tu as soif. Tu...
3. Les touristes vont à l'aéroport. Ils...
4. Vous allez à la gare. Vous...
5. Émilie a un appareil-photo. Elle...
6. Nous sommes en classe. Nous...

le train

l'avion

des photos

des notes

un sandwich

du thé glacé

4 Études à l'étranger (*Study abroad*)

Quelle langue est-ce que les personnes suivantes apprennent dans le pays où elles sont en vacances: le français? l'espagnol? l'anglais?

✹ Mes cousins sont à Buenos Aires.   *Ils apprennent l'espagnol.*

1. Tom est à Québec.
2. Nous sommes à Londres.
3. Eva est à Bogota.
4. Je suis à Madrid.
5. Vous êtes à Bordeaux.
6. Tu es à Mexico.
7. Raphaël est à Chicago.
8. Mes cousins sont à Baltimore.

5 Chaque chose à sa place (*Everything in its place*)

Complétez les phrases avec **mettre** en choisissant pour chaque personne une chose (colonne A) et un endroit (colonne B). Soyez logique.

Je...
Vous...
Tu...
Nous...
Isabelle...
Antoine et Clément...

A. QUOI?	B. OU?
du sucre	à la poste
de la moutarde	sur le steak
du papier (*paper*)	sur le pain
des lettres	dans l'appareil-photo
une pile (*battery*)	dans le café
du beurre	dans l'imprimante (*printer*)

✹ *Vous mettez du sucre dans le café.*

6 Soyez logique

Complétez les phrases avec l'un des verbes suggérés.

1. Les étudiants ne ____ pas la question du professeur.
2. Tu ____ une chemise et une cravate pour l'interview.
3. Nous ____ un taxi pour aller à l'aéroport.
4. Thomas ne ____ pas que je regarde son album de photos.
5. Les touristes ____ des photos de la Tour Eiffel.
6. Est-ce que vous ____ d'être sérieux et d'étudier?
7. Cécile ____ l'italien parce qu'elle veut travailler à Rome.
8. On ____ la table, et après on dîne.

apprendre

comprendre

mettre

permettre

prendre

promettre

B. L'emploi des articles

In French, nouns are very frequently introduced by ARTICLES. The choice of DEFINITE, INDEFINITE, or PARTITIVE article depends on the context in which a noun is used. Compare the use of articles in the following sentences:

J'aime **le** fromage.	*(Generally speaking,) I like cheese.*
J'ai acheté **un** fromage.	*I bought a (whole) cheese.*
Je mange **du** fromage.	*I am eating (some) cheese.*

These articles...	introduce...	
definite: **le** **la**	a SPECIFIC thing	Voici **le** gâteau de ma mère. Je mange **le** fromage du menu. **Le** lait est au réfrigérateur.
	a noun used in a GENERAL or COLLECTIVE sense	J'aime **le** fromage. **Le** lait est bon pour **les** enfants.
indefinite: **un** **une**	ONE item, a WHOLE item	Voici **un** gâteau. J'achète **un** fromage. Anne commande **une** bière.
	a SPECIFIC item, ONE OF A KIND	Ce boulanger (*baker*) fait **un** excellent pain.
partitive: **du** **de la**	SOME, ANY, an UNSPECIFIED QUANTITY of	Voici **du** gâteau. J'achète **du** fromage. Ce magasin vend **du** pain.

▸ Depending on the context, a sentence may use a definite, indefinite, or partitive article. Compare:

J'ai commandé **le** yaourt.	*I ordered **the** yogurt **(on the menu)**.*
J'ai commandé **un** yaourt.	*I ordered **a (single serving of)** yogurt.*
J'ai commandé **du** yaourt.	*I ordered **some (quantity of)** yogurt.*

▸ The distinction between definite, indefinite, and partitive articles applies to ABSTRACT as well as concrete nouns.

J'admire **la patience.**	*I admire **patience (in general)**.*
Le prof **a une patience** extraordinaire.	*The teacher has extraordinary **patience**.*
J'ai **de la patience.**	*I have **(a certain amount of)** patience.*

Où est **la** glace?	*Where is the ice cream (that I am looking for)?*
Julie achète **une** glace.	*Julie is buying a single (dish/serving of) ice cream.*
Nous mangeons **de la** glace.	*We are eating (an unspecified quantity of) ice cream.*

DEFINITE ARTICLES

The DEFINITE article is often used after the following verbs, since these verbs introduce nouns taken in a GENERAL SENSE:

| admirer | adorer | aimer | détester | préférer |

| **Aimes**-tu **le** poisson? | *Do you **like** fish?* |
| Non, je **préfère la** viande. | *No, I **prefer** meat.* |

➡ The DEFINITE article (and not the partitive article) is used when the noun is the SUBJECT of the sentence.

Le pain est sur la table.

PARTITIVE ARTICLES

The PARTITIVE article is often (but not always) used after the following verbs and expressions:

voici	je veux	acheter	prendre	commander
voilà	je voudrais	apporter	manger	choisir
il y a	voulez-vous	vendre	boire	

➡ Compare the choice of articles in the two sentences below.

| Le serveur **apporte du vin.** | *The server **brings (some) wine.*** |
| Le serveur **apporte le vin.** | *The server **brings the wine (I ordered).*** |

7 Au choix

Choisissez les plats que vous allez commander.

✹ *Comme hors-d'oeuvre je vais commander du melon (une salade de tomates).*

- hors-d'oeuvre
- viande
- poisson
- fromage
- dessert

melon	sole	crème caramel
tarte	porc	gâteau au chocolat
saucisson	thon	glace à la vanille
brie	Roquefort	saumon fumé (*smoked*)
poulet	veau	rosbif

8 Chacun à son goût (*Each to one's own taste*)

Dites que les personnes suivantes aiment les choses entre parenthèses et dites ce qu'elles ont fait.

✹ M. Moreau (le champagne) / boire
M. Moreau aime le champagne. Il a bu du champagne.

1. vous (le thé) / prendre
2. David (la confiture) / acheter
3. mes cousins (le rosbif) / manger
4. Alain (l'eau minérale) / apporter
5. M. Delorme (le vin rouge) / boire
6. moi (le sucre) / mettre dans mon café
7. vous (le jazz) / écouter
8. Pauline (la musique classique) / mettre
9. ces gens (l'argent) / gagner
10. ces étudiants (la politique) / faire

9 Quel article?

Complétez les phrases avec le mot suggéré et l'article approprié (défini, indéfini ou partitif).

1. (l') eau minérale
   • _____ est dans le réfrigérateur.
   • Antoine boit _____.
   • Le Perrier est _____ française.

2. (la) salade
   • J'ai acheté _____ et trois tomates.
   • Où est _____?
   • Je vais prendre _____ avec mon steak.

3. (le) sport
   • Le foot est _____ formidable!
   • Je fais _____ à l'université.
   • _____ est bon pour vous!

4. (le) vin
   • Est-ce que tu veux _____?
   • _____ est une boisson alcoolisée.
   • Voici _____ excellent de Californie.

5. (le) gâteau
   • Mathilde a fait _____.
   • Voulez-vous _____ ou de la glace?
   • _____ est sur la table.

6. (la) patience
   • Avez-vous _____?
   • _____ est une vertu.
   • Le prof a _____ extraordinaire.

10 À la douane (*At customs*)

Un douanier (*customs officer*) demande aux touristes s'ils ont les choses suivantes. Les touristes répondent affirmativement ou négativement. Avec un(e) partenaire, jouez le rôle du douanier et des touristes en utilisant un article indéfini ou partitif.

✹ (l') ordinateur?

LE DOUANIER: ***Avez-vous un ordinateur?***

LE/LA TOURISTE: ***Oui, j'ai un ordinateur.***

ou ***Non, je n'ai pas d'ordinateur.***

✹ (l') alcool?

LE DOUANIER: ***Avez-vous de l'alcool?***

LE/LA TOURISTE: ***Oui, j'ai de l'alcool.***

ou ***Non, je n'ai pas d'alcool.***

1. (le) parfum?
2. (le) passeport?
3. (le) visa?
4. (l') argent américain?
5. (le) vin?
6. (l') adresse à Paris?
7. (les) cigarettes?
8. (l') appareil-photo?
9. (le) tabac (*tobacco*)?
10. (la) carte d'identité?

11 Chez Jeannette

Vous êtes «Chez Jeannette», une petite auberge de province (*country inn*). Vous entendez des phrases incomplètes. Complétez ces phrases avec les articles définis, indéfinis ou partitifs. (NOTE: **Roquefort** et **champagne** sont masculins.)

1. —Aimez-vous _____ fromage? Est-ce qu'il y a _____ fromage au menu?
   —Mais oui, il y a _____ Roquefort. _____ Roquefort est un fromage du centre de la France. C'est _____ fromage délicieux!
2. D'accord, _____ champagne est _____ vin français, mais moi, je n'aime pas _____ vin. Monsieur, s'il vous plaît, est-ce que vous pouvez (*can*) apporter _____ eau minérale? Merci!
3. Madame, voulez-vous _____ thé ou _____ café? Vous préférez _____ café? Très bien. Avec _____ sucre? et avec _____ crème?
4. _____ glace de ce restaurant est absolument extraordinaire! Monsieur, deux glaces, s'il vous plaît, _____ glace au chocolat pour moi et _____ glace à vanille pour mademoiselle.
5. Comme viande, il y a _____ rosbif et _____ poulet. Moi, je préfère _____ rosbif. Mais toi, tu n'aimes pas _____ viande, n'est-ce pas? Tu peux prendre _____ poisson. _____ poisson est toujours très bon ici.

Expressions de quantité TO TALK ABOUT VARIOUS QUANTITIES

Some nouns may be introduced by EXPRESSIONS OF QUANTITY. Note these expressions in the sentences on the right.

Tu manges **du** pain?	Oui, je mange **beaucoup de** pain.	*I eat **a lot of** bread.*
Tu as **de l'**argent?	Non, je n'ai pas **assez d'**argent.	*I don't have **enough** money.*
Vous mangez **de la** viande.	Vous mangez **trop de** viande.	*You eat **too much** meat.*

Many, but not all, expressions of quantity introduce nouns according to the construction:

adverb of quantity + **de (d')** + noun	**beaucoup de** pain **assez d'**argent

▶ When an expression of quantity introduces a noun, no article is used.

Je bois **du café.**   Je bois **trop de café.**

Vocabulaire: Expressions de quantité avec *de*

assez de	*enough*	Avez-vous **assez d'**argent?
beaucoup de	*a lot of, much, very much* *a lot of, many, very many*	Philippe n'a pas **beaucoup de** courage. Charlotte a **beaucoup de** copains.
trop de	*too much* *too many*	J'ai **trop de** travail (*work*). Nous avons **trop d'**examens.
peu de	*little, not much* *few, not many*	Tu as **peu de** patience. Vous avez **peu de** livres intéressants.
un peu de	*a little, a little bit of*	Donne-moi **un peu de** fromage.
combien de	*how much* *how many*	**Combien d'**argent as-tu? **Combien de** CD est-ce que tu as?

Note linguistique

. . . .

- ADVERBS OF QUANTITY modify verbs or adverbs.

  Je **travaille beaucoup.**   Je travaille **beaucoup trop.**
  Vous **mangez trop.**   Vous mangez **trop vite** (*fast*).

- EXPRESSIONS OF QUANTITY introduce nouns.

  J'ai **beaucoup de travail.**
  Vous mangez **trop de protéines.**

12 Réponses personnelles •

Posez certaines questions personnelles à votre partenaire. Il/Elle va répondre en utilisant l'une des expressions du Vocabulaire dans des phrases affirmatives ou négatives.

✸ Il/Elle fait du sport?
— *Tu fais du sport?*
— *Oui, je fais beaucoup de sport.*
ou — *Non, je ne fais pas assez de sport.*

1. Il/Elle mange de la nourriture bio (*organic*)?
2. Il/Elle boit de l'eau minérale?
3. Il/Elle fait de la gymnastique (*exercises*)?
4. Il/Elle a des examens?
5. Il/Elle a de la patience?
6. Il/Elle a des vacances?
7. Il/Elle fait des économies?
8. Il/Elle a des copains sympathiques?
9. Il/Elle a des profs intéressants?
10. Il/Elle fait des progrès en français?

13 Opinions •

Que pensez-vous du monde d'aujourd'hui? Exprimez votre opinion dans des phrases affirmatives ou négatives, en utilisant une expression de quantité. Votre partenaire va exprimer son accord ou désaccord.

✸ Il y a de la violence à la télé.
— *Il y a trop de violence à la télé.*
— *Je suis d'accord avec toi. Il y a beaucoup trop de violence à la télé.*
ou — *Je ne suis pas d'accord avec toi. Il n'y a pas trop de violence à la télé.*

1. Il y a de la violence dans les sports professionnels.
2. Les Américains consomment de l'énergie.
3. Nous mangeons des produits artificiels.
4. Les jeunes ont des responsabilités.
5. Les Américains gagnent de l'argent.
6. Nous importons du pétrole.
7. Il y a de l'injustice dans la société.
8. Il y a de la pollution dans la ville où j'habite.

Vocabulaire: Certaines quantités de boissons et de nourriture

S'il te plaît, donne-moi...
Est-ce que je peux avoir...

un verre	*glass*	**un verre de** jus d'orange	
une tasse	*cup*	**une tasse de** café	
une bouteille	*bottle*	**une bouteille d'**eau	
un morceau	(*small*) *piece*	**un morceau de** fromage	
une part	*piece, portion*	**une part de** pizza	
une tranche	*slice*	**une tranche de** jambon	

14 **Quelle quantité?** ·

Complétez les phrases suivantes avec l'expression de quantité appropriée. Soyez logique.

1. Dans mon sandwich, je mets _____ de rosbif.
2. Comme dessert, je voudrais _____ de gâteau.
3. Avec mon café, je vais prendre _____ de sucre.
4. J'ai soif. Je vais boire _____ de limonade.
5. Est-ce que tu veux _____ de thé?
6. Quand tu fais les courses, achète-moi _____ d'eau minérale.

15 **Un pique-nique** ·

Vous êtes à un pique-nique du Cercle français. Proposez certaines choses à votre partenaire.
Il/Elle va vous répondre en indiquant la quantité appropriée.

❋ du jus de tomate
—*Tu veux du jus de tomate?*
—*Oui, donne-moi un verre de jus de tomate, s'il te plaît.*

1. du jambon	3. du gâteau	5. de l'eau	7. du fromage
2. du soda	4. de la pizza	6. du rosbif	8. du café

Phonétique: La semi-voyelle /j/

The semi-vowel /j/ is similar to the initial sound of *yes*, but is more tense.

- /j/+ *voyelle:* Be sure to pronounce the /j/and the following vowel as ONE syllable.
  Répétez: b<u>ien</u>   comb<u>ien</u>   janv<u>ier</u>   h<u>ier</u>   dern<u>iè</u>re   v<u>io</u>let   v<u>ia</u>nde   V<u>ie</u>tnam

- *voyelle* + /j/: Be sure to pronounce the /j/ very distinctly.
  Répétez: trava<u>ille</u>   f<u>ille</u>   fam<u>ille</u>   faut<u>euil</u>   bout<u>eille</u>   somm<u>eil</u>   appar<u>eil</u>   meill<u>eur</u>
  m<u>ai</u>llot   trava<u>illons</u>   br<u>ill</u>ant

À votre tour

Compréhension orale

Écoutez bien chaque personne et identifiez le repas en question. Puis, marquez la case correspondante.

	1	2	3	4	5	6	7	8	9
A. petit déjeuner									
B. déjeuner									
C. dîner									

Conversation dirigée

Find out about your partner's eating habits.

Ask your partner . . .
- at what time he/she has breakfast
- at what time he/she has lunch
- if he/she is on a diet
- if he/she eats meat
- what desserts he/she likes
- what he/she drinks for/with breakfast
- what he/she drinks with other meals

Expression libre

Vous allez inviter plusieurs amis à prendre un dîner léger chez vous. Avec votre partenaire, discutez le menu et faites une liste des choses à acheter.

NOURRITURES (en quelles quantités)	BOISSONS (en quelles quantités)

Expression écrite

Décrivez un repas que vous avez fait récemment dans un restaurant. Vous pouvez utiliser les suggestions suivants.
- quel repas?
- quel restaurant?
- quel type de cuisine?
- quels plats?
- quelles boissons?

LES COURSES

Au marché

Pour faire les courses, on va...

dans un supermarché.
dans une supérette (*convenience store*).
au marché (*open-air market*).
chez un commerçant (*shopkeeper*).

▸ *Comment faire les courses au marché*

Vous désirez, madame (mademoiselle, monsieur)?

Je voudrais | **un kilo** de tomates.
| **une livre** (*pound*) de carottes.

Et avec ça? (*Anything else?*)

Donnez-moi aussi **une douzaine** (*dozen*) d'oeufs.

C'est tout? (*Is that all?*)

Oui, c'est tout.

Ça fait combien? (*How much does that come to?*)

Eh bien, ça fait cinq euros et vingt centimes.

LES LÉGUMES

une tomate

une pomme de terre (*potato*)

une carotte

un concombre

des haricots verts (*green beans*)

des petits pois (*peas*)

LES FRUITS

une pomme (*apple*)

une poire (*pear*)

une orange

une banane

un pamplemousse (*grapefruit*)

une cerise (*cherry*)

une fraise (*strawberry*)

 Conversation: Au marché de Vence

Madame Denis habite à Vence, une petite ville de Provence. Le vendredi, elle fait ses courses au marché.

LE MARCHAND: Bonjour, Madame Denis. Ça va bien aujourd'hui?
LA CLIENTE: Ça va bien, merci. Et vous, Monsieur Pivert?
LE MARCHAND: Ça peut aller! Qu'est-ce que vous désirez aujourd'hui?
LA CLIENTE: Donnez-moi deux kilos de tomates.
LE MARCHAND: Elles sont très bonnes en cette saison. Et avec ça?
LA CLIENTE: Donnez-moi aussi une livre de fraises. Elles sont de chez vous?
LE MARCHAND: Bien sûr! Fraîches (*Fresh*) de ce matin. C'est tout?
LA CLIENTE: Oui, c'est tout.
LE MARCHAND: Alors, deux kilos de tomates à 3 euros le kilo et une livre de fraises à 2 euros 50 la livre, ça fait 8 euros 50.
LA CLIENTE: Voilà... Alors, au revoir, Monsieur Pivert.
LE MARCHAND: Au revoir, Madame Denis! À la semaine prochaine.

Le marché

Le marché est une institution bien française. Dans les petites villes et certains quartiers° des grandes villes, le marché a lieu° un jour particulier de la semaine, le mardi, par exemple, ou le vendredi. Ce jour-là, les fermiers° de la région viennent vendre leurs produits: fruits, légumes, oeufs, fromages régionaux, jambons et saucissons faits localement. Les produits° sont frais°, la qualité est excellente, et les prix sont généralement meilleur marché que° dans les supermarchés.

Dans les marchés bio (= biologiques), on vend uniquement des produits naturels, c'est-à-dire faits sans engrais° chimiques. Les produits bio sont généralement plus chers, mais ils sont bien meilleurs° pour la santé°!

---

quartiers *neighborhoods* **a lieu** *takes place* **fermiers** *farmers* **produits** *products* **frais** *fresh*
meilleur marché que *cheaper than* **engrais** *fertilizer* **meilleurs** *better* **santé** *health*

À votre tour

Au marché

Vous êtes au marché de Vence. Sur la base de l'illustration, créez avec votre partenaire un dialogue similaire au dialogue précédent. Achetez trois choses différentes.

cerises 3€/livre | fraises 4.20€/livre | pommes 2€/kilo | poires 3.50€/kilo | pommes de terre 1.80€/kilo | horicots verts 4.20€/kilo | tomates 3€/kilo

Au supermarché

▨➡ *Comment trouver un article* (item)

Pardon, madame (mademoiselle, monsieur)...

| **où se trouve** le shampooing?
| **où se trouvent** les céréales?

C'est | **au rayon** (department) **de l'alimentation** (food).
| **au fond du magasin** (at the back of the store).

quel rayon?	quels articles?	quelles quantités?
Alimentation	du thon	**une boîte** de thon
	du jus de fruit	**une bouteille** de jus de fruit
	du sucre	**un paquet** de sucre
	de la **confiture** (jam)	**un pot** de confiture
	des céréales	un paquet de céréales
Produits d'hygiène	du **dentifrice** (toothpaste)	**un tube** de dentifrice
	du **shampooing**	une bouteille de shampooing
	de l'eau de toilette	d'eau de toilette
	des **mouchoirs en papier** (tissues)	un paquet de mouchoirs en papier
	des **coton-tiges** (cotton swabs)	de coton-tiges
Produits de maison	du **détergent**	un paquet de détergent
	du **Sopalin** (paper towels)	**un rouleau** de Sopalin

HM **Recherches Internet**

Allez sur le site d'un magasin d'alimentation français, par exemple Picard (**www.picard.fr**), Hédiard (**www.hediard.fr**), Fauchon (**www.fauchon.fr**) ou La Maison du Chocolat (**www.lamaisonduchocolat.com**).

- Quels sont les produits offerts?
- Est-ce qu'ils sont semblables (similar) ou différents des produits américains équivalents? Expliquez.
- Combien coûtent-ils? Est-ce qu'ils sont plus chers ou moins chers que les produits américains équivalents?

Les petits commerces

Dans la vie moderne, les gens sont généralement pressés°. Pour faire les courses, ils vont généralement dans un supermarché (à l'intérieur des villes) ou dans un grand hypermarché° (à l'extérieur des villes). Là, ils trouvent tous les produits nécessaires à la vie quotidienne°.

Les gens qui ont du temps préfèrent souvent aller chez les commerçants du quartier où ils habitent. Ils vont chez **le boulanger** pour le pain et les croissants, chez **le pâtissier** pour les gâteaux. Ils vont chez **le boucher** pour le boeuf et le veau et chez **le charcutier** pour le porc et le jambon. Ils vont chez **le crémier** pour les produits laitiers° et chez **l'épicier** pour les épices°, le riz et les pâtes, le thé et le café, les eaux minérales et les jus de fruit. Ils vont chez

le marchand de légumes pour les légumes et chez **le marchand de fruits** pour les fruits.

Évidemment le service n'est pas très rapide, mais il est beaucoup plus personnel qu'au supermarché. Et puis°, c'est chez les petits commerçants qu'on apprend° les nouvelles du quartier.

---

pressés *in a hurry*   **hypermarché** *supermarket + discount store*   **vie quotidienne** *daily life*   **laitiers** *dairy*   **épices** *spices*
Et puis *Moreover*   **apprend** *learns*

À votre tour

1. Débat: Supermarché ou petits commerçants?

Où faire les courses? Avec votre partenaire, décrivez les avantages et les désavantages de faire les courses au supermarché ou chez les petits commerçants.

	avantages	désavantages
Supermarché		
Petits commerçants		

2. Au supermarché

Vous habitez avec votre partenaire à Amboise, une petite ville de Touraine. Faites ensemble la liste des courses pour la semaine.
Décidez...

- quels produits vous allez acheter et en quelles quantités
- à quel rayon vous allez acheter ces produits

L'AFRIQUE

Avant de lire

Qu'est-ce que vous savez de l'Afrique francophone?
• nombre de pays
• langues
• religions
• économie
• histoire

L'Afrique francophone

L'Afrique francophone est constituée par un bloc de pays situés à l'ouest et au centre du continent africain. Elle comprend aussi la grande île de Madagascar. Anciennes° colonies françaises ou belges, ces pays ont décidé de garder° le français comme langue officielle ou administrative après la proclamation de l'indépendance en 1960.

Dans ces pays, la population parle une multitude de langues locales, par exemple le **wolof** et le **pulaar** au Sénégal, le **baoulé** et le **sénoufo** en Côte d'Ivoire, le **bambara** et le **malinké** au Mali, le **fang** et le **bamiléké** au Cameroun, et le **lingala** et le **swahili** au Congo. Le français est utilisé dans le commerce, dans l'administration et dans l'enseignement° universitaire. Le français facilite la communication entre des gens de langues différentes et crée une certaine unité linguistique entre tous° les pays de l'Afrique francophone. Malgré° cet avantage, l'usage du français pose un dilemme moral à certains intellectuels africains: Pourquoi utiliser la langue du colonisateur pour communiquer avec d'autres victimes de colonisation?

Les pays de l'Afrique francophone représentent une grande variété de climats, de conditions géographiques, de cultures et de religions. L'Islam, le christianisme – catholique et protestant – et l'animisme* y sont les religions les plus pratiquées. Malgré leurs diversités, ces pays ont cependant° des problèmes communs. Par exemple, leurs économies sont basées presque uniquement sur l'agriculture et l'exploitation des ressources minérales, comme pendant leur passé° colonial. Des variations climatiques importantes ou des fluctuations même° minimes dans le cours° des matières premières° peuvent provoquer des crises économiques graves et, par là°, mener° à l'instabilité politique.

À cause de leurs ressources humaines et de leurs richesses naturelles, les pays de l'Afrique francophone ont de grandes possibilités de développement. Le progrès nécessite cependant l'adoption de réformes sociales et économiques pour permettre aux jeunes Africains de vivre° dans un monde moderne dans le respect des valeurs° spirituelles de leur culture.

Anciennes *Former* **garder** *to keep* **enseignement** *education* **tous** *all* **Malgré** *In spite of*
cependant *nevertheless* **passé** *past* **même** *even* **cours** *price on the stock exchange*
matières premières *raw materials* **par là** *thereby* **mener** *lead* **vivre** *to live*
valeurs *values*

animisme *religion qui attribue des forces surnaturelles aux objets, aux animaux et à la nature*

Pays francophones

1. Bénin
2. Burkina Faso
3. Burundi
4. Cameroun
5. Congo
6. Congo (République démocratique)
7. Côte d'Ivoire
8. Gabon
9. Guinée
10. Madagascar
11. Mali
12. Niger
13. République Centrafricaine
14. Rwanda
15. Sénégal
16. Tchad
17. Togo

Après la lecture

Quels sont les trois faits les plus importants que vous avez appris sur l'Afrique francophone?

Recherches Internet

Informez-vous sur un pays de l'Afrique francophone et préparez un rapport de 10 lignes.

Un peu d'histoire

Empires et royaumes	
8ᵉ–16ᵉ siècle	Empires successifs du **Ghana**, du **Mali** et de **Songhaï.**
14ᵉ–19ᵉ siècle	Royaumes° au **Bénin** et au **Congo.**
Esclavage et colonisation	
1480	Exploration des côtes° africaines par des navigateurs européens.
1510	Premières déportations d'esclaves° vers l'Amérique.
1659	Fondation° de **Saint Louis** au Sénégal par les Français.
1884	Traité° de Berlin divisant° l'Afrique en zones d'influences européennes. La France colonise l'Afrique occidentale et équatoriale. La Belgique colonise le Congo et le Burundi.
1945	Mouvements indépendantistes.
Indépendance	
1960–1962	Indépendance dans les colonies françaises et belges. Les nouvelles républiques africaines deviennent membres des Nations Unies°. Accords° commerciaux et culturels avec la France.

Royaumes *Kingdoms*   **côtes** *coasts*   **esclaves** *slaves*   **Fondation** *Founding*   **Traité** *Treaty*   **divisant** *dividing*
Nations Unies *United Nations*   **Accords** *Agreements*

Les Griots:
mémoire de l'Afrique

Avant de lire
Connaissez-vous la musique africaine?
• chanteurs/chanteuses
• divers styles de musique
• le rôle du griot

Les griots jouent un rôle important dans les villages de l'Afrique de l'Ouest. Ils sont à la fois° historiens, poètes, musiciens et conteurs°.

Le rôle d'un griot est de préserver les traditions d'un village et de transmettre oralement l'histoire de ses habitants de génération en génération. Dans cette fonction, le griot assiste° aux grandes fêtes familiales. Là, il raconte° les exploits des ancêtres et fait l'éloge° des personnes présentes. Il chante et joue des instruments traditionnels: le **tama,** ou «tambour° qui parle», et la **kora,** ou lyre africaine.

La fonction de griot est héréditaire et transmise de père en fils. C'est grâce aux° familles de griots que nous connaissons l'histoire fabuleuse des grands empires du Mali et du Songhaï.

Aujourd'hui, avec la radio et la télévision, les griots ont un grand public régional ou national. Certains griots modernes sont devenus des musiciens très populaires. Dans leurs chansons ils expriment° la dignité et l'espoir des peuples d'Afrique.

Le **tama** ou «tambour qui parle» est un tambour recouvert de° peaux° de reptiles.

La **kora** ou «lyre africaine» est faite avec une calebasse° et 21 cordes métalliques.

à la fois *at the same time*   conteurs *storytellers*   assiste *is present*   raconte *tells about*   fait l'éloge *praises*   tambour *drum*
grâce aux *thanks to*   expriment *express*   recouvert de *covered with*   peaux *skins*   calebasse *gourd*

La musique africaine

La musique africaine traditionnelle est une musique aux rythmes complexes marqués par le son° du tambour. La musique d'aujourd'hui combine ces rythmes traditionnels avec les rythmes plus modernes de la musique afro-américaine: jazz, blues, reggae, rock, pop et rap.

Chaque° pays a des styles de musiques spécifiques, comme le **mbalax** au Sénégal, le **makossa** et le **bitutsi** au Cameroun et le **soukous** au Congo. Les musiciens de ces pays interprètent ces musiques dans une manière personnelle et originale.

Youssou N'Dour

Youssou N'Dour vient d'une famille de griots. Aujourd'hui, il est la superstar de la musique africaine moderne et son ambassadeur en Europe et aux États-Unis. Youssou N'Dour est le grand interprète du **mbalax,** la musique sénégalaise inspirée par les rythmes traditionnels et le rock américain.

Sur scène°, Youssou N'Dour utilise la kora et la guitare acoustique. Il chante en français, en anglais, en wolof et en d'autres langues africaines. Dans la tradition des griots modernes, ses chansons ont des thèmes humanitaires: contre le racisme, pour l'unité africaine, en faveur des enfants déshérités° de l'Afrique.

Quelques rythmes africains

Sénégal

COUMBA GAWLO

mbalax
Rythmes énergiques de la musique africaine (tambours) et du rock (guitare, batterie°).

Mali

OUMOU SANGARÉ

wassoulou
Musique du sud-est du Mali, souvent interprétée par des femmes.

Congo

PAPA WEMBA

soukous
Musique de danse d'inspiration cubaine.

Côte d'Ivoire

MONIQUE SEKA

afro-zouk
Musique influencée par le **zouk** de la Martinique.

Après la lecture
Quels sont les trois faits les plus importants que vous avez appris sur la musique africaine?

HM Recherches Internet
Écoutez de la musique africaine et choisissez une chanson qui vous plaît particulièrement. Expliquez pourquoi vous l'aimez.

---

son *sound* **Chaque** *Each* **scène** *stage* **déshérités** *underprivileged* **batterie** *drums*

Le cinéma africain

Le cinéma africain est né° dans les années 1960 peu° après la proclamation de l'indépendance dans les pays de l'Afrique francophone. Le premier cinéaste africain, Ousmane Sembène, est un intellectuel sénégalais qui utilise le film pour dénoncer le colonialisme et pour affirmer la dignité de la personnalité africaine. Les cinéastes d'aujourd'hui sont nombreux et représentent la grande variété de l'Afrique francophone. Les acteurs, souvent non-professionnels, s'expriment° en langues locales ou en français.

Les films explorent le présent et le passé de l'Afrique et présentent un vaste panorama de la société africaine contemporaine et de ses problèmes. Les thèmes principaux concernent les conflits entre la tradition et la modernité, les dangers du néocolonialisme et l'illusion de l'argent°, la condition féminine et le rôle de la femme, l'importance de l'éducation pour l'avenir° de l'Afrique. Dans la tradition africaine, les cinéastes traitent° souvent ces sujets sérieux avec humour et ironie en utilisant la satire et la comédie.

Le cinéma africain d'aujourd'hui est un art populaire qui s'adresse° d'abord° au public africain, mais aussi à un vaste public universel. La vitalité de ce cinéma est célébrée au grand Festival Panafricain du Cinéma et de la Télévision de Ouagadougou (FESPACO) qui a lieu° tous les deux ans° dans la capitale du Burkina Faso. Les films récents sont présentés au cours° de ce festival et le meilleur film reçoit° le prestigieux Étalon° de Yennenga, qui est un peu° l'Oscar du film africain.

Panorama du cinéma africain

Burkina Faso	*Keita* de **Dani Kouyaté** Les révélations d'un griot à un jeune Africain.
Cameroun	*Afrique, je te plumerai* de **Jean-Marie Teno** L'effet destructeur du colonialisme sur l'Afrique d'aujourd'hui.
Congo	*Pièces d'identités* de **Ngangura Mweze** Un roi° congolais recherche sa fille en Belgique.
Madagascar	*Quand les étoiles rencontrent la mer* de **R. Rajaonarivelo** Le monde magique d'un villageois qui échappe à° la destinée.
Mali	*Ta Dona* de **Adama Drabo** Un agronome moderne à la recherche des remèdes secrets du passé.
Mauritanie	*Heremakono* de **Abderrahmane Sissako** La vie dans un village de pêcheurs°.
Sénégal	*Karmen Geï* de **Joseph Gaï Ramaka** Comédie musicale sur le thème de *Carmen* dans un contexte africain.

né *born*   **peu** *shortly*   **s'expriment** *speak*   **argent** *money*   **avenir** *future*   **traitent** *treat*   **s'adresse à** *appeals to*   **d'abord** *first*
a lieu *takes place*   **tous les deux ans** *every other year*   **au cour de** *during*   **reçoit** *receives*   **Étalon** *Stallion*   **un peu** *sort of*   **roi** *king*
échappe à *escapes from*   **pêcheurs** *fishermen*

Ousmane Sembene, père du cinéma africain

Ousmane Sembene est né au Sénégal en 1923. Il commence à travailler à l'âge de quatorze ans. Tour à tour°, il est maçon, plombier, mécanicien. Engagé volontaire° dans l'armée française, il participe en 1944 à la Libération de la France.

Après la guerre°, il reste en France et travaille comme° docker à Marseille. Là, il milite dans le parti communiste parce que ce parti est opposé au colonialisme.

Illettré°, Ousmane Sembene apprend par lui-même à lire° et écrire°. Puis° il décide de devenir écrivain. Son premier roman°, *Le Docker noir,* est publié en 1956. Dans ce roman, basé sur ses expériences personnelles, il s'attaque° au racisme et à l'injustice sociale.

Après d'autres° livres, écrits° en français, Ousmane Sembene décide d'utiliser le cinéma pour exprimer° ses idées par l'image et pour les rendre° ainsi° accessibles à un grand public africain qui ne parle pas français. Il va à Moscou pour étudier la technique du cinéma. De retour au Sénégal, Ousmane Sembene devient le premier cinéaste africain à utiliser des acteurs africains dans des films à thèmes africains. Son premier grand film, *La Noire de ...,* tourné° en 1965, est un réquisitoire° contre l'exploitation post-coloniale des Africains. Ce film est primé° au festival de Cannes.

En 1968, Ousmane Sembene décide de filmer en langue wolof. Dans chacun° de ces films, il traite de sujets particuliers à la société africaine: le néocolonialisme, la corruption, la bureaucratie, les divisions religieuses et, plus récemment°, la condition de la femme. Cinéaste engagé°, il dénonce le conformisme, les préjugés° et l'hypocrisie et se bat° pour une société plus juste et plus humaine. Par la qualité de ses films, Ousmane Sembene est aujourd'hui considéré comme l'une des grandes figures du cinéma mondial°.

Films d'Ousmane Sembene

	TITRE	THÈME
1966	**La Noire de ...**	Racisme et exploitation post-coloniale
1968	**Mandabi**	Corruption
1977	**Ceddo**	Conflits religieux
1992	**Guelwaar**	Satire sociale
2000	**Faat-Kiné**	Condition de la femme africaine
2004	**Moolaadé**	Condition de la femme africaine

Après la lecture
Quels sont les trois faits les plus importants que vous avez appris sur le cinéma africain?

HM Recherches Internet
Regardez un des films mentionnés ou un autre film par un cinéaste africain. Est-ce que vous le recommanderez à vos copains? Pourquoi ou pourquoi pas?

Tour à tour *In succession* Engagé volontaire *Enlisted* guerre *war* comme *as a* Illettré *Illiterate* lire *to read* écrire *to write* Puis *Then* roman *novel* s'attaque à *attacks* d'autres *other* écrits *written* exprimer *to express* pour les rendre *to make them* ainsi *in this way* tourné *filmed* réquisitoire *attack* primé *awarded a prize* chacun *each* récemment *recently* engagé *socially active* préjugés *prejudices* se bat *fights for* mondial *world*

Unité 7

À l'université

Leçon 19:
Une condition essentielle

Leçon 20:
Des notes importantes

Leçon 21:
Problèmes, problèmes

Une condition essentielle

Objectives

- To talk about
  university studies
- To express wishes
- To express obligations

 Élisabeth est étudiante à l'Université de Dijon. Un jour sur le campus elle rencontre Ahmed, un ancien copain de lycée.

ÉLISABETH:	Tiens, Ahmed, **qu'est-ce que tu deviens**? Tu **suis des cours** ici?	*what are you up to* / *take classes*
AHMED:	Oui, je prépare une licence de **chimie**. Et toi?	*chemistry*
ÉLISABETH:	Moi, je suis en deuxième année de **droit**. Après le bac, j'ai commencé des études de sciences **éco**, mais je n'ai pas réussi à mes examens. Alors j'ai changé d'orientation. Maintenant, je fais du droit. C'est plus intéressant.	*law* / = économiques
AHMED:	Ce n'est pas trop difficile?	
ÉLISABETH:	Il faut beaucoup travailler, mais les cours sont **passionnants**. J'ai des bonnes **notes**, alors ça va. Et toi, qu'est-ce que tu veux faire avec ta licence de chimie?	*exciting* / *grades*
AHMED:	Tu veux dire: qu'est-ce que je peux faire! Il y a une différence! **En fait**... avec un diplôme de chimie, il y a deux possibilités: on peut être prof dans un lycée ou on peut travailler dans un laboratoire. Personnellement, je préfère **enseigner**. Mais il y a une condition essentielle...	*Actually* / *to teach*
ÉLISABETH:	Ah?	
AHMED:	Et oui! Je dois **d'abord être reçu** aux examens!	*first / to pass*

À propos du texte

1. Qu'est-ce qu'Élisabeth étudie à l'université?
2. Qu'est-ce qu'Ahmed étudie?
3. Qu'est-ce qu'il voudrait faire après l'université?
4. Quelle est la condition essentielle?

Note culturelle
Les diplômes universitaires

Les jeunes Français vont à l'université à l'âge de 18 ou 19 ans. Pour être admis à l'université, ils doivent avoir **le baccalauréat,** ou «bac», qui est le diplôme de fin° d'études secondaires.

Le système universitaire français est sélectif. Il est aussi assez complexe. Les deux premières années d'université sont particulièrement difficiles. Le premier semestre est un semestre d'orientation. Ensuite°, les étudiants doivent obtenir° un certain nombre d'**unités d'enseignement** dans leur spécialité pour passer au semestre suivant. Pour cela, ils doivent avoir de bonnes notes° dans leurs cours, ou passer un examen terminal°. Sinon°, ils doivent **redoubler,** c'est-à-dire, recommencer le semestre. Après quatre semestres d'études réussies, ils obtiennent un diplôme, **le DEUG (Diplôme d'Études Universitaires Générales).**

Après le DEUG, les étudiants peuvent continuer leurs études et obtenir d'autres° diplômes: **la licence, la maîtrise, le DEA (Diplôme d'Études Approfondies)** ou **le DESS (Diplôme d'Etudes Supérieures Spécialisées)** et finalement **le doctorat.**

années	Système français		Système américain	
	études universitaires	diplômes	études universitaires	diplômes
1 2	premier cycle	DEUG	études sous-graduées	Associate's degree
3 4	deuxième cycle	Licence Maîtrise		BA, BS
5 6 7 8 9	troisième cycle	DEA, DESS Doctorat	études graduées	Master's degree PhD

À votre avis

1. Expliquez les similarités et les différences entre le système universitaire en France et aux États-Unis.
2. Préférez-vous faire vos études à l'université en France ou aux États-Unis? Expliquez votre choix.

fin *end*   **Ensuite** *Then*   **obtenir** *to get*   **notes** *grades*   **terminal** *end-of-semester*   **Sinon** *If not*   **d'autres** *other*

La langue française

Vocabulaire: À l'université

LES COURS

Quand on est à l'université, **il faut** (*one must*)...

suivre (*take*) **des cours**
prendre **des notes**
faire | **des devoirs**
       | **des préparations**
préparer un diplôme
passer (*take*) **des examens**

un cours	*class*
une note	*grade*
un devoir	*assignment*
une préparation	*homework*
un diplôme	*degree, diploma*
un examen	*exam*

Le cours va...

commencer (*begin*) à deux heures
finir à trois heures quinze

Ce cours est...

facile (*easy*)   **difficile** (*hard, difficult*)
utile (*useful*)   **inutile** (*useless*)
passionnant (*exciting, fascinating*)   **barbant** (*boring*)

LES EXAMENS

Je veux...   Je ne veux pas...

réussir (*pass*) | à l'examen   **rater** (*flunk, fail*) l'examen
être reçu(e) (*pass*) |

obtenir (*get, obtain*) | une bonne note   **obtenir** une mauvaise note
                 | mon diplôme

faire des progrès (*improve, make progress*)

⟹ Note the cedilla **[ç]** in the **nous**-form of **commencer**.

Nous **commençons** le cours à dix heures.

⟹ In the PRESENT tense, **obtenir** is conjugated like **venir**.

j'**obtiens**   nous **obtenons**   ils **obtiennent**

In the PASSÉ COMPOSÉ, **obtenir** is conjugated with **avoir**.

Nous **avons obtenu** une bonne note à l'examen.

1 Et vous?

Avec votre partenaire, complétez les phrases avec les expressions suggérées. Sur combien de points êtes-vous d'accord?

1. Je prépare... (quel diplôme?)
2. Je vais obtenir mon diplôme... (cette année? dans deux ans? ...?)
3. Aujourd'hui, j'ai... (combien de cours?)
4. Le lundi, mon premier cours commence... (à quelle heure?)
5. En général, je fais mes devoirs... (avant ou après le dîner? juste avant le cours? ...?)
6. Ce soir, j'ai une préparation... (de quel sujet?)
7. En général, mes notes sont... (très bonnes? assez bonnes? mauvaises? ...?)
8. En français, j'espère (*hope*) obtenir... (quelle note au prochain examen? quelle note finale?)
9. Pour moi, le cours de français est... (facile ou difficile?)
10. Je pense que le français est une langue... (très utile? assez utile? inutile?)
11. En général, j'ai des cours... (intéressants? passionnants? barbants?)
12. Je pense que ce semestre je vais... (réussir à mes examens ou rater mes examens?)

2 Les bons étudiants

Les étudiants suivants sont des étudiants modèles. En conséquence, dites si oui ou non ils ont fait les choses suivantes.

✱ Thomas / prendre des notes en classe?
   Oui, il a pris des notes en classe.

1. Claire / perdre ses notes?
2. Nathalie / réussir à l'examen?
3. Pierre / choisir des cours difficiles?
4. moi / obtenir de mauvaises notes?
5. vous / faire des progrès en français?
6. David et Nicolas / rater leurs examens?
7. toi / obtenir ton diplôme?
8. Marc / être reçu à l'examen?

Vocabulaire: Expressions utiles

vite	*fast, quickly*	Je fais **vite** mes préparations.
lentement	*slowly*	Le professeur parle **lentement**.
ensemble	*together*	Mon copain et moi, nous étudions **ensemble**.
seul(e)	*alone;*	Vanessa préfère travailler **seule**.
	only	Mon **seul** devoir pour demain, c'est le français.
seulement	*only*	Aujourd'hui, j'ai **seulement** deux cours.
rarement	*seldom*	J'étudie **rarement** le samedi.
pour + infinitive	*(in order) to*	Nous étudions **pour réussir** à l'examen.

▸ **Seul(e)** is an ADJECTIVE and modifies nouns and pronouns.

Céline est **seule**.   *Céline is **alone**.*

Céline est ma **seule** amie.   *Céline is my **only** friend.*

▸ **Seulement** is an ADVERB and modifies verbs and numbers.

En cours, nous parlons **seulement** français.   *In class we **only** speak French.*

J'ai **seulement** deux cours ce matin.   *I **only** have two classes this morning.*

Il n'est pas triste; il est **seulement** fatigué.   *He's not sad; he's **only** tired.*

3 **Et vous?** •

1. Est-ce que vous parlez seulement français en classe?
2. Est-ce que le professeur parle vite ou lentement?
3. En général, faites-vous vite vos préparations?
4. Allez-vous souvent ou rarement à la bibliothèque? au centre sportif?
5. Dînez-vous souvent ou rarement à la cafétéria?
6. Est-ce que vous préparez vos cours seul(e) ou avec vos ami(e)s? Qu'est-ce que vous étudiez ensemble?
7. Le week-end, sortez-vous seul(e) ou avec vos copains? Qu'est-ce que vous faites ensemble?

A. Le verbe *suivre*

The verb **suivre** (*to follow*) is irregular.

infinitive	**suivre**	Je vais **suivre** tes conseils.
present	je **suis**	Je **suis** un cours d'anglais.
	tu **suis**	Tu **suis** un cours de maths.
	il/elle/on **suit**	Elle **suit** un cours de chimie.
	nous **suivons**	Nous **suivons** un régime.
	vous **suivez**	Vous **suivez** la politique.
	ils/elles **suivent**	Ils **suivent** les instructions du prof.
passé composé	j'**ai suivi**	J'**ai suivi** un cours à l'Alliance française.

➡ **Suivre** generally means *to follow*. It is also used in several idiomatic expressions.

suivre un conseil	*to follow (take) advice*	**Suivez** mes conseils!
suivre un cours	*to take a class*	Quels cours est-ce que tu **suis**?
suivre un régime	*to be on a diet*	Je **suis** un régime très strict.
suivre (un sujet)	*to keep abreast of (a topic)*	**Suivez**-vous la politique?

4 Et vous?

1. Est-ce que vous suivez les conseils de vos amis? de vos parents? de vos profs?
2. Combien de cours suivez-vous ce semestre? Quels cours suivez-vous?
3. Avez-vous suivi un cours de français le semestre dernier? Allez-vous suivre un cours de français le semestre prochain? Pourquoi (pas)?
4. Suivez-vous un régime? Qu'est-ce que vous mangez? Qu'est-ce que vous ne mangez pas?
5. Suivez-vous la politique? l'économie? la mode (*fashion*)?
6. Suivez-vous les sports professionnels? quels sports?
7. L'année dernière, avez-vous suivi les progrès de votre équipe de baseball favorite? Suivez-vous les progrès d'une équipe de football? de quelle équipe?

5 Quel cours?

Décrivez la profession future des étudiants suivants. Dites quel cours chacun suit.

✳ Caroline / actrice
 Caroline pense devenir actrice.
 Elle suit des cours de diction.

1. nous / pharmaciennes
2. vous / avocats (*lawyers*)
3. moi / professeur de langues
4. Raphaël / musicien
5. Cécile et Marie / ingénieurs
6. toi / médecin

> biologie
> droit (*law*)
> pharmacie
> diction
> linguistique
> maths
> piano

B. Les verbes *vouloir* et *pouvoir*

The verbs **vouloir** (*to want*) and **pouvoir** (*to be able, can, may*) are irregular.

infinitive	vouloir	pouvoir
present	Je **veux** un livre. Tu **veux** aller en France. Il/Elle/On **veut** gagner de l'argent. Nous **voulons** voyager. Vous **voulez** aller en ville. Ils/Elles **veulent** parler français.	Je **peux** prendre ce livre? Tu **peux** visiter Paris. Il/Elle/On **peut** travailler cet été. Nous **pouvons** aller en Chine. Vous **pouvez** prendre le bus. Ils/Elles **peuvent** parler avec Zoé.
passé composé	J'**ai voulu** voyager.	J'**ai pu** visiter la Suisse.

VOULOIR

Vouloir (*to want*) is usually used with a NOUN or an INFINITIVE construction.

Tu veux **du café**?   Non, je veux **du thé.**

Tu veux **être professeur**?   Oui, je veux **être professeur.**

➡ **Je veux** expresses a strong will or wish.
Je voudrais (*I would like*) is often used to express a request.

Je voudrais visiter le Québec avec vous cet été.

Je voudrais un livre sur le Canada, s'il vous plaît.

➡ **Je veux bien** is often used to accept an invitation or request.

—Veux-tu aller au cinéma avec moi?
—Oui, **je veux bien.**   *Yes, I do. / Yes, I would.*

Proverbe

Vouloir, c'est pouvoir.

POUVOIR

Pouvoir has several English equivalents.

	present	passé composé
(*may*)	Est-ce que **je peux** partir?	
(*can, could*)	**Peux-tu** parler plus lentement?	**Je n'ai pas pu** venir à la fête.
(*to be able to*)	**Je ne peux pas** réparer mon vélo.	**J'ai pu** finir la préparation.

Proverbe

xxxxxxxxxxxxxxxxxxxxxxxxxxxxxxxxxxxx

Quand on veut, on peut.

6 **Quand on veut...** •

Décrivez ce que veulent faire les personnes suivantes et dites si oui ou non elles veulent faire les choses entre parenthèses. Soyez logique!

✹ Brigitte: être indépendante (rester chez ses parents?)
   Brigitte veut être indépendante. Elle ne veut pas rester chez ses parents.

1. Philippe: étudier (sortir ce soir?)
2. nous: avoir une bonne note (rater l'examen?)
3. moi: trouver du travail (gagner de l'argent cet été?)
4. vous: faire des économies (dépenser votre argent?)
5. ces étudiants: réussir aux examens (obtenir leur diplôme?)
6. M. Legros: suivre un régime (grossir?)
7. toi: faire des études scientifiques (être ingénieur?)
8. Isabelle et Vincent: sortir ce soir (faire leurs devoirs?)

7 **Qu'est-ce qu'on peut faire?** •

Informez-vous sur les personnes suivantes et dites si oui ou non elles peuvent faire les choses entre parenthèses.

✹ Marc suit un régime très strict. (manger du pain?)
   Il ne peut pas manger de pain.

1. Christine a un doctorat. (être professeur d'université?)
2. Je suis très malade. (sortir avec mes copains?)
3. Nous avons nos passeports. (voyager à l'étranger cet été?)
4. Tu viens de rater tous (*all*) tes examens. (obtenir ton diplôme?)
5. Éric n'a pas son portable. (téléphoner à Caroline?)
6. Vous avez dix-huit ans. (voter?)
7. Mes copains ont loué des bicyclettes. (faire une promenade dans la campagne?)
8. On a faim. (aller au restaurant?)

8 **Selon vous** (*In your opinion*) •

Dites ce qu'on peut faire (ou ne pas faire) dans les circonstances suivantes.

✹ Quand on a un diplôme d'université...
   Quand on a un diplôme d'université, on peut toujours trouver un bon job.

1. Quand on est à l'université...
2. Quand on fait des études de commerce...
3. Quand on parle français...
4. Quand on a 18 ans...
5. Quand on est riche...
6. Quand on n'a pas beaucoup d'argent...

C. Le verbe *devoir* — EXPRESSING OBLIGATION AND NECESSITY

The verb **devoir** (*must, to have to, to be supposed to*) is irregular.

infinitive	**devoir**	
present	je **dois** tu **dois** il/elle/on **doit**	Je **dois** étudier. Tu **dois** préparer tes examens. Elle **doit** passer un examen demain.
	nous **devons** vous **devez** ils/elles **doivent**	Nous **devons** rentrer chez nous. Vous **devez** acheter ce livre. Ils **doivent** prendre de l'argent.
passé composé	j'**ai dû**	J'**ai dû** téléphoner à mon père.

⟹ The construction **devoir** + INFINITIVE is used to express:

• NECESSITY or OBLIGATION (*must, to have to*)

Je **dois finir** mes devoirs.   *I **must (have to) finish** my homework.*

Ils **ont dû** beaucoup **étudier.**   *They **had to study** a lot.*

• PROBABILITY or LIKELIHOOD (*must*)

Paul n'est pas ici. Il **doit être** à la bibliothèque.   *He **must be** at the library.*

Élodie n'est pas venue. Elle **a dû rester** chez elle.   *She **must have stayed** home.*

• EXPECTATION (*to be supposed to*)

Philippe **doit venir** à huit heures.   *Philippe **is supposed to come** at eight.*

⟹ **Devoir** + NOUN means *to owe.*

Je **dois** dix euros à Cécile.   *I **owe** Cécile ten euros.*

9 Obligations?

Lisez ce que veulent faire les personnes suivantes et dites si oui ou non elles doivent faire les choses entre parenthèses.

✹ Nicole veut obtenir son diplôme. (rater ses examens?)
   Elle ne doit pas rater ses examens.

1. Je veux être docteur. (suivre des cours de biologie?)
2. Vous voulez être interprètes. (faire des progrès en français?)
3. Nous voulons réussir à l'examen. (dormir en classe?)
4. Éric veut maigrir. (boire de la bière?)
5. Tu veux suivre un régime végétarien. (manger du poulet?)
6. Monique veut trouver du travail. (regarder les petites annonces [*want ads*] dans le journal?)
7. Ces étudiants veulent organiser une fête. (nettoyer leur appartement?)
8. On veut rester en bonne santé (*health*). (faire du sport?)

10 Invitations

Invitez vos camarades à faire certaines choses avec vous. Ils vont vous demander **quand,** et accepter ou refuser votre invitation. S'ils refusent, ils vont donner une excuse.

✹ — *Tu veux aller au cinéma avec moi?*
  — *Quand?*
  — *Samedi soir.*
  — *D'accord! Je veux bien.*
ou — *Je voudrais bien, mais je ne peux pas. Je dois finir une préparation.*

LES INVITATIONS
• sortir
• aller au cinéma
• aller au concert
• dîner dans un restaurant chinois
• jouer aux jeux sur ordinateur
• faire du jogging
• faire du shopping

LES EXCUSES
???

11 Conseils

Donnez des conseils aux personnes suivantes. Dites ce qu'elles doivent faire, ou ce qu'elles ne doivent pas faire, et ce qu'elles peuvent faire.

✹ Votre camarade de chambre est malade (*sick*).
   Tu dois rester dans la chambre.
   Tu ne dois pas sortir.
   Si tu es très malade, tu peux aller chez le docteur.

1. Votre frère veut gagner de l'argent cet été.
2. Votre cousine veut être ingénieur.
3. Votre copain va aller en France cet été.
4. Vos camarades veulent réussir à l'examen de français.
5. Vos amis veulent organiser une fête chez eux.
6. Votre copain français veut visiter les États-Unis.

D. L'expression impersonnelle *il faut* — TO EXPRESS NECESSITY

Note the expression **il faut** in the following sentences.

À l'université, **il faut** étudier.	*At the university, **one has to** study.*
Pour être heureux, **il faut** avoir des amis.	*To be happy, **one must** have friends.*
Est-ce qu'il faut passer par Paris pour aller à Nice?	***Is it necessary to** pass through Paris to go to Nice?*
Il ne faut pas parler au cinéma.	***You should not** talk at the movies.*

> The expression **il faut** is used to express a GENERAL OBLIGATION or a NECESSARY CONDITION.

infinitive	**falloir**	Il va **falloir** travailler.
present	**il faut**	**Il faut** partir maintenant.
passé composé	**il a fallu**	Il a plu et **il a fallu** rentrer.

⟹ Note the uses of **il faut** and the corresponding negative expressions.

AFFIRMATIVE	NEGATIVE
to express general obligation	to forbid an action
En classe, **il faut** écouter le professeur. *In class, **you must (have to)** listen to the teacher.*	**Il ne faut pas** dormir. ***You should not** sleep.*
to express a necessary condition	to express a lack of necessity
Dans la vie, **il faut** avoir des amis. *In life, **one has to (it is necessary to)** have friends.*	**Il n'est pas nécessaire d'**être riche. ***One does not have to (it is not necessary to)** be rich.*

12 **Dans le studio d'enregistrement** (*recording studio*) •

Vous êtes le directeur/la directrice d'un studio d'enregistrement en France. Certaines personnes n'observent pas le règlement (*the rules*) du studio. Dites à ces personnes de ne pas faire ce qu'elles font.

✱ Quelqu'un fume (*is smoking*). **Il ne faut pas fumer ici!**

1. Quelqu'un parle fort (*loud*).
2. Quelqu'un écoute la radio.
3. Quelqu'un utilise un mobile.
4. Quelqu'un arrive en retard (*late*).
5. Quelqu'un fait du bruit (*noise*).
6. Quelqu'un mange.
7. Quelqu'un entre.
8. Quelqu'un sort.

13 Que faire? •

Dites si certaines choses sont nécessaires ou non pour obtenir certains résultats.

✹ être heureux: avoir de l'argent?
   Pour être heureux, il faut avoir de l'argent.
ou *Pour être heureux, il n'est pas nécessaire d'avoir de l'argent.*

1. être journaliste: aller à l'université?
2. trouver du travail: avoir des diplômes?
3. réussir aux examens: étudier?
4. réussir dans la vie: avoir des relations (*connections*)?
5. réussir dans les affaires (*business*): avoir beaucoup de chance?
6. devenir architecte: suivre des cours de math?
7. aller à l'université: avoir le bac (*high school diploma*)?

14 Expression personnelle •

Dites ce qu'il faut faire pour réaliser les objectifs suivants. Utilisez **il faut** et une expression infinitive de votre choix. Comparez vos réponses avec votre partenaire.

✹ Pour être reçu aux examens, ...
   Pour être reçu aux examens, il faut étudier (être sérieux, travailler beaucoup, apprendre les leçons, ...)

1. Pour passer un bon week-end, ...
2. Pour passer quatre années agréables à l'université, ...
3. Pour avoir des amis, ...
4. Pour gagner vite de l'argent, ...
5. Pour être heureux, ...
6. Pour avoir un travail intéressant, ...
7. Pour être bien considéré, ...
8. Pour vraiment parler une langue étrangère, ...

Vocabulaire: Expressions indéfinies de quantité

autre	other	
l'autre	the other	L'autre jour, je suis allée au parc.
les autres	the other	Les autres étudiants ne sont pas venus.
un(e) autre	another	J'ai un autre cours ce matin.
d'autres	other	As-tu d'autres cours aujourd'hui?

certain	certain	
un(e) certain(e)	a certain, a particular	J'ai besoin d'un certain livre.
certain(e)s	certain, some	Certains problèmes n'ont pas de solution.

chaque	each, every	Chaque jour est différent.
plusieurs	several	J'ai plusieurs examens cette semaine.
quelques	some, a few	Marc a quelques magazines français chez lui.
de nombreux (nombreuses)	many, numerous	J'ai de nombreux amis à l'université.

tout	all, everything	Est-ce que tu comprends tout?
tout le (toute la)	all the, the whole	Est-ce que toute la classe comprend la leçon?
tous les (toutes les)	all (the), every	Tous les enfants aiment jouer. Nous allons au cinéma toutes les semaines.
tout le monde	everybody, everyone	Est-ce que tout le monde a compris?

15 **Et vous?** •

1. Avez-vous d'autres cours aujourd'hui? Quels cours?
2. Est-ce que vous préparez bien chaque examen de français?
3. Est-ce que vous comprenez tout quand le professeur parle français?
4. Est-ce que tout le monde répond en français dans votre classe?
5. Est-ce que vous connaisssez tous les garçons dans la classe? et toutes les filles?
6. Est-ce que vous sortez tous les week-ends?
7. Est-ce que vous avez un(e) ou plusieurs camarades de chambre?
8. De temps en temps (*From time to time*), avez-vous quelques difficultés avec vos amis?

Phonétique: Les semi-voyelles /w/ et /ɥ/

When the vowel sounds /u/ and /y/ are followed by another vowel in the same syllable, they are pronounced rapidly as semi-vowels.

/w/ Begin with the /u/ of **vous** and pronounce it quickly with the next vowel.

- The letters "oi" are pronounced /wa/.
  Répétez: m<u>oi</u> t<u>oi</u> v<u>oir</u> je v<u>ois</u> dev<u>oir</u> tu d<u>ois</u> p<u>oi</u>vre p<u>oi</u>sson

- The letters "oin" are pronounced /wɛ̃/.
  Répétez: m<u>oins</u> l<u>oin</u> bes<u>oin</u> C<u>oin</u>treau

- The letters "oui" are pronounced /wi/.
  Répétez: <u>oui</u> L<u>oui</u>se L<u>oui</u>s L<u>oui</u>siane

/ɥ/ Begin with the /y/ of **tu** and pronounce it quickly with the next vowel, keeping your lips rounded.

- The letters "ui" are pronounced /ɥi/
  Répétez: l<u>ui</u> je s<u>uis</u> tu s<u>uis</u> n<u>ui</u>t min<u>ui</u>t s<u>ui</u>sse c<u>ui</u>sine

À votre tour

Compréhension orale

Plusieurs étudiants vont parler de leurs activités. Écoutez bien. Si l'étudiant parle de ses études, marquez la rangée A. S'il parle d'autres activités, marquez la rangée B.

		1	2	3	4	5	6	7	8	9	10
A.	📖										
B.	📖✗										

Conversation dirigée

Imagine that you are an academic advisor. Today you are talking to one of your student advisees about how he/she is doing. Address your advisee as **vous**.

Ask your partner . . .
* if he/she is making progress in French
* what grade he/she got on the last exam
* what other courses he/she is taking
* when he/she is going to get his/her diploma

Expression libre

Avec votre partenaire, décrivez vos études à l'université.

Vous pouvez mentionner:
* quel diplôme vous préparez (et quand vous allez obtenir ce diplôme)
* quels cours vous suivez
* votre opinion de ces cours
* quelles notes vous obtenez en général

Expression écrite

Dans une page de journal, décrivez une journée complète à l'université. Donnez un maximum de détails.

> *Hier, je suis arrivé(e) sur le campus à 8 heures. Je suis allé(e) à mon cours d'économie. Ensuite...*

Des notes importantes

Objectives

- To talk about university studies
- To refer to previously mentioned people and things

 *Emma et Charlotte sont étudiantes à Sciences Po à Paris. Elles ont loué un petit studio dans le Quartier latin. Un jour, quand Emma rentre chez elle après ses cours, elle retrouve Charlotte très **agitée**.*

upset

CHARLOTTE:	Dis, Emma, est-ce que tu as **vu** mon livre de sociologie?

seen

EMMA: Non, je ne **l'**ai pas vu. Tu le cherches?

it

CHARLOTTE: Oui, je le cherche **partout** et je ne le trouve pas. J'espère que je ne l'ai pas perdu... **Zut**, zut et zut!

everywhere
Darn

EMMA: Écoute, Charlotte, ce n'est pas grave. Tu peux utiliser mon livre. Tiens, **le voilà**.

here it is

CHARLOTTE: Merci, Emma, mais ce n'est pas seulement mon livre que je cherche. Ce sont les notes qui sont **dedans**. Je **les** ai prises ce matin pendant le cours.

inside / them

EMMA: Ah bon, je comprends maintenant. Si tu les as perdues, tu vas avoir des difficultés à l'examen.

CHARLOTTE: Mais non, tu ne comprends pas... Écoute, tu **connais** Vincent Michelet?

know

EMMA: Vincent Michelet? Non je ne **le** connais pas...

him

CHARLOTTE: Mais si, c'est l'étudiant belge. Il est grand, blond avec des cheveux longs.

EMMA: Ah oui, maintenant je **vois** qui c'est.

see

CHARLOTTE: Eh bien, il m'a invitée à voir un film ce soir. Je dois le contacter pour **fixer** l'heure de notre rendez-vous...

set

EMMA: Et alors? Je ne comprends pas!

CHARLOTTE: **Figure-toi que** les notes que j'ai prises ce matin, c'est son numéro de portable et son adresse email!

Actually

EMMA: Ah bon, je comprends maintenant pourquoi ces notes sont si importantes.

À propos du texte

1. Que cherche Charlotte?
2. Pourquoi est-ce qu'elle a besoin de cet objet?
3. Pourquoi est-ce que ses notes sont importantes?

Note culturelle
Les études supérieures

Après le bac, 80% des étudiants français décident de continuer leurs études. Ils ont différentes options.

L'UNIVERSITÉ
La majorité des étudiants vont à l'université ou dans un IUT (Institut Universitaire de Technologie). Là, ils doivent choisir une spécialité dès° leur inscription°. Les principales spécialités sont: les lettres° et les langues, les sciences humaines et sociales, les sciences économiques, les sciences et la technologie, le droit° et la médecine.

LES ÉCOLES SPÉCIALISÉES
Beaucoup d'étudiants veulent acquérir rapidement une formation professionnelle. Ils vont alors dans des écoles spécialisées, par exemple, écoles paramédicales, écoles d'ingénieurs, de commerce, de journalisme, de cinéma, de publicité, etc.

LES «GRANDES ÉCOLES»
Une minorité d'étudiants décident de faire une «grande école». Pour être admis dans ces grandes écoles très prestigieuses, il faut réussir à un concours d'entrée°, très difficile et très sélectif. Seulement un pourcentage très limité de candidats est admis. Les diplômés° de grandes écoles deviennent les leaders de la vie politique, économique et industrielle françaises.

Quelques «grandes écoles»
Écoles d'administration:
Sciences Po (Institut de Sciences Politiques)
l'ENA (École Nationale d'Administration)

Écoles commerciales:
HEC (École des Hautes Études Commerciales)

Écoles scientifiques et techniques:
X (École Polytechnique)
Centrale (École Centrale Paris)

À votre avis

1. Comparez l'étendue (*range*) des cours enseignés dans une université française et une université américaine.
2. Est-ce qu'il existe dans le système américain un équivalent aux grandes écoles françaises?

dès *immediately upon*   **inscription** *registration*   **lettres** *humanities*   **droit** *law*   **concours d'entrée** *competitive entrance exam*
diplômés *graduates*

La langue française

Vocabulaire: Les études supérieures

Je vais à...   **l'Université** (*University*) de Montpellier.
                   la faculté de droit (*law school*).
                   l'école de commerce (*business school*).

Les études littéraires, artistiques, scientifiques

les lettres (*f.*) (*humanities*):   **la littérature, la philosophie, l'histoire** (*f.*), **les langues** (*f.*)
les beaux-arts (*fine arts*):   **la peinture, la sculpture, l'architecture** (*f.*)
**les sciences humaines
et sociales:**   **l'anthropologie** (*f.*), **la psychologie,
      les sciences politiques, les sciences économiques**
les sciences (*f.*):   **la chimie, la biologie, la physique, les mathématiques** (*f.*)

Les études professionnelles

les études d'ingénieur   **l'électronique** (*f.*), **l'informatique** (*f.*) (*computer science*)
  (*engineering*):
les études commerciales: **la gestion** (*management*), **la comptabilité** (*accounting*),
      le marketing, la publicité (*advertising*),
      l'administration (*f.*) **des affaires** (*business administration*)
**la médecine, la pharmacie
le droit** (*law*)

verbes

faire des études de	*to specialize in*	Il **fait des études de** droit.
faire des recherches	*to do research*	Le professeur Mayet **fait des recherches** sur le cancer.

expressions utiles

comme	*like, as*	Faites **comme** moi! Étudiez le français!
sans	*without*	Pierre n'est pas venu. Nous sommes partis **sans** lui.
même	*even*	Marc travaille toujours, **même** le week-end.
même si	*even if*	Je vais voyager cet été, **même si** je n'ai pas beaucoup d'argent.

➡ **La faculté,** often shortened to **la fac,** refers to a specialized school within a university: **la faculté de sciences, la faculté de droit.**

➡ After **sans,** the indefinite article is usually omitted.

    Ne pars pas **sans** tes livres. *Don't leave **without** your books.*

1 Expression personnelle

Complétez les phrases suivantes avec une expression personnelle.

✹ Je fais mes études à...   *Je fais mes études à l'Université du Colorado.*

1. Je fais des études de...
2. Mon meilleur ami fait des études de...
3. Les meilleurs départements de mon université sont les départements de...
4. Aux États-Unis, les meilleures écoles d'ingénieurs sont...
5. À la Business School de Harvard, on peut faire des études de...
6. Pour aller à la fac de médecine, on doit faire des études de...
7. Dans le monde moderne, il faut avoir des notions de...
8. Si on veut avoir un bon salaire après l'université, il faut faire des études de...

A. Le verbe *connaître*

The verb **connaître** (*to know*) is irregular.

infinitive	**connaître**	Je dois **connaître** ta tante.
present	je **connais**	Je **connais** Mélanie.
	tu **connais**	Tu **connais** Antoine.
	il/elle/on **connaît**	On **connaît** le professeur.
	nous **connaissons**	Nous **connaissons** nos voisins.
	vous **connaissez**	Vous **connaissez** un restaurant chinois.
	ils/elles **connaissent**	Elles **connaissent** bien Paris.
passé composé	j'**ai connu**	J'**ai connu** tes cousins en France.

➡ In the passé composé, **connaître** also can have the meaning of *to meet*.

J'**ai connu** Éric au lycée.   *I **met (knew)** Éric in high school.*

➡ **Reconnaître** (*to recognize*) is conjugated like **connaître**.

Je n'**ai** pas **reconnu** ton frère.

2 Connaissances

Les étudiants suivants connaissent différentes personnes ou différentes choses.

✹ Pierre / la date de l'examen   *Pierre connaît la date de l'examen.*

1. nous / le prof de biologie
2. moi / un étudiant canadien
3. vous / les résultats de l'examen
4. Pauline / une étudiante sénégalaise
5. toi / mon camarade de chambre
6. mes copains / un café près de la fac

Note linguistique

The DIRECT OBJECT of a verb answers the question *whom?* (qui?) or *what?* (quoi?).

QUI?	QUOI?
— **Qui est-ce que** tu regardes?	— **Qu'est-ce que** tu regardes?
— Je regarde **le prof.**	— Je regarde **le match de foot.**
— **Qui est-ce que** tu attends?	— **Qu'est-ce que** tu attends?
— J'attends **ma cousine.**	— J'attends **le bus.**

The direct object can represent people, things, or abstract concepts.

B. Les pronoms *le, la, les*

Direct-object nouns can be replaced by DIRECT-OBJECT PRONOUNS. Note the forms and position of these pronouns.

Tu connais **David**?	Oui, je **le** connais.	Non, je ne **le** connais pas.
Tu connais **cette université**?	Oui, je **la** connais.	Non, je ne **la** connais pas.
Tu invites **ta copine**?	Oui, je **l'**invite.	Non, je ne **l'**invite pas.
Tu prends **tes livres**?	Oui, je **les** prends.	Non, je ne **les** prends pas.

FORMS

DIRECT-OBJECT PRONOUNS have the following forms:

ÉLISION
le, la → l'

	singular	plural			
masculine	**le (l')**	**les**	Je **le** connais.	Je **l'**attends.	Je **les** invite.
feminine	**la (l')**	**les**	Je **la** connais.	Je **l'**attends.	Je **les** invite.

LIAISON
Je les_invite.

POSITION

Direct-object pronouns normally come immediately BEFORE the verb.

affirmative	subject + OBJECT PRONOUN + verb	Je **les** reconnais.
negative	subject + **ne** + OBJECT PRONOUN + verb + **pas**	Je ne **les** reconnais pas.

➡ In the passé composé, object pronouns come BEFORE **avoir.**

affirmative	Je **l'**ai reconnu.
negative	Je ne **l'**ai pas reconnu.

➡ Note the use of object pronouns with **voici** and **voilà.**

Où est **le prof**?	**Le** voici.	*Here he comes.*
Où est **Léa**?	**La** voici.	*Here she is.*
Où sont **mes livres**?	**Les** voilà.	*There they are.*

③ Expression personnelle ·

Dites si oui ou non vous connaissez personnellement les personnes suivantes. Utilisez le pronom qui convient.

✳ Oprah Winfrey?
  Oui, je la connais personnellement.
ou *Non, je ne la connais pas personnellement.*

1. Tom Cruise?
2. Angelina Jolie?
3. le/la prof de français?
4. le/la secrétaire du département de français?
5. le président (la présidente) de l'université?

6. vos voisins?
7. les amis de vos parents?
8. les étudiants de la classe?
9. les étudiantes de la classe?
10. le président des États-Unis?

④ Les bagages ·

Vous allez passer le mois de juillet en France. Un(e) camarade demande si vous allez prendre les choses suivantes. Répondez affirmativement ou négativement.

✳ tes CD?
  —*Tu prends tes CD?*
  —*Oui, je les prends.*
ou —*Non, je ne les prends pas.*

1. ton ordinateur portable?
2. ton livre de français?
3. ta guitare?
4. ton baladeur MP3?
5. ton appareil-photo?
6. ton portable?
7. tes tee-shirts?
8. tes sandales?
9. tes lunettes de soleil?
10. ta raquette de tennis?

Quelques verbes utilisés avec un complément d'objet direct

aider (*to help*)
— Tu **aides tes amis**?
— Bien sûr, je **les aide.**

aimer (*to like*)
— Tu **aimes tes cours**?
— Non, je **ne les aime pas.**

écouter (*to listen to*)
— Tu **écoutes tes parents**?
— Je **ne les écoute pas** toujours.

regarder (*to look at, to watch*)
— Tu **regardes le match de foot**?
— Oui, je **le regarde.**

attendre (*to wait for*)
— Tu **attends le bus**?
— Non, je **ne l'attends pas.**

chercher (*to look for*)
— Tu **cherches tes notes**?
— Oui, je **les cherche.**

trouver (*to find*)
— Comment **trouves**-tu **le film**?
— Je **le trouve** assez intéressant.

oublier (*to forget*)
— Tu **as oublié ton livre**?
— Oui, je **l'ai oublié** chez moi.

laisser (*to leave*)
— Où **as**-tu **laissé ton portable**?
— Je **l'ai laissé** sur la table.

garder (*to keep*)
— Tu **gardes ton livre de français**?
— Bien sûr, je **le garde**!

5 **Le bon choix** ·

Complétez les réponses aux questions suivantes. Pour cela, remplacez les noms soulignés par les pronoms **le, la, l'** ou **les.**

✱ Tu connais <u>Céline</u>?
Oui, je <u>la</u> connais. C'est ma voisine.

1. Tu connais <u>Pierre et Alain</u>? Oui, je _____ connais. Ce sont des copains.
2. Tu invites <u>Sylvie</u>? Oui, je _____ invite. C'est une bonne copine.
3. Tu aides <u>ta mère</u>? Oui, je _____ aide. Elle a beaucoup de travail.
4. Tu écoutes <u>ces chanteurs</u>? Oui, je _____ écoute. Ils sont excellents.
5. Tu connais <u>cette comédie</u>? Oui, je _____ connais. Elle est très drôle.
6. Tu regardes <u>le film</u>? Oui, je _____ regarde. Il est amusant.
7. Tu trouves <u>tes notes</u>? Oui, je _____ trouve. Elles sont dans mon sac.
8. Tu gardes <u>tes magazines</u>? Oui, je _____ garde. Ils sont intéressants.
9. Tu attends <u>le bus</u>? Oui, je _____ attends. Il arrive dans dix minutes.
10. Tu cherches <u>ta casquette</u>? Oui, je _____ cherche. Où est-elle?

6 **Opinions** ···

Demandez à vos camarades ce qu'ils pensent des choses suivantes. Ils vont répondre en utilisant un pronom complément et l'adjectif entre parenthèses.

✴ la classe (intéressante?)
— *Comment trouves-tu la classe?*
— *Je la trouve (assez) intéressante.*
ou — *Je ne la trouve pas (très) intéressante.*

1. le français (facile?)
2. les examens (difficiles?)
3. les profs (sympathiques?)
4. la politique américaine (intelligente?)
5. le président (remarquable?)
6. les Américains (matérialistes?)
7. les Français (snobs?)
8. la cuisine française (délicieuse?)
9. le vin américain (excellent?)
10. la nourriture mexicaine (bonne?)

7 **D'accord ou pas d'accord?** ···

Dites si vous êtes d'accord ou pas d'accord avec les remarques suivantes.

✴ Les jeunes ne respectent pas les adultes.
— *C'est vrai, ils ne les respectent pas.*
ou — *Mais si, ils les respectent.*

> **RAPPEL**
> To contradict a negative statement, use **Si!** or **Mais si!** instead of **Oui!** or **Mais oui!**

1. Les adultes ne comprennent pas les jeunes.
2. Les étudiants ne font pas leurs devoirs.
3. Les professeurs ne préparent pas les cours.
4. Les Américains n'aiment pas la cuisine française.
5. Les Français n'aiment pas les vins américains.
6. Les gens ne respectent pas la nature.

8 **Le bon étudiant et le mauvais étudiant** ···

Julien est un bon étudiant. Vincent est un mauvais étudiant. Dites ce que chacun (*each one*) fait ou ne fait pas en utilisant un pronom complément d'objet direct. Soyez logique.

✴ Qui prépare ses examens?
Julien les prépare.
Vincent ne les prépare pas.

1. Qui écoute le professeur?
2. Qui fait ses devoirs?
3. Qui apprend la grammaire?
4. Qui étudie les verbes irréguliers?
5. Qui aide ses camarades de classe?
6. Qui oublie son livre de français?
7. Qui trouve les réponses aux questions?
8. Qui perd son temps à l'université?

9 Oui ou non?

Demandez à votre partenaire s'il/si elle fait les choses suivantes.

✸ inviter souvent tes amis?
— *Est-ce que tu invites souvent tes amis?*
— *Oui, je les invite souvent.*
ou — *Non, je ne les invite pas souvent.*

1. aider tes parents? ton meilleur ami?
2. admirer le président? les gens riches?
3. aimer la musique classique? le rap?
4. perdre ton temps? ton sang-froid (*cool*)?
5. étudier la biologie? le droit?

6. regarder la télé? les films d'horreur?
7. suivre les sports à la télé? la politique internationale?
8. faire la cuisine? les courses?
9. nettoyer souvent ton bureau? ta chambre?
10. avoir ton permis de conduire (*driver's license*)? ton diplôme d'université?

10 Conversation

Posez des questions à votre partenaire. Il/Elle va répondre avec les expressions suggérées ou avec une expression personnelle.

✸ quand / faire les courses? (le week-end)
— *Quand est-ce que tu fais les courses?*
— *Je les fais le week-end (le vendredi...).*

1. quand / regarder la télé?
(après le dîner)
2. pourquoi / étudier le français?
(pour aller en France)
3. où / retrouver tes copains?
(au café)
4. quand / faire tes devoirs?
(le soir)

5. où / acheter tes vêtements?
(dans une boutique de soldes [*discount shop*])
6. pour combien / louer ton appartement?
(500 dollars par mois)
7. depuis quand / connaître ton meilleur ami?
(depuis l'année dernière)
8. depuis combien de temps / suivre ce cours?
(depuis trois mois)

11 Ce matin

Demandez à votre partenaire s'il/si elle a fait les choses suivantes ce matin.

✸ acheter le journal?
— *As-tu acheté le journal?*
— *Oui, je l'ai acheté.*
ou — *Non, je ne l'ai pas acheté.*

1. écouter les informations (*news*)?
2. regarder le thermomètre?
3. prendre le petit déjeuner?
4. faire le café?
5. regarder ton livre de français?
6. préparer le cours de français?
7. attendre le facteur (*mailman*)?
8. nettoyer ta chambre?

C. Le verbe *voir*

The verb **voir** (*to see*) is irregular.

infinitive	**voir**	Je vais **voir** un film.
present	je **vois**	Je **vois** mes amis ce week-end.
	tu **vois**	Tu **vois** souvent tes grands-parents?
	il/elle/on **voit**	Elle **voit** souvent ses copains.
	nous **voyons**	Nous **voyons** un film ce soir.
	vous **voyez**	Vous **voyez** bien sans lunettes?
	ils/elles **voient**	Ils **voient** leurs copains ce soir.
passé composé	j'**ai vu**	Quel film est-ce que tu **as vu**?

Verbes conjugués comme *voir*

prévoir	*to foresee, to forecast*	On **prévoit** du beau temps pour le week-end.
revoir	*to see again, to look over*	J'**ai revu** mes notes avec l'examen.

12 **Et vous?** •

1. Est-ce que vous voyez bien? Avez-vous besoin de lunettes?
2. Voyez-vous souvent votre famille? vos amis? vos grands-parents?
3. Ce week-end allez-vous voir un film? un match de basket?
4. Est-ce que vous avez vu un film récemment (*recently*)? Quel film avez-vous vu?
5. Est-ce que vous avez regardé la télé hier? Quel programme avez-vous vu?
6. Avez-vous déjà vu un OVNI (*UFO*)? Où et quand?
7. Quel temps est-ce que la météo (*weather forecast*) prévoit pour aujourd'hui? pour demain? Quel temps a-t-elle prévu le week-end dernier?

13 **Quand?** •

Demandez à votre partenaire quand il/elle a vu les personnes ou les choses suivantes. Il/Elle va répondre avec une des expressions suggérées ou une expression personnelle.

✴ ton copain
— *Quand est-ce que tu as vu ton copain?*
— *Je l'ai vu ce matin (hier soir...).*

1. ton cousin
2. tes parents
3. tes grands-parents
4. ton voisin
5. le président de l'université
6. ton prof d'anglais
7. le dernier match de foot
8. le dernier film

> ce matin
> hier
> le week-end dernier
> il y a une semaine
> il y a trois mois
> pendant les vacances
> ???

D. Les pronoms *le, la, les* avec l'infinitif

Note the position of the direct-object pronouns in the answers to the questions below.

questions	answers
Quand vas-tu voir **David**?	Je vais **le voir** ce soir.
Devons-nous préparer **cette leçon**?	Oui, nous devons **la préparer.**
Veux-tu acheter **mes livres**?	Non, je ne veux pas **les acheter.**

In most INFINITIVE CONSTRUCTIONS with verbs like **aimer, aller, vouloir, devoir, pouvoir,** and **venir de,** the direct-object pronoun comes immediately BEFORE the infinitive, according to the pattern:

subject + (ne) + conjugated verb + (pas) + $\left\{ \begin{array}{l} \textbf{le (l')} \\ \textbf{la (l')} \\ \textbf{les} \end{array} \right\}$ + INFINITIVE

Je vais **faire mes devoirs** demain.   Je ne vais pas **les faire** ce soir.

14 Le week-end prochain •

Demandez à votre partenaire s'il/si elle va faire les choses suivantes le week-end prochain. Il/Elle peut répondre affirmativement ou négativement.

✴ faire les courses?
— *Tu vas faire les courses ce week-end?*
— *Oui, je vais les faire.*
ou — *Non, je ne vais pas les faire.*

1. faire le ménage?
2. dépenser ton argent?
3. écouter tes CD?
4. préparer tes cours?
5. inviter ton meilleur ami au cinéma?
6. voir ta cousine?
7. retrouver tes copains?
8. aider tes parents?

15 Procrastination •

Les gens suivants ne font pas certaines choses immédiatement. Dites quand ils vont les faire.

✴ Pauline ne fait pas les courses. (demain)   *Elle va les faire demain.*

1. Mélanie ne fait pas ses devoirs. (avant le dîner)
2. Vincent ne nettoie pas sa chambre. (ce week-end)
3. Je ne regarde pas mes messages. (ce soir)
4. Nous n'invitons pas nos amis. (le week-end prochain)
5. Tu ne prépares pas ton examen. (la semaine prochaine)
6. Vous n'apprenez pas les verbes. (avant l'examen)
7. Les étudiantes ne rendent pas les livres à la bibliothèque. (avant les vacances)
8. Je ne suis pas le cours de biologie. (le semestre prochain)
9. Tu ne regardes pas la télé. (après le dîner)

E. Passé composé: l'accord du participe passé

In the answers below, the direct-object pronouns are all of different GENDER (masculine or feminine) and NUMBER (singular or plural). Note the form of the past participle in each case.

As-tu fini **cet exercice**?	Oui, je l'ai **fini**.
As-tu fini **la leçon**?	Oui, je l'ai **finie**.
As-tu fini **tes devoirs**?	Oui, je **les** ai **finis**.
As-tu fini **les leçons**?	Non, je ne **les** ai pas **finies**.

In the passé composé with **avoir,** the past participle AGREES with the DIRECT OBJECT, if that direct object comes BEFORE the verb.

position of the direct object	past participle		
after the verb	no agreement	Tu as **vu Mélanie.**	Tu as **trouvé tes livres.**
before the verb	agreement	Oui, je l'ai **vue.**	Non, je ne **les** ai pas **trouvés.**

À noter

→ When the past participle ends in **-é, -i, -u,** masculine and feminine forms sound the same.

→ When the past participle ends in **-s** or **-t,** the final "s" or "t" is pronounced in the feminine form.

Tu as **pris** ta raquette?	Oui, je l'ai **prise.**
Tu as **fait** la préparation?	Non, je ne l'ai pas **faite.**

> **RAPPEL**
> faire → fait
> mettre → mis
> prendre → pris

---

16 Chaque chose à sa place · · · · · · · ·

Demandez à votre partenaire où il/elle a mis certaines choses.

✷ la glace (au réfrigérateur)
— *Où as-tu mis la glace?*
— *Je l'ai mise au réfrigérateur.*

1. les livres (sur le bureau)
2. la limonade (sur la table)
3. les CD (dans la chambre)
4. la voiture (au garage)
5. ton argent (à la banque)
6. tes notes (dans mon sac)

17 Oui ou non? · · · · · · · · · · · · · · ·

Vous avez un(e) ami(e) qui déteste étudier. Demandez-lui s'il/si elle a fait les choses suivantes.

✷ préparer l'examen?
— *Tu as préparé l'examen?*
— *Non, je ne l'ai pas préparé.*

1. regarder la télé?
2. faire la préparation?
3. finir les devoirs?
4. apprendre les verbes?
5. écouter tes CD?
6. étudier la leçon?

18 Zut alors! •

Demandez à votre partenaire, qui est très distrait(e) (*absent-minded*), où sont certains objets.
Il/Elle va vous répondre avec des phrases affirmatives (1–4) ou négatives (5–8).

✳ tes livres? (oublier)
   — *Où sont tes livres?*
   — *Zut alors! Je les ai oubliés.*

1. ton sac? (laisser à la maison)
2. ton mobile? (oublier)
3. ta raquette? (perdre)
4. tes CD? (laisser chez un copain)
5. ton cahier? (prendre)
6. tes notes? (prendre)
7. ta préparation? (faire)
8. ton argent? (apporter)

19 Où est-ce? •

Christine demande à Mélanie, sa camarade de chambre, où sont certains objets. Mélanie dit ce
qu'elle a fait de ces objets. Avec un(e) partenaire, jouez les deux rôles selon le modèle.

✳ le livre d'histoire? (rendre à Pierre)
   CHRISTINE: *Dis, Mélanie, où est le livre d'histoire?*
   MÉLANIE: *Je l'ai rendu à Pierre.*

1. les CD-ROM d'espagnol? (rendre à la prof)
2. la petite table? (mettre dans ma chambre)
3. les chemises? (apporter à la blanchisserie [*laundry*])
4. les photos? (envoyer à mes parents)
5. le journal? (prendre avec moi ce matin)
6. les lettres? (mettre à la poste)
7. ta voiture? (apporter à la station-service)
8. ta vieille bicyclette? (vendre)

Phonétique: La consonne /l/

In French, the consonant /l/ is always pronounced with the tongue touching the upper front
teeth. In English, the tongue is often farther back in the mouth.

Contrastez: il *eel*   l'eau *low*

Répétez:
   le   la   les   livre   lecteur   là-bas   lunettes
   allez   voulez   vélo   salade   poulet   blanc   plat
   il   ville   mille   facile   sole   nouvelle   quelle   je m'appelle

À votre tour

Compréhension orale

Vous allez entendre des jeunes Français qui parlent de leurs études. Écoutez bien. Si la personne mentionne des études littéraires, marquez la rangée A. Si elle mentionne des études scientifiques, marquez la rangée B. Si elle mentionne des études commerciales, marquez la rangée C.

	1	2	3	4	5	6	7	8
A. études littéraires								
B. études scientifiques								
C. études commerciales								

Conversation dirigée

Your roommate cannot stop talking about Julie, a French student he/she met last month.

Ask your partner . . .
- where he/she met Julie
- if he/she knows her friends
- if he/she sees her often
- if he/she is going to invite her to the movies next weekend
- if so, what movie **(quel film)** they are going to see

Expression libre

Avec votre partenaire, discutez d'un film que vous avez vu récemment. Si possible, utilisez les pronoms **le, la, les.**

Voici quelques suggestions:
- Comment s'appelle le film?
- Où avez-vous vu ce film? (dans quel cinéma?) Quand?
- Comment avez-vous trouvé ce film? (génial? stupide? original? ...?)
- Comment avez-vous trouvé les acteurs?
- Est-ce que vous allez recommander ce film à vos amis? Pourquoi ou pourquoi pas?

Expression écrite

Décrivez votre université à un étudiant français qui veut passer un semestre dans une université américaine. Vous pouvez indiquer:
- comment s'appelle votre université
- quelle sorte d'université (publique ou privée)
- où elle est située
- combien il y a d'étudiants
- combien coûte la scolarité (*tuition*)

Problèmes, problèmes

Clément habite à Bordeaux. Il est étudiant à la fac de droit de Montpellier. Pendant les vacances de Noël, il est rentré chez lui. Il a rencontré son cousin Antoine. Ils ont parlé de leur vie d'étudiant.

CLÉMENT:	Tu sais, j'ai un problème.
ANTOINE:	Tu as raté tes examens?
CLÉMENT:	Non, mon problème, c'est mon camarade de chambre.
ANTOINE:	Ah bon? Qu'est-ce qu'il t'a fait?
CLÉMENT:	Eh bien voilà. Le mois dernier, je lui **ai prêté** mon portable.
ANTOINE:	Et il te l'a rendu?
CLÉMENT:	Non, il l'a oublié dans le bus!
ANTOINE:	Je comprends ton problème!
CLÉMENT:	Mais ce n'est pas tout. La semaine dernière, je lui ai prêté ma voiture...
ANTOINE:	Et il ne te l'a pas rendue?
CLÉMENT:	Si, il me l'a rendue, mais avec le **phare cassé**!
ANTOINE:	Tu lui as demandé de payer la **réparation**?
CLÉMENT:	Bien sûr, mais il me **dit** que ce n'est pas lui!
ANTOINE:	Écoute, il y a une solution à ton problème! Est-ce que je peux te donner un conseil?
CLÉMENT:	Bon, je t'écoute.

loaned him

headlight / broken

repair

says

ANTOINE: Cherche un autre camarade de chambre.

CLÉMENT: Mais, c'est impossible...

ANTOINE: Et pourquoi?

CLÉMENT: Parce que mon camarade de chambre, c'est le frère de ma copine.

ANTOINE: Ça, c'est un autre problème.

À propos du texte

1. Quel est le problème de Clément? Pourquoi?
2. Qui est son camarade de chambre?
3. Avez-vous eu une expérience semblable (*similar*) avec votre camarade de chambre? ou avec un(e) ami(e)?

Note culturelle
Les universités françaises

En France, comme dans les autres pays européens, l'enseignement° est la responsabilité du gouvernement. La quasi-totalité° des universités sont des universités publiques, administrées et financées par le Ministère de l'Éducation nationale.

Les universités françaises

Il y a 83 universités publiques en France.
- 17 dans la région parisienne
  (Les universités de Paris portent un numéro: Paris I, Paris II, etc.)
- 61 dans les villes de province
- 5 dans les territoires d'outre-mer

Dans les universités publiques, l'enseignement est gratuit°. Les étudiants ne paient pas de scolarité, seulement des frais° administratifs minimes (à peu près° 300 euros par an). Beaucoup d'étudiants ont aussi des bourses° du gouvernement. Avec cette aide financière, ils peuvent payer leur logement et leur nourriture.

Dans la majorité des universités françaises, le «campus» comprend seulement les bâtiments administratifs, les salles de cours° et la bibliothèque. Les étudiants peuvent être logés dans les cités universitaires constituées de plusieurs résidences situées à une certaine distance du campus. Ils prennent leurs repas aux restaurants universitaires, ou *Resto-U*. Ces restaurants sont subventionnés° par le gouvernement. Un repas complet coûte trois ou quatre euros.

À votre avis

Quels sont les avantages d'aller à l'université en France?

---

enseignement *education*   **La quasi-totalité** *Almost all of*   **gratuit** *free*   **frais** *fees*   **à peu près** *about*   **bourses** *scholarships*
salles de cours *lecture halls*   **subventionnés par** *subsidized by*

La langue française

A. Les verbes *dire, lire* et *écrire*

The verbs **dire** (*to say, tell*), **lire** (*to read*), and **écrire** (*to write*) are irregular.

infinitive	dire	lire	écrire
present	Je **dis** que j'ai raison Tu **dis** une chose stupide. On **dit** que c'est vrai. Nous **disons** la vérité. Vous **dites** que c'est facile. Ils **disent** que j'ai tort.	Je **lis** un magazine. Tu **lis** une annonce. Il **lit** un article. Nous **lisons** un livre. Vous **lisez** le journal. Ils **lisent** une lettre.	J' **écris** une lettre. Tu **écris** à un ami. Elle **écrit** à une amie. Nous **écrivons** un poème. Vous **écrivez** un roman. Elles **écrivent** à un ami.
passé composé	J'**ai dit** la vérité.	J'**ai lu** ce journal.	J'**ai écrit** à ma tante.

➡ **Décrire** (*to describe*) is conjugated like **écrire.**

Le journaliste **décrit** la situation économique.

➡ Note the expression **vouloir dire** (*to mean*).

Qu'est-ce que vous **voulez dire**?   Que **veut dire** cette expression?

> **À noter**
>
> The conjunction **que** (*that*) must be used after **dire, lire, écrire,** and other similar verbs to introduce a clause. In English the word *that* is often omitted.
>
> Mélanie dit **que** le film est génial.   *Mélanie says (**that**) the movie is great.*
> Je pense **qu'**elle a raison.   *I think (**that**) she is right.*

1 Après le film

Des copains sont allés au cinéma. Maintenant ils parlent du film. Décrivez ce que chacun dit.

✹ Sophie / le film est excellent   *Sophie dit que le film est excellent.*

1. nous / nous avons aimé le film
2. toi / le film est mauvais
3. moi / les acteurs jouent bien
4. Nicolas / le scénario est stupide
5. Isabelle / elle n'aime pas l'actrice principale
6. Frédéric et Marc / le film est trop long
7. Thomas / la musique est bonne
8. vous / les billets (*tickets*) sont trop chers

2 Quel verbe?

Complétez les phrases avec le verbe (**dire, lire** ou **écrire**) qui convient.

1. Thomas _____ une carte à sa soeur. Dans sa carte, il _____ qu'il n'aime pas ses cours.
2. En classe, nous _____ un roman d'Albert Camus. Le professeur _____ que c'est le meilleur roman moderne.
3. Quel journal est-ce que vous _____? Qu'est-ce que les journalistes _____ de la politique américaine?
4. À qui est-ce que vous _____ cette lettre? Est-ce que vous _____ la vérité dans cette lettre?

Vocabulaire: On lit, on écrit, on dit

On lit...

le courrier	*(the) mail*	**une annonce**	*(classified) ad*
un journal	*(news)paper*	**une bande dessinée**	*comic strip*
(pl. journaux)		**une histoire**	*story; history*
un magazine	*magazine*	**une nouvelle**	*news item*
un message	*message*	**les nouvelles**	*(the) news*
un roman	*novel*	**une revue**	*magazine*
un roman policier	*detective story*		

On écrit...

un blog	*blog*	**une carte**	*card*
un email, un courriel	*e-mail*	**une carte postale**	*postcard*
un journal	*diary, journal*	**une lettre**	*letter*
un poème	*poem*		
un texto	*text message*		

On dit...

un mensonge	*lie*	**la vérité**	*truth*
un mot	*word*	**une phrase**	*sentence*

➡ French has two verbs which mean *to tell.*

dire	*to tell or say (something)*	Est-ce que tu **dis** toujours la vérité?
raconter	*to tell or narrate (a story)*	Cécile **raconte** une histoire drôle.

3 Et vous? •

Répondez aux questions suivantes. Comparez vos réponses avec votre partenaire.

1. Quel journal lisez-vous? Quels magazines?
2. Quand vous achetez un journal, est-ce que vous lisez les nouvelles? les annonces? la page des sports? les bandes dessinées? l'horoscope?
3. Quelles sont vos bandes dessinées favorites?
4. Aimez-vous lire? Avez-vous lu un roman récemment? Quel roman?
5. Pour contacter vos amis, préférez-vous téléphoner, écrire un courriel ou écrire un texto?
6. Utilisez-vous une messagerie instantanée? Combien de messages échangez-vous par jour?
7. Avez-vous un journal intime (*diary*)? une page web? un blog?
8. Quand vous êtes en vacances, écrivez-vous des cartes postales? À qui?
9. Est-ce que vous dites toujours la vérité? Est-ce qu'il y a des occasions où vous ne dites pas la vérité? Quand et pourquoi?
10. Selon vous, est-ce que les journalistes disent la vérité? Et les hommes et femmes politiques (*politicians*)? et le président?

B. Les pronoms *lui, leur*

INDIRECT-OBJECT PRONOUNS replace **à** + NOUN representing PEOPLE. Note the forms and position of the pronouns in the answers to the questions below.

Tu parles souvent **à Thomas?**	Oui, je **lui** parle souvent.
Tu as téléphoné **à Mélanie?**	Non, je ne **lui** ai pas téléphoné.
Tu écris souvent **à tes cousins?**	Non, je ne **leur** écris pas souvent.
Tu as téléphoné **à tes copines?**	Oui, je **leur** ai téléphoné.

INDIRECT-OBJECT PRONOUNS refer to PEOPLE. They have the following forms:

singular	**lui**	(to) him (to) her	Tu écris à Paul? Et **à Charlotte?**	Oui, je **lui** écris. Je **lui** écris aussi.
plural	**leur**	(to) them	Et **à tes cousins?**	Je **leur** écris à Noël.

⟹ Like direct-object pronouns, the indirect-object pronouns usually come BEFORE THE VERB.

> J'ai vu Charlotte hier.   Je **lui** ai montré mes photos.

⟹ In an infinitive construction, **lui** and **leur** come immediately BEFORE THE INFINITIVE.

> Voici Lucas.   Nous allons **lui** parler.   Nous n'allons pas **lui** téléphoner.

⟹ Since **lui** and **leur** are INDIRECT objects, there is NO agreement with the past participle in the passé composé. Compare:

	indirect object	direct object
(Charlotte)	Je **lui** ai téléphon**é**.	Je l'ai invit**ée** au concert.
(Marc et David)	Je **leur** ai parl**é**.	Je **les** ai aid**és** avec la préparation.

4 Oui ou non?

Demandez à votre partenaire si oui ou non il/elle fait les choses suivantes.

✳ téléphoner souvent à ton meilleur ami?
— *Est-ce que tu téléphones souvent à ton meilleur ami?*
— *Oui, je lui téléphone souvent.*
ou — *Non, je ne lui téléphone pas souvent.*

1. téléphoner souvent à ta meilleure amie?
2. parler souvent à tes voisins?
3. rendre souvent visite à ton cousin?
4. rendre visite à tes grands-parents?
5. répondre en français au professeur?
6. écrire à tes amis pendant les vacances?
7. écrire à ta cousine pour son anniversaire?
8. envoyer des textos à tes copains?
9. dire toujours la vérité à ton meilleur ami?
10. parler de tes problèmes à tes parents?

5 Une bonne copine

Pierre a une bonne copine qui s'appelle Mélanie. Dites ce qu'il fait pour elle. Pour cela, complétez les phrases avec **la (l')** ou **lui**.

✳ Il __*l'*__ aide avec ses examens.
Il __*lui*__ téléphone tous les jours.

1. Il _____ connaît depuis six ans.
2. Il _____ invite souvent au restaurant.
3. Il _____ envoie souvent des emails.
4. Il _____ écrit une carte pour son anniversaire.
5. Il _____ voit le week-end.
6. Il _____ parle de ses problèmes.
7. Il _____ dit toujours la vérité.
8. Il _____ rend visite pendant les vacances.

À noter

Lui and **leur** cannot be used with certain verbal expressions such as **penser à** and **faire attention à**.

Instead, the construction **à** + STRESS PRONOUN is used to replace **à** + PERSON(S).

Je pense **à mes amis.**   Je pense **à eux.**
Ne fais pas attention **à Robert.**   Ne fais pas attention **à lui.**

Vocabulaire: Quelques verbes utilisés avec un complément d'objet indirect

parler		to speak	Qui a **parlé à** Julien?
poser une question		to ask a question	**As**-tu **posé** la question **au** prof?
rendre visite	**à quelqu'un**	to visit	Hier, j'**ai rendu visite à** Marc.
répondre		to answer	**Réponds à** Charlotte.
téléphoner		to phone, call	**Téléphonez à** vos amis.

demander		to ask (for)	**Demande** des conseils **à** ton père.
dire		to tell	**As**-tu **dit** la vérité **à** ton copain?
donner		to give	Je **donne** une revue **à** Pauline.
écrire	**quelque chose**	to write	J'**ai écrit** une lettre **à** Cécile.
envoyer	**à quelqu'un**	to send	**As**-tu **envoyé** un email **à** Éric?
montrer		to show	J'**ai montré** mes photos **à** Michel.
prêter		to loan, lend	Je **prête** mon mobile **à** Sophie.
rendre		to give back	Je dois **rendre** ce CD **à** Aurélie.

⟶ Note the following constructions with **demander:**

> **Demande à** Léa **si** elle fait les courses.
> *Ask Léa if (whether) she is going shopping.*

> **Demande à** Léa **de** faire les courses.
> *Ask Léa to go shopping.*

6 **Les amis de Mélanie** •

Mélanie a beaucoup d'amis qui font beaucoup de choses pour elle. Complétez les phrases suivantes avec **Mélanie** ou **à Mélanie**.

✳ Thomas invite...
Thomas invite Mélanie.

1. Julien aide...
2. Nicolas téléphone...
3. Vincent parle...
4. Céline répond...
5. Émilie écoute...
6. Maxime regarde...
7. Marc prête sa voiture...
8. Camille pose une question...
9. Éric donne un DVD...
10. Sophie cherche...
11. Pauline demande un livre...
12. David montre ses photos...
13. Philippe rend visite...
14. Jérémy aime...
15. Charlotte voit souvent...
16. Sarah attend...
17. Antoine dit toujours la vérité...
18. Catherine envoie un email...
19. Alice connaît bien...
20. Cécile écrit souvent...

7 Quelques prêts (*loans*) •

Dites quels objets de la liste vous allez prêter aux personnes suivantes.

✸ Élodie veut écrire.
Je vais lui prêter mon stylo.

1. Thomas et Pierre veulent téléphoner.
2. Isabelle veut prendre des photos.
3. Léa et Audrey veulent écouter une chanson (*song*).
4. Sophie veut envoyer un email.
5. Claire et Marc veulent étudier la leçon.
6. Éric veut jouer au tennis.
7. Mes copains veulent aller à la campagne.
8. Le professeur veut lire les nouvelles.

> • le journal
> • ma raquette
> • mon baladeur MP3
> • mon auto
> • mon ordinateur
> • mon stylo
> • mon portable
> • mes notes
> • mon appareil-photo

8 Relations personnelles •

Informez-vous sur les personnes suivantes. Dites si oui ou non elles font certaines choses pour les personnes soulignées. Pour cela utilisez les verbes avec les pronoms d'objet direct (**le, la, l', les**) ou indirect (**lui, leur**) qui conviennent.

✸ Paul n'aime pas <u>Philippe</u>.
• trouver sympathique?   **Il ne le trouve pas sympathique.**
• parler souvent?   **Il ne lui parle pas souvent.**

1. Antoine aime beaucoup <u>Béatrice</u>.
• téléphoner souvent?
• écrire des poèmes?

2. M. Normand déteste <u>ses voisins</u>.
• inviter?
• rendre visite?

3. Les étudiants admirent <u>le prof</u>.
• écouter?
• demander des conseils?

4. Le prof est gentil avec <u>les étudiants</u>.
• aider avec le cours?
• donner des examens difficiles?

5. Alice est généreuse avec <u>sa soeur</u>.
• prêter de l'argent?
• donner des cadeaux (*gifts*)?

6. Julien est égoïste avec <u>ses frères</u>.
• prêter sa voiture?
• inviter au cinéma?

9 Au bureau •

Monsieur Moreau demande à son assistant s'il a fait les choses suivantes. Avec votre partenaire, jouez les rôles de Monsieur Moreau et de son assistant. Dans les réponses de l'assistant, utilisez le pronom d'objet direct ou indirect qui convient.

✸ téléphoner à Mme Ledru? (non)
M. MOREAU: **Avez-vous téléphoné à Madame Ledru?**
L'ASSISTANT: **Non, je ne lui ai pas téléphoné.**

1. répondre à la présidente? (oui)
2. préparer le contrat? (oui)
3. écrire à M. Tabard? (non)
4. lire les annonces? (non)
5. inviter les clients américains? (oui)
6. préparer la présentation PowerPoint? (non)
7. envoyer un email à nos clients japonais? (oui)
8. parler à l'agent commercial? (non)

C. Les pronoms *me, te, nous, vous* — TO DESCRIBE INTERPERSONAL RELATIONSHIPS

Note the forms and position of the object pronouns in the following sentences.

— Tu **me** parles?	*Are you speaking **to me**?*
— Oui, je **te** parle.	*Yes, I am speaking **to you**.*
— Tu **nous** as téléphoné hier?	*Did you call **us** yesterday?*
— Non, je ne **vous** ai pas téléphoné.	*No, I didn't call **you**.*

The following OBJECT PRONOUNS correspond to **je, tu, nous, vous.** Note that the same pronoun can function as either a DIRECT or an INDIRECT object.

			direct object	indirect object
singular	**me (m')** **te (t')**	*me, to me* *you, to you*	Claire **me** voit. Alain **t'**invite.	Elle **me** parle. Il **te** téléphone.
plural	**nous** **vous**	*us, to us* *you, to you*	Marc **nous** aide. Annie **vous** aime.	Il **nous** prête ses notes. Elle **vous** écrit.

> LIAISON
> Eva nous‿invite.
> Je vous‿écris.

➡ Like all object pronouns, **me, te, nous, vous** usually come BEFORE THE VERB. In an infinitive construction they come BEFORE THE INFINITIVE.

Je **vous** aide.   Je peux **vous** aider.

Pierre ne **m'**écoute pas.   Pierre ne veut pas **m'**écouter.

> **À noter**
>
> In the PASSÉ COMPOSÉ, the past participle agrees with **me, te, nous, vous** only when these pronouns are DIRECT OBJECTS of the verb. Compare and contrast:
>
> | indirect objects: no agreement | direct objects: agreement |
> |---|---|
> | Je **vous** ai téléphoné, Monsieur, ... | et je **vous** ai invit**é**. |
> | Je **vous** ai téléphoné, Madame, ... | et je **vous** ai invit**ée**. |
> | Je **vous** ai téléphoné, Marc et David, ... | et je **vous** ai invit**és**. |
> | Je **vous** ai téléphoné, Sophie et Zoé, ... | et je **vous** ai invit**ées**. |

10 Entre amis (Among friends)

Demandez à vos camarades de faire les choses suivantes pour vous. Ils vont accepter ou refuser.

✱ prêter tes notes?
— *Tu me prêtes tes notes?*
— *D'accord, je te prête mes notes.*
ou — *Pas question! Je ne te prête pas mes notes.*

1. téléphoner ce soir?
2. attendre après la classe?
3. aider avec l'exercice?
4. inviter au restaurant?
5. prêter tes CD?
6. donner cinq dollars?
7. montrer tes photos?
8. rendre mon livre?
9. prêter ton mobile?
10. passer le journal?

11 Reproches

Les parents de Thomas lui font certains reproches. Thomas se défend (*defends himself*). Avec votre partenaire, jouez le rôle du père et de Thomas.

✱ téléphoné hier
Le père: *Tu ne nous as pas téléphoné hier.*
Thomas: *Mais si, je vous ai téléphoné.*

1. rendre visite ce week-end
2. écrire pour notre anniversaire
3. parler de ton accident d'auto
4. montrer tes notes du trimestre
5. demander des conseils
6. aider à nettoyer le garage
7. attendre après le concert
8. dire la vérité

12 Petits services

Les personnes soulignées ont besoin de certaines choses. Expliquez comment leurs amis les aident. Pour cela, complétez les phrases avec le pronom (**me, te, nous, vous**) représentant ces personnes.

✱ J'ai faim. Patrick __m'__ apporte un sandwich.

1. <u>Nous</u> avons soif.
2. <u>Tu</u> veux téléphoner.
3. <u>Vous</u> allez à Paris.
4. <u>Je</u> veux étudier.
5. <u>Vous</u> préparez l'examen.
6. <u>Nous</u> voulons dîner en ville.
7. <u>Tu</u> es à l'hôpital.
8. <u>Je</u> célèbre mon anniversaire.

Céline _____ apporte des sodas.
Alice _____ prête son mobile.
Nicolas _____ donne l'adresse de son cousin.
Isabelle _____ rend mon livre.
Le prof _____ donne de bons conseils.
Nos copains _____ invitent au restaurant.
Tes amis _____ rendent visite.
Ma tante _____ écrit une carte.

D. La place des pronoms à l'impératif

In the commands below, the verb is in the IMPERATIVE. Contrast the position
of the OBJECT PRONOUNS in affirmative and negative commands.

	affirmative	negative
(moi)	Téléphone-**moi** demain.	Ne **me** téléphone pas ce soir.
(Paul)	Donne-**lui** le journal.	Ne **lui** donne pas les magazines.
(nous)	Attendez-**nous** au café.	Ne **nous** attendez pas ici.
(Léa et Anne)	Invitons-**les** demain.	Ne **les** invitons pas ce soir.

When the verb is in the IMPERATIVE, the <u>position</u> of OBJECT PRONOUNS is:

affirmative	AFTER the verb	Écris-**nous.**
negative	BEFORE the verb	Ne **nous** écris pas.

➡ In affirmative commands:

- **me** becomes **moi:** Écoutez-**moi.**
- verb and pronoun are linked with a hyphen: Demandons-**leur** de venir.

⓭ Arrivée à Québec ·

Vous venez d'arriver à Québec. Demandez certains services aux personnes suivantes.

✳ au serveur du café
- apporter un sandwich   *S'il vous plaît, apportez-moi un sandwich.*

1. au chauffeur de taxi
   - montrer la ville
   - amener à l'hôtel
   - aider avec les bagages

2. à la réceptionniste de l'hôtel
   - montrer ma chambre
   - prêter un plan (*map*) de Québec
   - donner l'adresse d'un bon restaurant

3. à la serveuse du restaurant
   - montrer le menu
   - apporter un verre de vin
   - donner l'addition

4. à un copain canadien
   - prêter ton portable
   - vendre des dollars canadiens
   - présenter (*to introduce*) à tes copains

14 Déménagement (*Moving*)

Vous aidez un(e) camarade à déménager.
Demandez-lui où vous devez mettre
certaines choses. Il/Elle va vous répondre.

❋ la table? / devant la fenêtre
— *Où est-ce que je mets la table?*
— *Mets-la devant la fenêtre.*

1. la lampe? / dans ma chambre
2. la table? / dans la cuisine
3. les plantes? / au salon
4. les livres? / dans ma chambre
5. le réveil? / sur la table
6. l'ordinateur? / sur le bureau
7. le sac? / sur la chaise
8. le vélo? / dans le garage

15 Week-end à Paris

Vous êtes à Paris avec des copains. Vous
décidez de faire les choses suivantes.

❋ visiter le musée d'Orsay
— *On visite le musée d'Orsay?*
— *Mais oui, visitons-le.*

1. visiter la Cité des Sciences
2. acheter le plan (*map*) de Paris
3. acheter ces affiches
4. prendre le métro
5. voir la collection Picasso
6. parler à ces étudiants
7. téléphoner à nos amis français
8. écrire à notre prof de français

16 Maintenant!

Vous habitez à Strasbourg. Demandez à votre camarade de chambre s'il/si elle a fait certaines
choses. Il/Elle va répondre négativement. Dites-lui alors de faire ces choses.

❋ téléphoner à Christophe
— *Tu as téléphoné à Christophe?*
— *Non, je ne lui ai pas téléphoné.*
— *Bon alors, téléphone-lui maintenant.*

1. faire les courses
2. payer le loyer (*rent*)
3. écrire à tes parents
4. téléphoner à ta tante

5. nettoyer ta chambre
6. répondre à ta sœur
7. préparer le dîner
8. acheter les billets (*tickets*) pour le concert

17 Décisions

Dites à votre partenaire de faire ou de ne pas faire certaines choses suivant la situation.

❋ Catherine est sympathique. (inviter?)
Alors, invite-la!

❋ Thomas et Patrick sont pénibles. (inviter?)
Alors, ne les invite pas!

1. Ces chemises sont super. (acheter?)
2. Cette veste est trop chère. (acheter?)
3. Cette comédie est stupide. (regarder?)
4. Ce film est génial. (regarder?)
5. Jérôme et Marc sont snobs. (parler?)
6. Nathalie est une bonne copine. (inviter?)
7. Léa n'est pas chez elle. (téléphoner?)
8. David est à l'hôpital. (rendre visite?)
9. Éric veut téléphoner. (prêter ton mobile?)
10. Camille est très riche. (prêter de l'argent?)

E. L'ordre des pronoms

Sometimes a sentence may contain both a direct- and an indirect-object pronoun. Note the sequence of these pronouns.

le la les	before	lui leur	Je prête mon vélo à Alice.	Je **le lui** prête.
			Tu envoies cette carte à tes cousins.	Tu **la leur** envoies.
			Nous montrons nos photos à Éric.	Nous **les lui** montrons.

➡ This order is also used in AFFIRMATIVE commands.

Montre la photo à Catherine.   Montre-**la-lui.**

me te nous vous	before	le la les	Vous me donnez le journal.	Vous **me le** donnez.
			Cécile te donne son adresse.	Elle **te la** donne.
			Paul nous vend sa chaîne-stéréo.	Il **nous la** vend.
			Sylvie vous prête ses DVD.	Elle **vous les** prête.

➡ Note the order in AFFIRMATIVE commands.

| le la les | before | moi nous | Donne-moi ton adresse. | Donne-**la-moi.** |
| | | | Montrez-nous vos photos. | Montrez-**les-nous.** |

18 Oui ou non?

Demandez à votre partenaire si oui ou non il/elle fait les choses suivantes.

❋ prêter ton portable à ton copain?
— *Tu prêtes ton portable à ton copain?*
— *Oui, je le lui prête.*
ou — *Non, je ne le lui prête pas.*

1. prêter tes CD à ton frère?
2. prêter ta voiture à ta copine?
3. donner ton adresse email à tes amis?
4. montrer tes notes à tes parents?
5. montrer ton journal (*diary*) à ta mère?

19 Un bon copain

Vous avez un bon copain. Il vous offre les choses suivantes. Acceptez-les.

❋ — Tu veux ma voiture? (prêter)
— *Oui, prête-la-moi!*

1. Tu veux mon portable? (prêter)
2. Tu veux mon numéro de téléphone? (donner)
3. Tu veux voir mes photos? (montrer)
4. Tu veux mon adresse électronique? (envoyer)
5. Tu veux écouter mes CD? (prêter)
6. Tu veux regarder le journal? (passer)

Phonétique: Les voyelles /ø/ et /œ/

The French vowels /ø/ and /œ/ have no counterpart in English. In written French, they are represented with the letters "eu" or "oeu".

• The vowel /ø/ occurs at the end of a word or before the sound /z/. Pronounce it by rounding your lips tensely as you say /e/.

Répétez: d<u>eu</u>x j<u>eu</u> je v<u>eu</u>x je p<u>eu</u>x il pl<u>eu</u>t séri<u>eu</u>x séri<u>eu</u>se

• The vowel /œ/ occurs in the middle of a word or before a consonant sound.

Répétez: l<u>eu</u>r b<u>eu</u>rre meill<u>eu</u>r h<u>eu</u>re j<u>eu</u>di bonh<u>eu</u>r <u>Eu</u>rope <u>oeu</u>f b<u>oeu</u>f s<u>oeu</u>r hors-d'<u>oeu</u>vre

À votre tour

Compréhension orale

Écoutez les descriptions de certains jeunes Français. S'ils sont à leur ordinateur, marquez la rangée A. S'ils n'utilisent pas leur ordinateur, marquez la rangée B.

	1	2	3	4	5	6	7	8
A.								
B.								

Conversation dirigée

Ask your partner about his/her activities.

Find out . . .
- if he/she has read an interesting novel recently **(récemment)**
- if he/she sends e-mails to his/her cousins
- if he/she lends DVDs to his/her friends
- if he/she reads any newspapers, and if so, which ones
- what he/she likes to read in newspapers or magazines
- if he/she often phones his/her parents

Expression libre

Avec votre partenaire, créez un dialogue correspondant à la situation suivante:

- Vous demandez à votre partenaire de vous rendre un service.
- Votre partenaire accepte, mais en échange, il/elle vous demande de lui rendre un autre service.
- Négociez un échange acceptable entre vous.

Dans ce dialogue, vous pouvez utiliser les verbes suivants:

prêter	montrer	dire
aider avec	donner	expliquer *(to explain)*

Expression écrite

Décrivez une lecture intéressante que vous avez faite récemment. Dans votre description vous pouvez expliquer:

- le genre de lecture
  —si c'est un livre, quel genre de livre
  —si c'est un article, dans quel journal ou quel magazine
- le sujet
- l'auteur *(author)*
- pourquoi vous avez trouvé cette lecture intéressante

LA TECHNOLOGIE

L'ordinateur

Dans la vie moderne, beaucoup de gens utilisent...

un ordinateur portable.
un PC.
un portable (*laptop*).

Avec un ordinateur, on peut...

préparer les cours.

composer | **un texte.**
| **une présentation PowerPoint.**

regarder un film.
écouter de la musique.
graver (*burn*) **un CD, un DVD.**

éditer | **des photos.**
organiser |

L'équipement électronique

Pour...	on utilise...
téléphoner	**un portable, un mobile.**
échanger des SMS, des textos	**un ordinateur de poche** [un BlackBerry].
écouter de la musique	**un baladeur CD.**
	un baladeur MP3 [un iPod].
regarder **une cassette vidéo**	**un magnétoscope** (*VCR*).
regarder **un DVD**	**un lecteur DVD** (*DVD player*).
	un lecteur DVD portable.
prendre **une photo**	**un appareil-photo numérique** (*digital camera*).
prendre **un film**	**un caméscope** (*camcorder*).

➡ ***Comment emprunter*** (*to borrow*) ***un objet***

Dis, est-ce que je peux **emprunter** ton portable?

Pourquoi est-ce que tu en as besoin?

Je voudrais téléphoner à une copine.

Bon d'accord, je vais te le **prêter** (*to loan, lend*).

l'écran

le modem

le clavier

un DVD

la souris

un
CD-ROM

le boîtier

un scanner

une imprimante

un PC portable

À votre tour

1. Mon ordinateur

Comment utilisez-vous votre ordinateur hors-ligne (*off line*)? Faites une liste de vos principaux usages. Comparez cette liste avec votre partenaire.

2. Emprunt (*Borrowing things*)

Vous voulez emprunter un des objets suivants à votre partenaire. Créez un dialogue où il/elle vous demande pourquoi.

> **J'utilise mon ordinateur pour...**
> * _____
> * _____
> * _____
> * _____

HM Recherches Internet

Imaginez que vous voulez acheter pour 1 000 euros d'équipement électronique.

* Cherchez le site d'un distributeur (*dealer*) français de cet équipement (par exemple, **www.darty.com** ou **www.fnac.com**).
* Faites une liste des objets que vous voulez acheter avec leurs prix.
* Comparez les prix de ces objets en France et aux États-Unis.

Internet

Quand on a un ordinateur, on peut...

| se connecter | sur | Internet / le Net |
| se brancher | | le Web / la toile |

Quand on est **branché** (*connected*), on peut...

| surfer | sur | le Web |
| naviguer | | Internet |

faire des recherches (*do research*)

| s'informer sur | l'actualité (*current events*) |
| | les nouvelles sportives (*sport news*) |

| télécharger (*download*) | une chanson (*song*) |
| | un fichier (*file*) |

Quand on a **une adresse électronique,** on peut...

envoyer	un courrier électronique / un courriel (*e-mail*)
recevoir	un email / un mail / un mél
	une pièce jointe (*attachment*)
	une photo

On peut aussi...

tchatter
participer à un forum de discussion

| créer | un blog |
| | un site personnel |

acheter	en ligne
faire des achats	
payer une facture (*bill*)	

Mais attention! L'ordinateur peut...

attraper (*catch*) **un virus**
planter (*crash*)

INTERNET
Déclaré d'utilité tout public
MICRO-PORTABLE ÉTUDIANT

Les adresses électroniques

Une adresse électronique comprend les éléments suivants:

mariedupont	@	wanadoo	.	fr
nom	arobase	fournisseur d'accès	point	France
		(portail)		

On le lit ainsi: «mariedupont - arobase - wanadoo - point - F - R».
Typiquement, les deux dernières lettres d'une adresse électronique
indiquent le pays d'origine. Par exemple: **fr** = France; **be** = Belgique;
ca = Canada.

Le Minitel et Internet

En 1981, c'est-à-dire dix ans avant l'invention d'Internet, le Ministère français des Télécommunications a créé un réseau° électronique d'information appelé le Minitel. Le Minitel permet à tout le monde° d'accéder° à un très grand nombre de bases de données°. Pour se brancher sur ce réseau, on utilise un petit terminal, appelé un minitel, donné gratuitement° par l'administration. Les Français utilisent le Minitel dans un grand nombre d'opérations de la vie courante°, par exemple, pour chercher un numéro de téléphone, pour consulter les horaires des films ou pour réserver une place dans le train.

Depuis 2000, les Français sont de plus en plus nombreux à se brancher sur Internet, système beaucoup plus efficace et plus universel que le Minitel. Ils utilisent Internet principalement pour le courrier électronique, l'information°, la recherche de renseignements°, les jeux, les achats, les opérations de banque et la recherche d'emploi.

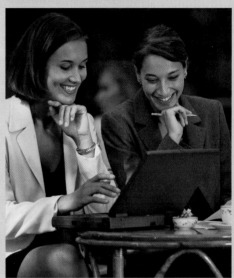

réseau *network* **tout le monde** *everyone* **accéder** *to have access*
bases de données *data bases* **gratuitement** *for free*
vie courante *daily life* **information** *news*
renseignements *information*

À votre tour

1. Adresses électroniques

Échanger votre adresse électronique avec votre partenaire (en français, bien sûr).

2. Internet et moi

Expliquez comment vous utiliser votre ordinateur en ligne. Faites une liste de vos usages principaux. Comparez cette liste avec votre partenaire.

J'utilise mon ordinateur pour...

(les études)

• _____

• _____

• _____

(les loisirs)

• _____

• _____

Avant de lire

Qu'est-ce que vous savez du Québec?
• histoire
• importance du français
• identité québécoise?

Le Québec

L'identité québécoise

Le Québec a la plus grande population francophone du monde après la France. Cette population est multi-ethnique, mais d'origine principalement française.

La majorité des Québécois francophones sont les descendants des colons° français établis dans la «Nouvelle France» au dix-septième et dix-huitième siècles°. En 1763, ces colons français deviennent sujets britanniques malgré eux° quand la France cède toutes ses colonies d'Amérique du Nord à l'Angleterre. Pendant deux siècles, ces «Canadiens français» résistent à l'assimilation désirée par l'administration anglaise. Ils maintiennent° leur identité en préservant leur culture et surtout° leur langue.

En 1950, les Canadiens français sont 4 millions et représentent 90% de la population de la Province de Québec. Ils jouent cependant° un rôle très limité dans l'administration et l'économie dominées par la minorité anglophone. Une transformation radicale de cette situation commence avec la «Révolution tranquille» des années 1960. Conscients° de leur majorité numérique, les francophones prennent le pouvoir politique. Avec le slogan «Soyons° maîtres° chez nous,» ils assument le contrôle du gouvernement, de l'administration et de l'économie.

Une nouvelle identité collective se développe°, l'identité québécoise. Les Canadiens français deviennent des «Québécois» et la province de Québec devient plus simplement «le Québec». Cette identité s'affirme° par la «francisation», c'est-à-dire l'expansion générale de la langue française dans la vie courante°. Sur le plan° culturel, l'identité québécoise se manifeste° dans la chanson, le théâtre, le cinéma et le roman.

Politiquement, l'opinion québécoise est divisée sur la question des relations avec le reste du Canada. Les «Fédéralistes» veulent maintenir le Québec dans la Fédération canadienne. Les «Indépendantistes» proposent une solution plus radicale: la «souveraineté°» du Québec avec association libre° avec le reste du Canada. Cette solution est rejetée dans deux référendums, mais la question reste ouverte°.

---

colons *colonists*   **siècles** *centuries*   **malgré eux** *against their will*   **maintiennent** *maintain*   **surtout** *above all*   **cependant** *however*
Conscients de *Aware of*   **Soyons** *Let's be*   **maîtres** *masters*   **se développe** *is developed*   **s'affirme** *asserts itself*   **vie courante** *daily life*
Sur le plan *From the point of view*   **se manifeste** *is evident*   **souveraineté** *sovereignty*   **libre** *free*   **ouverte** *open*

Un peu d'histoire

La période amérindienne

| 1000 | • Le nord-est du Canada est habité par des tribus amérindiennes **(Inuits, Algonquins, Iroquois).** |

• Exploration des côtes° canadiennes par des marins° vikings.

La période française (1534–1763)

| 1534, 1535 | • **Jacques Cartier,** un marin français, «découvre°» le fleuve° Saint-Laurent et le site de Montréal. |
| 1608 | • **Samuel Champlain** fonde Québec. |

•Arrivée progressive des colons° français qui fondent la «Nouvelle France».

• Alliance avec tribus indiennes **(Hurons, Mohicans, Montagnais).**

1670–1680	• Exploration des Grands Lacs **(Jolliet, Marquette, Duluth)** et de la vallée du Mississippi **(Cavelier de la Salle).**
1754–1760	• Guerre° franco-anglaise. Victoire des Anglais et de leurs alliés Iroquois.
1763	• Traité° de Paris: le Canada devient une colonie anglaise.

La période anglaise (1763–1960)

| 1852 | • Fondation à Québec de l'université Laval, première université francophone en Amérique. |

La période québécoise (1960–)

1974	• Le français devient la langue officielle du Québec.
1977	• La Loi° 101 établit la «Charte de la langue française».
1980, 1995	• Majorité de «nons» aux référendums sur la souveraineté du Québec.

Le drapeau québécois, adopté en 1948: Le drapeau à croix (*cross*) blanche est le drapeau des régiments français au 18e siècle. La fleur-de-lys est le symbole des rois (*kings*) de France.

JE ME SOUVIENS

La devise (*motto*) québécoise: «Je me souviens» (*I remember*). Cette devise évoque la nostalgie des Québécois pour leur passé.

Après la lecture
Quels sont deux faits intéressants que vous avez appris sur le Québec?

HM **Recherches Internet**
Cherchez des informations plus complètes sur un épisode dans l'histoire du Québec et préparez une courte présentation sur ce sujet.

---

côtes *coastlines*   **marins** *sailors*   **découvre** *discovers*   **fleuve** *river*   **colons** *colonists*   **guerre** *war*   **traité** *treaty*   **loi** *law*

LA SAINT-JEAN°

Avant de lire
Quelles fêtes est-ce qu'on célèbre au Québec?

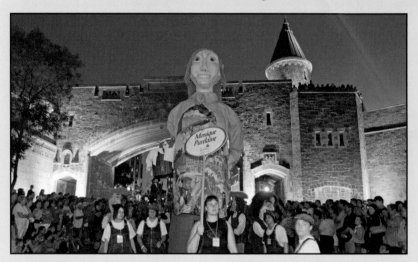

La Saint-Jean, fête de la lumière°, a lieu° le 24 juin. Autrefois°, c'était° la fête traditionnelle des Canadiens français. Aujourd'hui, c'est la fête nationale du Québec et de tous les Québécois. Cette grande fête populaire est célébrée avec joie et émotion dans tout le Québec et particulièrement dans la ville de Québec.

À Québec, les festivités commencent le soir du 23 juin. La population de la ville se rassemble° dans le parc historique des Plaines d'Abraham où est allumé° un immense feu de joie°. On vient écouter le grand concert en plein air° où participent les meilleurs représentants de la chanson québécoise. À minuit un spectaculaire feu d'artifice° illumine la ville.

La fête continue dans la journée du 24. Le matin des défilés° ont lieu dans les différents quartiers de la ville. Les orchestres jouent des airs québécois traditionnels et aussi de la musique pop et de la musique antillaise. L'après-midi, on vient en famille sur les Plaines d'Abraham pour participer à la «Grande Tablée», un immense pique-nique populaire où tout le monde est invité. La fête se termine dans la convivialité et la bonne humeur.

Quelques autres fêtes québécoises

- **Le Carnaval,** à Québec (février) *Grande fête d'hiver présidée par* **Bonhomme,** *mascotte du Carnaval*
- **Les Francofolies,** à Montréal (juillet) *Grande fête internationale de la musique francophone*
- **La Fabuleuse Histoire d'un Royaume°,** à Saguenay (juin, juillet, août) *Immense tableau historique avec participation de la population locale*

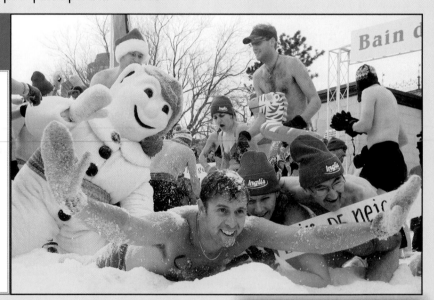

la Saint-Jean *Feast of John the Baptist*   lumière *light*   a lieu *takes place*
Autrefois *In the past*   c'était *it was*   se rassemble *comes together*   allumé *lit*
feu de joie *bonfire*   en plein air *outdoors*   feu d'artifice *fireworks*   défilés *parades*
Royaume *Kingdom*

Après la lecture
À quelle fête québécoise est-ce que vous voudriez participer? Pourquoi?

Une création québécoise:

Le Cirque du Soleil

En 1984, des jeunes Québécois ont décidé de transformer complètement le cirque traditionnel. Leur idée était de créer un spectacle artistique combinant° l'acrobatie, la danse, la musique et la comédie. Leur création, le **Cirque du Soleil,** est aujourd'hui le plus grand cirque du monde.

Dans les spectacles du **Cirque du Soleil,** clowns, musiciens, danseurs, trapézistes, équilibristes° évoluent dans un monde magique, plein° de couleurs. La mise en scène°, les costumes, les jeux de lumière, les effets spéciaux donnent une qualité surréelle à chaque acte. Mais le spectacle reste humain et les participants expriment° une variété de sentiments: l'amour°, la jalousie, la tendresse, la peur, le courage, la poésie...

Né° à Montréal et toujours basé dans cette ville, le **Cirque du Soleil** s'est multiplié° en dehors° du Québec. Il offre aujourd'hui des spectacles permanents à Las Vegas et en Floride, et d'autres spectacles qui circulent au Canada, en Europe et en Australie.

> (HM) **Recherches Internet**
> Allez sur le site du Cirque du Soleil. Faites un rapport sur les différentes spectacles offerts.

---

combinant *combining*   **équilibristes** *tightrope walkers*   **plein de** *full of*   **mise en scène** *staging*   **expriment** *express*   **amour** *love*
Né *Born*   **s'est multiplié** *multiplied*   **en dehors de** *outside of*

Le français québécois

Avant de lire
Qu'est-ce que vous savez du français qu'on parle au Québec? Est-il très différent du français de France?

On parle français à Paris et à Québec, mais avec des accents différents et certaines variations de vocabulaire et de grammaire. Les particularités du français québécois reflètent l'histoire de la région où il s'est développé°.

Vers 1700, les habitants de la Nouvelle France parlaient° un français d'excellente qualité. Cette qualité de langue était maintenue° par l'église catholique, mais surtout par les *Filles du Roy*. Ces jeunes filles, éduquées en France, sont venues en Nouvelle France avec l'encouragement royal pour épouser° les colons° français et créer des familles. Le français parlé à Québec était comparable au français parisien de l'époque° avec, en plus, certaines expressions régionales qui dénotaient les origines diverses des colons: Normandie, Picardie, Saintonge, Touraine, Poitou, Maine.

Après la "conquête" anglaise en 1763, les Français du Canada ont perdu contact avec la France et la langue a évolué de façon indépendante° dans les deux pays. Au Québec, le français a absorbé un certain nombre de mots d'origine anglaise et il a conservé des expressions anciennes. Ainsi° s'est formé° peu à peu le français québécois.

Dans les années 1960, l'usage du français a symbolisé l'émergence de la nouvelle identité québécoise. La protection de cette langue, face à la concurrence° de l'anglais, est donc° devenue une nécessité politique.

Cette protection s'est matérialisée° dans un certain nombre de lois° destinées à généraliser l'usage du français dans tous les aspects de la vie courante°. En 1974, le français a été reconnu comme la seule° langue officielle du Québec. En 1977, la fameuse Loi 101 a établi la «Charte de la langue française» qui renforce l'usage du français dans l'administration, le commerce, les entreprises et les écoles publiques. Un «Office québécois de la langue française» a été créé pour adapter le français aux réalités de la vie moderne, en particulier dans les domaines de la technologie et des communications. Ces mesures ont eu pour effet d'unifier et de moderniser la langue française au Québec. Aujourd'hui, cette langue n'est pas très différente du français parlé en France.

Petit lexique franco-québécois

un chum	un ami
un char	une voiture
une piastre	un dollar
une toune	un air de musique
le déjeuner	le petit déjeuner
le dîner	le déjeuner
le souper	le dîner
la fin de semaine	le week-end
C'est fun!	C'est amusant!
Bonjour!	Au revoir!

---

s'est développé *developed*   **parlaient** *used to speak*   **était maintenue** *was maintained*   **épouser** *to marry*   **colons** *colonists*
époque *period*   **de façon indépendant** *independently*   **Ainsi** *Thus*   **s'est formé** *was formed*   **concurrence** *competition*   **donc** *thus*
s'est matérialisée *materialized*   **lois** *laws*   **vie courante** *daily life*   **seule** *only*

Quelques voix québécoises

Roch Voisine

Roch Voisine est né au Nouveau Brunswick, mais il a grandi° au Québec. Là, il découvre ses deux passions: la guitare et le hockey. Il donne son premier grand concert à Montréal à l'occasion de la Fête du Canada. Roch Voisine devient acteur de télévision et crée sa propre° série télévisée: *Top Jeunesse*. Puis il retourne à sa véritable vocation: la musique. Depuis, il fait des tournées° triomphales au Canada, puis en France et dans tous les pays francophones. Roch Voisine est l'ambassadeur de la musique québécoise en Europe.

Céline Dion

Céline Dion est née à Charlemagne, une petite ville près de Montréal. Elle commence à chanter à l'âge de cinq ans et à treize ans elle enregistre° son premier album. L'année suivante° son second album remporte° la Médaille d'Or° au Festival de la Chanson Internationale de Tokyo. La carrière professionnelle de la chanteuse québécoise est instantanément lancée°. Céline Dion donne des concerts à Montréal, à Paris, à Londres. Entre temps°, elle apprend l'anglais. Avec ses chansons en anglais elle devient rapidement une superstar mondiale.

Gilles Vigneault

Gilles Vigneault est originaire de Natashquan, un petit village de pêcheurs° situé sur l'estuaire du Saint Laurent. C'est le grand poète de la chanson québécoise. Il chante son pays, le Québec, avec ses gens, son hiver, ses misères, ses joies et son espoir°. Sa chanson «Gens du Pays» est aujourd'hui l'hymne non-officiel du Québec. Tous les Québécois connaissent le refrain:

> *Gens du pays, c'est votre tour*
> *De vous laisser parler d'amour*.*
>
> ---
> * *People of the country [of Quebec], it is your turn*
> *to allow yourselves to speak of love.*

 Recherches Internet
Téléchargez une chanson d'un de ces chanteurs.

Après la lecture
Pourquoi est-ce que le français québécois est différent du français parisien? Expliquez les différences.

---

a grandi *grew up*   **propre** *own*   **tournées** *tours*   **enregistre** *records*
suivante *next*   **remporte** *wins*   **Médaille d'Or** *Gold Medal*   **lancée** *launched*
Entre temps *In the meantime*   **pêcheurs** *fishermen*   **espoir** *hope*

Unité 8

Hier et aujourd'hui

En 1900, la France **était** un pays rural. Aujourd'hui, 80% de la population habite dans des villes. La vie urbaine a des avantages, mais aussi des inconvénients. Plusieurs Français expriment leurs opinions sur ce sujet.

was

Laure Mercier (21 ans, étudiante)

Je suis très contente d'habiter à Toulouse où je suis étudiante. D'abord, c'est une ville historique qui a beaucoup de charme. J'apprécie aussi la vie culturelle et les possibilités de loisirs qu'on trouve dans une grande ville: les cinémas, les concerts, les **expositions** et aussi les petits restaurants de **quartier**, les **boîtes** sympa... Et puis, on a l'occasion de rencontrer des gens très différents. Pour moi, la vie urbaine, c'est super!

exhibits
neighborhood / clubs

Inès Nieto (26 ans, chimiste)

Je suis venue à Strasbourg pour mes études. Après l'université, j'ai décidé de rester ici. J'ai trouvé un travail qui paie bien et que je trouve très intéressant (passionnant). J'habite dans un quartier très **ancien** qui a beaucoup de caractère et qui est toujours **animé**. Je **connais** tous les **commerçants** du quartier et maintenant tout le monde me connaît. Je suis très heureuse ici. Vraiment, je ne sais pas comment je **pourrais vivre ailleurs**.

old
lively / know / shopkeepers

could / live / elsewhere

Mounir Belkacem (lycéen, 17 ans)

Mes parents sont venus d'Algérie, mais moi, j'ai toujours **vécu** dans la **banlieue** de Marseille. Je n'aime pas beaucoup le quartier où nous habitons. Il n'y a pas d'atmosphère. Les gens sont **tristes**. Les rues sont **sales**. Les immeubles sont **en mauvais état**. En plus, il n'y a pas de centre commercial, pas d'**équipement** sportif, pas de cinéma. Alors, le week-end, les jeunes n'ont rien à faire... Souvent avec mes copains on prend le bus et on va dans le centre-ville. On aime bien

lived / suburbs

sad / dirty
in bad condition / facilities

flâner dans les rues et regarder les magasins. Mais il y a la police qui nous *to stroll*
surveille et les gens qui nous regardent de travers parce que nous sommes *watches/ give us bad looks*
des enfants d'immigrés. Pour moi, la vie urbaine n'a pas beaucoup d'avantages.

Philippe Bouillon (63 ans, retraité)

J'ai vécu quarante ans à Paris. Eh bien, maintenant je suis très content d'habiter
à la campagne. Je connais beaucoup de jeunes. Je ne sais pas pourquoi ils *know*
veulent tous vivre en ville. Est-ce qu'ils lisent les journaux? Est-ce qu'ils *all*
regardent la télé? Est-ce qu'ils connaissent les problèmes des zones urbaines:
le bruit, la circulation, la pollution, la criminalité... Et je ne parle pas des *noise / traffic*
appartements qui sont minuscules, des services publics qui ne fonctionnent
pas, de la vie qui coûte cher, des gens qui sont toujours stressés...

> **À propos du texte**
>
> Qui est pour la vie urbaine? Qui est contre? Expliquez.

Note culturelle
Les Français et la ville

Dans une enquête°, les Français ont exprimé° leur opinion sur la vie urbaine. Voici quelques° résultats.

- Les Français ont une conception économique de la ville. Pour eux, la ville est d'abord un lieu où on travaille, et ensuite un lieu de récréation.

- Les Français sont généralement satisfaits de la vie urbaine, mais ils ont la nostalgie des espaces verts. Un Français sur° trois voudrait habiter à la campagne.

- Les Français sont assez pessimistes sur l'avenir° des villes. Une majorité pense que la qualité de la vie urbaine va se détériorer dans les dix prochaines années. Le problème majeur est celui° de la circulation°.

1. Les Français préfèrent habiter...
   35% en ville
   33% à la proximité d'une ville ou dans la banlieue
   32% à la campagne

2. Pour les Français, la ville représente (par ordre d'importance)...
   - un lieu de travail
   - un lieu de récréation
   - un lieu pour le shopping
   - un lieu pour les rencontres
   - un lieu pour la vie culturelle
   - un lieu administratif

3. Selon les Français, pour améliorer° la vie urbaine, il faut (par ordre d'importance)...
   - réduire° la circulation automobile
   - assurer la sécurité
   - développer les transports en commun
   - développer les espaces verts

> **À votre avis**
>
> 1. Où préférez-vous habiter?
> 2. Que représente la ville pour vous?
> 3. Comment peut-on améliorer la vie urbaine?

---

enquête *survey* **ont exprimé** *expressed* **quelques** *some* **Un...sur trois** *One out of three* **avenir** *future* **celui de** *that of*
circulation *traffic* **améliorer** *to improve* **réduire** *to reduce*

Source: TNS.SOFRES, 7 octobre 2004 «Les Français et la ville»

Vocabulaire: La vie urbaine

Où habitez-vous?

J'habite	à Montpellier	à la campagne (*country*)
	dans une petite ville	dans un village
	dans une grande ville	

Ma ville a 100 000 habitants.

un habitant   *inhabitant*

Dans quelle partie de la ville habitez-vous?

J'habite	en ville (*downtown*)	dans la banlieue (*suburbs*)
	au centre-ville	dans un lotissement (*subdivision*)
		dans un quartier (*district, neighborhood*)

Dans quel **genre** (*kind*) de résidence?

| J'habite dans | un appartement | une maison individuelle |
| | un immeuble (*apartment house*) | une tour (*high-rise*) |

Mon quartier est...

agréable	*pleasant*	**ordinaire**	*plain*
animé	*lively*	**triste**	*lifeless*
calme	*quiet*	**bruyant**	*noisy*
propre	*clean*	**sale**	*dirty*
neuf	*new*	**ancien**	*old*
moderne			

La vie urbaine a...

DES AVANTAGES (**un avantage**)	DES PROBLÈMES (**un problème**)
l'animation	**le bruit** (*noise*)
la vie (*life*) **culturelle**	**la circulation** (*traffic*)
la diversité de la population	**la pollution**
la possibilité d'emploi	**la criminalité**

Expressions utiles

pour ≠ contre	*for ≠ against*	Êtes-vous **pour** ou **contre** la vie urbaine?
au contraire	*on the contrary*	J'aime la ville. Toi, **au contraire,** tu préfères la campagne.
au moins	*at least*	Ma ville a **au moins** cent mille habitants.
quel genre de	*what kind of*	Dans **quel genre de** quartier habitez-vous?
quelle sorte de	*what sort of*	**Quelle sorte de** résidence préfères-tu?
gagner sa vie	*to earn one's living*	Comment **gagnez**-vous **votre vie**?

1 Et vous?

Comparez votre environnement urbain avec votre partenaire. Pour cela, répondez tous les deux aux questions suivantes. Quelles sont les similarités et les différences?

1. Où habitez-vous?
2. Est-ce que c'est une grande ville ou une petite ville?
3. Combien d'habitants est-ce qu'il y a?
4. Dans quelle partie de la ville habitez-vous?
5. Dans quel genre de résidence?
6. Quels sont les aspects positifs de votre quartier?
7. Quels sont les aspects négatifs?
8. Dans quelle sorte d'environnement urbain aimeriez-vous habiter?

2 Pour ou contre la vie urbaine

La classe est divisée en deux groupes.

• Le groupe A adore habiter en ville.
• Le groupe B déteste habiter en ville.

Chaque groupe explique sa position en faisant une liste des avantages et des désavantages de la vie urbaine.

Groupe A: **Pour (les avantages)**	Groupe B: **Contre (les désavantages)**
• *On peut rencontrer des gens d'origines diverses.* • *Les rues sont très animées.* • • • • •	• *Il y a trop de pollution.* • *Les rues sont sales.* • • • • •

A. Le verbe *vivre*

The verb **vivre** (*to live*) is irregular.

infinitive	**vivre**	J'aime **vivre** à la campagne.
present	je **vis**	Je **vis** en ville.
	tu **vis**	Tu **vis** au centre-ville.
	il/elle/on **vit**	On **vit** dans la banlieue.
	nous **vivons**	Nous **vivons** bien.
	vous **vivez**	Vous **vivez** mal.
	ils/elles **vivent**	Elles **vivent** confortablement.
passé composé	j'**ai** **vécu**	J'**ai vécu** trois ans en France.

➡ Both **vivre** and **habiter** mean *to live* (*in a place*).
   Vivre, but NOT **habiter**, can also mean *to live* (*in a general sense*).

Je **vis** à Paris. J'**habite** à Paris.	*I **live** in Paris.*	Je **vis** bien.	*I **live** well.*

3 Où et comment? •

Dites où les personnes suivantes habitent et comment elles vivent. Votre seconde phrase peut être affirmative ou négative.

✳ Mlle Richard / dans un beau château / mal?
Mademoiselle Richard habite dans un beau château. Elle ne vit pas mal.

1. mes cousins / à la campagne / simplement?
2. nous / dans un appartement minuscule / confortablement?
3. moi / dans un magnifique château / bien?
4. vous / dans un quartier bruyant / dans le calme?
5. toi / près d'un volcan / dangereusement?
6. Élodie / avec sa famille / seule?

4 Et vous? •

1. Vivez-vous bien ou mal? Vivez-vous confortablement? Vivez-vous seul(e)?
2. Est-ce qu'on vit bien aux États-Unis?
3. Selon vous, est-ce que les Américains vivent mieux (*better*) que les Français? Pourquoi (pas)?
4. Selon vous, est-ce qu'on vit mieux dans une grande ville ou à la campagne? Pourquoi?
5. Selon vous, dans quelle région des États-Unis est-ce qu'on vit le mieux (*the best*)? Pourquoi?
6. Dans quelle ville habitent vos parents? Est-ce qu'ils ont toujours vécu dans cette ville?
7. Avez-vous vécu à l'étranger? en Europe? en Asie? en Afrique? en Amérique latine?
8. Dans quelles villes avez-vous vécu?

B. Le verbe *savoir* — TO DESCRIBE WHAT WE KNOW

The verb **savoir** (*to know*) is irregular.

infinitive		**savoir**	Je dois **savoir** la réponse.
present	je	sais	Je **sais** parler français.
	tu	sais	Tu **sais** faire du ski.
	il/elle/on	sait	On **sait** jouer au tennis.
	nous	**savons**	Nous **savons** où tu habites.
	vous	**savez**	Vous **savez** qui va venir ce soir?
	ils/elles	**savent**	Elles **savent** la date de l'examen.
passé composé	j'**ai**	su	J'**ai su** la réponse à cette question.

➠ The main meaning of **savoir** is *to know.*

Je sais...	*I know . . .*	**Je sais** la réponse.
Je sais que...	*I know (that) . . .*	**Je sais que** vous n'aimez pas le bruit.
Je ne sais pas si...	*I don't know if (whether) . . .*	**Je ne sais pas si** vous aimez Paris.
Sais-tu si...?	*Do you know if (whether) . . . ?*	**Sais-tu si** tu vas venir avec nous?

➠ When **savoir** is followed by an INFINITIVE, it means *to know how to.*

Sais-tu nager?
Do you know how to swim? (Can you swim?)

Proverbe

Savoir, c'est pouvoir.

---

5 Activités •

Demandez à vos camarades s'ils savent faire les choses suivantes.

✴ nager?
— *Sais-tu nager?*
— *Oui, je sais nager.*
ou — *Non, je ne sais pas nager.*

1. parler espagnol?
2. faire du ski?
3. faire la cuisine?
4. piloter un avion?

5. jouer de la guitare?
6. danser le tango?
7. jouer aux échecs (*chess*)?
8. faire du parapente (*parasailing*)?

---

6 Qualifications professionnelles • • • • • • • • • • • • • • • • • •

Dites ce que les personnes suivantes savent faire dans leur profession.

1. Pauline est interprète. Elle...
2. Nous sommes cuisiniers (*cooks*). Nous...
3. Vous êtes musiciens. Vous...
4. Je suis photographe. Je...
5. Tu es journaliste. Tu...
6. Philippe et Éric sont mécaniciens. Ils...

quelles qualifications?

écrire des articles
jouer du piano
réparer les voitures
faire la cuisine
parler anglais et français
prendre des photos

C. Connaître ou savoir?

Connaître and **savoir** both mean *to know*, but they are used differently.

Connaître means *to know* in the sense of *to be acquainted or familiar with*. It cannot be used alone. It is used with nouns and pronouns designating:

• PEOPLE	— Est-ce que tu **connais** Mathilde? — Non, je ne la **connais** pas.
• PLACES	Nous **connaissons** bien ce quartier. Est-ce que **vous connaissez** un bon restaurant?
• INFORMATION	Julien ne **connaît** pas mon adresse.

Savoir means *to know* in the sense of *to have knowledge of a fact* or *to know by heart* (as a result of having learned or studied). It can be used:

• ALONE	Tu **sais**? Non, je ne **sais** pas.
• with a CLAUSE introduced by: **que** (*that*)	Tu **sais que** j'ai une nouvelle moto?
si (*if, whether*)	Est-ce que **tu sais si** Marc va venir?
an INTERROGATIVE expression	Je ne **sais** pas **où** tu habites. **Sais**-tu **qui** a téléphoné? Je ne **sais** pas **comment** aller chez toi.
• with an INFINITIVE	**Savez**-vous faire du ski?
• with a NOUN designating something LEARNED	Les étudiants ne **savent** pas la leçon.

➡ Both **connaître** and **savoir** can be used with facts or things learned. Compare:

Est-ce que tu **connais** la leçon?   *Do you know the lesson (what it covers)?*

Est-ce que tu **sais** la leçon?   *Do you know the lesson (i.e., have you learned it)?*

7 **Connaître** et *savoir* •

Complétez les phrases suivantes avec **connaître** and **savoir**.

1. Je _____ Philippe.
2. Tu _____ ce quartier.
3. Vous _____ Bruxelles?
4. Nous _____ bien cette ville.
5. Est-ce que tes copains _____ Mélanie?
6. Est-ce que Thomas _____ Pauline?

Je ne _____ pas où il habite.
Est-ce que tu _____ s'il y a un centre commercial?
Vous _____ que c'est la capitale de la Belgique?
Nous _____ quels sont les meilleurs restaurants.
Est-ce qu'ils _____ si elle vient à la fête?
Est-ce qu'il _____ que c'est ma cousine?

8 Et vous?

1. Connaissez-vous New York? Atlanta? la Nouvelle-Orléans? Quelles grandes villes connaissez-vous?
2. Connaissez-vous le Canada? Savez-vous quelle est la capitale?
3. Connaissez-vous bien votre ville? Savez-vous combien d'habitants il y a? Savez-vous qui est le maire (*mayor*)? Est-ce que vous le connaissez?
4. Connaissez-vous bien vos voisins? Savez-vous où ils travaillent? Savez-vous s'ils parlent français?
5. Connaissez-vous les bons restaurants de votre ville? Savez-vous s'il y a des restaurants français? Savez-vous s'ils sont chers?
6. Est-ce qu'il y a des étudiants étrangers à votre université? Est-ce que vous les connaissez? Savez-vous de quels pays ils viennent?

9 Dans le quartier

Mathilde rend visite à son cousin Vincent. Elle lui pose des questions sur le quartier où il habite. Complétez les dialogues avec la forme appropriée de **savoir** ou **connaître.** Jouez le dialogue avec votre partenaire.

1. MATHILDE: Tu _____ bien ce quartier?
   VINCENT: Oui, je _____ beaucoup de gens ici.
2. MATHILDE: Tu _____ un bon restaurant?
   VINCENT: Oui, mais je ne _____ pas s'il est ouvert (*open*) aujourd'hui.
3. MATHILDE: Tu _____ où il y a un cinéma?
   VINCENT: Oui, mais je ne _____ pas quels films on joue en ce moment.
4. MATHILDE: Tiens, tu _____ ce magasin?
   VINCENT: Oui! Je _____ qu'il est très cher!
5. MATHILDE: Tu _____ comment s'appelle cette jeune fille là-bas?
   VINCENT: Non, je ne la _____ pas.
6. MATHILDE: Tu _____ ce café?
   VINCENT: Oui, et je _____ bien les serveurs. Allons prendre un café ici.

D. Le pronom relatif *qui*

> **Note linguistique**
> . . . .
>
> To provide additional information about people or things just mentioned, we often use a RELATIVE CLAUSE.
>
> - A RELATIVE CLAUSE is a clause that is introduced by a relative pronoun (e.g., *who, whom, that,* or *which* in English; **qui** or **que** in French).
> - A RELATIVE PRONOUN is a pronoun that RELATES or LINKS two sentences so that they form a single sentence.
> - The ANTECEDENT of a relative pronoun is the noun (or pronoun) that it replaces.
> - The choice of relative pronoun (**qui** or **que**) depends on the function of the relative pronoun in the relative clause.

Note how the two sentences on the left are joined into a single sentence on the right with the RELATIVE PRONOUN **qui**.

J'ai **des amis.**
Ils habitent à Paris.

J'ai des amis **qui** habitent à Paris.
*I have friends **who (that)** live in Paris.*

J'habite dans **un quartier.**
Il est très animé.

J'habite dans un quartier **qui** est très animé.
*I live in a neighborhood **that (which)** is very lively.*

> The RELATIVE PRONOUN **qui** (*who, that, which*) is a SUBJECT pronoun.
> - **Qui** refers to PEOPLE or THINGS.
> - **Qui** is the subject of the verb that follows it.

⟶ The verb that follows **qui** agrees with its ANTECEDENT.

J'ai un ami **qui** travaille à Paris.

C'est toi **qui** as téléphoné?

J'ai des amis **qui** travaillent à Paris.

C'est vous **qui** avez téléphoné?

10 En ville •

Pauline est en ville. Elle décrit ce qu'elle voit et ce qu'elle fait. Jouez le rôle de Pauline.

✳ Je rencontre un copain.   *Je rencontre un copain qui va au cinéma.*
  Il va au cinéma.

1. Je parle à une dame.
   Elle attend le bus.
2. Je prends le bus.
   Il va au centre-ville.
3. Je regarde des maisons.
   Elles ont une architecture intéressante.
4. Je vois des touristes.
   Ils prennent des photos.

5. Je téléphone à une copine.
   Elle habite dans la banlieue.
6. J'entre dans un magasin.
   Il vend des vêtements de sport.
7. Je vais dans un café.
   Il sert d'excellents sandwichs.
8. Je parle à des copains.
   Ils sont dans mon cours.

11 Préférences

Pour chaque sujet, choisissez l'alternative que vous préférez.

✴ habiter dans une maison (elle a une piscine ou un grand jardin?)
   Je préfère habiter dans une maison qui a une piscine.
ou *Je préfère habiter dans une maison qui a un grand jardin.*

1. vivre dans un quartier (il est calme ou animé?)
2. habiter dans un immeuble (il est situé dans le centre ou dans la banlieue?)
3. avoir des amis (ils sont sympathiques ou très riches?)
4. écouter une station de radio (elle joue du rock ou de la musique classique?)
5. voir un film (il a des acteurs célèbres ou un bon scénario?)
6. aller dans les magasins (ils vendent des vêtements chers ou bon marché?)
7. avoir un professeur (il donne de bonnes notes ou de bons conseils?)
8. suivre des cours (ils sont faciles ou difficiles?)

Expressions pour la conversation

to express an opinion

à mon avis	*in my opinion*	**À mon avis,** Paris est la plus belle ville du monde.
d'après	*according to*	**D'après** toi, quelle est la plus belle ville des États-Unis?
selon	*according to*	**Selon** beaucoup de gens, c'est San Francisco.

> **Rappel**
> Stress pronouns are used after **d'après** and **selon**.

12 À mon avis

Exprimez votre opinion sur les sujets suivants.

✴ New York est une ville. / Elle est cosmopolite?
   À mon avis (Selon moi), New York est une ville qui est cosmopolite.
ou *À mon avis (Selon moi), New York est une ville qui n'est pas cosmopolite.*

1. Washington est une ville. / Elle a beaucoup de monuments intéressants?
2. Le français est une langue. / Elle est facile?
3. Les journalistes sont des gens. / Ils disent toujours la vérité?
4. Le président est un homme. / Il est trop conservateur?
5. La pollution est un problème. / Il a une solution?
6. La politique est un sujet. / Il intéresse les étudiants américains?
7. Les Français sont des gens. / Ils sont sympathiques?

13 Expression personnelle

Complétez les phrases suivantes avec une expression de votre choix.

1. J'ai un ami qui...
2. Je connais quelqu'un qui...
3. J'ai des voisins qui...
4. J'aime les gens qui...
5. J'habite dans un quartier qui...
6. Je voudrais vivre dans une ville qui...
7. J'habite dans une maison /un appartement qui...

E. Le pronom relatif *que*

Note how the two sentences on the left are joined into a single sentence on the right with the RELATIVE PRONOUN **que.**

Voici **des amies.**
Nous **les** invitons souvent.

Voici des amies **que** nous invitons souvent.
*These are friends (**whom, that**) we often invite.*

Voici **un musée.**
Elles **le** visitent souvent.

Voici un musée **qu'**elles visitent souvent.
*Here is a museum (**that, which**) they often visit.*

> The RELATIVE PRONOUN **que** (*whom, that, which*) is a DIRECT-OBJECT pronoun.
> - **Que** refers to PEOPLE or THINGS.
> - **Que** is the direct object of the verb that follows it.

ÉLISION
que → qu'

⟹ Although in English direct-object relative pronouns (*whom, that, which*) are often omitted, the pronoun **que** must always be expressed in French.

⟹ If the verb of the relative clause is in the PASSÉ COMPOSÉ, the past participle AGREES with **que** since **que** is a PRECEDING direct object. The gender and number of **que** are determined by its ANTECEDENT.

C'est un musée **que** j'ai visité. Ce sont des villes **que** j'ai visitées.

14 Oui ou non? •

Posez des questions à votre partenaire. Il/Elle va vous répondre affirmativement ou négativement suivant le modèle.

✴ Tu connais Chicago? (une ville)
—*Tu connais Chicago?*
—*Oui, c'est une ville que je connais.*
ou —*Non, c'est une ville que je ne connais pas.*

1. Tu aimes San Francisco? (une ville)
2. Tu connais la France? (un pays)
3. Tu lis *People?* (un magazine)
4. Tu comprends l'espagnol? (une langue)

5. Tu trouves Steve Martin amusant? (un acteur)
6. Tu admires Madonna? (une chanteuse)
7. Tu aimes les snobs? (des gens)
8. Tu critiques le président? (une personne)

15 Expression personnelle •

Complétez les phrases suivantes avec une idée personnelle.

✴ ... une ville que je voudrais visiter.
Santa Fe (Québec, Paris, Beijing) est une ville que je voudrais visiter.

1. ... une ville que j'aime.
2. ... un magazine que je lis.
3. ... une émission de télé (*TV show*) que j'aime regarder.
4. ... un film que je voudrais voir.

5. ... une actrice que je voudrais rencontrer.
6. ... un acteur que j'admire beaucoup.
7. ... une personne que j'aimerais connaître.
8. ... une personne que je respecte.

F. Résumé: *qui* ou *que*?

The choice between **qui** and **que** is determined by their FUNCTION in the relative clause.

Qui is the SUBJECT of the clause: antecedent + **qui** + VERB	**Que** is the DIRECT OBJECT of the clause: antecedent + **que** + SUBJECT + VERB
Alice est une fille **qui est** sympathique. Paris est une ville **qui est** très belle.	C'est une fille **que je connais** bien. C'est une ville **que je connais** bien.

16 **La visite de la ville** •

Vous montrez votre ville à un copain français. Complétez les phrases avec **qui** ou **que.**

1. Voici un quartier _____ est très animé.
2. Voici un quartier _____ les touristes aiment visiter.
3. Voici un restaurant _____ sert des spécialités vietnamiennes.
4. Voici un restaurant _____ le guide touristique recommande.
5. Voici une boutique _____ vend des vêtements de sport.
6. Voici des boutiques _____ ne sont pas trop chères.
7. Voici un cinéma _____ joue des films français.
8. Voici le café _____ les étudiants préfèrent.
9. Voici un musée _____ je visite souvent.
10. Voici un musée _____ a de très belles expositions (*exhibits*).
11. Voici l'autobus _____ je prends pour aller à l'université.
12. Voici un autobus _____ va au centre-ville.

17 **Pauvre Antoine!** •

Antoine n'a pas de chance. Expliquez pourquoi en complétant les phrases avec **qui** ou **que (qu').**

1. Antoine a une voiture _____ ne marche pas.
2. Il a des copains _____ ses parents n'aiment pas.
3. Il a des professeurs _____ donnent des examens difficiles.
4. Il ne comprend pas les problèmes _____ son prof de maths donne.
5. Il a invité une copine _____ a oublié de venir.
6. Il a vu un film _____ il n'a pas aimé.
7. Il a perdu l'adresse d'une jeune fille _____ il a rencontrée pendant les vacances.
8. Il a perdu la montre _____ sa mère lui a donnée pour son anniversaire.

18 **Expression personnelle** ·

Complétez les phrases avec un commentaire personnelle. Puis comparez vos réponses avec votre partenaire.

1. J'ai une copine qui...
2. J'ai un copain que...
3. J'ai des profs qui...
4. J'ai un prof que...
5. J'habite dans une ville qui...
6. J'habite dans un quartier que...
7. Je connais des gens qui...
8. Je connais des gens que...

Phonétique: Les lettres «an» et «am»

It is important to distinguish between the nasal and non-nasal pronunciations of "an" and "am".

- "an" + *consonant* represent the nasal vowel /ɑ̃/; the "n" is not pronounced
  Répétez: <u>an</u>cien b<u>an</u>lieue habit<u>an</u>t av<u>an</u>tage j<u>an</u>vier vi<u>an</u>de dem<u>an</u>der

- "am" + *consonant* represent the nasal vowel /ɑ̃/; the "m" is not pronounced
  Répétez: c<u>am</u>pagne ch<u>am</u>pagne j<u>am</u>bon p<u>am</u>plemousse l<u>am</u>pe

- "an(n)" + *vowel* is pronounced /an/
  Répétez: <u>an</u>imation <u>an</u>imé <u>an</u>née <u>an</u>nonce <u>an</u>niversaire <u>An</u>nette

- "am(m)" + *vowel* is pronounced /am/
  Répétez: <u>am</u>i <u>am</u>usant <u>am</u>éricain c<u>am</u>arade vietn<u>am</u>ien dyn<u>am</u>ique fl<u>amm</u>e

À votre tour

Compréhension orale

Plusieurs personnes vont parler de l'endroit où elles habitent. Écoutez chaque personne pour déterminer si elle a une opinion positive (A) ou négative (B) de cet endroit.

		1	2	3	4	5	6	7	8
A.	😊								
B.	😞								

Conversation dirigée

Your partner has moved to another city. You call him/her to find out about his/her new surroundings.

Ask your partner . . .
  - if he/she lives downtown or in the suburbs
  - in what type of housing he/she lives
  - if the neighborhood is lively
  - if it is quiet or noisy at night **(la nuit)**
  - if there is a lot of traffic

Expression libre

Vous préférez habiter dans une très grande ville. Votre partenaire préfère habiter dans une petite ville ou à la campagne. Chacun explique les raisons de son choix.

très grande ville	petite ville (ou campagne)
•	•
•	•
•	•

Expression écrite

Vous allez recevoir (*to host*) un étudiant français chez vous pendant les vacances. Dans une lettre, vous faites la description de la ville où vous habitez.

  - dans quelle sorte de ville
  - dans quel quartier
  - dans quel genre de résidence

Expliquez les avantages et les inconvénients de votre quartier.

Le premier rendez-vous

Objectives
- To talk about the past
- To describe what we were doing at a certain time
- To describe what we used to do

Stéphane et Charlotte, un jeune couple parisien, sont mariés depuis cinq ans. Aujourd'hui ils célèbrent leur anniversaire de mariage dans un bon restaurant. Pendant le repas, ils évoquent leur premier rendez-vous.

CHARLOTTE:	**Tu te souviens?**
STÉPHANE:	Bien sûr, c'**était** un vendredi!
CHARLOTTE:	Mais non, c'était un samedi!
STÉPHANE:	Ah oui, c'est vrai! Nous **avions** rendez-vous dans un café du boulevard Saint-Michel.
CHARLOTTE:	Tu as oublié... c'était à Saint-Germain-des-Prés. Et tu es arrivé **avec une demi-heure de retard.**
STÉPHANE:	C'est parce que ce jour-là, j'étais **très ému**. Au café, je te regardais. Tu étais **si** belle! Tu portais une jupe rose et un pull rouge. Et je **respirais** ton parfum... «Allure» de Chanel.
CHARLOTTE:	Mais pas du tout! C'était «Shalimar» de Guerlain. Et je portais un pantalon noir et un chemisier bleu.
STÉPHANE:	C'est possible, après tout... Après le café, nous sommes allés au cinéma du quartier. Nous avons vu un film policier anglais.
CHARLOTTE:	Mais non, c'était une comédie américaine! Nous **avons ri** pendant tout le film.
STÉPHANE:	Et après le film, je t'ai invitée à dîner.
CHARLOTTE:	Sur ce point-là, je suis d'accord... Tu m'as invitée dans un restaurant russe.

Do you remember?

was

had

half an hour late
full of emotion
so
was smelling

laughed

STÉPHANE: L'atmosphère était très romantique. **Il y avait** des violonistes qui jouaient des valses viennoises... Nous avons dansé toute la soirée.

There were

CHARLOTTE: Oui, je me souviens bien. Tu dansais assez mal. Tu **me marchais sur les pieds** et moi, je ne disais rien.

were stepping on my feet

STÉPHANE: Et à la fin du dîner...

CHARLOTTE: C'est moi qui ai payé parce que ce soir-là tu n'avais pas ta carte de crédit.

STÉPHANE: Tu as peut-être raison... Mais quels **merveilleux souvenirs**.

marvelous memories

CHARLOTTE: Absolument merveilleux, mais un peu différents!

À propos du texte

1. Qu'est-ce que Stéphane et Charlotte ont fait pour leur premier rendez-vous?
2. Sur quel(s) point(s) est-ce qu'ils sont d'accord?
3. Selon vous, est-ce qu'ils forment un couple heureux?
4. Selon vous, est-ce que l'histoire est réaliste ou non? Expliquez.

Note culturelle
Les rencontres

Comme autrefois°, les jeunes couples français appartiennent° généralement au même milieu social. Ils ont le même niveau° d'éducation et viennent souvent de la même région géographique. L'occasion° de leur première rencontre a cependant beaucoup évolué.

Autrefois, dans les classes aisées°, les jeunes gens faisaient connaissance dans des réunions organisées par les familles ou les amis. Dans les classes plus modestes°, on faisait connaissance au bal° ou sur le lieu de travail.

Aujourd'hui, les lieux de rencontre sont multiples. Beaucoup de jeunes se rencontrent par hasard: au café, en boîte°, dans un club de vacances, sur la plage en été ou dans une station de ski° en hiver. D'autres font connaissance à l'université, au travail ou chez des amis. Certains utilisent des intermédiaires, par exemple les petites annonces° spécialisées ou les agences matrimoniales. Et avec la nouvelle technologie, les rencontres sur Internet sont de plus en plus fréquentes.

À votre avis

1. Aux États-Unis, est-ce que les jeunes couples ont beaucoup de choses en commun? Expliquez.
2. En général, comment est-ce que les futurs couples font connaissance aux États-Unis?
3. Quelles différences voyez-vous entre la formation des couples en France et aux États-Unis?

---

autrefois *in the past* **appartiennent** *belong* **niveau** *level* **occasion** *circumstances* **aisées** *well-to-do*
plus modestes *less affluent* **bal** *dance* **boîte** *(night)club* **station de ski** *ski resort* **petites annonces** *personal ads*

La langue française

Vocabulaire: La séquence des événements

d'abord	*first, at first*	**D'abord,** nous avons fait les courses.
puis	*then*	**Puis,** nous sommes allés au cinéma.
ensuite	*after, then*	**Ensuite,** nous sommes allés au café.
enfin	*finally, at last*	**Enfin,** nous sommes rentrés chez nous.
finalement	*finally*	**Finalement,** je suis allé au lit et j'ai dormi.
		Hier, je suis allé en ville avec des copains.
soudain	*suddenly*	**Soudain,** nous avons entendu un grand bruit.
tout à coup	*all of a sudden*	**Tout à coup,** nous avons vu l'accident.
immédiatement	*immediately*	Nous avons **immédiatement** téléphoné à la police.
tout de suite	*immediately*	Une ambulance est arrivée **tout de suite.**

1 Qu'est-ce que tu as fait? •

Des étudiants français discutent de ce qu'ils ont fait à certains moments. Jouez les rôles en faisant les substitutions indiquées.

✴ hier soir
- préparer mes cours
- dîner à la cafétéria
- regarder un film à la télé

— *Qu'est-ce que tu as fait hier soir?*
— *D'abord, j'ai préparé mes cours.*
— *Et après?*
— *Ensuite j'ai dîné à la cafétéria.*
— *Et finalement?*
— *Enfin, j'ai regardé un film à la télé.*

1. le week-end dernier
   - nettoyer ma chambre
   - faire les courses
   - sortir avec des copains

2. pendant les vacances
   - rentrer chez mes parents
   - travailler dans un restaurant
   - faire un voyage

3. ce matin
   - prendre le petit déjeuner
   - lire le journal
   - aller à l'université

4. samedi soir
   - dîner au restaurant
   - voir un film
   - rentrer chez moi

A. Révision: Le passé composé

Review the forms of the PASSÉ COMPOSÉ in the following pairs of sentences.

with **avoir**	with **être**
J'**ai voyagé** cet été.	Je **suis allé(e)** au Mexique.
Aurélie **a pris** le bus.	Elle **est descendue** dans le centre-ville.
Thomas m'**a téléphoné.**	Il **n'est pas venu** chez moi.
Les touristes **ont visité** Paris.	Ils **sont montés** à la Tour Eiffel.

▸ The passé composé of most verbs is formed with **avoir.**

▸ The passé composé of several verbs of **motion** (*to go, to come, etc.*) is formed with **être.** The past participles of these verbs agree with the subject.

aller	passer	monter	partir	rentrer	tomber	venir (venu)
entrer	rester	descendre	sortir	arriver	retourner	devenir (devenu)

2 L'été dernier

Demandez à votre partenaire s'il/si elle a fait les choses suivantes l'été dernier.

1. travailler?
2. gagner de l'argent?
3. faire des économies?
4. rester chez toi?
5. rendre visite à des cousins?
6. partir en voyage?
7. aller à l'étranger (*abroad*)?
8. prendre l'avion?

3 Vendredi soir

Décrivez ce que ces personnes ont fait vendredi soir.

1. (finir / aller)   Inès _____ sa préparation. Ensuite, elle _____ en ville.
2. (dîner / rentrer)   Nous _____ au restaurant. Après, nous _____ chez nous.
3. (rester / regarder)   Lucas et Antoine _____ chez eux. Ils _____ un DVD.
4. (étudier / sortir)   Vous _____ un peu. Puis, vous _____.
5. (téléphoner / aller)   Thomas _____ à une copine. Il _____ au cinéma avec elle.

Note linguistique

In French, as in English, people use different tenses to talk about the past.

- In French, the most common past tense is the PASSÉ COMPOSÉ, which you already know.
- Another frequently used past tense is the IMPERFECT or **l'imparfait,** which is introduced in this lesson.

B. L'imparfait: Formation

To describe what people WERE DOING at a certain time or for a certain time, French uses the IMPERFECT. Note the use of the imperfect in the following sentences.

— Qu'est-ce que tu **faisais** à six heures?   *What **were** you **doing** at six o'clock?*
— Je **téléphonais** à un copain.   *I **was phoning** a friend.*

— Où est-ce que vous **habitiez**   *Where **were** you **living***
    quand vous **aviez** cinq ans?   *when you **were** five?*
— Nous **habitions** à Québec.   *We **lived** (**used to live**) in Quebec.*

Note the forms of the IMPERFECT of regular verbs (in **-er, -ir, -re**) and the irregular verb **faire**.

infinitive		**parler**	**finir**	**vendre**	**faire**	
present (**nous**-form)	nous	**parlons**	**finissons**	**vendons**	**faisons**	
stem (from **nous**-form)		**parl-**	**finiss-**	**vend-**	**fais-**	endings
imperfect	je	**parlais**	**finissais**	**vendais**	**faisais**	-ais
	tu	**parlais**	**finissais**	**vendais**	**faisais**	-ais
	il/elle/on	**parlait**	**finissait**	**vendait**	**faisait**	-ait
	nous	**parlions**	**finissions**	**vendions**	**faisions**	-ions
	vous	**parliez**	**finissiez**	**vendiez**	**faisiez**	-iez
	ils/elles	**parlaient**	**finissaient**	**vendaient**	**faisaient**	-aient
negative		Je **ne parlais pas.**				
interrogative		**Est-ce que** tu **parlais?** **Parlais**-tu?				

➞ The IMPERFECT has several English equivalents.

Mes cousins **habitaient** à Paris.   { *My cousins **lived** in Paris.*
                               *My cousins **used to live** in Paris.*
                               *My cousins **were living** in Paris.*

4 **Les étudiants étrangers** •

Ces étudiants font leurs études à Paris. Dites où chacun (*each one*) habitait et quelle langue il parlait avant de venir en France.

✹ Jim (à San Francisco)   *Jim habitait à San Francisco. Il parlait anglais.*

1. Ivan et Boris (à Moscou)   4. toi (à Rome)
2. nous (en Égypte)   5. vous (en Australie)
3. Maria (à Madrid)   6. Carlos et Luisa (au Mexique)

anglais
arabe
espagnol
italien
russe

The imperfect is a *simple* tense. It consists of *one* word. It is formed as follows:

IMPERFECT STEM + IMPERFECT ENDINGS

• For all verbs (except **être**), the imperfect STEM is derived as follows:

imperfect STEM = **nous**-form of the PRESENT minus **-ons**

• The imperfect ENDINGS are the *same* for all verbs.

➤ Note how the above pattern applies to other verbs.

acheter:	nous **achet**ons	→ j'**achetais**	faire:	nous **fais**ons	→ je **faisais**
payer:	nous **pay**ons	→ je **payais**	dire:	nous **dis**ons	→ je **disais**
sortir:	nous **sort**ons	→ je **sortais**	écrire:	nous **écriv**ons	→ j'**écrivais**
dormir:	nous **dorm**ons	→ je **dormais**	prendre:	nous **pren**ons	→ je **prenais**

➤ Note the imperfect forms of the following expressions:

il y a → **il y avait**   il neige → **il neigeait**   il pleut → **il pleuvait**

5 **L'imparfait, s'il vous plaît!** •

Complétez le tableau. Ensuite dites ce que les personnes faisaient hier.

INFINITIF	PRÉSENT	HIER	
regarder	nous _____	je _____	Tu _____ un film d'action.
jouer	nous _____	je _____	Éric _____ aux jeux sur ordinateur.
finir	nous _____	je _____	Nous _____ la préparation.
choisir	nous _____	je _____	Vous _____ des CD.
attendre	nous _____	je _____	Pauline _____ une copine.
répondre	nous _____	je _____	Vous _____ à un email.
lire	nous _____	je _____	Ils _____ le journal.
écrire	nous _____	je _____	Vous _____ une lettre.
voir	nous _____	je _____	Tu _____ un film.
boire	nous _____	je _____	Elles _____ du thé glacé.
vouloir	nous _____	je _____	Nous _____ aller en ville.

Note linguistique: Les temps passés

Although the PASSÉ COMPOSÉ and the IMPARFAIT are both PAST tenses, they are used to describe different types of events.

The PASSÉ COMPOSÉ is used to describe:	The IMPARFAIT is used to describe:
• what people DID at a specific time or for a specific period of time	• what people USED TO DO • what they WERE DOING during some period of time • what WAS GOING ON

In the next sections, you will learn more about how and when to use these tenses.

6 Aujourd'hui et autrefois (*Now and then*) · · · · · · · · · · · · · · · · · · ·

Céline explique ce qu'elle fait à l'université. Son père, M. Moreau, dit qu'à son époque (*in his time*) il faisait les mêmes choses. Jouez les deux rôles.

✴ avoir des examens oraux

       CÉLINE: ***Nous avons des examens oraux.***

   M. MOREAU: ***Nous aussi, nous avions des examens oraux.***

1. travailler beaucoup
2. préparer les cours
3. choisir des cours difficiles
4. perdre rarement notre temps
5. aller au cinéma le week-end
6. faire du sport
7. sortir le samedi soir
8. boire de la bière avec nos amis
9. apprendre beaucoup de choses intéressantes
10. lire beaucoup
11. vouloir changer le monde
12. avoir des idées anticonformistes

7 Le millionnaire ·

Monsieur Lefric a gagné dix millions d'euros à la loterie. Voici sa vie maintenant. Décrivez sa vie avant. Pour cela, complétez les phrases avec des verbes à l'imparfait.

MAINTENANT	AVANT
✴ ... il <u>habite</u> dans un château.	... il ***habitait*** dans un petit appartement.
1. ... il <u>dîne</u> au restaurant.	... il _____ chez lui.
2. ... il <u>mange</u> du caviar.	... il _____ des pommes de terre (*potatoes*).
3. ... il <u>boit</u> du champagne.	... il _____ de l'eau.
4. ... il <u>a</u> une Rolls Royce.	... il _____ un vieux vélo.
5. ... il <u>voyage</u> dans son avion.	... il _____ en bus.
6. ... il <u>joue</u> au polo.	... il _____ au basket.
7. ... il <u>sort</u> avec une actrice de cinéma.	... il _____ avec une copine de lycée.
8. ... il <u>passe</u> les vacances à Monaco.	... il _____ les vacances à la campagne.

C. L'imparfait du verbe être

The imperfect of **être** has an irregular stem: **ét-**. The endings are regular.

j'	**étais**	*I was*	nous	**étions**	*we were*
tu	**étais**	*you were*	vous	**étiez**	*you were*
il/elle/on	**était**	*he/she/one was*	ils/elles	**étaient**	*they were*

➡ The imperfect of **être** is used to describe where people WERE and how they WERE FEELING. It is NOT used to describe what they WERE DOING. Compare:

IMPERFECT of **être**		IMPERFECT of verb of action	
Éric **était** chez lui.	*Éric **was** at home.*	Il **étudiait**.	*He was **studying**.*
J'**étais** fatigué.	*I **was** tired.*	Je ne **travaillais** pas.	*I **was** not **working**.*

8 **Le tremblement de terre** (*earthquake*) •

Hier il y a eu un léger (*light*) tremblement de terre dans la région. Dites où chacun était et ce que chacun faisait à ce moment-là.

✴ Isabelle (dans le parc / faire du jogging)
Isabelle était dans le parc. Elle faisait du jogging.

1. moi (dans ma chambre / étudier)
2. vous (au restaurant / dîner)
3. Claire (en voiture / téléphoner)
4. toi (dans la rue / attendre le bus)
5. nous (au café / boire des sodas)
6. mes parents (au salon / regarder la télé)
7. mon grand-père (chez lui / dormir)
8. Léa (en ville / aller chez un copain)
9. Éric (à la bibliothèque / lire un livre)
10. les voisins (dans le jardin / jouer au croquet)

9 **Quand j'étais jeune...** •

Demandez à votre partenaire s'il/si elle faisait les choses suivantes quand il/elle était jeune.

✴ parler français?
— *Est-ce que tu parlais français quand tu étais jeune?*
— *Oui, je parlais français.*
ou — *Non, je ne parlais pas français.*

1. avoir un vélo?
2. jouer aux jeux vidéo?
3. regarder la télé tous les jours?
4. aller souvent au cinéma?
5. manger dans les restaurants de fast-food?
6. utiliser un ordinateur?
7. faire du sport?
8. sortir le samedi soir?
9. lire les bandes dessinées?
10. vouloir aller à l'université?

D. L'imparfait et le passé composé: événements habituels et événements spécifiques

French speakers use different past tenses to describe what they USED TO DO regularly and what they DID on a particular occasion.
Compare the verbs in each pair of sentences.

Habituellement (*Usually*)...	Un jour...
Je **regardais** les matchs de foot.	J'**ai regardé** un match de rugby.
Nous **allions** au cinéma.	Nous **sommes allés** à un concert.
Thomas **sortait** avec Élodie.	Il **est sorti** avec Mathilde.

Although both the IMPERFECT and the PASSÉ COMPOSÉ are used to talk about the past, each has a different function.

The IMPERFECT is used to describe HABITUAL ACTIONS and CONDITIONS that existed in the past. It describes what people *used to do*, what *used to be*.

| Quand j'**étais** jeune, nous **habitions** en France. | *When I **was** young, we **lived (were living)** in France.* |
| J'**allais** souvent au cinéma avec mes copains. | *I often **used to go (went)** to the movies with my friends.* |

The PASSÉ COMPOSÉ is used to describe SPECIFIC PAST EVENTS. It describes what people *did*, what *took place*, what *happened*.

| J'**ai habité** deux ans à Paris. | *I **lived** in Paris for two years.* |
| Cette semaine, je **suis allé** deux fois au cinéma. | *This week I **went** to the movies twice.* |

---

10 Avant l'université •

Demandez à votre partenaire de décrire sa vie maintenant et avant l'université. Vous pouvez utiliser les suggestions suivantes.

✹ où / habiter?
— *Où habites-tu maintenant?*
— *J'habite à Boulder.*
— *Et avant, où habitais-tu?*
— *J'habitais à Boston.*
ou — *J'habitais à Boulder aussi.*

- à quelle école / aller?
- quels sujets / étudier?
- quels sports / pratiquer?
- qui / être ton acteur favori?
- qui / être ton actrice favorite?
- que / faire le week-end?
- que / faire pendant les vacances?

11 En 1900

Dites si oui ou non, on faisait les choses suivantes en 1900.

✹ on / regarder la télé?   *On ne regardait pas la télé.*

1. on / écouter la radio?
2. on / vivre dans des gratte-ciel?
3. on / manger des produits naturels?
4. les femmes / voter?
5. on / aller au cinéma?
6. on / voyager en train?
7. les gens / avoir des réfrigérateurs?
8. beaucoup de gens / habiter à la campagne?
9. les maisons / avoir l'air conditionné?
10. les gens / travailler beaucoup?
11. les jeunes / jouer aux jeux vidéo?
12. tout le monde / aller à l'université?
13. les gens / être très heureux?
14. la vie / être plus simple qu'aujourd'hui?

12 Biville-sur-Mer

Voici deux illustrations représentant Biville-sur-Mer. Avec votre partenaire, décrivez la plage aujourd'hui et il y a cent ans.

Maintenant...

Autrefois...

✹ *Maintenant il y a beaucoup de gens.*

✹ *Autrefois il y avait peu de gens.*

Vocabulaire: Quelques expressions de temps

événements spécifiques		événements habituels	
un soir	*one evening*	**le soir**	*in the evening*
		tous les soirs	*every evening*
mardi	*Tuesday*	**le mardi**	*on Tuesdays*
un mardi	*one Tuesday*	**tous les mardis**	*every Tuesday*
un jour	*one day*	**chaque jour**	*every day*
le 10 juin	*(on) June 10*	**tous les jours**	*every day*
un week-end	*one weekend*	**le week-end**	*on weekends*
		tous les week-ends	*every weekend*
une fois	*once*	**d'habitude**	*usually*
deux fois	*twice*	**habituellement**	*usually*
trois fois	*three times*	**parfois**	*sometimes*
plusieurs fois	*several times*	**autrefois**	*in the past*

➡ Both **temps** and **fois** correspond to the English word *time*:
temps refers to the *span of time* during which an action occurs,
fois refers to the *number of times* an action occurs.

Combien de temps as-tu passé à Paris? · ***How much time** did you spend in Paris?*

Combien de fois es-tu allé en France? · ***How many times** did you go to France?*

---

13 **Pendant les vacances** •

Décrivez les vacances des personnes suivantes. Pour cela, complétez les phrases avec **allait** ou **est allé(e)**.

✹ Le jeudi, Julien _____ au cinéma.   *Le jeudi, Julien allait au cinéma.*
✹ Un jeudi, il _____ au théâtre.   *Un jeudi, il est allé au théâtre.*

1. L'après midi, Pierre _____ à la piscine.
2. D'habitude, Zoé _____ en Normandie.
3. Un week-end, Philippe _____ à la plage.
4. Le 21 juin, Thomas _____ à Nice.
5. Le matin, Vincent _____ au marché.
6. Plusieurs fois, Pauline _____ au concert.
7. Habituellement, Claire _____ au café.
8. Un samedi, Lise _____ chez une copine.
9. Deux fois, Léa _____ dans une discothèque.
10. Chaque soir, Éric _____ au cinéma.
11. Le dimanche, Irène _____ au restaurant.
12. Le 14 juillet, Marc _____ voir les feux d'artifices (*fireworks*).

14 **Une fois n'est pas coutume** (*Once does not make a habit*) • • • • • • • • • • • • • • • •

Nous changeons parfois nos habitudes. Expliquez cela en mettant les phrases à l'imparfait ou au passé composé.

> ✹ Léa (tous les étés: aller en Italie)   ***Tous les étés, Léa allait en Italie.***
> (l'été dernier: visiter la Grèce)   ***Mais l'été dernier, elle a visité la Grèce.***

1. Antoine (habituellement: travailler pendant les vacances)
   (après l'université: faire un grand voyage)
2. Cécile (tous les jours: dîner chez elle)
   (pour son anniversaire: aller au restaurant avec des copines)
3. les étudiants (le soir: préparer leurs cours)
   (le soir après l'examen: sortir en ville)
4. les employés (en général: travailler jusqu'à [*until*] cinq heures)
   (le jour de la tempête de neige [*snowstorm*]: quitter le bureau à midi)

15 **Un trimestre à Paris** •

Vanessa, une étudiante américaine, a passé un trimestre à Paris. Lisez son journal. Ensuite décrivez son séjour au passé en mettant les verbes à l'imparfait ou au passé composé.

> *J'arrive à Paris le 2 octobre. La première semaine, je trouve un studio dans le Quartier latin.*
>
> *Pendant mon séjour, je suis des cours dans un institut d'arts graphiques. J'ai des cours tous les jours sauf le jeudi. Le matin, les cours commencent à neuf heures. Ils finissent l'après-midi à quatre heures. Nos professeurs sont intéressants, mais généralement ils nous donnent beaucoup de travail. Le jeudi nous visitons les musées. Un jour, nous visitons le musée de Picasso. La semaine d'après, nous visitons le musée d'Orsay.*
>
> *Le week-end, heureusement, je n'étudie pas. Généralement je sors avec Nadine, ma copine française. D'habitude, nous allons au cinéma. Un samedi nous allons dans un club de jazz. Là, je rencontre Jean-Pierre, un étudiant en droit. Nous sortons plusieurs fois ensemble.*
>
> *Pendant les vacances de Noël, je fais du ski dans les Alpes.*
>
> *Je passe un excellent trimestre en France. Finalement je rentre aux États-Unis le 15 janvier.*

✹ *Vanessa est arrivée à Paris le 2 octobre...*

16 **Expression personnelle** •

Complétez les phrases suivantes en décrivant une situation habituelle (à l'**imparfait**) et un événement particulier (au **passé composé**). Utilisez les ressources de votre mémoire ... et de votre imagination!

> ✹ Quand j'avais cinq ans...
> ***Quand j'avais cinq ans,***
> ***j'avais une bicyclette.***
> ***Un jour, j'ai eu un accident ...***

1. Quand j'avais douze ans...
2. Quand j'allais à l'école secondaire...
3. Avant d'aller (*before going*) à l'université...
4. L'été dernier, pendant les vacances, ...

E. Le verbe *conduire*

The verb **conduire** (*to drive*) is irregular.

infinitive	**conduire**	Pierre ne veut pas **conduire.**
present	je **conduis**	Je **conduis** une Renault.
	tu **conduis**	Tu **conduis** une Ferrari.
	il/elle/on **conduit**	On **conduit** une Citroën.
	nous conduisons	Nous **conduisons** bien.
	vous conduisez	Vous **conduisez** mal.
	ils/elles conduisent	Elles **conduisent** vite.
passé composé	j'**ai** conduit	J'**ai conduit** la voiture de mon oncle.

⟹ The following verbs are conjugated like **conduire:**

construire	*to build, construct*	Qui **a construit** la Tour Eiffel?
détruire	*to destroy*	Un cyclone **a détruit** cette maison.
produire	*to produce, create*	On **produit** beaucoup de vin en France.
traduire	*to translate*	J'**ai traduit** un article en français.

17 **La bonne conduite** (*Safe driving*) •

Dites qui conduit bien et qui conduit mal.

✹ Tu es prudent.   ***Tu conduis bien.***

1. Je fais toujours attention.
2. Vous prenez des risques inutiles.
3. Tu as souvent des accidents.
4. M. Martin est très nerveux.
5. Nous sommes restés calmes et attentifs.
6. Claire a respecté la limite de vitesse (*speed*).

Phonétique: Les lettres «ai»

- At the end of a word, the letters "ai" represent the sound /e/. When followed by a silent consonant, they are also usually pronounced /e/.
  Répétez: j'ai je fais je sais je connais lait français anglais jamais
  j'étais tu allais il vendait elle parlait ils vivaient elles savaient

- In the last syllable of a word when followed by a pronounced consonant, the letters "ai" are usually pronounced /ɛ/.
  Répétez: j'aime faire anglaise semaine anniversaire ordinaire

- At the end of a word, or when followed by a consonant, the letters "ain" and "aim" represent the nasal vowel /ɛ̃/.
  Répétez: pain demain bain soudain Alain faim saint maintenant

- When the letters "ai" are not in the last syllable of a word, they are usually pronounced /ɛ/.
  Répétez: nous aimons vaisselle connaissance maison

À votre tour

Compréhension orale

Plusieurs personnes parlent de leurs vacances. Marquez la rangée A quand un événement spécifique est mentionné et la rangée B quand un événement habituel est mentionné.

	1	2	3	4	5	6	7	8	9	10
A. événement spécifique										
B. événement habituel										

Conversation dirigée

You are interviewing a movie star about his/her childhood. Ask your partner (the movie star) . . .

- where he/she used to live
- to which school he/she used to go
- what sports he/she played
- what sort of movies he/she liked
- who his/her favorite actor/actress was

Expression libre

Décrivez ce que vous faisiez hier à différents moments de la journée. Demandez à votre partenaire ce qu'il/elle faisait à ces mêmes moments. Est-ce que vos activités étaient similaires ou différentes?

Hier à sept heures, je dormais (je prenais le petit déjeuner...)

Expression écrite

Décrivez vos vacances de l'été dernier. D'abord, décrivez votre routine quotidienne (*daily*): ce que vous faisiez tous les jours. Ensuite décrivez ce que avez fait un jour différent.

- Tous les jours, pendant les vacances, je...
- Un jour spécial, je...

Un cambriolage

Objectives

- To narrate a past event
- To tell the main facts of that event and describe the circumstances
- To describe events that took place at different times in the past

*La semaine dernière, un **cambriolage** a eu lieu à la Galerie Durand. La police vient d'arrêter les cambrioleurs **grâce au** témoignage d'un jeune étudiant, Théo Dumont. Aujourd'hui, une journaliste l'interviewe à la télévision locale.*

burglary

thanks to

— Vous **avez assisté** au cambriolage de la Galerie Durand.

witnessed

— Absolument!

— **Quand est-ce que c'est arrivé?**

When did it happen?

— C'était mardi dernier, le 5 mai. Il était quatre heures de l'après-midi.

— Qu'est-ce que vous faisiez dans le quartier?

— Je revenais de la fac. Je rentrais chez moi à pied. Quand j'ai tourné dans la rue St-Firmin, j'ai vu un homme sur une moto devant la Galerie Durand. Visiblement il attendait quelqu'un. J'**ai** aussi **remarqué** que la porte de la galerie était **entr'ouverte**. J'ai trouvé ça bizarre.

noticed

half open

— Ah bon! Pourquoi?

— Parce que le mardi, la galerie est toujours fermée. Alors, j'ai pensé que c'était certainement un cambriolage.

— Qu'est-ce que vous avez fait? Vous avez téléphoné à la police?

— Non, parce que ce jour-là je n'avais pas mon portable avec moi. Alors, j'ai attendu derrière un **arbre**. Je voulais savoir ce qui allait **se passer**.

tree / to happen

— Et qu'est-ce qui s'est passé?

— Après trois minutes, j'ai vu quelqu'un qui sortait par la porte.

— Est-ce que vous pouvez décrire cette personne?

— Oui! C'était une femme blonde, assez jeune. Elle portait une veste de cuir et un pantalon noir. Elle avait aussi des lunettes de soleil. Et sur le dos, elle portait un grand sac.

— Et qu'est-ce qu'elle a fait?

— Elle est montée sur la moto qui est partie à **toute vitesse**. *at high speed*

— C'est tout?

— Mais non! Vous savez peut-être que je suis photographe amateur. Ce jour-là, j'avais **justement** mon appareil-photo avec moi. Alors, j'ai pris plusieurs photos. Quand je suis rentré chez moi, j'**ai agrandi** ces photos sur mon ordinateur. C'était formidable! On pouvait très bien lire la **plaque minéralogique** de la moto. J'ai immédiatement téléphoné à la police. Vous savez le reste.

in fact
enlarged
license plate

— Oui, deux jours après, la police a retrouvé la moto dans une ferme isolée. À l'intérieur de la ferme, il y avait l'homme, la femme et quatre complices. C'était un gang qui cambriolait les galeries d'art de la région. Grâce à vous, la police a arrêté tout ce gang, et elle a récupéré un très grand nombre d'objets d'art... Vous êtes un véritable héros!

— Mais non, je suis **seulement** un assez bon photographe. *only*

À propos du texte

1. Quel fait divers (*news item*) est décrit?
2. Comment est-ce que l'étudiant a aidé la police?
3. Quel a été le résultat de son action?
4. Selon vous, est-ce que l'histoire est réaliste ou non? Expliquez.

Note culturelle
Les Français et l'art

Dans un sondage° récent, 67% des Français trouvent que «l'art est quelque chose d'universel et essentiel pour l'humanité». Beaucoup de gens visitent les musées le week-end. Pour eux, la visite d'une belle exposition° est une forme importante de récréation culturelle.

Dans Paris même° il y a 134 musées et environ° 400 galeries d'art. Le musée du Louvre reçoit° plus de 5 millions de visiteurs par an; le musée d'Orsay, plus de 1,5 millions de visiteurs. Si on n'a pas assez d'argent pour acheter des tableaux°, on peut toujours décorer son appartement avec des belles affiches d'expositions.

À votre avis

1. Est-ce que pour les Américains en général l'art est essentiel? Expliquez.
2. Quelles sont les formes de récréation culturelle aux États-Unis?

---

sondage *poll* **exposition** *art exhibit* **même** *itself* **environ** *about* **reçoit** *receives* **tableaux** *paintings*

Source: Beaux-Arts Magazine, janvier 2001, numéro 200.

La langue française

Vocabulaire: Comment décrire un événement

Qu'est-ce qui est arrivé?
Qu'est-ce qui a eu lieu?
Qu'est-ce qui s'est passé?

arriver	*to happen*
avoir lieu	*to take place*
se passer	*to happen*

J'ai vu
J'ai remarqué
J'ai observé } **quelque chose d'étrange**
J'ai assisté à
J'ai été témoin de
J'ai été victime de

remarquer	*to notice*
observer	*to observe, see*
assister à	*to see, be present at*
être témoin de	*to witness*

Ah bon? Quand?

C'est arrivé   hier.
Ça a eu lieu   lundi dernier.
pendant le week-end.
pendant que je conduisais.

un témoin	*witness*
une victime	*victim*

pendant	*during*
pendant que	*while*

Où étais-tu?

J'étais **dehors.**
à l'intérieur.
en ville.
à la campagne.

dehors	*outside*
à l'intérieur	*inside*

Qu'est-ce que tu faisais?
Je faisais une promenade.
J'attendais un copain.

Qu'est-ce que tu as fait?
Eh bien, j'ai téléphoné à...
J'ai pris une photo de...

➡ **Une victime** is always feminine, even if the victim is a man.
Un témoin is always masculine, even if the witness is a woman.

Vocabulaire: Quelques événements

un événement	*event*	**un incendie**	*fire*	**un cambrioleur**	*burglar*
un fait	*fact*	**un cambriolage**	*burglary*	**un voleur**	*thief*
un fait divers	*news item*	**un vol**	*theft*	**cambrioler**	*to burglarize*
un accident				**voler**	*to steal*

1 **Et vous?** ●

1. Le mois dernier, avez-vous assisté à un match de football? à un événement sportif?
2. Avez-vous assisté à un événement culturel? à un concert? à d'autres événements? Quels étaient ces événements?
3. Avez-vous été témoin d'un accident? Où et quand?
4. Connaissez-vous quelqu'un qui a été victime d'un cambriolage? Où et quand a eu lieu ce cambriolage?
5. Quel est l'événement le plus important auquel (*to which*) vous avez assisté?
6. Selon vous, quel est l'événement le plus important des dix dernières années?
7. Quand a eu lieu votre anniversaire? l'anniversaire de votre meilleur(e) ami(e)?

2 **Un événement extraordinaire** ●

Avec votre partenaire, choisissez l'un des événements suivants. Ensuite, créez un dialogue où vous décrivez cet événement. Utilisez votre imagination.

QUEL ÉVÉNEMENT?

- J'ai rencontré Brad Pitt.
- J'ai assisté au tournage (*filming*) d'un film.
- J'ai été témoin d'un accident.
- J'ai été victime d'un cambriolage.
- J'ai vu un OVNI (*UFO*).
- J'ai vu un fantôme (*ghost*).

✹ — *Qu'est qui est arrivé?*
— *J'ai ...???*
— *Quand?*
— *???*
— *Où étais-tu?*
— *???*
— *Qu'est-ce que tu faisais?*
— *???*
— *Qu'est-ce que tu as fait?*
— *???*

A. La description d'un événement: le passé composé et l'imparfait

RELATING AN EVENT

When we narrate a past event, for instance, an accident, we describe the main facts and also some of the circumstances. Compare the use of the PASSÉ COMPOSÉ and the IMPERFECT in the following description.

> The **passé composé** narrates WHAT HAPPENED, WHAT PEOPLE DID. It is used to describe the MAIN ACTIONS which constitute the STORY LINE.

Mathilde **a vu** un accident.	Mathilde **saw** an accident.
Une voiture **est entrée** dans un mur.	A car **ran** into a wall.
Mathilde **a téléphoné** à la police.	Mathilde **phoned** the police.
Une ambulance **est arrivée.**	An ambulance **came.**

> The **imperfect** sets the SCENE. It is used to describe the CONDITIONS and CIRCUMSTANCES that form the BACKGROUND of the main event.

TIME AND WEATHER

C'**était** hier soir.	It **was** last night.
Il **était** neuf heures et demie.	It **was** nine thirty.
Il ne **faisait** pas beau.	The weather **was** not good.
Il **pleuvait.**	It **was raining.**

OUTWARD APPEARANCE, AGE, PHYSICAL OR EMOTIONAL STATE

L'automobiliste **était** un jeune homme.	The driver **was** a young man.
Il **avait** vingt ans.	He **was** twenty years old.
Il **portait** un jean et un tee-shirt.	He **was wearing** jeans and a tee shirt.
Il **avait** sa ceinture de sécurité.	He **had** his seat belt on.
Il n'**était** pas sérieusement blessé, mais il **avait** très peur.	He **was** not seriously injured, but he **was** very frightened.

EXTERNAL CIRCUMSTANCES

Les boutiques **étaient** fermées.	The stores **were** closed.
Il n'y **avait** personne dans la rue.	There **was** nobody in the street.

OTHER ACTIONS IN PROGRESS

Mathilde **allait** en ville.	Mathilde **was going** downtown.
Elle **avait rendez-vous** avec une copine.	She **was meeting** a friend.
Sa copine l'**attendait** dans un café.	Her friend **was waiting** for her in a café.

3 Êtes-vous un bon témoin?

Vous avez assisté à la scène suivante et maintenant vous faites un rapport à la police. Répondez aux questions suivantes.

1. À quel genre d'événement avez-vous assisté?
2. Où a eu lieu cet événement?
3. Quelle heure était-il? Quel temps faisait-il?
4. Est-ce qu'il y avait des gens dans la rue?
5. Combien de voitures est-ce qu'il y avait?
6. Comment est-ce que le cambrioleur est sorti de la banque?
7. Quels vêtements est-ce qu'il portait?
8. Est-ce qu'il avait une complice (*accomplice*)? Où était-elle?
9. Quels vêtements est-ce qu'elle portait?
10. Comment est-ce que les cambrioleurs sont partis?
11. Est-ce qu'il y avait un autre témoin?
12. Où était-il? Qui était-ce?

Maintenant, imaginez la suite (*the end of the story*). Par exemple:

• Est-ce que le témoin a téléphoné à la police?
• Quand est-ce que la police est arrivée?
• Est-ce que les cambrioleurs ont eu un accident?
• Est-ce que la police les a arrêtés?
• ???

4 Excuses

Expliquez pourquoi les personnes suivantes n'ont pas fait certaines choses.

✴ Guillaume / sortir (il a la grippe)
   Guillaume n'est pas sorti parce qu'il avait la grippe.

1. Dimitri / travailler (il est en vacances)
2. Valérie / faire les courses (elle est malade)
3. David et Antoine / assister aux cours (ils pensent que c'est samedi)
4. Théo / aller au cinéma (il veut préparer l'examen)
5. Simon / téléphoner à Jacqueline (son mobile ne marche pas)
6. Inès / nager (il fait très froid)
7. Claire et Céline / utiliser l'imprimante (il n'y a pas de papier)
8. Vanessa / boire son café (il est trop chaud)

5 Pourquoi?

Demandez à votre partenaire pourquoi il/elle a fait les choses suivantes. Il/Elle va répondre avec l'explication suggérée (ou une autre explication de son choix).

✴ aller au café (j'ai soif)
   — *Pourquoi est-ce que tu es allé(e) au café?*
   — *Parce que j'avais soif.*
ou — *Parce que je voulais rencontrer mes copains (parce qu'il pleuvait...)*

1. aller au restaurant
   (j'ai faim)
2. aller à la plage
   (il fait beau)
3. rester chez toi
   (je suis malade)

4. étudier
   (je veux réussir à l'examen)
5. aller en boîte (*club*)
   (j'ai envie de danser)
6. rentrer à la maison
   (il est minuit)

7. téléphoner à ta cousine
   (c'est son anniversaire)
8. prendre un manteau
   (il fait froid)
9. mettre une casquette
   (il y a trop de soleil)

6 Fait divers

Vous avez été témoin du fait divers suivant qui a été décrit dans le journal local. Votre partenaire va vous poser certaines questions sur l'événement, par exemple...

- Quelle était la date?
- Quelle était l'heure?
- C'était où?
- Qu'est-ce que tu faisais?
- Qu'est-ce que tu as vu?
- Qu'est-ce que tu as fait?

Des OVNIs° dans la région

Plusieurs habitants du village de Saint-Marcellin ont observé deux mystérieux objets lumineux dans la nuit du samedi 10 août vers onze heures et demie. Les objets, de forme circulaire, ont disparu° au bout° de 15 minutes. Un témoin a pris des photos de l'événement. La police fait son enquête°.

OVNIs *UFOs*   **ont disparu** *disappeared*   **au bout de** *after* **enquête** *inquiry*

7 Une rencontre intéressante •••••••••••••••••••••••••••••••••••••

Vous avez passé l'été à Paris. Un soir vous êtes allé(e) dans un café. Racontez ce qui (*what*) est arrivé au passé.

1. C'est le 20 juillet.
2. Il est neuf heures du soir.
3. Il fait chaud.
4. J'ai soif.
5. Je vais dans un café.
6. Je commande un soda.
7. Un homme rentre.
8. Il est assez jeune.
9. Il est élégant.
10. Il porte un costume marron.
11. Il porte aussi des lunettes noires.
12. Il commande une bière.
13. Après un moment, il enlève (**enlever:** *to take off*) ses lunettes.
14. Je reconnais Simon Laballe, la grande star de football.
15. Je prends une photo.
16. Je lui demande son autographe.
17. Il me donne son autographe et un billet pour le prochain match.
18. Je sors du café.
19. Je suis très content(e) de cette rencontre.

8 Au Marché aux puces (*At the flea market*) ••••••••••••••••••••••••••

Racontez l'histoire suivante au passé. Pour cela, mettez les verbes soulignés au passé composé ou à l'imparfait.

Au Marché aux puces

C'est le 18 juin. Je <u>suis</u> en vacances. Il <u>fait</u> beau. Je ne <u>veux</u> pas rester chez moi. Je <u>téléphone</u> à mon amie Sylvie. Nous <u>décidons</u> d'aller au Marché aux puces.

Nous <u>prenons</u> l'autobus. Nous <u>arrivons</u> au Marché aux puces à deux heures. À cette heure-là, il y <u>a</u> beaucoup de monde (*people*).

Les vendeurs <u>proposent</u> leurs marchandises aux touristes. Les touristes <u>regardent</u>. Certains <u>dépensent</u> beaucoup d'argent pour de la camelote (*junk*). Sylvie n'<u>achète</u> rien. Moi, j'<u>achète</u> un bracelet pour un très bon prix.

Nous <u>avons</u> chaud. Nous <u>allons</u> dans un café. Nous <u>buvons</u> de la limonade. Ensuite, nous <u>rentrons</u> chez nous.

Le lendemain, je <u>montre</u> mon bracelet à ma tante Odile. Elle le <u>regarde</u> attentivement. Elle me <u>dit</u> que c'<u>est</u> un bracelet d'une très grande valeur.

Vraiment, je ne <u>perds</u> pas mon temps au Marché aux puces.

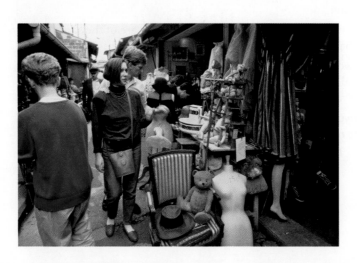

B. Le passé composé et l'imparfait dans la même phrase

As we narrate a past event, we may mention an action and also describe what was going on at the time. In such cases, we use both the PASSÉ COMPOSÉ and the IMPERFECT in the same sentence.

Les cambrioleurs **sont entrés** pendant que nous **dormions.**
Quand Alain **a téléphoné,** nous **étions** dans le jardin.
Dans la rue nous **avons vu** des musiciens qui **jouaient** du jazz.

The time relationship between the two actions in these sentences can be graphically depicted as follows:

specific event	Les cambrioleurs **sont entrés**	Quand Alain **a téléphoné**	Nous **avons vu** des musiciens
ongoing background action	pendant que nous **dormions.**	nous **étions** dans le jardin.	qui **jouaient** du jazz.

➡ **Pendant que** is usually followed by the IMPERFECT.

J'ai vu un accident **pendant que j'attendais** le bus.

➡ **Quand** can be followed by the PASSÉ COMPOSÉ or the IMPERFECT depending on whether a specific event or an ongoing action is described.

J'ai téléphoné **quand tu regardais** la télé.   *I called **when you were watching** TV.*

J'ai téléphoné **quand j'ai vu** ton message.   *I called **when I saw** your message.*

> **À noter**
>
> A sentence may describe two actions which are of the same type. In that case, both verbs are in the same tense.
>
> two specific events
> J'**ai dit** au revoir à mes amis   *I **said** good-by to my friends*
>   quand ils **sont partis.**   *when they **left.***
> two ongoing actions
> Je **regardais** la télé   *I **was watching** TV*
>   pendant que tu **étudiais.**   *while you **were studying.***

9 Au Quartier latin ·

Les personnes suivantes ont fait une promenade au Quartier latin à Paris. Dites qui elles ont vu et ce que ces personnes faisaient.

✹ Pierre rencontre une copine. Elle va à la fac.   *Pierre a rencontré une copine qui allait à la fac.*

1. Laure rencontre des copains. Ils sortent du cinéma.
2. Pauline écoute des musiciens. Ils jouent de la guitare.
3. David remarque un agent de police. Il arrête (*stops*) une voiture.
4. Isabelle parle à une Américaine. Elle cherche la Sorbonne.
5. Claire observe des enfants. Ils jouent au Jardin du Luxembourg.
6. Antoine voit des étudiants. Ils vont à une manifestation (*demonstration*).
7. Les touristes regardent un mime. Il imite la Statue de la Liberté.
8. Zoé photographie des gens. Ils font la queue (*stand in line*) devant le musée.

10 Pas de chance! (*Tough luck!*) · · · · · · · · · · · · · · · · · ·

Décrivez les mésaventures (*mishaps*) suivantes en mettant les verbes au passé.

1. Les voisins font un voyage.
   Pendant qu'ils sont en vacances, un cambrioleur entre chez eux.
2. Pierre et Marc font du camping.
   Une nuit, pendant qu'ils dorment, un ours (*bear*) mange leurs provisions.
3. Thomas va à la plage.
   Pendant qu'il nage, quelqu'un prend ses vêtements.
4. Les touristes montent à la Tour Eiffel.
   Pendant qu'ils sont dans l'ascenseur (*elevator*), il y a une panne d'électricité (*power outage*).

Maintenant, avec votre partenaire, décrivez une mésaventure semblable.

11 Curiosité ·

Julien a fait certaines choses. Il demande à son camarade de chambre David ce qu'il faisait à ce moment-là.

✹ téléphoner hier?
   préparer le repas
   JULIEN: *Qu'est-ce que tu faisais quand j'ai téléphoné hier?*
   DAVID: *Je préparais le repas.*

1. sortir ce matin?
   écrire un email
2. rentrer hier soir?
   dormir
3. aller à la bibliothèque lundi?
   ranger la chambre
4. faire les courses samedi?
   finir une préparation

C. Le plus-que-parfait

In French, as in English, we use the PLUPERFECT (**le plus-que-parfait**) to describe events and actions that HAD HAPPENED before other past events or actions. Compare:

Cet été, j'**ai visité** Québec.　　　*This summer I **visited** Quebec.*
L'été d'avant, j'**avais visité** Montréal.　*The summer before, I **had visited** Montreal.*

David **est allé** en France.　　　*David **went** to France.*
Il n'**était** jamais **allé** en Europe.　*He **had** never **gone** to Europe.*

Quand Alice **est arrivée** à l'aéroport,　*When Alice **got** to the airport,*
　son avion **était parti**.　　　*her plane **had left**.*

The PLUPERFECT is formed as follows:

> IMPERFECT of **avoir** or **être** + PAST PARTICIPLE

Note the PLUPERFECT forms of **étudier** and **sortir**.

infinitive			étudier			sortir
pluperfect	j'	**avais**	**étudié**	j'	**étais**	**sorti(e)**
	tu	**avais**	**étudié**	tu	**étais**	**sorti(e)**
	il/elle/on	**avait**	**étudié**	il/elle/on	**était**	**sorti(e)**
	nous	**avions**	**étudié**	nous	**étions**	**sorti(e)s**
	vous	**aviez**	**étudié**	vous	**étiez**	**sorti(e)(s)**
	ils/elles	**avaient**	**étudié**	ils/elles	**étaient**	**sorti(e)s**
negative	Je **n'avais pas étudié.**			Je **n'étais pas sorti(e).**		
interrogative	**Est-ce que** tu **avais étudié?**			**Est-ce que** tu **étais sorti(e)?**		
	Avais-tu **étudié?**			**Étais**-tu **sorti(e)?**		

▶ The rules of AGREEMENT of the PAST PARTICIPLE are the same in the PLUPERFECT as in the PASSÉ COMPOSÉ.

when the auxiliary verb is	the past participle agrees with:	
avoir	PRECEDING DIRECT OBJECT	Avais-tu **regardé** ces photos? Oui, je **les** avais **regardées.**
être	SUBJECT	Georges était **sorti.** **Ses cousines** étaient **sorties** avec lui.

12 Vive la différence!

On aime faire des choses différentes. Lisez ce qu'ont fait les personnes suivantes et décrivez ce qu'elles avaient fait avant.

✱ Cette année Monique est allée à Québec. (l'année dernière / à Genève)
   L'année dernière, elle était allée à Genève.

1. Ce matin les touristes ont visité le Louvre. (hier matin / le musée d'Orsay)
2. Vendredi vous avez assisté à un match de boxe. (jeudi / à un match de karaté)
3. Hier j'ai vu une comédie musicale. (la semaine dernière / un film d'horreur)
4. Cette semaine, mes amies sont allées dans un restaurant italien. (il y a deux semaines / dans un restaurant vietnamien)
5. Ce week-end Léa est sortie avec Antoine. (le week-end dernier / avec Thomas)
6. Cet hiver nous avons eu la grippe. (l'hiver dernier / une pneumonie)
7. En 2004, les Jeux olympiques ont eu lieu à Athènes. (en 2000 / à Sydney)

13 Pourquoi?

Votre partenaire va demander, en utilisant le passé composé, pourquoi les personnes suivantes ont fait certaines choses. Expliquez pourquoi en utilisant le plus-que-parfait dans une phrase affirmative ou négative.

✱ les étudiants / rater l'examen? (étudier)
   — ***Pourquoi est-ce que les étudiants ont raté l'examen?***
   — ***Parce qu'ils n'avaient pas étudié.***

1. M. Dupont / prendre un taxi? (rater le bus)
2. Mme Marin / dîner au restaurant? (faire les courses)
3. Thomas / avoir une indigestion? (trop manger)
4. Isabelle / bien dormir? (boire du café)
5. Philippe / tomber de bicyclette? (voir l'obstacle)

14 Trop tard (*Too late*)

Les personnes suivantes ont fait certaines choses, mais trop tard. Expliquez ce qui leur est arrivé, d'après le modèle.

✱ Charles arrive à la gare. Le train part.
   Quand Charles est arrivé à la gare, le train était déjà parti.

1. Philippe téléphone à Léa. Elle est sortie avec Jean-Pierre.
2. Nous arrivons au cinéma. Le film a commencé.
3. Mme Lambert entre dans la cuisine. Le chat a mangé le saumon.
4. La police arrive sur le lieu de l'accident. Les témoins sont partis.
5. Le serveur apporte l'addition (*check*). Les clients ont quitté le restaurant.
6. M. Galand arrive au marché (*market*). Le marchand a vendu tous les fruits.

15 Non, jamais! ·····································

Céline demande à ses copains ce qu'ils ont fait et s'ils avaient fait ces choses avant. Jouez les rôles suivant le modèle.

✹ l'été dernier / aller en Grèce

CÉLINE: *Qu'est-ce que tu as fait l'été dernier?*

LE COPAIN: *Je suis allé en Grèce.*

CÉLINE: *Ah bon! Est-ce que tu étais allé en Grèce avant?*

LE COPAIN: *Non, je n'étais jamais allé en Grèce.*

1. pendant les vacances d'hiver / faire du ski au Canada
2. le week-end dernier / voir *Le Petit Prince*
3. pendant les vacances / aller au Tibet
4. à Paris / monter à la Tour Eiffel
5. en Espagne / assister à une corrida (*bullfight*)
6. pour ton anniversaire / sauter (*jump*) en parachute.

Phonétique: Les préfixes «de-», «dé-», «re-» et «ré-»

Be sure to distinguish between the vowels /ə/ and /e/ in the following prefixes and the first syllables of a word.

Répétez:

de- /də/ <u>de</u>mander <u>de</u>vant <u>de</u>main <u>de</u>voir <u>de</u>mi <u>de</u>venir <u>de</u>puis

dé- /de/ <u>dé</u>cembre <u>dé</u>jeuner <u>dé</u>pense <u>dé</u>tester <u>dé</u>crire <u>dé</u>jà

re- /rə/ <u>re</u>pas <u>re</u>tour <u>re</u>marquer <u>re</u>garder <u>re</u>venir <u>re</u>connaître

ré- /re/ <u>ré</u>cent <u>ré</u>pondre <u>ré</u>server <u>ré</u>péter <u>ré</u>sidence <u>ré</u>fléchir <u>ré</u>gime

À votre tour

Compréhension orale

Des personnes parlent d'événements différents. Marquez la rangée A quand la personne mentionne un fait principal. Marquez la rangée B quand elle mentionne une circonstance de l'événement.

	1	2	3	4	5	6	7	8	9	10
A. fait principal										
B. circonstance										

Conversation dirigée

You are a journalist for *France-Radar*. You are interviewing a witness who claims to have seen a UFO (**un OVNI**).

Ask your partner . . .
- what day it was
- what time it was
- what he/she was doing then
- what he/she saw
- what happened next
- if he/she took photos
- if he/she called the police
- what he/she did afterwards (**après**)

Expression libre

Vous et votre partenaire ont chacun(e) été victime d'un vol (réel ou imaginaire). Échangez vos histoires.
- Qu'est-ce que le voleur a pris?
- Où et quand le vol a-t-il eu lieu?
- Quelles étaient les circonstances de ce vol?
- Qu'est-ce que vous avez fait?
- Avez-vous retrouvé l'objet volé? Comment?

Expression écrite

Décrivez une fête (*party*) où vous êtes allé(e) récemment. Vous pouvez décrire:

les circonstances
- la date
- l'heure
- l'endroit: où? chez qui?
- les invités: Combien étaient-ils?
  Qui étaient-ils?
  Est-ce que vous les connaissiez?

ce que vous avez fait
- Qui avez-vous rencontré?
- De quoi avez-vous parlé?
- Qu'est-ce que vous avez mangé? bu?
- Quelle musique est-ce que vous avez écoutée?
- Qu'est-ce que vous avez fait?
- À quelle heure êtes-vous rentré(e) chez vous?

À L'HÔTEL

Où loger

Quand on voyage en France, on peut...

loger (*stay*)		un hôtel de luxe.
aller	dans	un petit hôtel bon marché mais confortable.
séjourner (*stay*)		une auberge à la campagne (*country inn*).
		une auberge de jeunesse (*youth hostel*).
		un gîte avec chambre d'hôte (*bed and breakfast*).

➡ *Comment réserver une chambre*

Vous désirez? (*May I help you?*)
   Je voudrais **une chambre.**

Quel genre (*What type*) de chambre désirez-vous?
   Je voudrais une chambre | **pour une personne.**
   | **pour deux personnes.**
   | **à un lit.**
   | **à deux lits.**

Combien de temps (*How long*) allez-vous rester?
   Je vais rester | **deux nuits.**
   | **une semaine.**
   | **du 2 au 7 août.**
   | **jusqu'à** (*until*) **mardi prochain.**
   | **jusqu'au 10 juillet.**

Comment allez-vous **régler** (*settle your account*)?
   Je vais **payer** | **en espèces** (*in cash*).
   | **par chèque.**
   | **avec une carte de crédit.**
   | **par carte bancaire** (*debit card*).

Gîtes de France et chambres d'hôte

Beaucoup de touristes qui visitent la France réservent des chambres d'hôte° dans un *Gîte de France*. Les *Gîtes de France* sont des maisons privées° avec un maximum de six chambres d'hôte. Ces maisons sont généralement situées° à la campagne ou dans des petits villages. Ce sont souvent des maisons anciennes avec beaucoup de charme et de caractère. Les chambres sont confortables et relativement bon marché. L'atmosphère est familiale. Le matin, un excellent petit déjeuner est servi aux hôtes par le maître° ou la maîtresse° de maison.

hôte *guest* **privées** *private* **situées** *located* **maître** *master*
maîtresse *lady*

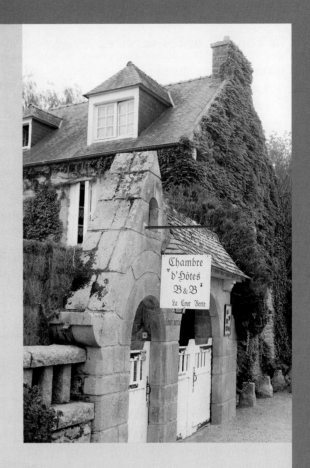

À votre tour

1. Où loger

Vous allez passer une semaine en France. Choisissez un type de logement et expliquez les avantages (et les désavantages) de votre choix en fonction des éléments suivants:

- prix
- confort
- service
- possibilité de rencontrer d'autres personnes
- calme
- ville ou campagne
- ambiance

2. Une réservation

Cet été, vous allez passer quelque temps à Québec. Téléphonez à la réceptionniste (votre partenaire) pour réserver une chambre. Mentionnez:

- le genre de chambre
- la durée du séjour (*stay*)
- le mode de paiement

Le confort et les services

Je voudrais une chambre...

| **avec douche** (*shower*). | **avec la télévision.** |
| **avec salle de bains.** | **avec accès Internet.** |

| **avec la climatisation** (*air conditioning*). | **avec un balcon.** |
| **avec l'air conditionné.** | **avec une belle vue.** |

Est-ce que l'hôtel a...

une piscine?	**un restaurant?**
un spa (*hot tub*)?	**le service en chambre** (*room service*)?
une salle d'exercice?	

| **un garage?** | **un ascenseur** (*elevator*)? |
| **un parking?** | **un accès pour personnes handicapées?** |

Combien coûte...
Quel est le prix de...

| **la chambre?** |
| **la pension** (*three meals a day*)? |
| **la demi-pension** (*breakfast and dinner*)? |

| Est-ce que | **le petit déjeuner** | est | **inclus** (*included*)? |
| | **le service** (*tip*) | | **compris** (*included*)? |

NE PAS DÉRANGER
DO NOT DISTURB

HM **Recherches Internet**

Avec votre partenaire choisissez une région de France où vous désirez séjourner pendant une semaine: Alsace, Normandie, Touraine, Provence, etc. Allez sur Internet pour trouver un logement intéressant. (Par exemple, consultez **www.logis-de-france.fr.**) Décrivez:

- la localité
- le nombre des chambres
- les éléments de confort
- le prix de la chambre
- le prix des autres éléments

Au Vieux Moulin

AUBERGE PROVENÇALE

à 10 kilomètres de Nice
12 chambres
tout confort

Propriétaires:
Stéphane et Charlotte Pelard

Prix
Chambre
60 – 85 €

Menu
22 – 28 €

Petit déjeuner
8 €

Demi-Pension
54 – 60 €

Services

À votre tour

1. Le confort à l'hôtel

Quels sont les trois éléments de confort les plus importants pour vous?

· Établissez une liste par ordre d'importance.

· Comparez votre liste avec celle de votre partenaire.

· Quels sont les éléments que vous avez en commun?

1.

2.

3.

2. Une chambre au Vieux Moulin

Vous téléphonez au Vieux Moulin. Vous voulez réserver une chambre.

· Indiquez le genre de chambre que vous voulez.

· Informez-vous sur les services de l'hôtel.

· Demandez le prix pour la formule que vous désirez.

Le/La propriétaire (votre partenaire) va répondre à vos questions.

Haïti

Avant de lire

Qu'est-ce que vous savez d'Haïti?
- situation géographique
- population
- langues
- histoire

Haïti et ses habitants

Haïti est situé à l'ouest de la grande île° d'Hispaniola.

Les Haïtiens sont d'origine africaine. Ce sont les descendants des anciens esclaves° transplantés de leur Afrique natale pour travailler dans les plantations de la colonie française de Saint-Domingue. En libérant° leur pays en 1804, ces esclaves ont créé la première nation indépendante de population noire.

Après deux cents ans d'indépendance, Haïti n'a malheureusement pas de régime démocratique stable. Cette situation politique a provoqué une crise économique très grave. Aujourd'hui, Haïti est le pays le plus pauvre° de l'hémisphère américaine.

Dans ces conditions, beaucoup d'Haïtiens ont décidé de quitter leur pays. Ils ont émigré aux États-Unis et au Canada, notamment à Miami, Boston, New York et Montréal. Là, ils forment des communautés très actives, avec des journaux en français, et des stations de radio diffusant° de la musique populaire haïtienne.

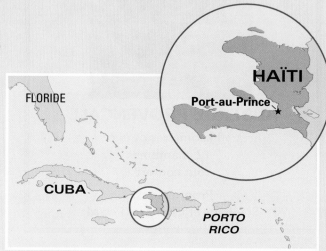

Malgré les difficultés de l'existence, les Haïtiens restent optimistes. Leur joie de vie s'exprime° dans de multiples fêtes familiales et populaires, dans la musique toujours présente°, et dans leur gentillesse° et leur hospitalité.

Les Haïtiens parlent créole, une langue qui combine des éléments de français et de langues africaines. Le créole est la langue populaire utilisée dans la conversation et la vie de tous les jours. Une partie de la population sait parler français, qui reste la langue littéraire.

Population:	8 millions
Capitale:	Port-au-Prince
Langues officielles:	créole et français
Monnaie:	la gourde
Devise°:	«L'Union fait la force.»

créole	français
Ayiti	Haïti
creyol	créole
piti	petit
mizik	musique
zetazini	États-Unis

île *island*   **esclaves** *slaves*   **En libérant** *By freeing*   **pauvre** *poor*   **diffusant** *broadcasting*   **s'exprime** *expresses itself*
toujours présente *ever-present*   **gentillesse** *kindness*   **devise** *motto*

Un peu d'histoire

Époque amérindienne

pré-1492
- Des tribus Arawak habitent Haïti, le «pays des montagnes».

Colonisation française

1697
- Saint-Domingue, la partie ouest d'Haïti, devient une colonie française.
- Transplantation massive d'esclaves africains.
- Prospérité de la colonie et misère des esclaves.

Indépendance

1791
- Révolte générale des esclaves.

1801
- Leur chef, Toussaint Louverture, devient gouverneur de Saint-Domingue.

1803
- Intervention et défaite° de l'armée française.

1804
- L'indépendance est proclamée.
- Saint-Domingue redevient Haïti.
- Successions de coups d'état.
- Divisions sociales et rivalités politiques.

Occupation américaine

1915–1934
- Les Marines occupent Haïti et répriment° brutalement l'insurrection paysanne°.

Époque moderne

1956–1986
- Période de dictature° avec la famille Duvalier (Papa Doc et Baby Doc).

1990
- Retour progressif mais incertain de la démocratie.

Toussaint Louverture, commandant des esclaves révoltés, devient gouverneur de Saint-Domingue (1801).

Général Jean-Jacques Dessalines crée le premier drapeau° haïtien, 18 mai 1803. Tableau de Sénèque Obin.

Quelques Haïtiens célèbres

- **Toussaint Louverture** héros de l'Indépendance
- **Henri Christophe** héros de l'Indépendance et Roi d'Haïti
- **Jean-Baptiste Point du Sable** fondateur de Chicago
- **John Audubon** artiste et ornithologiste

Après la lecture
Quels sont les trois faits les plus importants que vous avez appris sur Haïti et ses habitants?

Recherches
- Choisissez une période de l'histoire haïtienne et composez un paragraphe à ce sujet.
- Choisissez un Haïtien célèbre et écrivez une courte biographie.

défaite *defeat* **répriment** *repress* **paysanne** *peasant*
dictature *dictatorship* **drapeau** *flag*

Avant de lire
Qu'est-ce que vous savez du vaudou?
• origine
• religion ou magie?
• description

Le vaudou:
tradition spirituelle populaire

La majorité des Haïtiens sont catholiques ou protestants et pratiquent° leur religion avec ferveur et dévotion. Beaucoup observent aussi les rites ancestraux du culte vaudou.

Le vaudou est né dans la région du Bénin en Afrique occidentale. Il est arrivé en Haïti avec les milliers° d'esclaves déportés brutalement de leurs terres natales. Dans sa forme actuelle, le vaudou intègre les éléments de la spiritualité africaine avec certains aspects de la religion catholique.

Pour les adeptes du vaudou, il existe un monde invisible dominé par un être° suprême, **Bon Dieu** (ou **Bondye,** en créole), et peuplé° d'une infinité d'esprits divins nommés loas. Certains loas représentent les forces naturelles qui animent le monde. Il y a...

- **Dambala,** le dieu-serpent° de la sagesse°
- **Agoué,** le dieu° de la mer°
- **Erzulie,** la déesse° de la beauté et de l'amour
- **Ogoun,** le dieu de la guerre°

D'autres loas correspondent aux saints de l'église catholique. Chaque être humain° a un loa personnel qui le protège° contre l'adversité et la maladie°.

Les loas sont invoqués rituellement au cours° de cérémonies menées° par un prêtre°, **hougan,** ou une prêtresse, **mambo.** La cérémonie commence par des prières°. Les participants dansent aux sons des tambours° et des chants incantatoires. Les loas interviennent et prennent possession des danseurs. Chaque danseur et son loa deviennent alors le corps° et l'esprit d'une même° personne. Ainsi invoqués, les loas répondent favorablement aux prières des pratiquants°. Ils leur apportent la santé° physique et le bien-être° spirituel, et peut-être aussi l'amour° et l'argent.

Pour les Haïtiens, la conquête de la liberté a commencé dans la nuit historique du 14 août 1791 par une cérémonie vaudou. Pendant cette cérémonie une groupe d'esclaves révoltés a fait le serment° solennel de libérer le pays. Ce serment, «La liberté ou la mort°» est devenu la devise° de la rébellion.

Hector Hyppolite, *Agoué et sa monture*

---

pratiquent *practice*   **milliers** *thousands*   **être** *being*   **peuplé de** *inhabited by*   **dieu-serpent** *snake god*   **sagesse** *wisdom*   **dieu** *god*
mer *sea*   **déesse** *goddess*   **guerre** *war*   **humain** *human*   **protège** *protects*   **maladie** *sickness*   **au cours de** *during*   **menées** *led*
prêtre *priest*   **prières** *prayers*   **aux sons des tambours** *to the sound of drums*   **corps** *body*   **même** *same*   **pratiquants** *believers*
santé *health*   **bien-être** *well-being*   **amour** *love*   **serment** *oath*   **mort** *death*   **devise** *motto*

Dieuseul Paul, *Loas*

La musique haïtienne

En Haïti, la musique, c'est la vie. Elle est présente tous les jours à la radio, dans les bals populaires du samedi, dans les concerts publics et à l'occasion des fêtes familiales.

- La musique la plus populaire est le **kompas.** C'est une musique de danse aux rythmes énergiques inspirés du merengué et de la salsa. Les chanteurs de kompas chantent en créole et sont accompagnés par un orchestre composé de trompette, saxophone, piano, accordéon, guitare, tambours et conga.
- Le **ra-ra** est la musique de Carnaval.
- Les musiciens haïtiens modernes créent des styles originaux incorporant le **rap,** le **jazz** et le **reggae.**

La pratique du vaudou a assuré la permanence et la continuité de la spiritualité africaine à travers° les siècles. Elle a renforcé l'unité et la solidarité du peuple haïtien dans sa résistance à l'esclavage. Elle lui a apporté un réconfort° moral pendant les autres périodes difficiles de son histoire: guerres civiles, instabilité politique et misère économique.

En 2003, le vaudou a finalement été reconnu comme une véritable religion par un décret° du gouvernement haïtien. «Le vaudou est une partie essentielle de notre identité nationale,» a déclaré Jean-Baptiste Aristide, le président de la République haïtienne, en signant le décret.

Aujourd'hui, le vaudou est une source d'inspiration pour les peintres, les musiciens et les poètes haïtiens.

Quelques musiciens et groupes musicaux

· Tropicana d'Haïti	· Wyclef Jean
· Tabou Combo	· Emeline Michel
· Coupé Cloué	· Teri Moïse
· Misik Misik	· Natif Natal

Après la lecture
- Quels sont les trois faits les plus importants que vous avez appris sur le vaudou?
- Selon vous, est-ce que le vaudou est une religion?

HM Recherches Internet
Téléchargez de la musique haïtienne et décrivez:
- les instruments utilisés
- le rythme
- vos impressions

à travers *across*   réconfort *support*   décret *decree*

L'Art haïtien

En Haïti, l'art fait partie de la vie de tous les jours. On le trouve dans la rue, sur les autobus, à l'intérieur des maisons, dans les églises...

Les peintres haïtiens n'ont généralement pas reçu de formation° technique. Leur style est caractérisé par un dessin linéaire, l'absence de perspective, et l'usage de couleurs chaudes et vibrantes, particulièrement le rouge, le bleu et le vert. Ces artistes trouvent leur inspiration dans la culture populaire du pays. Leurs sujets préférés sont la nature, les scènes de la vie quotidienne°, les scènes historiques et les esprits° de la religion vaudou.

Autrefois peu connu, l'art haïtien est entré dans les musées et les collections privées° du monde entier.

Frank Deceus, *Vieux couple*

Hector Hyppolite, *Agoué et son consort*

Quelques artistes haïtiens

- Sénèque Obin
- Philomé Obin
- Castera Bazile
- Rigaud Benoît
- Hector Hyppolite
- Préfète Duffaut
- Pauleus Vital
- Gérard Valcin
- Louisiane Saint-Fleurant
- Salnave Philippe Auguste

Prefete Duffaut, *Cité imaginaire*

G. E. Ducasse, *Autobus dans l'avenue*

formation *training* **quotidienne** *daily* **esprits** *spirits*
privées *private*

Riguad V. Benoit, *Scène de pêche*

Pauleus Vital, *Village haïtien*

Après la lecture

Quel est le tableau que vous préférez? Pourquoi? Comparez votre choix avec vos camarades.

HM Recherches Internet
- Choisissez un peintre haïtien et trouvez un de ses tableaux sur Internet.
- Choisissez un peintre haïtien et écrivez une brève biographie.

La cuisine haïtienne

La cuisine haïtienne est une cuisine très épicée° qui utilise les produits° locaux: viande de porc, poissons, fruits et légumes tropicaux. Voici quelques spécialités haïtiennes.

Griots

Morceaux° de porc frits° pimentés° servis sur du riz et de la purée d'haricots°.

Pain patate

Dessert à base de patate douce°, avec raisins secs° et figues.

Tchiaca de pois et de maïs°

Porc cuit avec du maïs, des pois rouges° et des épices.

Crémasse

Boisson alcoolisée à base de lait condensé, de lait de coco° et de rhum, parfumé° à la vanille et à la cannelle°.

épicée *spiced* **produits** *products* **Morceaux** *Pieces* **frits** *fried* **pimentés** *with chili pepper* **purée d'haricots** *mashed beans* **patate douce** *sweet potato* **raisins secs** *raisins* **maïs** *corn* **pois rouges** *kidney beans* **coco** *coconut* **parfumé** *flavored* **cannelle** *cinnamon*

Unité 9

Images de la vie

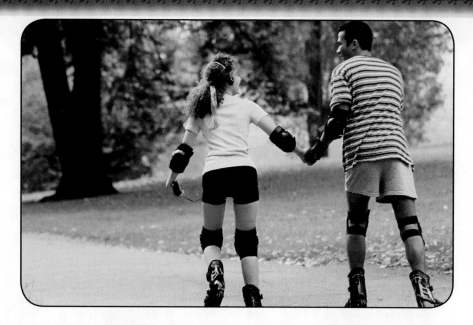

Objectives

- To talk about various sports
- To refer to places previously mentioned

Éric et Jérôme sont étudiants dans une école de commerce à Lyon. Ils font beaucoup de choses en commun, mais ils ont deux façons différentes de pratiquer le sport.

JÉRÔME: Salut, ça va bien?

ÉRIC: Oui, je suis **en forme**. Je viens de faire du roller avec ma copine. Nous en faisons tous les lundis après-midi au parc de la Tête d'Or. Et toi, ça va la santé? — *in shape*

JÉRÔME: Ne m'en parle pas! J'ai un terrible **mal de tête**. — *headache*

ÉRIC: Tu veux de l'aspirine?

JÉRÔME: Non merci, j'en ai pris ce matin.

ÉRIC: Alors, **qu'est-ce que tu as**? Tu es **malade**? Tu as la grippe? — *what's wrong / sick*

JÉRÔME: Je suis seulement très **fatigué**! J'ai passé toute la nuit sur mon ordinateur. — *tired*

ÉRIC: Pour le cours d'informatique? Oh là là! Quel courage!

JÉRÔME: Le cours d'informatique? En vérité, je n'y ai pas pensé.

ÉRIC: Alors, explique!

JÉRÔME: Eh bien, voilà. Martin est venu chez moi hier soir. Il a apporté un nouveau jeu interactif extraordinaire. On y a joué toute la nuit. Le jeu consiste à obtenir les meilleurs **résultats** dans dix sports différents. On fait du ski, du snowboard, de la **planche à voile**, du surf, de l'**escalade**, du **parapente**... — *scores / windsurfing / rock climbing / paragliding*

ÉRIC: Ah maintenant je vois pourquoi tu es si fatigué! Alors voilà un conseil: Si tu veux être en forme, abandonne le sport virtuel et fais du sport **en plein air**!

outdoors

JÉRÔME: Je vais y penser...

À propos du texte

1. Qui est le plus sportif, Éric ou Jérôme? Expliquez.
2. Est-ce qu'Éric donne un bon conseil à Jérôme? Expliquez.
3. Quels sports mentionnés dans le texte pratiquez-vous?

Note culturelle
Les Français et le sport

Pour les jeunes Français, la pratique du sport est plus individuelle que collective. Ils font du jogging, de la natation, du VTT (vélo tout terrain) ou simplement de la marche à pied. Beaucoup jouent au tennis, mais ils sont peu nombreux° à participer à des sports d'équipe°.

Les «sports de glisse°» sont particulièrement appréciés par les jeunes: le ski et le snowboard en hiver, la voile° et la planche à voile en été. Ceux qui aiment les émotions fortes font du parapente ou du delta-plane.

À Paris, les gens de tout âge ont la possibilité de faire du roller grâce° à une association sportive appelé «Pari-Roller». Tous les vendredis soirs, cette association organise la traversée° de Paris en roller. Cet événement a lieu entre dix heures du soir et une heure du matin sur un circuit de rues interdites° aux voitures. Pendant trois heures, des milliers de Parisiens traversent Paris en roller, accompagnés de policiers eux aussi en roller.

À votre avis

1. Quelles différences et similarités voyez-vous entre la pratique du sport en France et aux États-Unis?
2. Aimeriez-vous participer à un événement comme «Pari-Roller»? Pourquoi ou pourquoi pas?

---

peu nombreux *few*   **équipe** *team*   **glisse** *gliding, sliding*   **voile** *sailing*   **grâce à** *thanks to*   **traversée** *ride across* **interdites aux** *closed to*

Vocabulaire: Le sport...

Quand on est **sportif** / **sportive** (*athletic*), on peut...

pratiquer (*do, play, take part in*) un sport.

jouer dans **une équipe** (*team*).

faire du sport.

QUELQUES SPORTS INDIVIDUELS			
l'alpinisme	*mountain climbing*	**l'escalade**	*rock climbing*
le jogging		**la gymnastique**	
le parapente	*paragliding*	**la marche à pied**	*walking, hiking*
le roller	*in-line skating*	**la natation**	*swimming*
le ski		**la planche à voile**	*windsurfing*
le ski nautique	*waterskiing*	**la voile**	*sailing*
le snowboard			

Chaque jour, on peut...

marcher (*walk*) vite.

faire de l'exercice (*exercise*).

courir (*run*).

⇒ **Jouer à** + SPORT is used mainly with team and competitive sports.

Nous **jouons au volley.**   Ils **jouent au basket.**

⇒ **Faire du/de la/des** + SPORT is used with most other sports.

Élodie **fait du roller.**   David **fait de la natation.**

⇒ **Courir** is an irregular verb.

present	je **cours**	nous **courons**
	tu **cours**	vous **courez**
	il/elle/on **court**	ils/elles **courent**
passé composé	j'**ai** couru	

Vocabulaire: ... et la santé

Ça va?

Oui, ça va.
Je suis **bien portant(e)** (*healthy*).
Je suis **en forme** (*in shape*).
Je suis **en bonne santé** (*in good health*).

Non, ça ne va pas.
Je suis **malade** (*sick*).
Je suis **fatigué(e)** (*tired*).
Je suis **en mauvaise santé.**

Qu'est-ce que tu as? (*What's wrong?*)

J'ai **un rhume** (*cold*).
J'ai **la grippe** (*flu*).

1 Le sport et vous

1. Êtes-vous sportif/sportive? Quel(s) sport(s) pratiquez-vous régulièrement?
2. Quels sports pratiquez-vous en été? en automne? en hiver? au printemps?
3. Quels sports d'hiver peut-on pratiquer dans votre région? Quels sports d'été?
4. Est-ce que vous faites du jogging? Combien de miles courez-vous par semaine?
5. Est-ce que vous avez couru dans une course (*race*)? Combien de kilomètres avez-vous couru?
6. Est-ce que vous jouez dans une équipe? Dans quel sport?
7. Est-ce que votre université a une équipe de football? Assistez-vous aux matchs de football?
8. Quels sports regardez-vous à la télé? Quelles sont vos équipes préférées?

2 À votre santé!

1. Êtes-vous plutôt (*rather*) en bonne ou en mauvaise santé?
2. Est-ce que vous êtes en bonne forme physique?
3. Qu'est-ce que vous faites pour rester en forme?
4. Avez-vous été malade cet hiver? Avez-vous eu la grippe? Combien de temps avez-vous été malade?
5. Que faites-vous quand vous avez un rhume?

A. Le pronom y

In the answers to the questions below, note the form and position of the
PRONOUN that replaces expressions indicating location.

Vas-tu **à la piscine**?	Oui, j'**y** vais.	*Yes, I'm going **there**.*
Ton mobile est **sur la table**?	Non, il n'**y** est pas.	*No, it's not **there**.*
Es-tu allé **en France** cet été?	Oui, j'**y** suis allé.	*Yes, I went **there**.*
As-tu été **chez Marc** hier?	Non, je n'**y** ai pas été.	*No, I didn't go **there**.*

The PRONOUN **y** replaces phrases introduced by PREPOSITIONS OF PLACE, such as **à, dans, en, sur,** or **chez** (but never **de**). In this usage, it corresponds to the English *there*.

PREPOSITION OF PLACE + $\begin{Bmatrix} \text{noun} \\ \text{pronoun} \end{Bmatrix}$ → **y**	Marc va **au café.** Il **y** va.
	Anne est **chez elle.** Elle **y** est.

⟹ While *there* is often omitted in English, **y** must be used in French.

> Tu vas **au match de basket**? Oui, j'**y** vais. *Yes, I'm going (there).*

The PRONOUN **y** is also used to replace phrases introduced by **à** that refer to things, but not people.

à + THING or CONCEPT → **y**	Tu assistes **aux matchs de foot**?	Oui, j'**y** assiste.
	Joues-tu **au tennis**?	Non, je n'**y** joue pas.
	As-tu répondu **à mon email**?	Oui, j'**y** ai répondu.
but: **à** + PERSON → **lui, leur**	As-tu répondu **au prof**?	Je **lui** ai répondu.

POSITION

Like other object pronouns, the PRONOUN **y** usually comes BEFORE the VERB.

⟹ In an INFINITIVE CONSTRUCTION, **y** comes BEFORE the infinitive.

> Quand vas-tu aller à Paris? Je vais **y** aller cet été.

⟹ In AFFIRMATIVE COMMANDS, **y** comes AFTER the verb and is linked to it by a hyphen in writing and by the liaison consonant /z/ when speaking.

Allons à la piscine.	**Allons-y.**	BUT: N'**y** allez pas.
Pensons à notre match.	**Pensons-y.**	BUT: N'**y** pensons pas.

> **À noter**
>
> Before **y,** the **tu**-form of the imperative of **aller** and **-er** verbs takes a final **-s**. This is so that liaison may occur.
>
> Va au stade.   **Vas-y** ce matin.   Pense à ta santé.   **Penses-y.**

3 Et toi?

Demandez à vos camarades s'ils font souvent les choses suivantes. Dans leurs réponses, ils peuvent utiliser des expressions de temps, comme **très souvent, assez souvent, de temps en temps, jamais.**

✸ aller au cinéma?
— *Tu vas souvent au cinéma?*
— *Oui, j'y vais assez souvent (de temps en temps).*
ou — *Non, je n'y vais pas très souvent. (Je n'y vais jamais.)*

1. aller au complexe sportif?
2. aller en ville?
3. aller chez le dentiste?
4. passer chez tes grands-parents?
5. passer à la bibliothèque?
6. dîner à la cafétéria?
7. penser aux vacances?
8. réfléchir à l'avenir (*future*)?

4 Voyages

Demandez à votre partenaire s'il/si elle a fait les choses suivantes.

✸ aller à San Francisco?
— *Tu es allé(e) à San Francisco?*
— *Oui, j'y suis allé(e).*
ou — *Non, je n'y suis pas allé(e).*

1. aller en Floride?
2. aller au Canada?
3. aller à la Martinique?
4. aller dans l'Arizona?
5. descendre dans le Grand Canyon?
6. monter à la Statue de la Liberté?
7. passer par le Golden Gate Bridge?
8. assister aux «World Series»?

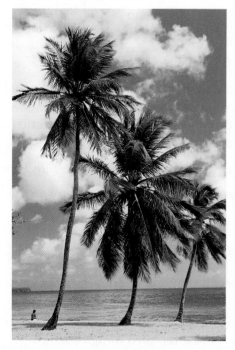

5 Au bureau

Monsieur Durand demande à son patron (*boss*) s'il doit faire certaines choses. Le patron répond affirmativement ou négativement, en utilisant les pronoms **y** ou **lui.** Jouez les deux rôles avec votre partenaire.

✸ passer à la banque? (oui)

M. Durand: *Est-ce que je dois passer à la banque?*
Le Patron: *Oui, passez-y.*

1. aller à la réunion (*meeting*)? (oui)
2. rester au bureau ce soir? (non)
3. téléphoner à Mme Mercier? (non)
4. répondre à ce message? (oui)
5. répondre à ce client? (oui)
6. répondre à cet email? (non)
7. écrire à M. Boulot? (oui)
8. passer à la poste? (oui)

B. Le pronom *en*

In the answers to the questions below, note the PRONOUN that replaces the expressions in bold type.

Tu fais **du sport**?	Oui, j'**en** fais.
Tu fais **de la voile**?	Non, je n'**en** fais pas.
Tu prends **des vitamines**?	Non, je n'**en** prends pas.
As-tu acheté **des CD**?	Oui, j'**en** ai acheté.
As-tu pris **de l'aspirine**?	Non, je n'**en** ai pas pris.

> The PRONOUN **en** replaces DIRECT OBJECTS introduced by the articles **du, de la, de l', des,** and the negative **de.**
>
> | du (de l') | | | | LIAISON |
> |---|---|---|---|---|
> | de la (de l') | + NOUN → **en** | Éric achète **du pain.** | Il **en** achète. | il en‿achète |
> | des | | Éric boit **de l'eau.** | Il **en** boit. | il en‿a |
> | de (d') | | Éric a **des amis.** | Il **en** a. | il n'en‿a pas |
> | | | Il n'a pas **de problèmes.** | Il n'**en** a pas. | |

▶ The pronoun **en** often corresponds to the English pronouns *some* and *any* (or *none*, in negative sentences).
While these pronouns may sometimes be omitted in English, **en** must always be expressed in French.

— Tu as **de l'argent**?	*Do you have (any) money?*
— Oui, j'**en** ai.	*Yes, I do (have some).*
— Non, je n'**en** ai pas.	*No, I don't (have any).*

▶ In the PASSÉ COMPOSÉ, there is NO agreement of the past participle with **en.**

As-tu **acheté** des livres?   Non, je n'en ai pas **acheté.**

> The PRONOUN **en** is also used to replace a NOUN PHRASE introduced by the preposition **de** (*of, from, about*), when the phrase refers to things, but NOT people.
>
> | **de** + PLACE → **en** | — Tu viens **de la piscine**?
 — Oui, j'**en** viens. (*I am coming **from there.***) |
> |---|---|
> | **de** + THING → **en** | — Tu parles **de tes projets**?
 — Non, je n'**en** parle pas. (*I don't talk **about them.***) |
> | **de** + PERSON → **de** + STRESS PRONOUN | Oui, je parle **de lui.** (*I talk **about him.***) |

POSITION

Like other object pronouns, the PRONOUN **en** usually comes BEFORE the VERB.

➡ In an INFINITIVE CONSTRUCTION, **en** comes BEFORE the INFINITIVE.

Vas-tu faire **du jogging**?   Je vais **en** faire ce week-end.

➡ There is always LIAISON after **en** when the next word begins with a vowel sound.

As-tu **de l'aspirine**?   Non, je n'**en** ai pas. Je vais **en** acheter.

➡ Note the use of **en** with **il y a.**

Est-ce qu'il y a **de la glace**?   Oui, **il y en a.** / Non, **il n'y en a pas.**

➡ In AFFIRMATIVE COMMANDS, **en** comes AFTER the verb and is linked to it by a hyphen in writing and by the liaison consonant /z/ when speaking.

Prenez du gâteau.   Prenez-**en.**   BUT: N'**en** prenez pas.

Prends du café.   Prends-**en.**   BUT: N'**en** prends pas.

À noter

Before **en**, the **tu**-form of the imperative of **-er** verbs takes a final **-s.** This is so that liaison may occur.

Apporte de l'eau minérale.   **Apportes-en.**   Achète du pain.   **Achètes-en.**

---

6 Vive le sport! •

Demandez à vos camarades s'ils font les choses suivantes. Ils vont vous répondre, en utilisant des expressions comme **souvent, tous les jours, rarement, ne... jamais.**

✹ du sport?
— *Fais-tu du sport?*
— *Oui, j'en fais tous les jours.*
ou — *Non, je n'en fais jamais.*

1. de la marche à pied?
2. du ski nautique?
3. de la planche à voile?
4. de la gymnastique?

5. du yoga?
6. de l'escalade?
7. du snowboard?
8. du roller?

7 Un régime de champion(ne) •

Aux Jeux olympiques, un journaliste américain interviewe un(e) athlète français(e). Avec votre partenaire, jouez les deux rôles.

✹ faire du jogging?   — *Vous faites du jogging?*
(tous les jours)   — *Oui, j'en fais tous les jours.*

1. faire de la gymnastique?
   (avant le petit déjeuner)
2. faire du vélo?
   (l'après-midi)
3. faire de la natation?
   (tous les week-ends)

4. prendre des vitamines?
   (quelquefois)
5. boire de l'eau minérale?
   (à tous les repas)
6. prendre des vacances?
   (rarement)

7. manger des produits naturels?
   (tout le temps)
8. donner des interviews?
   (de temps en temps)

8 Pourquoi pas? •

Demandez à vos camarades s'ils font les choses suivantes. Ils vont répondre négativement et expliquer pourquoi.

❋ manger de la viande?
— *Tu manges de la viande?*
— *Non, je n'en mange pas.*
— *Pourquoi est-ce que tu n'en manges pas?*
— *Parce que je suis végétarien(ne).*

1. faire du jogging?
2. faire de la planche à voile?
3. faire de l'espagnol?
4. vouloir du gâteau?
5. vouloir de la limonade?
6. prendre des photos?
7. acheter des vêtements?

> ### POURQUOI PAS?
> • Je suis fauché(e) (*broke*).
> • Je n'ai pas faim.
> • Je n'ai pas soif.
> • Je déteste courir.
> • Je ne sais pas nager.
> • Je ne suis pas doué(e) (*gifted*) pour les langues.
> • Je suis végétarien(ne).
> • Mon appareil-photo ne marche pas.

9 Une fête •

Vous organisez une fête avec un(e) ami(e) français(e). Il/Elle propose de faire les choses suivantes. Acceptez.

❋ faire les courses
— *Je fais les courses?*
— *Oui, fais-les, s'il te plaît.*

❋ acheter des jus de fruits
— *J'achète des jus de fruits?*
— *Oui, achètes-en, s'il te plaît.*

1. acheter du jambon
2. faire des sandwichs
3. faire la vaisselle
4. nettoyer l'appartement

5. envoyer les invitations
6. apporter ma chaîne-stéréo
7. apporter des CD
8. prendre des photos

> **RAPPEL**
> The pronouns **le, la, les** replace DIRECT-OBJECT nouns introduced by definite articles.

10 En vacances •

Demandez à vos camarades s'ils ont fait les choses suivantes pendant les vacances. Ils vont répondre affirmativement ou négativement en utilisant les pronoms **en** ou **y.**

❋ aller en Italie?
— *Tu es allé(e) en Italie?*
— *Oui, j'y suis allé(e).*
ou — *Non, je n'y suis pas allé(e).*

❋ faire de la voile?
— *Tu as fait de la voile?*
— *Oui, j'en ai fait.*
ou — *Non, je n'en ai pas fait.*

1. aller à la mer?
2. faire de la planche à voile?
3. rester chez toi?
4. gagner de l'argent?
5. aller chez tes cousins?

6. voir des films intéressants?
7. rencontrer des personnes intéressantes?
8. aller à la campagne?
9. faire du camping?
10. prendre des photos?

C. Le pronom *en* avec les expressions de quantité

Note the use of the pronoun **en** in the answers on the right.

Avez-vous **une auto**?	Oui, j'**en** ai **une**.
Avez-vous **un vélo**?	Oui, j'**en** ai **un**.
Combien de semaines de vacances prenez-vous?	J'**en** prends **quatre**.
Combien de frères avez-vous?	J'**en** ai **trois**.
Avez-vous **beaucoup d'argent**?	Non, je n'**en** ai pas **beaucoup**.
Avez-vous **trop d'examens**?	Oui, nous **en** avons **trop**.
As-tu acheté **plusieurs CD**?	Oui, j'**en** ai acheté **plusieurs**.
As-tu lu d'**autres livres**?	Oui, j'**en** ai lu **d'autres**.
Est-ce qu'il y a **une piscine** à l'université?	Non, il n'y **en** a pas, mais il y **en** a **une** en ville.

The PRONOUN **en** replaces a direct object introduced by **un/une,** a NUMBER, or an expression of QUANTITY.

en + verb + {	**un/une** NUMBER expression of QUANTITY	As-tu pris des photos? Oui, j'**en** ai pris **une**. Oui, j'**en** ai pris **cinq**. Oui, j'**en** ai pris **beaucoup**.

▶ In an AFFIRMATIVE sentence, the number **un/une** must be used with **en** if the reference is to a SINGLE person or object.
In a NEGATIVE sentence, however, the number **un/une** is NOT used. Compare:

As-tu **une guitare**?	Oui, j'**en** ai **une**.	*Yes, I have (**one**).*
	BUT: Non, je n'**en** ai pas.	*No, I don't (**have one**).*

▶ In AFFIRMATIVE COMMANDS, **en** comes immediately AFTER the verb.

Achète **un appareil-photo**.	Achètes-**en un**.
Prends **plusieurs photos**.	Prends-**en plusieurs**.

▶ The PRONOUN **en** corresponds to the English *of it, of them*. Although these expressions are rarely used in English, **en** must be expressed in French.

As-tu **beaucoup de patience**?	Oui, j'**en** ai **beaucoup**.	*Yes, I have a lot (**of it**).*
Avez-vous **des soeurs**?	Oui, j'**en** ai **trois**.	*Yes I have three (**of them**).*

▶ When **en** replaces an expression introduced by **quelques,** the pronoun **quelques-un(e)s** is used.

Tu as acheté **quelques CD**?	Oui, j'**en** ai acheté **quelques-uns**.
Tu as pris **quelques photos**?	Oui, j'**en** ai pris **quelques-unes**.

11 Possessions ·

Demandez à votre partenaire s'il/si elle a les objets suivants.

✻ une guitare?
— *As-tu une guitare?*
— *Oui, j'en ai une.*
ou — *Non, je n'en ai pas.*

1. une voiture?
2. un vélo?
3. un portable?
4. un baladeur MP3?
5. un lecteur de DVD?

6. une batte de baseball?
7. une raquette de tennis?
8. une raquette de squash?
9. une planche à voile?
10. un appareil-photo numérique (*digital*)?

12 D'accord? ·

Lisez les phrases suivantes et dites si vous êtes d'accord ou non. Si vous n'êtes pas d'accord, exprimez votre opinion en rectifiant la phrase.

✻ Nous avons beaucoup d'examens.
Je suis d'accord! Nous en avons beaucoup.
ou *Non, je ne suis pas d'accord! Nous n'en avons pas beaucoup.*

1. Les professeurs ne donnent pas assez de préparations.
2. Les étudiants ont trop de temps libre (*free time*).
3. À l'université nous faisons beaucoup de sport.
4. En général, les gens ne font pas assez d'exercice.
5. Les athlètes professionnels gagnent trop d'argent.
6. Les Américains prennent beaucoup de vacances.
7. Les États-Unis consomment trop d'énergie.
8. Nous produisons assez d'énergie solaire.

13 Et vous? ·

Répondez aux questions suivantes en utilisant le pronom **en**.

✻ Combien de frères avez-vous?
J'en ai un (deux, trois...).
ou *Je n'en ai pas.*

1. Combien de soeurs avez-vous?
2. Combien de CD avez-vous?
3. Combien de cours avez-vous demain?

4. Combien d'étudiants est-ce qu'il y a dans la classe?
5. Combien de garçons est-ce qu'il y a?
6. Combien de filles est-ce qu'il y a?

Phonétique: Les lettres «qu»

In French, the letters "qu" almost always represent the sound /k/.

Répétez: <u>qu</u>i <u>qu</u>art <u>qu</u>artier <u>Qu</u>ébec <u>qu</u>estion <u>qu</u>itter é<u>qu</u>ipe gymnasti<u>qu</u>e

À votre tour

 ## Compréhension orale

Quatre étudiants français parlent de leur sport préféré. Écoutez chaque personne et déterminez le sport qu'elle pratique. Écrivez le nom de cette personne sous l'image qui représente ce sport.

1. _____	2. _____	3. _____	4. _____

Thomas

Émilie

Pierre

Nathalie

Conversation dirigée

You are spending your vacation in Saint-Tropez on the French Riviera. On the beach you meet some French students with whom you strike up a conversation.

You might ask them . . .
- if they often go to the beach
- if they play volleyball
- if they windsurf
- if they know a good jazz club (**une boîte de jazz**) and, of course, the answer is yes!
- if they want to go there with you tonight

Sondage

Vous êtes journaliste pour le magazine *Sports et jeunesse*. Vous voulez savoir quels sports individuels les étudiants américains pratiquent pendant la semaine, en été et en hiver.

- Choisissez quatre étudiants et faites une enquête.
- Indiquez leurs réponses dans le tableau.
- Quels sont les sports les plus populaires?

✸ — *Bonjour Alice. Quel sport est-ce que tu pratiques pendant la semaine?*
— *Je fais du jogging.*
— *Et en été?*
— *Je fais de la natation. ...*

nom	✸ *Alice*				
pendant la semaine	*jogging*				
en été	*natation*				
en hiver					

Expression écrite

Écrivez un petit paragraphe où vous indiquez quels sports vous aimez et pourquoi. Puis indiquez quels sports vous pratiquez, et quels sports vous ne pratiquez pas. Donnez le plus possible de détails: quand vous les pratiquez et avec qui, si vous êtes très sportif (sportive), etc.

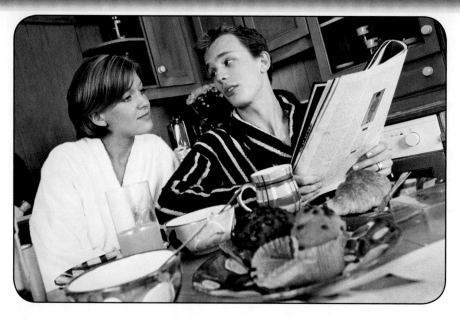

Objectives
- To describe our daily routine
- To describe the body

*Stéphane et Valérie Lafont sont **récemment** mariés. Ils viennent de trouver un appartement dans la banlieue parisienne. Ils sont très contents de leur **choix**. Le quartier est agréable, l'immeuble est moderne et l'appartement est spacieux et confortable. Mais parfois il y a un petit problème...*

 *Ce matin à sept heures, Valérie **se lève** et va dans la cuisine, mais son mari reste au lit. Elle l'appelle.*

recently
choice

gets up

VALÉRIE:	Alors, Stéphane, **tu te lèves**?
STÉPHANE:	Oui, je me lève... dans dix minutes!
VALÉRIE:	Comment? Tu n'as pas assez dormi?
STÉPHANE:	Tu parles! Avec tous ces bruits, **je n'ai pas fermé l'oeil** de la nuit!
VALÉRIE:	Quels bruits? Moi, je n'ai rien entendu! De quoi est-ce que tu parles?
STÉPHANE:	À trois heures, le **réveil a sonné** chez les Durand.
VALÉRIE:	Tiens, c'est curieux! D'habitude ils se lèvent à six heures et demie. Ils sont peut-être partis en voyage très **tôt** ce matin.
STÉPHANE:	Et à cinq heures, j'ai entendu un chien dans la rue. J'ai ouvert la fenêtre. Et qu'est-ce que j'ai vu? Mademoiselle Morin qui **se promenait** avec son chien!
VALÉRIE:	Elle ne se promenait pas! Elle **sortait** son chien, c'est tout! Alors, tu vas **te lever**, oui ou non? Le café est prêt!
STÉPHANE:	Écoute, je suis vraiment furieux contre les voisins.

are you getting up

I didn't sleep a wink

alarm clock / rang

early

was taking a walk

was taking out
to get up

VALÉRIE: Mon pauvre Stéphane, si tu n'es pas heureux ici, on peut chercher un autre appartement.

STÉPHANE: Ah ça, pas question! On est très bien ici!

À propos du texte

1. Qui se lève d'abord? Valérie ou Stéphane?
2. Est-ce que Stéphane a bien ou mal dormi? Pourquoi?
3. Pensez-vous que les Lafont vont chercher un autre appartement? Pourquoi ou pourquoi pas?
4. Avez-vous parfois un problème similaire avec un(e) voisin(e) ou votre camarade de chambre? Expliquez.

Note culturelle
Le logement des Français

Pour les Français, la résidence est le centre principal et parfois unique de leurs activités personnelles, familiales et sociales. La qualité de la vie est donc le critère essentiel dans le choix d'un logement. Les éléments les plus importants sont le confort, la sécurité, la convivialité et la détente°.

Dans leur logement, les Français préfèrent une grande cuisine à une grande salle de bains... et deux petites salles de bains plutôt qu'une grande. Ils veulent une salle à manger séparée et pensent que les enfants ont besoin d'une chambre plus grande que celle° de leurs parents.

Pour beaucoup de Français, le logement idéal est une maison individuelle avec un jardin, située dans une ville petite ou moyenne. Ce choix reflète un style de vie marqué par l'importance de la vie privée°, de l'environnement et des loisirs.

À votre avis

1. Pour les Américains, quels sont les critères essentiels dans le choix d'un logement?
2. Pour vous, quel est le logement idéal? Faites-en une petite description.

détente *relaxation* **celle** *that* **privée** *private*

Source: Francoscopie *2003*

La langue française

Vocabulaire: Les parties du corps

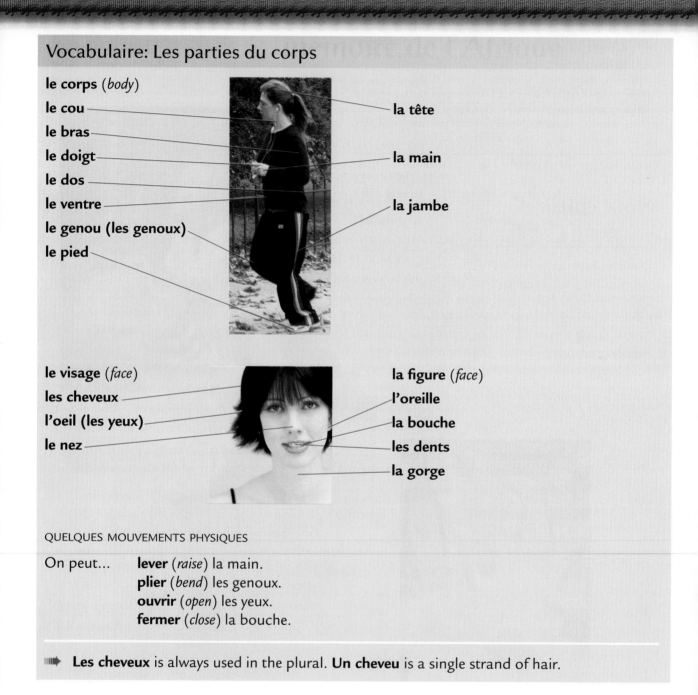

le corps (*body*)

le cou
le bras
le doigt
le dos
le ventre
le genou (**les genoux**)
le pied

la tête

la main

la jambe

le visage (*face*)
les cheveux
l'oeil (**les yeux**)
le nez

la figure (*face*)
l'oreille
la bouche
les dents
la gorge

QUELQUES MOUVEMENTS PHYSIQUES

On peut... **lever** (*raise*) la main.
plier (*bend*) les genoux.
ouvrir (*open*) les yeux.
fermer (*close*) la bouche.

▸ **Les cheveux** is always used in the plural. **Un cheveu** is a single strand of hair.

---

1 Un peu d'exercice •

Faites les mouvements correspondant aux instructions suivantes.

1. Levez la main droite.
2. Levez la main gauche.
3. Levez la tête.
4. Levez les deux bras.
5. Pliez les genoux.
6. Fermez les yeux.
7. Ouvrez les yeux.
8. Ouvrez la bouche.

A. L'emploi de l'article défini avec les parties du corps | TO DESCRIBE THE BODY

Note the use of the DEFINITE ARTICLE in the following sentences.

Elle a **les** yeux bleus.   *She has blue eyes. (**Her** eyes are blue.)*
J'ai **les** cheveux bruns.   *I have brown hair. (**My** hair is brown.)*

Ouvrez **la** bouche.   *Open **your** mouth.*
Fermez **les** yeux.   *Close **your** eyes.*

> In French, the DEFINITE ARTICLE is used to introduce parts of the body.

To describe pain or discomfort, the French use the expression:

avoir mal à + DEFINITE ARTICLE + part of the body
J'**ai mal à la** tête.   *I have a headache. (My head hurts.)*
Tu **as mal aux** pieds.   *You have sore feet. (Your feet are sore.)*

2 Auto-portrait

Faites votre portrait en complétant les phrases suivantes.

J'ai les yeux...
- ○ bleus
- ○ verts
- ○ noirs
- ○ marron

J'ai les cheveux...
- ○ blonds
- ○ bruns
- ○ noirs
- ○ roux (*red*)

J'ai le visage...
- ○ rond
- ○ ovale
- ○ carré (*square*)
- ○ triangulaire

Maintenant, faites le portrait de votre partenaire.

3 Malaises (*Discomforts*)

Dites où les personnes suivantes ont mal.

✴ David a trop mangé.   ***Il a mal au ventre.***

1. Isabelle a une migraine.
2. Pierre va chez le dentiste.
3. Antoine a la grippe.
4. Thomas a trop étudié.
5. Claire a des chaussures trop petites.
6. Léa est tombée de bicyclette.
7. Élodie a couru dix kilomètres.
8. Alice a porté des valises trop lourdes (*heavy*).

B. Les verbes réfléchis: formation — TO DESCRIBE OUR DAILY ROUTINE

> **Note linguistique: Verbes réfléchis**
>
> To talk about daily activities such as *getting up, washing, getting dressed*, the French use REFLEXIVE VERBS.
>
> REFLEXIVE VERBS are conjugated with a REFLEXIVE PRONOUN, that is, a pronoun that represents the <u>same person as the subject.</u>

Note the use of the REFLEXIVE VERBS in the following sentences.

Je **me lève** à sept heures.	*I **get up** at seven.*
Philippe **se lave**.	*Philippe is **washing up**.*
Nous **nous habillons**.	*We **are getting dressed**.*

REFLEXIVE VERBS in the present tense are conjugated like **se laver** (*to wash oneself*) and **s'habiller** (*to get dressed*).

infinitive	**se laver**	**s'habiller**	
present	je **me lave** tu **te laves** il/elle/on **se lave** nous **nous lavons** vous **vous lavez** ils/elles **se lavent**	je **m'habille** tu **t'habilles** il/elle/on **s'habille** nous **nous habillons** vous **vous habillez** ils/elles **s'habillent**	**ÉLISION** me → m' te → t' se → s' **LIAISON** nous nous‿habillons vous vous‿habillez
negative	Je **ne me lave pas**.	Je **ne m'habille pas**.	
interrogative	Est-ce que tu **te laves**?	Est-ce que tu **t'habilles**?	

▶ REFLEXIVE VERBS are formed according to the following pattern:

> reflexive verb = reflexive pronoun + verb

▶ REFLEXIVE PRONOUNS represent the same person as the SUBJECT.

Je me lave.	*I am washing (**myself**).*
Alice s'habille.	*Alice is getting (**herself**) dressed.*

▶ Like other object pronouns REFLEXIVE PRONOUNS come BEFORE the verb.

Éric **se** lave.	Tu ne **te** laves pas.

Vocabulaire: Les occupations de la journée

se réveiller	*to wake up*	Je **me réveille** à sept heures.
se lever	*to get up*	Le dimanche nous **nous levons** à neuf heures.
se laver	*to wash, wash up*	Tu **te laves** avant le petit déjeuner.
s'habiller	*to dress, get dressed*	Mélanie **s'habille** toujours bien.
se promener	*to go for a walk*	Vous **vous promenez** dans le parc.
se reposer	*to rest*	Le week-end, nous **nous reposons.**
se coucher	*to go to bed*	Je **me couche** à onze heures.
adverbs		
tôt	*early*	En semaine, je me lève **tôt.**
tard	*late*	Le samedi, je me couche **tard.**

➡ **Se lever** and **se promener** are conjugated like **acheter**.

je me lève   **nous nous levons**
je me promène   **nous nous promenons**

---

4 Qu'est-ce qu'ils font?

Complétez les phrases avec le pronom qui convient.

1. Mes copains _____ promènent.
2. Vous _____ reposez.
3. Pauline _____ habille.
4. Mon petit frère _____ réveille.
5. Tu _____ lèves à huit heures.
6. Marc _____ couche à minuit.
7. Mes grands-parents _____ reposent.
8. Nous _____ couchons tôt en semaine.
9. Je _____ lave le matin.

5 Un samedi soir

Dites qui se repose et qui ne se repose pas.

✺ Isabelle prépare l'examen.
   Elle ne se repose pas.

1. Nous regardons la télé.
2. Je vais au cinéma.
3. M. Boulot travaille.
4. Nous étudions.
5. Mme Lassalle lit son courriel.
6. Vous jouez à un jeu d'ordinateur.
7. Tu nettoies ta chambre.
8. Léa et Marc font le problème de maths.

6 Et vous?

Complétez les phrases suivantes avec l'une des expressions entre parenthèses ou une expression de votre choix.

1. En semaine, je me réveille... (à six heures / à sept heures / ??)
2. Le dimanche, je me lève... (tôt / tard / ??)
3. En semaine, je me couche... (avant onze heures / après onze heures / ??)
4. Le samedi soir, je me couche... (avant minuit / après minuit / ??)
5. Le week-end, je me promène... (en ville / à la campagne / ??)
6. Je m'habille bien quand je vais... (à un concert / au restaurant / à un rendez-vous / ??)
7. Je m'habille de façon décontractée (*casually*) quand je vais... (en classe / à un match de football / ??)
8. Je me repose... (le samedi soir / le dimanche après-midi / ??)

7 La journée de Christine

Décrivez la journée de Christine. Pour cela remplacez les expressions soulignées par des verbes réfléchis.

1. Elle ouvre les yeux à sept heures.
2. Elle sort du lit.
3. Ensuite, elle prend un bain (*bath*).
4. Après, elle met ses vêtements.
5. Après le déjeuner, elle fait la sieste.
6. Elle fait une promenade en ville.
7. Elle va au lit à dix heures.

Note linguistique: Verbes réfléchis et non-réfléchis

In French, many verbs can be used reflexively or non-reflexively. Compare:

Vincent **lave** sa voiture.	*Vincent **washes** his car.*
Après, il **se lave**.	*Afterwards, he **washes** (**himself**).*
Le bruit **réveille** Alice.	*The noise **wakes up** Alice.*
Alice **se réveille**.	*Alice **wakes** (**herself**) **up**.*
Nous **achetons** un CD pour un copain.	*We **buy** a CD for a friend.*
Nous **nous achetons** aussi des CD.	*We also **buy** CDs **for ourselves**.*

→ In a REFLEXIVE CONSTRUCTION, the subject and the reflexive pronoun are the SAME person. The subject does the action *on himself* or *for himself*.

→ To express the RESULT of a reflexive action, the following construction is used:

> subject + **être** + past participle

Paul se réveille.	*Paul wakes up.*
Il **est réveillé**.	*He is awake.*
Émilie s'habille.	*Émilie is getting dressed.*
Elle **est habillée**.	*She is dressed.*

Vocabulaire: Dans la salle de bains

On trouve...

un peigne	*comb*	**une brosse à cheveux**	*hairbrush*
du dentifrice	*toothpaste*	**une brosse à dents**	*toothbrush*
du savon	*soap*		
du shampooing	*shampoo*		
un rasoir	*razor*		
du rouge à lèvres	*lipstick*		

On peut...

se peigner	*comb one's hair*	**se brosser les cheveux**	*brush one's hair*
se raser	*shave*	**se brosser les dents**	*brush one's teeth*
se maquiller	*put on makeup*	**prendre un bain**	*take, have a bath*
		prendre une douche	*take, have a shower*

➡ To describe an action that one performs on one's body, the French use the construction:

> subject + REFLEXIVE VERB + DEFINITE ARTICLE + part of the body
>
> Je **me lave la** figure.   Ils **se lavent les** mains.

8 Occupations du matin ●

Les personnes suivantes sont dans la salle de bains. Pour chaque personne, choisissez une activité et dites quel objet ou quel produit elle utilise.

✳ *Je me lave les mains. J'utilise du savon.*

- moi
- toi
- Éric
- Zoé et Léa
- nous
- vous

quelle activité?

se raser
se peigner
se brosser les cheveux
se brosser les dents
se laver les mains
se maquiller
prendre un bain

C. L'infinitif des verbes réfléchis

Note the position of the reflexive pronouns in the following sentences.

Je vais **me reposer.**	*I am going **to rest**.*
Je n'aime pas **me lever** tôt.	*I don't like **to get up** early.*
Nous voulons **nous promener.**	*We want **to go for a walk**.*
Tu ne dois pas **te coucher** tard.	*You should not **go to bed** late.*

In an INFINITIVE construction, the reflexive pronoun comes directly BEFORE the infinitive.

subject + (ne) + verb + (pas) + REFLEXIVE PRONOUN + infinitive

Je vais **me reposer.**   Je ne vais pas **me promener.**

➡ Note that the reflexive pronoun always represents the same person as the subject of the main verb.

Tu vas **te** promener.   **Paul** va **se** promener.

9 Préférences •

Demandez à vos camarades s'ils aiment faire les choses suivantes.

✴ se promener
— *Est-ce que tu aimes te promener?*
— *Oui, j'aime me promener.*
ou — *Non, je n'aime pas me promener.*

1. se promener à la campagne
2. se promener quand il pleut
3. se lever tôt le dimanche
4. se coucher tard le samedi soir
5. se laver avec de l'eau froide
6. se reposer pendant la classe
7. s'acheter des vêtements chers
8. se réveiller avec de la musique

10 Décisions! •

Dites ce que les personnes suivantes vont faire.

✴ Julie est fatiguée.
  (se coucher tôt ou tard?)   **Elle va se coucher tôt.**

1. Nous allons à une fête chez des copains.
   (se coucher tôt ou tard?)
2. Mme Thomas a un avion demain matin à huit heures.
   (se lever tôt ou tard?)
3. Vous aimez l'air pur (*fresh air*).
   (se promener en ville ou à la campagne?)
4. Tu prépares le dîner.
   (se laver les mains ou la figure?)
5. Vincent et Claire vont à un mariage.
   (s'habiller bien ou comme d'habitude [*as usual*]?)

D. L'impératif des verbes réfléchis TO MAKE SUGGESTIONS

Compare the position of the reflexive pronouns in affirmative and negative commands.

affirmative	negative
Repose-toi ce week-end.	Ne **te repose** pas maintenant.
Promenons-nous à la campagne.	Ne **nous promenons** pas en ville.
Couchez-vous avant minuit.	Ne **vous couchez** pas trop tard.

Commands with reflexive verbs are formed as follows:		
affirmative	VERB - { **toi** / **nous** / **vous** }	Lève-**toi.** Reposons-**nous.** Habillez-**vous.**
negative	ne { **te** / **nous** / **vous** } VERB pas	Ne **te** lève pas. Ne **nous** reposons pas. Ne **vous** habillez pas.

11 En colonie de vacances (*summer camp*) •

Cet été, vous êtes moniteur/monitrice (*counselor*) dans une colonie de vacances à Québec. Dites aux enfants ce qu'ils doivent faire.

✹ se lever à sept heures   *Levez-vous à sept heures.*

1. se laver avec du savon
2. se brosser les dents
3. se peigner
4. s'habiller pour la marche à pied (*hike*)
5. se promener en groupe
6. se reposer après le déjeuner
7. se laver les mains avant le dîner
8. se coucher avant dix heures

12 Bons conseils •

Votre camarade de chambre vous explique sa situation. Donnez-lui les conseils appropriés (avec des verbes affirmatifs ou négatifs).

✹ Je suis malade. (se lever?)   *Ne te lève pas.*

1. Je suis fatigué. (se reposer?)
2. J'ai mal à la tête. (se promener?)
3. J'ai sommeil. (se coucher tard?)
4. Je dois finir une préparation. (se reposer?)
5. Je prépare le dîner. (se laver les mains?)
6. Je vais à une entrevue professionnelle. (s'habiller bien?)

E. Le verbe *ouvrir*

The verb **ouvrir** (*to open*) is irregular.

infinitive		**ouvrir**	Je vais **ouvrir** le garage.
present	j'	**ouvre**	J'**ouvre** la porte.
	tu	**ouvres**	Tu **ouvres** le cahier.
	il/elle/on	**ouvre**	On **ouvre** le livre.
	nous	**ouvrons**	Nous **ouvrons** la fenêtre.
	vous	**ouvrez**	Vous **ouvrez** le magazine.
	ils/elles	**ouvrent**	Elles **ouvrent** le journal.
passé composé	j'ai	**ouvert**	J'**ai ouvert** votre lettre.

➡ In the present tense, **ouvrir** is conjugated like a regular **-er** verb.

Verbes conjugués comme *ouvrir*

découvrir	*to discover*	Les médecins vont **découvrir** une cure contre le cancer.
offrir	*to give, offer*	Mes parents m'**ont offert** une nouvelle voiture.
souffrir	*to suffer*	As-tu **souffert** quand tu es allé chez le dentiste?

13 **Et vous?** •

1. Est-ce que votre université offre beaucoup de cours intéressants?
2. Qu'est-ce que vous avez offert à votre père pour son anniversaire? à votre mère? à votre meilleur(e) ami(e)?
3. Dans quelle banque avez-vous ouvert un compte-chèques (*checking account*)?
4. Souffrez-vous beaucoup quand vous allez chez le dentiste? quand vous avez un examen? quand vous êtes en classe de français?
5. À l'université, avez-vous découvert l'amitié (*friendship*)? la tranquillité? la stabilité? le bonheur (*happiness*)?

Phonétique: Les lettres «gn»

In French, the letters "gn" represent the sound /ɲ/, which is similar to the "ny" in *canyon*.
Répétez:

champa**gn**e monta**gn**e Espa**gn**e ma**gn**ifique pei**gn**e se pei**gn**er

A**gn**ès a un ma**gn**ifique pei**gn**e espa**gn**ol.

À votre tour

Compréhension orale

Écoutez les descriptions suivantes. Puis indiquez si les actions se passent dehors ou à l'intérieur.

	1	2	3	4	5	6	7	8
A. dehors								
B. à l'intérieur								

Conversation dirigée

You have a French classmate who is usually lively and full of energy. Today, however, your friend does not look so good.

Ask your friend . . .
- if he/she is sick
- if he/she has a headache
- if he/she has a stomachache
- if he/she is going to rest after class
- at what time he/she is going to bed

Expression libre

Vous êtes journaliste pour un journal français.
- Vous voulez savoir quelles marques (*brands*) de certains produits les étudiants préfèrent.
- Choisissez quatre camarades de classe et faites une enquête.
- Indiquez les résultats dans le tableau.
  - ✹ — *Dis-moi, Jennifer, quelle marque de dentifrice est-ce que tu utilises?*
  - *— J'utilise Colgate.*
  - *— Et quelle marque de shampooing utilises-tu? ...*

	✹	1	2	3	4
nom	*Jennifer*				
dentifrice	*Colgate*				
shampooing					
parfum ou eau de cologne					

Expression écrite

Décrivez vos activités habituelles pendant les vacances dernières en utilisant au moins six verbes réfléchis à l'imparfait.

L'été dernier, je me levais à dix heures du matin...

Le grand amour

Objectives

- To discuss personal relationships
- To express feelings and emotions
- To describe interactions

C'est le week-end. Caroline et Mélanie se promènent sur les Champs-Élysées. Tout à coup, Caroline s'arrête devant un magasin où sont exposées de magnifiques robes de mariée.

      stops
      bride

CAROLINE: Tiens! À propos, tu sais qui va **se marier**?   *to get married*

MÉLANIE: Je ne sais pas.

CAROLINE: Mon cousin Alexandre! Il va se marier en juillet!

MÉLANIE: Ton cousin Alexandre? Le célibataire **endurci**?! Ça, c'est impossible!   *hard core*
Tu **te souviens**? Un jour il nous a dit: «Le mariage est une   *remember*
institution complètement archaïque! Aujourd'hui on peut **vivre**
en union libre et avoir des enfants sans être marié. Moi, je ne vais   *live together*
jamais me marier!»

CAROLINE: Oui, je me souviens bien... Mais c'était l'année dernière!

MÉLANIE: Et où est-ce qu'il a rencontré sa fiancée?

CAROLINE: Ils **se sont rencontrés** aux sports d'hiver en Suisse.   *met*

MÉLANIE: Ah bon? Comment?

CAROLINE: Et bien, quand il est arrivé, il a voulu faire du ski immédiatement.
Comme il n'était pas en forme, il a fait une **chute** phénoménale...   *fall*
Quelqu'un l'a aidé à **se relever**. C'était elle...!   *to get up*

MÉLANIE: Qui, elle?

CAROLINE: Et bien, Sabina, sa future femme... Elle est italienne... Ils **sont**
immédiatement **tombés amoureux**.   *fell in love*

MÉLANIE: Et ensuite?

CAROLINE: À la fin des vacances, elle est rentrée en Italie, et Alexandre à Paris. Depuis, ils **se téléphonent** tous les jours. Et tous les week-ends Alexandre **se rend** en Italie!

phone each other
goes

MÉLANIE: C'est le grand amour!

CAROLINE: Absolument! Et comme la famille de la jeune fille est résolument contre l'union libre, ils ont décidé de se marier!

À propos du texte

1. Qui est Alexandre?
2. Quelle opinion avait-il sur le mariage?
3. Comment et pourquoi a-t-il changé d'opinion?

Note culturelle
Le mariage en France

En France, le mariage est un acte civil officiel. Avant le mariage, les futurs époux° doivent accomplir un certain nombre de formalités administratives (publication de l'intention de mariage, examen médical, etc.). Le mariage est célébré obligatoirement à la mairie° par le maire° ou son adjoint°. Les nouveaux mariés° reçoivent **un livret de famille.** C'est un document officiel où seront inscrits les événements familiaux importants (naissances°, décès° et, éventuellement° divorce).

Beaucoup de couples désirent aussi avoir un mariage religieux. Après le mariage civil, ils vont à l'église, à la mosquée ou à la synagogue où sera célébrée la cérémonie religieuse.

Aujourd'hui, beaucoup de jeunes décident de vivre ensemble et d'avoir des enfants sans être mariés. Ils vivent alors en **union libre.** En France, les couples non-mariés ont la possibilité d'avoir une existence légale. Pour cela, ils doivent signer un simple document appelé PACS (Pacte civil de solidarité). Cette possibilité est ouverte à tous les couples, hétérosexuels ou homosexuels. Les couples **pacsés** ont un grand nombre d'avantages sociaux, comme les couples mariés.

À votre avis

1. Quelles sont les différences entre le mariage en France et aux États-Unis?
2. Quelles différences voyez-vous entre l'union libre en France et *living together* aux États-Unis?
3. Êtes-vous pour ou contre l'institution du PACS? Expliquez.

époux *spouses* **mairie** *city hall* **maire** *mayor* **adjoint** *assistant* **nouveaux mariés** *newlyweds* **naissances** *births* **décès** *deaths* **éventuellement** *if it is the case*

La langue française

Vocabulaire: L'amitié, l'amour et le mariage

noms

l'amour	*love*	**l'amitié**	*friendship*
le mariage	*marriage; wedding*		

adjectifs

amoureux/amoureuse (de)	*in love (with)*	Jérémie est **amoureux de** Sophie.
célibataire	*single*	Est-ce que tu vas rester **célibataire**?
même	*same*	Marc et moi, nous avons les **mêmes** amis.

verbes

aimer	*to love*	Tu m'**aimes**?
aimer bien	*to like*	Je t'**aime bien**.
tomber amoureux (de)	*to fall in love (with)*	Julie **est tombé amoureuse d'**Alain.
se fiancer (avec)	*to get engaged (to)*	Céline va **se fiancer avec** Antoine.
se marier (avec)	*to marry, get married*	Alice va **se marier avec** Thomas.
divorcer	*to divorce*	Mon oncle vient de **divorcer**.
avoir rendez-vous	*to have a date*	Thomas **a rendez-vous** avec Émilie.
	to have an appointment	J'**ai rendez-vous** chez le dentiste.
donner rendez-vous à	*to make a date with*	Alice **donne rendez-vous à** Marc.
	to arrange to meet	Je vous **donne rendez-vous** à midi.
s'entendre bien (avec)	*to get along (with)*	Je m'**entends bien avec** mes amis.
se disputer (avec)	*to argue, quarrel (with)*	Je **me dispute avec** mon frère.
se rencontrer	*to meet (for the first time)*	Ils **se sont rencontrés** chez Cécile.

expressions

ensemble	*together*	David et Élodie sont toujours **ensemble**.
entre	*between, among*	Nous sommes **entre** amis.

1 Et vous?

1. Êtes-vous marié(e) ou célibataire? Si vous êtes célibataire, avez-vous l'intention de vous marier? Quand?
2. Selon vous, quel est l'âge idéal pour se marier? Pourquoi?
3. Avez-vous déjà assisté à un mariage? Où? Quand? Qui était le marié (*groom*)? Qui était la mariée (*bride*)? Quand est-ce qu'ils se sont fiancés?
4. Est-ce que vous avez eu rendez-vous chez le dentiste récemment (*recently*)? Quand?
5. Est-ce que vous avez donné rendez-vous à un(e) ami(e) récemment? Quand? Est-ce que vous êtes sorti(e)s ensemble? Où?

2 Relations personnelles

Complétez les phrases suivantes avec une expression de votre choix. Comparez vos réponses avec votre partenaire.

1. Je m'entends très bien avec...
2. Je ne m'entends pas avec...
3. Je me dispute souvent avec...
4. Je ne me dispute jamais avec...

- mon frère • mon copain
- ma soeur • ma copine
- mes parents • mes profs
- mon/ma camarade de chambre

3 Débat

Êtes-vous d'accord avec les opinions suivantes? Choisissez un thème et débattez-le avec un(e) camarade qui a une opinion opposée.

1. La famille est la base de la société.
2. Le mariage est une institution démodée (*obsolete*).
3. Dans la vie, on aime seulement une fois.
4. On peut être amoureux de plusieurs personnes en même temps.
5. Le grand amour arrive à tout âge.
6. L'amitié est plus importante que l'amour.
7. Entre amis, on ne se dispute jamais.
8. Les gens célibataires sont plus heureux que les gens mariés.
9. Quand on a des enfants, on ne doit pas divorcer.
10. En cas de séparation, l'union libre est préférable au mariage.

A. Les verbes réfléchis: sens idiomatique

REFLEXIVE VERBS are used idiomatically:

- to describe certain FEELINGS or changes in feelings

   Pourquoi est-ce que tu **t'impatientes**?   *Why **are you getting impatient**?*

- to describe certain MOVEMENTS

   Thomas **se rend à** la bibliothèque.   *Thomas **is going to** the library.*

- to describe certain other actions and situations

   Tu as tort! **Excuse-toi**!   *You are wrong! **Apologize**!*

Vocabulaire: Quelques verbes réfléchis

sentiments et émotions

s'amuser	*to have fun*	s'ennuyer	*to get bored*
se détendre	*to relax*	s'énerver	*to get upset*
s'impatienter	*to get, grow impatient*	se fâcher	*to get angry*
s'inquiéter	*to worry*	se sentir (triste)	*to feel (sad)*

situation et mouvements

se trouver	*to be (located)*	s'asseoir	*to sit down*
se dépêcher	*to hurry, hurry up*	se rendre à	*to go to*
s'arrêter	*to stop*	s'en aller	*to go away, leave*

autres verbes

s'appeler	*to be called, named*	se rappeler	*to remember, recall*
s'excuser	*to apologize*	se souvenir (de)	*to remember*
se tromper	*to make a mistake*	s'intéresser à	*to be interested in*

➡ Note the following conjugation patterns:

s'appeler (se rappeler)	je m'appelle	nous nous appelons
s'ennuyer (like **payer**)	je m'ennuie	nous nous ennuyons
se sentir (like **partir**)	je me sens	nous nous sentons
se souvenir (like **venir**)	je me souviens	nous nous souvenons
s'en aller (like **aller**)	je m'en vais	nous nous en allons

➡ The verb **s'asseoir** is irregular.

present	je **m'assieds**	nous **nous asseyons**
	tu **t'assieds**	vous **vous asseyez**
	il **s'assied**	ils **s'asseyent**
past participle	**assis**	

4 Réactions personnelles ●

Dites comment vous réagissez dans les situations suivantes. (Le verbe peut être affirmatif ou négatif.)

✸ Vous êtes dans la classe de français. (s'ennuyer?)
Je ne m'ennuie pas.
ou ***Je m'ennuie.***

1. Vous êtes en vacances. (se détendre?)
2. Vous êtes à une soirée (*party*) très snob. (s'amuser?)
3. Vous ne comprenez pas le problème de maths. (s'énerver?)
4. Votre copain est en retard (*late*) à un rendez-vous. (s'impatienter?)
5. Votre copain est très en retard. (s'inquiéter?)
6. Vous avez un «D» à un examen. (se fâcher?)
7. Vous avez joué au basket. (se sentir fatigué(e)?)
8. Vous avez mal à la tête. (se sentir en forme?)

5 Un rendez-vous manqué (*Stood up*) ●

Racontez (*Tell*) l'histoire. Pour cela, complétez les phrases avec un verbe réfléchi qui indique l'endroit ou le mouvement.

Antoine a rendez-vous avec Émilie dans un café.

- _____ pour être à l'heure au rendez-vous.
- Il _____ au café en bus.
- Il prend un bus qui _____ juste devant le café.
- Il entre dans le café et _____ sur une chaise.
- Il attend Émilie, mais Émilie ne vient pas.
- Alors, il _____ et rentre chez lui.

6 L'ami(e) idéal(e) ●

Dites si oui ou non l'ami(e) idéal(e) fait les choses suivantes.

✸ s'impatienter
Non, il/elle ne s'impatiente pas.

1. s'énerver souvent
2. se fâcher avec moi
3. se sentir généralement triste
4. s'amuser quand je suis triste
5. se souvenir de mon anniversaire
6. s'intéresser à mes problèmes personnels
7. s'excuser quand il/elle a tort
8. s'ennuyer quand je suis avec lui/elle

7 Pratique •

Expliquez ce que les personnes suivantes font. Pour cela, remplacez les expressions soulignées par un des verbes suggérés.

✳ Alice va très vite.   **Elle se dépêche.**

1. Émilie fait une erreur.
2. Antoine demande pardon.
3. Pauline va à une réunion (*meeting*).
4. Thomas part.
5. Philippe utilise une chaise.

6. Éric et Nicolas sont très impatients.
7. Julie a la mémoire de tout.
8. Claire est très intéressée par la musique.
9. Isabelle est furieuse.

> s'asseoir / se dépêcher / s'excuser / se fâcher / s'intéresser à / se souvenir de
> se tromper / se rendre à / s'impatienter / s'en aller

8 Bons conseils •

Donnez des conseils à un ami français qui est dans les circonstances suivantes. Utilisez l'impératif affirmatif ou négatif des verbes de la liste. Soyez logique.

✳ Votre ami est très impatient.
   Ne t'impatiente pas!
✳ Il a tort.
   Excuse-toi!

1. Il est en retard (*late*).
2. Il va à une fête (*party*).
3. Il travaille trop.
4. Il a peur de l'avenir (*future*).
5. Il attend un copain depuis une heure.
6. Il fait un problème de finance.
7. Il a un rendez-vous avec une copine.
8. Il voit un feu rouge (*red light*).

> s'amuser
> s'arrêter
> s'excuser
> s'impatienter
> s'inquiéter
> se fâcher
> se détendre
> se tromper dans les calculs
> se souvenir de l'heure

9 Et vous? •

Complétez les phrases suivantes avec une expression personnelle. Ensuite, comparez vos réponses avec celles de votre partenaire.

1. Je m'intéresse à...
2. Je me souviens toujours de...
3. Je m'amuse quand...
4. Je m'ennuie quand...
5. Je me dépêche quand...
6. Je me fâche quand...
7. Je m'inquiète quand...
8. Je me sens heureux/heureuse quand...
9. Je me sens fatigué(e) quand...
10. Je m'excuse quand...

B. Les verbes réfléchis: sens réciproque

In a RECIPROCAL ACTION two or more people are engaged in a mutual activity.
Note how reciprocal actions are expressed in the sentences on the right.

Thomas **rencontre** Alice. ⎱
Alice **rencontre** Thomas. ⎰　　Ils **se rencontrent.**　　*They **meet (each other)**.*

Je **téléphone** à Cécile. ⎱
Cécile me **téléphone.** ⎰　　Nous **nous téléphonons.**　　*We **phone one another.***

REFLEXIVE VERBS may be used to express RECIPROCAL ACTIONS. Since reciprocity involves more than one person, the subject is usually PLURAL.

Pierre et Marie **s'écrivent.**	*Pierre and Marie **write (to) each other**.*
Nous **nous voyons** souvent.	*We often **see each other**.*

➡ In conversational usage, **on** is frequently used in reciprocal constructions.

On se voit demain?　　***Shall we see each other** tomorrow?*

⑩ Rapports personnels ·

Décrivez vos rapports avec différentes personnes. Pour cela, utilisez les verbes suggérés dans des phrases affirmatives ou négatives.

✹ mes copains　　***Mes copains et moi, nous nous téléphonons assez souvent.***

1. mon meilleur copain
2. ma meilleure copine
3. mes parents
4. mes cousins
5. mon frère / ma soeur

s'entendre	s'écrire
se disputer	se téléphoner
se voir	se donner rendez-vous

⑪ Des bonnes copines ·

Émilie et Delphine sont de très bonnes copines. Décrivez leur amitié. Pour cela, complétez les phrases avec les verbes de la liste. Soyez logique.

1. Émilie et Delphine _____ depuis dix ans.
2. Elles _____ tous les soirs et elles _____ de ce qu'elles ont fait pendant la journée.
3. De temps en temps, elles _____ en ville et elles vont au cinéma.
4. Pendant les vacances, elles _____ des lettres ou elles _____ des emails.
5. Elles ne _____ jamais.

- se connaître
- se disputer
- s'écrire
- s'envoyer
- se parler
- se téléphoner
- se donner rendez-vous

C. Le passé composé des verbes réfléchis

In the sentences below, the reflexive verbs are in the PASSÉ COMPOSÉ.

Alice **s'est levée** à six heures. *Alice **got up** at six.*
Philippe et Alain **se sont promenés.** *Philippe and Alain **took a walk.***

— Est-ce que **vous vous êtes reposés?** *Did you rest?*
— Non, nous **ne nous sommes pas reposés.** *No, we **didn't rest.***

Note the forms of the PASSÉ COMPOSÉ of **s'amuser** (*to have fun*).

	masculine	feminine
singular	je **me suis amusé** tu **t'es amusé** il/on **s'est amusé**	je **me suis amusée** tu **t'es amusée** elle **s'est amusée**
plural	nous **nous sommes amusés** vous **vous êtes amusé(s)** ils **se sont amusés**	nous **nous sommes amusées** vous **vous êtes amusée(s)** elles **se sont amusées**
negative	je **ne me suis pas amusé**	je **ne me suis pas amusée**
interrogative	est-ce que tu **t'es amusé?**	est-ce que tu **t'es amusée?**

➡ The PASSÉ COMPOSÉ of REFLEXIVE VERBS is formed as follows:

> reflexive pronoun + present of **être** + past participle

➡ For many (but not all) reflexive verbs, the PAST PARTICIPLE agrees with the
REFLEXIVE PRONOUN, which is the same in number and gender as the SUBJECT.

Élodie s'est amusée à la fête. **Pierre et Alice se sont rencontrés** dans un café.

---

12 **Un week-end** ·

Dites si oui ou non les personnes suivantes se sont amusées le week-end dernier.

✴ Philippe a étudié. *Il ne s'est pas amusé.*

1. Je suis allé à une fête (*party*).
2. Nous avons travaillé.
3. Tu as nettoyé ta chambre.
4. Léa est sortie avec un copain.
5. Vous avez vu une comédie.
6. Mathilde a eu un rendez-vous.
7. Mes cousines ont dîné en ville.
8. Les étudiants ont préparé l'examen.

13 Pauvre Monsieur Martin!

Décrivez la journée de Monsieur Martin avec des verbes au passé composé.

✱ se réveiller très tard   *M. Martin s'est réveillé très tard.*

1. se lever de mauvaise humeur
2. s'habiller rapidement
3. se dépêcher
4. se tromper de bus
5. s'énerver
6. se disputer avec ses collègues
7. se sentir malade
8. se coucher avec une migraine
9. se souvenir de la date: «Aujourd'hui, c'est vendredi 13!»

14 Hier soir

Dites ce que les personnes suivantes ont fait hier soir. Faites des phrases logiques au passé composé avec les verbes de la liste.

1. Pauline était fatiguée.
2. Nous avions sommeil.
3. J'ai vu un film à dix heures.
4. Vous êtes allés à la campagne.
5. Éric et Léa ont eu une querelle.
6. Tu as dîné dans un restaurant élégant.

> se coucher tôt
> se coucher tard
> se promener
> se disputer
> se reposer
> s'habiller bien

15 Hier

Éric demande à Martine ce qu'elle a fait hier. Jouez les deux rôles avec votre partenaire.

✱ à quelle heure / se lever? (à sept heures et demie)
    ÉRIC: *À quelle heure est-ce que tu t'es levée?*
    MARTINE: *Je me suis levée à sept heures et demie.*

1. où / se promener après les cours? (au jardin du Luxembourg)
2. que / s'acheter au Bon Marché? (une nouvelle robe)
3. dans quel café / s'arrêter après? (au café de Cluny)
4. pourquoi / se dépêcher? (pour être à l'heure à un rendez-vous)
5. à quelle heure / se coucher? (à onze heures et quart)

16 Pas de chance!

Hier les personnes suivantes n'ont pas eu de chance. Expliquez pourquoi dans des phrases affirmatives ou négatives. Soyez logique.

✱ Isabelle / s'amuser à la fête?
Elle ne s'est pas amusée à la fête.

1. moi / me lever de mauvaise humeur?
2. vous / vous réveiller pour l'examen de français?
3. Élodie / se disputer avec son fiancé?
4. Thomas / se souvenir de l'heure de son rendez-vous?
5. nous / nous tromper dans le problème de maths?
6. toi / t'entendre avec ton meilleur ami?
7. Mathilde / se coucher avec un terrible mal de tête?
8. le professeur / s'asseoir sur une chaise cassée (*broken*)?

> **Note linguistique: L'accord du participe passé**

→ There is AGREEMENT when the REFLEXIVE PRONOUN functions as a DIRECT OBJECT. This is the case for most reflexive verbs.

Alice **s'est habillée.**   *Alice got dressed (i.e., dressed herself).*

Nous **nous** sommes **lavés.**   *We washed up (i.e,. washed ourselves).*

→ There is NO AGREEMENT when the REFLEXIVE PRONOUN functions as an INDIRECT OBJECT. This happens in the following cases:

• The corresponding non-reflexive verb is followed by **à** + PERSON.

| (téléphoner **à**) | se téléphoner | Thomas et Pierre **se** sont **téléphoné.** |
| (écrire **à**) | s'écrire | Alice et Mélanie **se** sont **écrit.** |

• The reflexive verb is followed by a PART OF THE BODY or other NOUN.

Nous nous sommes **lavé** les mains.   Elles se sont **acheté** des CD.

17 **Une histoire d'amour** •

Racontez au passé composé l'histoire de Julie et de Nicolas.

1. Ils se rencontrent à une fête.
2. Ils se parlent.
3. Ils s'entendent bien.
4. Ils se téléphonent le lendemain.
5. Ils se donnent rendez-vous.
6. Ils se voient souvent.
7. Ils s'envoient des emails.
8. Ils s'écrivent des poèmes.
9. Ils se déclarent leur amour.
10. Ils se fiancent.
11. Ils se marient à la mairie.
12. Ensuite, ils se marient à l'église.

Phonétique: Les consonnes /k/ et /s/

The consonant sounds /k/ and /s/ have several spellings in French.

• la consonne /k/

c before **a, o, u**	café Canada corps cou découvrir curieux cuisine
c before **l, r**	classe Claire crayon cravate crème
qu before **e, i**	publique musique

• la consonne /s/

s	sa santé semaine six souvenir surpris sympa rester
ss	brosser assister poisson possible je m'assieds intéresser
c before **e, i, y**	ce célibataire divorce facile cinq cinéma Cécile cyclone
ç before **a, o, u**	ça français garçon nous commençons ils se fiançaient

À votre tour

Compréhension orale

Écoutez bien. Pour chaque situation, indiquez si c'était une bonne ou une mauvaise expérience.

	1	2	3	4	5	6
🙂						
☹️						

Conversation dirigée

Your cousin in Montreal calls you to say that she is getting married.

Ask her (your partner) . . .
- how, where, when she met her fiancé
- how they are keeping in touch
- what the wedding plans are

Sondage

Vous interviewez quatre étudiants américains sur le thème du sommeil (*sleep*). Demandez à chaque étudiant(e):
- à quelle heure il/elle s'est levé(e) ce matin
- à quelle heure il/elle s'est couché(e) hier soir
- combien d'heures il/elle a dormi

Indiquez les résultats dans le tableau.

nom				
se lever ce matin				
se coucher hier soir				
heures de sommeil				

Expression écrite

Vous allez passer un semestre sur un campus français. Écrivez une lettre à votre futur(e) camarade de chambre où vous expliquez votre routine quotidienne. Donnez des détails.

En semaine je me réveille à sept heures et demie. Je ne me lève pas immédiatement. J'attends cinq ou dix minutes. Ensuite je me lève, je prends une douche et je me lave les cheveux...

Le week-end je me lève beaucoup plus tard...

LA SANTÉ

La santé et les maladies

Quand on est malade, on va...

chez le médecin.
à l'hôpital.

➡ *Comment parler de sa santé*

Comment allez-vous?

Ça va.	**Ça ne va pas.**
Je suis en forme (*in good shape*).	**Je ne suis pas en forme.**
Je suis en bonne santé (*in good health*).	**Je suis malade.**

Comment vous sentez-vous? (*How are you feeling?*)

Je me sens bien.   **Je ne me sens pas bien.**
                        Je me sens mal.

Je suis | **fatigué(e).**
Je me sens | **déprimé(e)** (*depressed*).

Où avez-vous mal? (*Where does it hurt?*)

J'ai **mal** | **à la tête.**
            | **au ventre** (*stomach*).

J'ai **une douleur** (*pain*) | **à l'épaule** (*shoulder*).
                             | **au genou.**

Qu'est-ce que vous avez? (*What's wrong?*)

J'ai | **une migraine.**
     | **la grippe** (*flu*).
     | **un rhume** (*cold*).

Quels autres symptômes avez-vous?

J'ai **de la fièvre** (*fever*).
J'ai la nausée. (*I feel nauseous, sick.*)
J'ai **mal au coeur.** (*I have an upset stomach.*)
J'ai **des crampes à l'estomac.**
J'ai **des boutons** (*a rash*).

Je tousse. (*I'm coughing.*)
J'éternue. (*I'm sneezing.*)

La médecine en France

Quand on est malade, on va chez **un généraliste** ou, en cas de problème particulier, chez **un spécialiste.**

La France a un système de **Sécurité Sociale** qui assure° la population contre la maladie et les accidents. Quand on va chez le médecin ou à l'hôpital, on présente sa carte d'assurance médicale appelée **Carte Vitale.** Cette carte à puces° permet le remboursement d'une grande partie des frais° médicaux par la Sécurité Sociale. Ainsi° la médecine pour les Français est pratiquement gratuite°.

carte d'assurance maladie

vitale

EMISE LE 08/01/2005

1 88 88 88 088 088 88
NNNNNNNNNNN
BBBBBBBBB

puce électronique   nom de la personne

assure *insures*   **carte à puces** *smart card*   **frais** *expenses*
Ainsi *Thus*   **gratuite** *free*

À votre tour

1. Maladies

Pendant un séjour en France, vous avez l'une des maladies ou malaises de la liste. Expliquez votre maladie au médecin (votre partenaire):

· comment vous vous sentez

· où vous avez mal

· quels sont les autres symptômes

la grippe	**une angine** (*sore throat*)
une allergie	**une indigestion**
une bronchite	**le rhume des foins** (*hay fever*)

2. Comparaisons

Avec votre partenaire comparez le système de santé en France et aux États-Unis. Pour cela, décrivez les avantages et les désavantages de chaque système. Quel est le meilleur système?

Avantages	Désavantages
·	·
·	·

À la pharmacie

Je voudrais...

des vitamines.
des cachets (*tablets*) **d'aspirine.**
des pastilles (*lozenges*) **pour la gorge** (*throat*).
des gouttes (*drops*) **pour les yeux.**
un médicament (*medicine*) **contre** | **la douleur.**
| **la toux** (*cough*).

un désinfectant.
de l'ouate (*cotton*).
des cotons-tiges (*cotton swabs*).
du sparadrap (*adhesive tape*).
des pansements (*bandages*).
une bande Velpeau (*Ace bandage*).

➠ *Comment parler d'un accident*

Tu as eu un accident?
Qu'est-ce qui t'est arrivé? (*What happened to you?*)
Je me suis fait mal | **au dos.** (*I hurt my back.*)
| **à l'épaule.**

Je me suis blessé(e) à la main. (*I injured, hurt my hand.*)

Je me suis cassé | **la jambe.** (*I broke my leg.*)
| **le bras.**

Je me suis coupé(e) | **au pied.** (*I cut my foot.*)
| **au genou.**

Je me suis foulé | **la cheville.** (*I sprained my ankle.*)
| **le poignet** (*wrist*).

En cas d'urgence

Pour les petits problèmes de santé (indigestions, rhumes, etc.), on peut aller à la pharmacie du quartier où on habite. Le pharmacien conseillera° les médicaments à prendre.

En cas d'urgence médicale ou d'accident grave, on peut téléphoner au SAMU (Service d'aide médicale urgente) en faisant° le 15. Ce service public fournit° des ambulances et des équipes de spécialistes en soins° d'urgence.

conseillera *will advise*   **en faisant** *by dialing/punching*
fournit *furnishes*   **soins** *care*

Conversation

Émilie veut savoir ce qui est arrivé à son amie Laure.

ÉMILIE: Dis donc, Laure, qu'est-ce qui t'est arrivé?
LAURE: Tu vois, je me suis cassé la jambe.
ÉMILIE: Ah bon? Comment est-ce que c'est arrivé?
LAURE: Je faisais du roller et je suis tombée.
ÉMILIE: Pauvre Laure. Tu n'as pas de chance!

À votre tour

Pas de chance

Vous voulez savoir ce qui est arrivé aux personnes suivantes. Avec votre partenaire, composez des dialogues sur la base des illustrations. Expliquez la cause de chaque accident en utilisant votre imagination.

Thomas	Amélie	Alain	Stéphanie

Recherches Internet

Allez sur le site du SAMU (Service d'aide médicale urgente) de Paris (**www.samudeparis.org**). Regardez leur photothèque. Quelles photos sont les plus belles? les plus dramatiques? les moins intéressantes?

Avant de lire
Que savez-vous de l'Afrique du Nord?
• nombre de pays
• histoire
• rôle de la France

AFRIQUE DU NORD
Le Maghreb

Le Maghreb est un mot arabe qui signifie *de l'ouest*. Autrefois, le Maghreb était l'extrémité occidentale du monde musulman. Aujourd'hui, ce terme désigne trois pays d'Afrique du Nord: le Maroc, l'Algérie et la Tunisie. Ces trois pays ont beaucoup de points communs: la religion musulmane et la culture islamique, une population d'origine berbère et arabe, et des relations historiques complexes et difficiles avec la France.

Les relations avec la France ont d'abord été définies par une lourde° domination politique et économique: colonisation de l'Algérie et protectorat sur le Maroc et la Tunisie. Entre les années 1956 et 1962, ces pays ont conquis° leur indépendance par la négociation ou la révolte armée. Malgré° ce passé colonial, ils ont conclu° des accords° commerciaux et culturels avec la France. Ils ont aussi maintenu° le français comme langue seconde privilégiée. Depuis l'indépendance, des millions de Maghrébins ont émigré en France où ils constituent une minorité islamique très importante.

Les pays du Maghreb font partie° de la Ligue Arabe. Ils pratiquent une politique extérieure généralement modérée et pro-occidentale. Chaque pays a son individualité propre°:

• **Le Maroc** est une monarchie constitutionnelle avec un roi°, Mohammed VI, et un Parlement.
• **L'Algérie** est membre de l'OPEP° (Organisation des Pays Exportateurs de Pétrole). Malgré ses richesses naturelles, ce pays a enduré une longue guerre° civile provoquée par un conflit armé avec des extrémistes musulmans.
• **La Tunisie** est un pays démocratique, ouvert au tourisme.

MAROC

Capitale: Rabat
Population: 30 000 000
Devise: Dieu, la patrie°, le roi
Monnaie: dirham

ALGÉRIE

Capitale: Alger
Population: 32 000 000
Devise: La révolution par le peuple et pour le peuple
Monnaie: dinar algérien

TUNISIE

Capitale: Tunis
Population: 10 000 000
Devise: Ordre, liberté, justice
Monnaie: dinar tunisien

---

lourde *heavy* **ont conquis** *won* **Malgré** *In spite of* **ont conclu** *signed* **accords** *agreements* **ont maintenu** *maintained*
font partie de *are members of* **propre** *own* **roi** *king* **l'OPEP** *OPEC* **guerre** *war* **patrie** *fatherland*

Un peu d'histoire

L'époque ancienne

1000–250 av. JC	· Populations berbères établies en Afrique du Nord.
	· Fondation de Carthage (près de Tunis) et établissement d'un empire maritime carthaginois en Méditerranée.
250 av. JC – 400	· Rivalité entre Rome et Carthage.
	· Destruction de Carthage.
	· Colonisation romaine et introduction du Christianisme.
670–710	· Conquête de l'Afrique du Nord par des tribus arabes.
	· Introduction de l'Islam et conversion de la population berbère.
12ᵉ – 13ᵉ siècles	· Établissement d'un puissant° royaume° au Maroc.
16ᵉ siècle	· Annexion de l'Afrique du Nord par la Turquie.

L'époque coloniale

1830	Début° de la colonisation française en Algérie.
1881	Protectorat français en Tunisie.
1912	Protectorat français au Maroc.
1942	Débarquement des troupes américaines en Afrique du Nord.
1952–1962	Guerre° d'Algérie et indépendance de l'Algérie.
1956	Indépendance de la Tunisie et du Maroc.

L'époque moderne

1956–1962	Entrée du Maroc, de la Tunisie et de l'Algérie aux Nations Unies et dans la Ligue Arabe.
1969	Entrée de l'Algérie dans l'OPEP.

Après la lecture
Quels sont les trois faits les plus importants que vous avez appris sur l'Afrique du Nord?

HM Recherches Internet
Informez-vous sur un pays de l'Afrique francophone et préparez une courte présentation.

---

puissant *powerful*   **royaume** *kingdom*   **Début** *Beginning*   **Guerre** *War*

L'Islam

Avant de lire
Que savez-vous de l'Islam?
• croyances
• présence dans le monde

L'Islam est né au septième siècle en Arabie dans la région de la Mecque°. Aujourd'hui, l'Islam est la deuxième religion pratiquée dans le monde, après le Christianisme. Ses adeptes°, les **Musulmans,** sont plus d'un milliard°. Ils vivent principalement au Moyen-Orient°, en Afrique, au Pakistan et en Indonésie. Il y a six millions de Musulmans en France et cinq millions de Musulmans aux États-Unis.

L'Islam est une religion monothéiste. Ses préceptes ont été révélées au prophète Mohammed. Les Musulmans doivent observer un certain nombre de pratiques religieuses décrites dans un livre sacré, le **Coran,** et résumées° dans les «Cinq piliers° de l'Islam».

L'Islam dans le monde	
Asie	850 000 000
Afrique	340 000 000
Europe	35 000 000
Amérique du Nord	6 000 000
Amérique du Sud	2 000 000
TOTALE	1 233 000 000

LES PILIERS DE L'ISLAM

• **La croyance° en Dieu°**
  Un Musulman croit° en un Dieu unique: Allah.

• **La prière°**
  Un Musulman fait cinq prières par jour.

• **Le jeûne°**
  Un Musulman pratique le jeûne pendant le mois du Ramadan.

• **La charité**
  Un Musulman doit donner chaque année un pourcentage de sa fortune aux pauvres°.

• **Le pèlerinage°**
  Un Musulman doit faire un pèlerinage à la Mecque, le Hadj, au moins une fois dans sa vie.

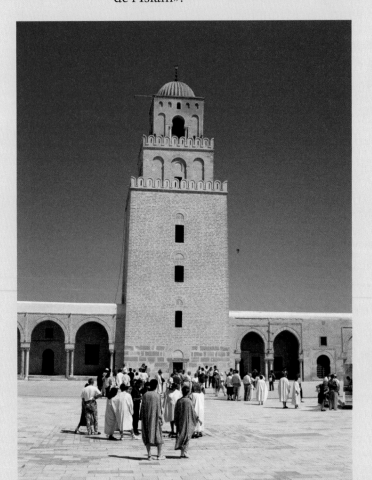

La mosquée de Kairouan en Tunisie

Après la lecture
Comparez les préceptes de l'Islam à vos propres croyances. Quelles sont les différences? Quelles sont les similarités?

la Mecque *Mecca*   **adeptes** *believers*   **milliard** *billion*   **Moyen-Orient** *Middle East*   **résumées** *summarized*   **piliers** *pillars*
croyance *belief*   **Dieu** *God*   **croit** *believes*   **prière** *prayer*   **jeûne** *fasting*   **pauvres** *poor*   **pèlerinage** *pilgrimage*

Avant de lire
Que savez-vous du raï?
• origine
• type de musique
• instruments

Khaled

Le raï:
musique d'Algérie

Le raï est né dans la région d'Oran, un port situé sur la Méditerranée. À l'origine, le raï était chanté par les femmes pendant les cérémonies familiales. Le terme raï signifie littéralement *avis*° ou *point de vue*, et, par extension, *sort*° ou *destin*.

Dans les années 1970, le raï devient une musique de revendication°. Les jeunes chanteurs expriment° leurs émotions, mais aussi leur malaise° et leur désir de liberté. Certains de ces chanteurs viennent en France dans les années 1980. Le raï devient rapidement populaire dans les quartiers d'immigrés maghrébins. Il se modernise aussi. Les chanteurs s'accompagnent de guitares électriques, de synthétiseurs et de batterie. Ils chantent en arabe mais aussi en français et anglais.

Aujourd'hui, le raï fait partie° de la musique multiculturelle de la France. Les stars du raï donnent des concerts aussi en Europe et aux États-Unis.

Quelques chanteurs de raï	
Khaled	Cheb Mami
Faudel	Cheb Bilal
Rachid Taha	Cheb Hasni

HMI Recherches Internet
Téléchargez une chanson de musique raï.

---

avis *opinion*   **sort** *destiny*   **revendication** *reclaiming (of one's rights)*   **expriment** *express*   **malaise** *unrest*   **fait partie** *is part*

Avant de lire
Connaissez-vous des athlètes nord-africains? Qui?

Une championne en or:

Nezha Bidouane

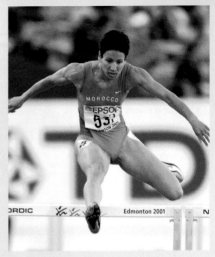

Edmonton 2001

Nezha Bidouane est née à Rabat, dans un quartier pauvre° de la capitale marocaine. À l'école, elle excelle en gymnastique. Un jour, elle découvre sa vocation en regardant à la télévision les exploits des athlètes marocains. Son ambition: être championne du monde. Sa spécialité: le 400 mètres haie°.

D'abord, Nezha Bidouane doit suivre un entraînement° intensif et participer à de nombreuses compétitions locales. Après de multiples victoires, elle est admise dans l'équipe° nationale d'athlétisme°.

Nezha Bidouane arrive rapidement au sommet de sa spécialité. Elle bat° le record d'Afrique, triomphe aux Jeux Méditerranéens et Pan-Arabes, et devient deux fois championne du monde du 400 mètres haie.

Aux Jeux olympiques d'Athènes en 2004, Nezha Bidouane a l'honneur de porter le drapeau° de l'équipe marocaine. Après les Jeux, elle décide de quitter la compétition mais elle n'abandonne pas l'athlétisme. Elle adopte une nouvelle carrière°: la formation° de jeunes championnes marocaines.

Champions maghrébins

Les athlètes maghrébins sont des spécialistes des courses de demi et longue distance.

Hicham el Guerrouj
(Maroc)
Champion olympique des 1500 et 5000 mètres
(Athènes 2004)

Nouria Benida Merah
(Algérie)
Championne olympique du 1500 mètres
(Sydney 2000)

Noureddine Morceli
(Algérie)
Champion olympique du 1500 mètres
(Atlanta 1996)

Hassiba Boulmerka
(Algérie)
Championne olympique du 1500 mètres
(Barcelone 1992)

pauvre *poor*   **haie** *hurdles*   **entraînement** *training*   **équipe** *team*   **athlétisme** *track and field*
bat *beats*   **drapeau** *flag*   **carrière** *career*   **formation** *training*

Après la lecture
Quelles sont les spécialités des athlètes maghrébins?

Avant de lire
Êtes-vous allé(e) dans un restaurant marocain? Qu'est-ce que vous avez mangé?

Un plat maghrébin: le couscous

Le couscous est probablement d'origine berbère. C'est un plat° de semoule° cuite à la vapeur° et garni de légumes et de morceaux° de viande préparés en pot-au-feu°. Le couscous est servi avec une sauce épicée° qu'on appelle *harissa*.

Dans un repas marocain traditionnel, les invités sont assis autour° d'une table basse° et mangent le couscous avec la main droite. Comme boisson, ils boivent du thé à la menthe°.

Aujourd'hui, le couscous est très populaire en France et dans les autres pays d'Europe qui ont une population immigrée d'origine maghrébine. Si on veut manger un bon couscous, on peut aller dans un restaurant marocain, algérien ou tunisien.

On peut aussi faire soi-même° son couscous. Pour cela, on utilise une casserole° spéciale appelée *couscoussière*. Dans la partie inférieure on met l'eau, la viande et les légumes. Dans la partie supérieure les graines de couscous cuisent° doucement° à la vapeur.

HM Recherches Internet

Allez sur le site d'un restaurant marocain.
- Dans quelle ville est-il situé?
- Décrivez le menu (les plats, les boissons).
- Aimeriez-vous allez dans ce restaurant? Pourquoi ou pourquoi pas?

---

plat *dish*   **semoule** *semolina*   **cuite à la vapeur** *steamed*   **morceaux** *pieces*   **en pot-au-feu** *gently simmered in water*   **épicée** *spicy*
autour de *around*   **basse** *low*   **menthe** *mint*   **soi-même** *oneself*   **casserole** *pot*   **cuisent** *cook*   **doucement** *gently*

Unité 10

Perspectives d'avenir

Objectives
- To describe different personalities
- To indicate how we do certain things
- To rank people and things

Antoine a rendez-vous avec Mélanie dans un café. Quand il arrive, Mélanie est **en train de consulter** *son ordinateur.*

busy consulting

ANTOINE: Alors, les nouvelles sont bonnes?

MÉLANIE: Je ne sais pas. Je regarde les offres d'emploi.

ANTOINE: Ah bon? Pourquoi?

MÉLANIE: Je cherche un job pour cet été. Ce n'est pas facile! Et toi, tu as une idée de ce que tu vas faire pendant les vacances?

ANTOINE: J'ai promis à mon oncle de passer le mois d'août chez lui.

MÉLANIE: Où ça?

ANTOINE: À Monaco!

MÉLANIE: Oh là là… Monsieur va passer des vacances de **milliardaire**.   *multi-millionaire*

ANTOINE: Pas exactement! Je vais là-bas pour travailler. Mon oncle a un petit hôtel et en été il a **constamment** besoin de personnel.   *constantly*

MÉLANIE: Mais alors, peut-être qu'il **engage** des étudiants!   *is hiring*

ANTOINE: Effectivement, je crois qu'il a besoin d'une réceptionniste. C'est peut-être un job pour toi… Après tout, tu es gentille, jolie… et absolument charmante!

MÉLANIE: Et n'oublie pas que je suis aussi sérieuse et compétente. Et **en plus**, je parle anglais, allemand et italien.   *moreover*

ANTOINE: Alors, tu es la candidate **parfaite**! Tiens, passe-moi ton portable. Je vais téléphoner immédiatement à mon oncle.   *perfect*

MÉLANIE: Merci! Tu es vraiment le copain parfait!

À propos du texte

1. Pourquoi est-ce que Mélanie est la candidate parfaite?
2. Pourquoi est-ce qu'Antoine est un copain parfait?
3. Selon vous, est-ce que Mélanie va obtenir le job? Pourquoi?
4. Avec votre partenaire, trouvez une conclusion à l'histoire.

Note culturelle
Occupations d'été

Contrairement aux étudiants américains, les étudiants français n'ont pas de frais de scolarité° à payer. Ils ont cependant° besoin d'argent pour leurs dépenses° personnelles. Beaucoup voudraient donc° trouver un job pendant les vacances d'été.

Les possibilités d'emploi sont malheureusement° très limitées. En conséquence, une minorité seulement d'étudiants français travaillent en été. Certains font des stages° de formation professionnelle, mais ces stages ne sont pas très bien rémunérés. D'autres trouvent des jobs comme guides touristiques ou moniteurs de colonies de vacances°.

Quant à la majorité des étudiants, ils passent les vacances en famille ou avec leurs copains.

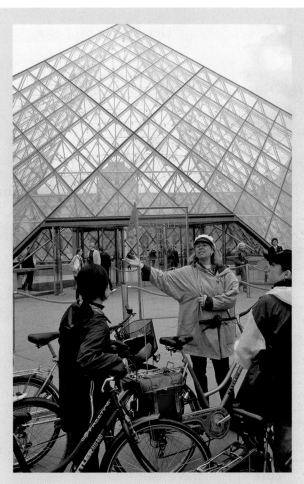

À votre avis

1. Que font la majorité des étudiants américains pendant les vacances? Pourquoi?
2. Est-ce que vous avez travaillé l'été dernier? Dans quelle sorte de job?
3. Selon vous, quelle est la meilleure façon de passer les vacances d'été?

frais de scolarité *tuition expenses*   **cependant** *however*   **dépenses** *expenditures*   **donc** *therefore*
malheureusement *unfortunately*   **stages** *internships*   **moniteurs... vacances** *camp counselors*

La langue française

Vocabulaire: La description

la personnalité

Un homme peut être...	Une femme peut être...
actif	**active**
courageux	**courageuse**
travailleur (*hard-working*)	**travailleuse**

masculine	feminine

-eux → -euse	

ambitieux **généreux** **ennuyeux** (*boring*)
consciencieux **nerveux** **heureux** (*happy*)
courageux **sérieux** **malheureux** (*unhappy*)
curieux **superstitieux** **paresseux** (*lazy*)

-f → -ve

actif **intuitif** **sportif** (*athletic*)
attentif **naïf** **perceptif**
imaginatif **impulsif**

-el → -elle

intellectuel **naturel** **réel**
superficiel **ponctuel**

-en → -enne

musicien (*musically gifted*)

-on → -onne

mignon (*cute*)

-er → -ère

familier **étranger** (*foreign*)

-et → -ète

discret **indiscret** **inquiet** (*worried*)
secret

-eur → -euse

travailleur

-teur → -trice

créateur (*creative*) **conservateur** (*conservative*)

d'autres caractéristiques

masculine		feminine		masculine		feminine	
gros	→	**grosse**	*big, fat*	**net**	→	**nette**	*neat, clean*
faux	→	**fausse**	*false*	**sot**	→	**sotte**	*dumb*
roux	→	**rousse**	*red-headed*	**gentil**	→	**gentille**	*nice*
doux	→	**douce**	*sweet, soft*	**long**	→	**longue**	
jaloux	→	**jalouse**	*jealous*	**blanc**	→	**blanche**	*white*
fou	→	**folle**	*crazy*	**franc**	→	**franche**	*frank*
favori	→	**favorite**		**public**	→	**publique**	

A. Révision: Le féminin des adjectifs

Note how men and women are described.

Pierre est **patient** et **calme.**   Pauline est **patiente** et **calme.**

Éric est **sérieux** et **attentif.**   Léa est **sérieuse** et **attentive.**

> All FEMININE adjectives end in **-e** in the singular.

➡ For REGULAR adjectives, the FEMININE is formed by adding an **-e** to the MASCULINE form.

  If the masculine ends in **-e,** there is NO CHANGE in the feminine.

➡ For IRREGULAR adjectives, the feminine is formed according to different patterns.

  The most frequent patterns are summarized in the **Vocabulaire.**

1 Une question de personnalité

Lisez ce que font les personnes suivantes. Puis décrivez leur personnalité en utilisant un adjectif de la liste.

✳ Mathilde ne sort jamais le vendredi treize.
   Elle est superstitieuse.

1. Isabelle veut créer une compagnie.	actif
2. Pierre et Paul détestent étudier.	ambitieux
3. Julie dit toujours la vérité.	attentif
4. Ce week-end, mes cousines vont préparer leur examen.	consciencieux
5. En hiver, Zoé fait du ski. En été, elle nage et elle joue au volley.	franc

1. Isabelle veut créer une compagnie.
2. Pierre et Paul détestent étudier.
3. Julie dit toujours la vérité.
4. Ce week-end, mes cousines vont préparer leur examen.
5. En hiver, Zoé fait du ski. En été, elle nage et elle joue au volley.
6. Ma soeur ne parle de ses problèmes à personne.
7. Alice ne se repose jamais.
8. Françoise aime discuter des grandes questions philosophiques.
9. La secrétaire arrive toujours à l'heure (*on time*) au bureau.
10. Émilie est furieuse quand son copain téléphone à une autre fille.
11. Ces étudiants font toujours attention quand le professeur parle.
12. Laura a peur du futur.

actif
ambitieux
attentif
consciencieux
franc
inquiet
intellectuel
jaloux
paresseux
ponctuel
secret
sportif
superstitieux

2 L'ami(e) idéal(e)

Décrivez l'ami idéal et l'amie idéale. Comparez votre description avec votre partenaire.

L'ami idéal
• Il doit être...
• Il ne doit pas être...

L'amie idéale
• Elle doit être...
• Elle ne doit pas être...

B. Les adverbes en -ment TO DESCRIBE HOW WE DO THINGS

To describe HOW we do certain things, we use ADVERBS OF MANNER. In French, many adverbs of manner end in **-ment.** (In English, they end in -ly.) Note how these adverbs are derived from corresponding adjectives.

Pierre est **poli.**   Il parle **poliment** (politely).
Tu es **calme.**   Tu parles **calmement** (calmly).

Sarah est **sérieuse.**   Elle étudie **sérieusement** (seriously).
Élise est **intuitive.**   Elle comprend **intuitivement** (intuitively).

Most ADVERBS OF MANNER are derived from adjectives, as follows:

When the masculine adjective ends in...	the adverb is formed:	
a VOWEL	MASCULINE adjective + **-ment**	poli → **poliment**
a CONSONANT	FEMININE adjective + **-ment**	actif, active → **activement** sérieux, sérieuse → **sérieusement**

⟹ Adverbs of manner corresponding to adjectives ending in **-ent** and **-ant** are formed as follows:

MASCULINE adjective (minus **-ent**) + **-emment**	patient → **patiemment**
MASCULINE adjective (minus **-ant**) + **-amment**	constant → **constammant**

Tu es **intelligent.**   Tu parles **intelligemment.**
David est **brillant.**   Il réussi **brillamment** à l'examen.

EXCEPTION
lent → lentement

⟹ Adverbs in **-ment,** like other adverbs of manner, usually come immediately AFTER the verb they modify.

Élodie répond **intelligemment** à la question du professeur.

⟹ The adjective **rapide** has two corresponding adverbs: **rapidement** and **vite** (which is more commonly used).

Ces voitures de sport sont **rapides.**   These sports cars are **fast.**
Elles vont **vite.**   They go **fast.**

The COMPARISON of adverbs follows the same pattern as the comparison of adjectives.			
Éric étudie {	**plus sérieusement que** Zoé. **moins sérieusement que** Léa. **aussi sérieusement que** Julie.	Éric studies {	**more seriously than** Zoé. **less seriously than** Léa. **as seriously as** Julie.

⟹ The comparative form of **bien** is **mieux.**

Nous jouons au foot **mieux que** vous.   We play soccer **better than** you.

3 **De quelle manière?** •

Les personnes suivantes travaillent d'une manière qui reflète leur personnalité. Exprimez cela, en utilisant l'adverbe en **-ment** qui convient.

✴ Julien est sérieux.
 (travailler) *Il travaille sérieusement.*

1. David est généreux.
 (aider ses amis)
2. Thomas est ponctuel.
 (arriver au rendez-vous)
3. Éric et Lucas sont actifs.
 (participer au débat)
4. Antoine est discret.
 (parler de ses amis)

5. Philippe est consciencieux.
 (préparer ses examens)
6. Jérôme est attentif.
 (écouter le professeur)
7. Mathilde est polie.
 (parler à ses voisins)
8. Nicolas est franc.
 (répondre aux questions)

4 **Comment?** •

Dites ce qu'ont fait les personnes suivantes et comment. Pour cela, utilisez le passé composé et l'adverbe dérivé de l'adjectif entre parenthèses.

✴ (brillant) Nicole / réussir à l'examen de français.
 Nicole a réussi brillamment à l'examen de français.

1. (impatient) toi / répondre à la question
2. (intelligent) Marc / répondre au professeur
3. (élégant) Monique / s'habiller pour le mariage de sa cousine
4. (patient) nous / attendre nos amis
5. (constant) ces gens / parler pendant le film
6. (violent) vous / fermer la porte
7. (prudent) la police / entrer dans la maison abandonnée
8. (imprudent) ces ingénieurs / parler des secrets de leur entreprise (*company*)

5 **Et vous?** •

Dites comment vous faites les choses suivantes. Pour cela, complétez les phrases avec un adverbe qui correspond à une expression de la liste ou d'un autre adverbe en **-ment.**

1. J'étudie...
2. Je prépare mes cours...
3. J'écoute le prof...
4. J'arrive sur le campus...
5. Je fais du sport...
6. Je parle à mes parents...
7. Je réponds à mes emails...
8. J'attends mes copains...
9. J'aide mes amis...
10. Je conduis ma voiture...
11. Je vais à mes rendez-vous...

d'une manière...	
attentive	calme
difficile	franche
généreuse	polie
ponctuelle	prudente
rapide	rare
régulière	sérieuse

6 Un job d'été ·

Vous êtes gérant(e) (*manager*) d'un hôtel de luxe à Monaco et vous avez engagé un(e)
étudiant(e) pour un job d'été. Posez-lui des questions sur ses qualités et dites-lui de travailler
en conséquence.

✹ ponctuel? (arriver... à l'hôtel)
— *Vous êtes ponctuel(le)?*
— *Oui, je suis ponctuel(le).*
— *Alors, arrivez ponctuellement à l'hôtel!*

1. consciencieux? (faire votre service...)
2. patient? (écouter... le maître d'hôtel)
3. poli? (servir... les clients)
4. aimable (*friendly*)? (répondre... à la clientèle)
5. attentif? (écouter... mes conseils)
6. énergique? (travailler...)

Quelques adverbes en *-ment*

heureusement	*fortunately*	**Heureusement,** Éric s'est souvenu de la date de l'examen.
malheureusement	*unfortunately*	**Malheureusement,** il l'a raté.
vraiment	*really*	**Vraiment,** il n'a pas eu de chance.
évidemment	*obviously, of course*	**Évidemment,** il n'étudie pas beaucoup.
seulement	*only*	Si **seulement** il étudiait plus!

➠ The above adverbs have a meaning somewhat different from the adjectives from which they
are derived.

➠ They are often placed at the beginning of the sentence for emphasis.

7 La bonne réponse ·

Avec votre partenaire, jouez les dialogues suivants. Complétez les réponses avec un adverbe du
Vocabulaire qui convient.

1. — Tu as réussi à l'examen?
— Oui, _____ j'ai réussi!

2. — Combien de photos as-tu prises
à la fête hier soir?
— _____ une!

3. — Tu as gagné ton match de tennis?
— Non, _____ j'ai perdu!

4. — Tu vas inviter Caroline pour ton
anniversaire?
— _____! C'est ma copine!

C. La construction verbe + infinitif

To express our attitude toward a certain action, we often use the construction verb + INFINITIVE.

Éric **aime sortir** avec ses copains,	Éric *likes to go out (going out) with his friends.*
... mais il **préfère sortir** avec Léa.	*. . . but he prefers going out with Léa.*
Nathalie **hésite à se marier.**	*Nathalie hesitates to get married.*
Elle **continue à travailler.**	*She continues to work (working).*
Paul **ne cesse pas de parler** de lui.	*Paul doesn't stop talking about himself.*
Acceptez-vous **de l'écouter**?	*Do you agree to listen to him?*

INFINITIVE CONSTRUCTIONS follow different patterns, depending on the main verb:

main verb + infinitive	Nous **devons** partir.
main verb + **à** + infinitive	Nous **hésitons à** partir.
main verb + **de** + infinitive	Nous **refusons de** partir.

➡ In similar English constructions, the second verb is an infinitive or a verbal form ending in *-ing*. In French, the second verb must be an INFINITIVE.

J'aime **jouer** au tennis.   *I like **to play** tennis.*   *I like **playing** tennis.*

Cessez de fumer!

Verbes suivis de l'infinitif

verbe + infinitif

aimer	*to like, love*	**espérer**	*to hope*
aller	*to go*	**pouvoir**	*can, to be able*
détester	*to hate, detest*	**préférer**	*to prefer*
devoir	*must, to have to*	**vouloir**	*to wish, want*

verbe + à + infinitif

apprendre à	*to learn*	Nous **apprenons à faire** de la voile.
chercher à	*to try, strive*	Je n'**ai** pas **cherché à gagner** de l'argent.
commencer à	*to begin*	J'**ai commencé à travailler** lundi.
continuer à	*to continue*	**Continuez**-vous **à étudier** le français?
hésiter à	*to hesitate*	N'**hésitez** pas **à exprimer** votre opinion.
réussir à	*to manage to*	J'**ai réussi à réparer** ma voiture.

8 **Et vous?** •

Demandez à votre partenaire s'il/si elle fait les choses suivantes.

✱ regretter / apprendre le français?
— *Est-ce que tu regrettes d'apprendre le français?*
— *Oui, je regrette d'apprendre le français.*
ou — *Non, je ne regrette pas d'apprendre le français.*

1. regretter / être à cette université?
2. hésiter / parler français en classe?
3. rêver / être millionnaire?
4. chercher / gagner beaucoup d'argent?
5. refuser / étudier le week-end?
6. apprendre / jouer de la clarinette?

9 **Une question de personnalité** •

Informez-vous sur les personnes suivantes et dites si oui ou non elles font les choses entre parenthèses.

✱ Julien est franc. (hésiter / dire la vérité)
Il n'hésite pas à dire la vérité.

1. Vous êtes trop curieux. (chercher / savoir tout sur vos amis)
2. Ces étudiants sont paresseux. (refuser / étudier le week-end)
3. Léa est persévérante. (continuer / suivre des cours de piano)
4. Nous sommes des étudiants brillants. (cesser / faire des progrès en français)
5. Ces filles sont courageuses. (décider / prendre des risques)
6. Vous êtes égoïstes. (essayer / aider vos amis)
7. Alice est ambitieuse. (rêver / être présidente d'une compagnie internationale)
8. Ces étudiants sont timides. (hésiter / parler en public)

verbe + **de** + infinitif

s'arrêter de	*to stop*	Quand est-ce que tu **t'arrêtes d'étudier**?
cesser de	*to stop, quit*	J'**ai cessé de fumer** (*to smoke*).
choisir de	*to choose, decide*	J'**ai choisi d'étudier** le chinois.
décider de	*to decide*	Nous **avons décidé de partir** en vacances.
essayer de	*to try*	**Essayez de trouver** un job!
finir de	*to finish*	J'**ai fini de regarder** le journal.
oublier de	*to forget*	**As**-tu **oublié de mettre** une annonce (*ad*)?
refuser de	*to refuse*	Nous **refusons de répondre** à la question.
regretter de	*to regret*	Je ne **regrette** pas **d'apprendre** le français.
rêver de	*to dream of*	Caroline **rêve d'acheter** une voiture de sport.
se souvenir de	*to remember*	Est-ce que tu **t'es souvenu de téléphoner** à Paul?

⑩ À la recherche d'un job

Isabelle est à la recherche d'un job pour cet été. Décrivez ce qu'elle fait. (Attention: les phrases peuvent être affirmatives ou négatives.)

✳ Isabelle / cherche / travailler cet été
Isabelle cherche à travailler cet été.

1. Elle / voudrait / gagner de l'argent
2. Elle / rêve / trouver un job dans une banque
3. Elle / décide / mettre une annonce dans les journaux
4. Elle / apprend / préparer son résumé
5. Elle / hésite / demander des lettres de recommandation
6. Un jour, elle / réussit / obtenir un rendez-vous
7. Elle / oublie / apporter son résumé
8. Elle / réussit / obtenir le job
9. Elle / commence / travailler la semaine prochaine

⑪ Expression personnelle

Complétez les phrases suivantes avec une expression personnelle.

✳ Depuis que (*Since*) je suis à l'université, je rêve...
Depuis que je suis à l'université, je rêve de visiter Paris (d'avoir une voiture de sport...).

1. En ce moment, j'apprends...
2. Je voudrais apprendre...
3. Parfois j'hésite... mais je n'hésite jamais...
4. Parfois j'oublie... mais je n'oublie jamais...
5. Je regrette... mais je ne regrette pas...
6. J'aime... mais je préfère...
7. Je ne refuse jamais...
8. J'ai décidé...
9. Cet été, je vais continuer...
10. Je vais essayer...
11. Je cherche...
12. J'ai choisi...

D. Les nombres ordinaux — TO RANK PEOPLE AND THINGS

To rank people or things, we use ORDINAL NUMBERS. Note the forms of these numbers.

À la course de cinq kilomètres, …

Victoria est arrivée **première**.	*Victoria came in **first**.*
David a fini **deuxième**.	*David finished **second**.*
Isabelle est arrivée **dix-huitième**.	*Isabelle came in **eighteenth**.*

ORDINAL NUMBERS are derived from cardinal numbers according to the pattern:

NUMBER (minus final **-e** if any) + **-ième**

trois	→ **troisième**	quatr(e)	→ **quatrième**
vingt-sept	→ **vingt-septième**	quinz(e)	→ **quinzième**

> **PRONONCIATION**
> In ordinal numbers "x" is pronounced /z/: **deuxième, sixième, dixième.**

➡ EXCEPTION: **un → premier, première**

    BUT: **vingt et unième, trente et unième,** etc.

➡ Note the following spelling modifications:

    cinq → **cinquième**   neuf → **neuvième**

ORDINAL NUMBERS are ADJECTIVES and agree with the nouns they modify.

➡ Ordinal numbers come BEFORE the noun they modify.

    Quel est le **dixième** mois de l'année?

> **ÉLISION**
> There is NO ELISION before:
> **le huitième**
> **le onzième**

➡ ADVERBS in **-ment** can be derived from ordinal numbers.

    Pour obtenir un job, **premièrement,** il faut préparer son résumé.
    Deuxièmement, il faut demander des lettres de recommandation.

12 **Le concours de photo** (*photo contest*) •

Vous êtes le juge d'un concours de photo. Donnez aux étudiants suivants leur classement (*ranking*).

✳ Mark (5e)   *Mark est cinquième.*

1. Anne (1ère)
2. Philippe (2e)
3. Nathalie (6e)
4. Louis et Marc (10e)
5. Sarah et Léa (15e)
6. Jérôme (18e)
7. Zoé (21e)
8. Michèle (32e)
9. Julie (41e)
10. Antoine (66e)
11. Amélie (74e)
12. Élodie (100e)

Phonétique: Consonnes finales

When a French word ends in a consonant sound, that final consonant is very distinctly pronounced. This makes it easier to distinguish many feminine adjectives and plural verbs.

Répétez: doux - dou**c**e jaloux - jalou**s**e favori - favori**t**e long - lon**gu**e
        blanc - blan**ch**e grand - gran**d**e sérieux - sérieu**s**e discret - discrè**t**e
        il vend - ils ven**d**ent il finit - ils fini**ss**ent il boit - ils boi**v**ent il met - ils me**tt**ent
        il doit - ils doi**v**ent il suit - ils sui**v**ent il lit - ils li**s**ent il vit - ils vi**v**ent

À votre tour

Compréhension orale

Écoutez bien les descriptions. Pour chaque description, indiquez si elle concerne la personne A, la personne B ou la personne C.

	A	B	C

	1	2	3	4	5	6	7	8	9	10
A.										
B.										
C.										

Conversation dirigée

It is the eve of graduation and you and your roommate are talking about your four years of college.

With your partner, discuss . . .
- what you have learned to do
- what you have succeeded in doing
- what you hope to do

 — *Moi, j'ai appris à parler français.*
Et toi, qu'est-ce que tu as appris?

Expression libre

Mentionnez trois traits de personnalité que vous avez et trois traits que vous n'avez pas. Utilisez les adjectifs de cette leçon. Ensuite comparez votre portrait avec celui de votre partenaire. Quels traits avez-vous en commun?

Je suis...	*Je ne suis pas...*
·	·
·	·
·	·

Expression écrite

Un futur employeur français vous a demandé de faire votre autoportrait. Écrivez un paragraphe où vous décrivez vos qualités. Donnez des exemples.

Je suis consciencieux (consciencieuse). Je ne refuse jamais de finir mon travail.

Après l'université

 Comment voyez-vous l'avenir? Où serez-vous dans dix ans? Et d'abord, qu'est-ce que vous ferez quand vous aurez votre diplôme? Trois étudiants répondent à ces questions.

future / will you be
will do / (will) have

Alice (étudiante d'une école de commerce)

Je n'ai pas encore mon diplôme et j'**ai déjà reçu** une offre d'emploi d'une grande compagnie internationale. Je suis donc optimiste sur mon avenir personnel.

already received

    Quand j'aurai mon diplôme, je n'aurai probablement pas de difficulté à trouver un emploi intéressant et bien payé. Avec la **mondialisation** de l'économie, les jeunes ont beaucoup de possibilités, **surtout** quand ils acceptent de s'expatrier.

globalization
especially

    Où est-ce que je serai dans dix ans? J'**habiterai** peut-être en Chine ou au Japon. Ou bien, je serai **de retour** à Paris. Qui sait?

will live
back

Emmanuel (étudiant en sociologie)

Les progrès de la technologie ont beaucoup simplifié les conditions de travail mais ils ont créé d'autres problèmes: le **chômage**, par exemple. Je ne sais pas si je trouverai du travail à la fin de mes études et quelle sorte de travail j'aurai. **Ainsi** je ne peux pas **prédire ce que** je ferai quand j'aurai mon diplôme, et **encore moins** ce que je ferai dans dix ans.

unemployment

Thus / predict / what
even less

    Je sais seulement que je n'habiterai plus à Paris. J'habiterai en province parce que la vie y est plus agréable. J'espère aussi que je serai marié et que j'aurai des enfants. Pour moi, **fonder une famille**, c'est très important.

having a family

Mélanie (étudiante en biologie)

Après mon diplôme, je continuerai mes études aux États-Unis. Quand je reviendrai, je chercherai un emploi dans un laboratoire de recherches. Aujourd'hui la science fait des progrès énormes. Dans dix ans, **il y aura** probablement un vaccin contre le **Sida** et des remèdes efficaces contre les maladies qui déciment les populations du **Tiers-Monde**.

Mais est-ce qu'il y aura une solution au problème de la **faim**? Est-ce que les gens vivront en **paix** et en sécurité? Ça, c'est moins sûr!

there will be

AIDS

Third World

hunger

peace

À propos du texte

1. Qui est l'étudiant le plus optimiste? Pourquoi?
2. Qui est l'étudiant le plus réaliste? Pourquoi?
3. Qui est l'étudiant le plus pessimiste? Pourquoi?

Note culturelle
Les étudiants face à l'avenir°

Les étudiants français sont généralement assez optimistes pour leur avenir, mais beaucoup expriment certaines inquiétudes°. Leur préoccupation principale est de trouver un travail après l'université. Dans un pays où le taux de chômage° est de 9%, ils savent bien que les diplômes ne sont pas une garantie d'emploi.

Seulement 20% des étudiants français pensent qu'il leur sera très facile de trouver un travail correspondant à leur formation°. Les plus concernés sont ceux qui ont fait des études littéraires ou de sciences humaines. Par contre°, les étudiants des écoles de commerce et les scientifiques voient leur avenir professionnel avec beaucoup d'optimisme.

Les possibilités d'emploi pour les étudiants français:

ÉTUDES	FACILE	DIFFICILE
• commerce	91%	9%
• sciences, médecine	88%	12%
• droit, sciences politiques	71%	29%
• lettres, sciences humaines	48%	52%

Source: Sondage TNS-Sofres, octobre 2000 pour Le Parisien.

À votre avis

1. Êtes-vous plutôt optimiste ou pessimiste pour votre avenir? Expliquez.
2. Aux États-Unis, pour quelles études est-ce qu'il est très facile de trouver un emploi? Pour lesquelles est-il très difficile?
3. Comparez la situation de l'emploi en France et aux États-Unis.

avenir *future* **inquiétudes** *worries* **taux de chômage** *unemployment rate* **formation** *education*
Par contre *On the other hand*

La langue française

Vocabulaire: Expressions de temps

bientôt	*soon*	Ma soeur aura **bientôt** son diplôme.
alors	*then, at that moment*	**Alors,** elle cherchera du travail.
tout de suite	*right away*	J'arrive **tout de suite.**
dans un instant	*in a second*	Je descendrai **dans un instant.**
dans une minute	*very soon*	Je téléphonerai à Sophie **dans une**
dans un moment	*very soon*	**minute (dans un moment).**
de nouveau	*again*	Je lui téléphonerai **de nouveau** demain.
en avance	*early, ahead of time*	Nous sommes **en avance** pour notre rendez-vous.
à l'heure	*on time*	Soyez **à l'heure**!
en retard	*late*	Si tu ne pars pas maintenant, tu vas être **en retard.**

➡ **Tôt** and **en avance** both mean *early*. While **tôt** refers to absolute time, **en avance** refers to relative time.

> Je suis arrivé **tôt** à la gare.   *I arrived at the station **early** (e.g., at 6 a.m.).*
> Je suis **en avance**.   *I am **early** (in relation to the train departure time).*

The same distinction exists between **tard** and **en retard** (*late*).

1 Quand? •

Complétez les phrases suivantes avec l'expression de temps qui convient.

1. M. Moreau a raté (*missed*) son avion parce qu'il est arrivé _____ à l'aéroport.
2. Je suis allé au cinéma samedi dernier. J'y suis allé _____ hier soir.
3. Attendez-moi. Je suis presque prêt (*ready*). J'arrive _____.
4. Nous sommes en mai. Les vacances vont commencer _____!
5. Je n'aime pas attendre. Sois _____ au rendez-vous.
6. Si nous arrivons _____ chez le dentiste, nous allons lire des magazines.

A. Le verbe *recevoir*

The verb **recevoir** (*to receive, to get*) is irregular.

infinitive	**recevoir**	Je voudrais **recevoir** ta réponse.
present	je **reçois**	Je **reçois** une lettre.
	tu **reçois**	Tu **reçois** un email.
	il/elle/on **reçoit**	Éric **reçoit** son diplôme.
	nous **recevons**	Nous **recevons** cette revue.
	vous **recevez**	Vous **recevez** un bon salaire.
	ils/elles **reçoivent**	Elles **reçoivent** de l'argent de leurs parents.
passé composé	j'**ai reçu**	J'**ai reçu** une bonne note à l'examen.

Verbes conjugués comme *recevoir*

recevoir	*to receive, to get* *to entertain*	Nous **recevons** le journal le matin. Je **reçois** mes amis chez moi.
décevoir	*to disappoint*	Ne **décevez** pas vos parents.
apercevoir	*to see, to catch a glimpse of*	As-tu **aperçu** ton prof ce matin?
s'apercevoir (de)	*to realize*	Je **me suis aperçu de** mon erreur.

2 De la Tour Eiffel

Un groupe de touristes observe Paris du sommet de la Tour Eiffel. Dites ce que chacun aperçoit.

✳ moi (la Sorbonne) *J'aperçois la Sorbonne.*

1. Paul (Montmartre)
2. Sophie (Notre Dame)
3. moi (les Invalides)
4. toi (le Louvre)
5. nous (le Centre Pompidou)
6. vous (le musée d'Orsay)
7. Michèle et Zoé (l'Arc de Triomphe)
8. Marc et Philippe (la Défense)

3 Et vous?

1. Recevez-vous souvent des lettres? du courrier électronique? des textos? de qui?
2. Quand avez-vous reçu votre diplôme de high school?
3. Quand allez-vous recevoir votre diplôme de l'université?
4. Aimez-vous recevoir des cadeaux (*presents*)? Quels cadeaux avez-vous reçus pour votre anniversaire?
5. Allez-vous recevoir des amis chez vous ce week-end?
6. Quand vous faites une erreur en français, est-ce que vous vous en apercevez immédiatement?
7. Est-ce qu'il y a des personnes qui vous déçoivent? Qui et pourquoi?

B. Le futur — TO DESCRIBE FUTURE EVENTS

To describe what we WILL DO and what WILL HAPPEN, we use the FUTURE tense.

Je **partirai** à six heures.   *I **will leave (will be leaving)** at six.*
Nous **prendrons** le train.   *We **will take** the train.*

— Est-ce que tu **travailleras** cet été?   ***Will** you **work** this summer?*
— Non, je **ne travaillerai pas.**   *No, I **won't (will not)** work.*

Note the forms of the FUTURE tense of regular verbs (in **-er, -ir,** and **-re**) and irregular verbs like **dire.**

infinitive		habiter	finir	vendre	dire	future endings
future stem		habiter-	finir-	vendr-	dir-	
future	j'	habiterai	finirai	vendrai	dirai	-ai
	tu	habiteras	finiras	vendras	diras	-as
	il/elle/on	habitera	finira	vendra	dira	-a
	nous	habiterons	finirons	vendrons	dirons	-ons
	vous	habiterez	finirez	vendrez	direz	-ez
	ils/elles	habiteront	finiront	vendront	diront	-ont
negative		Je **n'habiterai pas** à Paris.				
interrogative		**Est-ce que tu habiteras** à Bordeaux? **Habiteras-tu** à Bordeaux?				

4 Travail à l'étranger

Les étudiants suivants vont travailler à l'étranger cet été. Dites où ils travailleront et quelles langues ils parleront.

✹ Claire / à Toronto
    Claire travaillera à Toronto. Elle parlera anglais.

1. toi / à Tokyo
2. on / à Beijing
3. vous / à Québec
4. nous / à Rome
5. Émilie / à Saint-Pétersbourg
6. Jim et Erica / à Lyon
7. mon camarade de chambre / à Mexico
8. mes cousines / à Berlin

> allemand
> anglais
> chinois
> espagnol
> français
> italien
> japonais
> russe

> The FUTURE is a SIMPLE TENSE, that is, it consists of one word. It is formed as follows:
>
> FUTURE STEM + FUTURE ENDINGS

FUTURE STEM

The FUTURE STEM always ends in **-r.**

⟹ For most REGULAR verbs and many IRREGULAR verbs, the future stem is:

infinitive (*minus* final **-e,** if any)	
partir → je **partir**ai	**écrir**e → j'**écrir**ai
sortir → je **sortir**ai	**prendr**e → je **prendr**ai

⟹ For verbs like **acheter, appeler, payer,** and **employer,** the future stem is:

je-form of the PRESENT tense + **-r**	
j'achète → j'**achèter**ai	**je paie** → je **paier**ai
j'appelle → j'**appeller**ai	**j'emploie** → j'**emploier**ai

FUTURE ENDINGS

The FUTURE ENDINGS are the same for ALL verbs.
These endings are similar to the forms/endings of **avoir.**

> RAPPEL
>
> | j'**ai** | nous av**ons** |
> |---|---|
> | tu **as** | vous av**ez** |
> | il **a** | ils **ont** |

5 **Après l'université** •

Demandez à votre partenaire s'il/si elle va faire les choses suivantes après l'université.

❋ travailler
— *Est-ce que tu travailleras?*
— *Oui, je travaillerai.*
ou — *Non, je ne travaillerai pas.*

1. voyager en Europe
2. chercher un job
3. gagner de l'argent
4. acheter une voiture de sport
5. vivre à la campagne
6. écrire un roman
7. se reposer
8. s'amuser
9. se marier
10. apprendre une autre langue

6 Deux voyages différents •

Cet été, vous allez visiter la France. Votre partenaire va aussi voyager en France, mais vous avez chacun des projets très différents. Expliquez vos projets.

❋ — *Moi, je partirai en juin. Et toi?*
   — *Moi, je partirai en juillet.*

> **A**
> - partir en juin
> - voyager en première classe
> - rester à l'hôtel
> - louer une voiture
> - visiter les musées
> - dîner dans des grands restaurants
> - manger du caviar
> - boire du champagne
> - acheter des vêtements
> - rentrer fauché (*broke*)

> **B**
> - partir en juillet
> - voyager en classe économie
> - rester chez des copains
> - louer un vélo
> - visiter les petits villages
> - dîner dans des fermes (*farms*)
> - manger des spécialités régionales
> - boire le vin local
> - acheter des cartes postales
> - rentrer avec beaucoup d'expériences intéressantes

7 Prédictions •

Prédisez certaines choses aux personnes suivantes.

❋ Kevin (rencontrer une Française / se marier avec elle)
   Kevin rencontrera une Française. Il se mariera avec elle.

1. Isabelle (vivre à Québec / trouver un travail [*job*] intéressant)
2. toi (passer une année à Paris / s'amuser beaucoup)
3. nous (voyager / connaître des aventures extraordinaires)
4. vous (choisir une carrière scientifique /découvrir une cure contre le cancer)
5. moi (écrire un grand roman / gagner le prix Nobel de littérature)
6. mes copains (gagner à la loterie / acheter un château en France)

8 Oui ou non? •

Déterminez si oui ou non les personnes suivantes vont faire les choses suggérées.

✱ Caroline étudie beaucoup.
  • rater son examen?
  Elle ne ratera pas son examen.

1. Thomas va travailler cet été.
   • voyager?
   • rendre visite à ses copains?
   • gagner de l'argent?

2. Nous avons une entrevue professionnelle.
   • préparer nos CV?
   • s'habiller bien?
   • mâcher (*chew*) du chewing-gum?

3. Vous cherchez du travail (*work*).
   • lire les journaux?
   • répondre aux annonces (*ads*)?
   • demander des lettres de recommandation?

4. Tu es au régime (*on a diet*).
   • grossir?
   • maigrir?
   • perdre cinq kilos?

5. Isabelle a une mauvaise grippe.
   • prendre de l'aspirine?
   • se lever?
   • sortir?

6. Éric et Léa vont dîner dans un restaurant chinois.
   • commander des spaghetti?
   • boire du thé?
   • manger avec des baguettes (*chopsticks*)?

9 Procrastination •

Votre camarade de chambre est toujours en retard pour faire certaines choses.
Il/Elle va répondre à vos questions en utilisant le futur et un pronom complément.

✱ téléphoner à ta mère (ce soir)
   — ***Quand est-ce que tu vas téléphoner à ta mère?***
   — ***Je lui téléphonerai ce soir.***

1. finir ta préparation (après le dîner)
2. laver ta voiture (ce week-end)
3. écrire à tes cousins (samedi)
4. nettoyer la chambre (dimanche)
5. répondre à ta copine (dans deux jours)
6. payer la note (*bill*) de téléphone (la semaine prochaine)
7. vendre tes livres (avant les vacances)

C. Futurs irréguliers

The following verbs have IRREGULAR FUTURE STEMS. Note, however, that their endings are regular.

infinitive	future stem	
être	ser-	Nous **serons** à l'heure.
faire	fer-	Est-ce qu'il **fera** beau ce week-end?
aller	ir-	J'**irai** à Québec l'été prochain.
avoir	aur-	Vincent **aura** une bonne lettre de recommandation.
savoir	saur-	Je ne **saurai** jamais la vérité.
courir	courr-	Est-ce que tu **courras** dans le marathon?
pouvoir	pourr-	Vous **pourrez** voyager.
voir	verr-	Nous **verrons** nos amis ce soir.
envoyer	enverr-	Est-ce que tu m'**enverras** une photo?
devoir	devr-	Tu **devras** trouver un job.
recevoir	recevr-	Nous **recevrons** notre diplôme en mai.
vouloir	voudr-	Mes cousins ne **voudront** pas venir avec nous.
venir	viendr-	**Viendrez**-vous avec nous?
obtenir	obtiendr-	Anne **obtiendra** son passeport demain.

➡ Verbs conjugated in the present like the above verbs have similar irregular stems in the future.

devenir	(like **venir**)	Ma cousine **deviendra** ingénieur.
s'apercevoir	(like **recevoir**)	Tu **t'apercevras** de tes erreurs.

The following impersonal expressions have IRREGULAR FUTURE forms.

present	future	
il y a	**il y aura**	**Il y aura** un concert dimanche.
il faut	**il faudra**	**Il faudra** acheter des billets (*tickets*).
il pleut	**il pleuvra**	J'espère qu'**il** ne **pleuvra** pas.

10 L'an 2100

Comment sera le monde en l'an 2100? Indiquez si les prédictions suivantes sont certaines, possibles, probables ou impossibles. Est-ce que votre partenaire est d'accord avec vous?

	certain	possible	probable	impossible
1. Il y aura une cure pour le Sida (*AIDS*).	O	O	O	O
2. Tout le monde sera vacciné contre le cancer.	O	O	O	O
3. On vivra jusqu'à (*until*) cent ans.	O	O	O	O
4. La Chine sera la plus grande puissance (*power*) économique du monde.	O	O	O	O
5. Il fera toujours beau parce que les savants (*scientists*) sauront contrôler le climat.	O	O	O	O
6. Pendant les vacances, on ira sur la lune (*moon*) où il y aura des hôtels interspaciaux.	O	O	O	O
7. On pourra filmer les rêves (*dreams*).	O	O	O	O
8. Les gens seront plus heureux qu'aujourd'hui.	O	O	O	O

11 Dans cinq ans

Est-ce que votre vie sera différente dans cinq ans? Faites des phrases selon le modèle.

avoir: plus de? moins de?

✹ vacances
  J'aurai moins de vacances qu'aujourd'hui.

1. argent
2. responsabilités
3. illusions
4. bons copains

être: plus? moins?

✹ riche
  Je serai plus riche qu'aujourd'hui.

5. optimiste
6. idéaliste
7. conservateur (conservatrice)
8. calme

12 Dans l'avenir

Demandez à votre partenaire si un jour il/elle fera les choses suivantes. Si votre partenaire répond affirmativement, demandez quand.

✹ aller à Paris
  — Est-ce que tu iras à Paris un jour?
  — Oui, j'irai à Paris. (Non, je n'irai pas à Paris.)
  — Quand iras-tu à Paris?
  — J'irai à Paris dans deux ans.

1. aller en Chine
2. faire un voyage au Tibet
3. voir les Pyramides d'Égypte
4. être millionnaire
5. courir dans un marathon
6. obtenir un doctorat
7. être un acteur (une actrice) célèbre
8. recevoir un Oscar
9. devenir président(e) d'une compagnie
10. faire de la politique
11. pouvoir faire des économies
12. envoyer tes enfants à l'université
13. devoir chercher du travail (*work*)
14. savoir faire du parapente (*parasailing*)

Vocabulaire: Quelques professions

les professions médicales

un médecin	*doctor*	**un infirmier (une infirmière)**	*nurse*
un(e) dentiste		**un(e) pharmacien(ne)**	

les professions littéraires et artistiques

un écrivain	*writer*	**un acteur (une actrice)**
un(e) cinéaste	*filmmaker*	**un(e) journaliste**
un(e) photographe		**un(e) architecte**

les professions légales et commerciales

un(e) avocat(e)	*lawyer*	**un vendeur (une vendeuse)**	*salesperson*
un chef d'entreprise	*CEO*	**un homme (une femme) d'affaires**	*businessperson*

les professions administratives

un(e) comptable	*accountant*	**un(e) fonctionnaire**	*civil servant*
un(e) secrétaire		**un(e) employé(e)**	

les professions scientifiques

un ingénieur	*engineer*	**un chercheur (une chercheuse)**	*researcher*
un(e) technicien(ne)		**un(e) informaticien(ne)**	*data specialist*

➡ A few professions, such as **un médecin, un écrivain,** are always MASCULINE, even when they refer to women.

> Toni Morrison est **un** écrivain remarquable.

➡ After **être** and **devenir,** names of professions are used WITHOUT **un, une,** or **des,** except when modified by an ADJECTIVE.

> Mme Dupont est **pharmacienne.**
> *Mrs. Dupont is **a pharmacist.***

> Isabelle veut devenir **ingénieur.**
> *Isabelle wants to become **an engineer.***

> Marc est **un très bon photographe.**
> *Marc is **a very good photographer.***

13 Avantages professionnels •

Avec votre partenaire, choisissez une profession différente. Chacun va expliquer les
caractéristiques de sa profession. Utilisez les expressions suivantes dans des phrases
affirmatives ou négatives.

✹ être indépendant(e)?
   — *Moi, je serai architecte. Je serai assez indépendant.*
   — *Et moi, je serai comptable. Je ne serai pas très indépendante.*

• avoir un bon salaire?
• avoir des responsabilités?
• avoir des employés?
• avoir un(e) secrétaire?
• devenir célèbre (*famous*)?
• devoir travailler beaucoup?
• pouvoir utiliser mon diplôme?
• pouvoir rencontrer des gens intéressants?
• être utile à la société?
• aller souvent à l'étranger?

14 Quelle sera leur profession? •

Lisez ce que les personnes suivantes vont faire plus tard et dites quelle sera leur profession.
Utilisez le futur d'**être** et les professions du **Vocabulaire.**

✹ Béatrice ira à l'hôpital tous les jours.
   Elle sera médecin (infirmière).

1. Nous deviendrons des spécialistes de l'information.
2. Élodie verra ses patients régulièrement.
3. Laure et Émilie feront du droit international.
4. Je pourrai interviewer des acteurs célèbres (*famous*).
5. Vous aurez des responsabilités importantes dans votre entreprise (*company*).
6. Julien écrira des memos et répondra au téléphone.
7. Nous saurons résoudre (*to resolve*)
   les problèmes techniques.
8. Ma cousine négociera des
   contrats importants.
9. Jérémy travaillera dans un
   grand magasin où il servira
   la clientèle.

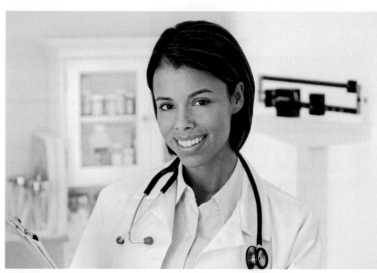

D. La construction: *si* + présent — TO MAKE ASSUMPTIONS ABOUT THE FUTURE

The following sentences indicate what WILL HAPPEN IF a certain condition is met. Note the use of tenses.

S'il **fait** beau, nous **irons** à la plage.	*If the weather **is** nice, we **will go** to the beach.*
Si j'**ai** de l'argent, je **voyagerai** cet été.	*If I **have** money, I **will travel** this summer.*

The above sentences consist of two parts:
- the **si** (*if*) clause, which expresses the condition
- the result clause, which tells you what WILL HAPPEN

When making assumptions about the future, the pattern of tenses is:	
si-clause: PRESENT	result clause: FUTURE
Si vous **travaillez,**	vous **gagnerez** de l'argent.

> **ÉLISION**
> si + il → s'il
> si + ils → s'ils
> BUT:
> si + elle → si elle
> si + elles → si elles

15 Attention! •

Dites à votre partenaire ce qui arrivera s'il/si elle fait ou ne fait pas certaines choses. Soyez logique!

✹ Si tu manges trop…
Attention! Si tu manges trop, tu seras malade!

1. Si tu n'étudies pas…
2. Si tu ne te dépêches pas…
3. Si tu lis trop…
4. Si tu te reposes maintenant…
5. Si tu racontes des mensonges (*lies*)…
6. Si tu dépenses ton argent maintenant…

> - avoir mal à la tête
> - avoir une mauvaise note
> - être malade
> - être en retard à ton rendez-vous
> - être fauché(e) (*broke*) pour les vacances
> - devoir étudier ce soir
> - perdre tes amis

16 Expression personnelle •

Complétez les phrases suivantes en exprimant une réflexion personnelle. Utilisez votre imagination! Si vous voulez, vous pouvez aussi utiliser l'un des verbes entre parenthèses.

1. S'il fait beau ce week-end, je… (aller, faire, jouer)
2. S'il ne fait pas beau ce week-end, je… (rester, aller, faire)
3. Si je vais en France cet été, je… (visiter, aller, rencontrer)
4. Si j'ai mon diplôme, je… (travailler, voyager, pouvoir)
5. Si je n'ai pas mon diplôme, je… (travailler, faire, pouvoir)
6. Si un jour je gagne beaucoup d'argent, je… (donner, acheter, s'intéresser à)
7. Si j'ai besoin d'argent cet été, je… (travailler, vendre, chercher)
8. Si je ne trouve pas de travail après l'université, je… (voyager, aller, trouver)

E. L'usage du futur après *quand* — TO DESCRIBE RELATED FUTURE EVENTS

The following sentences describe what WILL HAPPEN WHEN another event occurs. Compare the use of tenses in the French and English sentences below.

Quand j'**aurai** mon diplôme,   *When I **have** my degree,*
je **chercherai** du travail.   *I **will look for** work.*

Quand nous **serons** au Canada,   *When we **are** in Canada,*
nous **visiterons** Québec.   *we **will visit** Quebec City.*

When referring to future events, the French use the FUTURE tense in BOTH the main clause and the **quand**-clause.

quand-clause: FUTURE	main clause: FUTURE
Quand j'**aurai** de l'argent,	j'**achèterai** une voiture.

> LIAISON
> quand‿il(s)
> quand‿elle(s)
> quand‿on

➡ The **quand**-clause may also come after the main clause.

     Je chercherai du travail, **quand j'aurai mon diplôme.**

➡ The main clause may be in the IMPERATIVE.

     Écris-moi quand tu **seras** à Paris.

17 Projets de voyage •

Dites ce que les personnes suivantes feront quand elles seront dans les endroits indiqués.

✳ nous / à Paris / faire une promenade en bateau-mouche (*sightseeing boat*)
     Quand nous serons à Paris, nous ferons une promenade en bateau-mouche.

1. toi / en Égypte / voir les Pyramides
2. vous / en Grèce / visiter le Parthénon
3. moi / en Espagne / assister à une corrida (*bullfight*)
4. mes cousins / au Mexique / prendre des photos des ruines aztèques
5. nous / en Inde / faire une promenade à dos d'éléphant
6. Mélanie et Marc / au Népal / faire du trekking dans l'Himalaya

18 S'il te plaît! •

Demandez à votre partenaire de faire certaines choses. Votre partenaire répondra affirmativement.

✳ fermer la fenêtre / sortir
     —*S'il te plaît, ferme la fenêtre quand tu sortiras.*
     —*D'accord! Je fermerai la fenêtre quand je sortirai.*

1. faire les courses / aller en ville
2. acheter le journal / rentrer ce soir
3. envoyer cette lettre / passer à la poste
4. rendre ces livres / être à la bibliothèque
5. donner ton adresse / partir en vacances
6. montrer tes photos / revenir de vacances

19 **Choix personnels** •

Quel choix possible ferez-vous à différents stages de votre vie? Comparez votre choix avec votre partenaire.

✹ avoir mon diplôme (chercher du travail ou partir en vacances?)
Quand j'aurai mon diplôme, je partirai en vacances
(je chercherai du travail).

1. gagner de l'argent (acheter une voiture ou faire des économies?)
2. avoir des vacances (voyager ou me reposer à la maison?)
3. avoir vingt-cinq ans (me marier ou rester célibataire?)
4. se marier (avoir immédiatement des enfants ou attendre un peu?)
5. avoir une famille (mettre mes enfants à l'école publique ou dans une école privée?)
6. être riche (dépenser tout mon argent ou aider les autres gens?)
7. avoir cinquante ans (être conservateur/conservatrice ou être libéral/libérale?)
8. être retraité(e) (*retired*) (faire des voyages ou travailler comme volontaire?)

20 **Projets personnels** •

Avec votre partenaire, complétez les phrases suivantes chacun avec une réflexion personnelle. Utilisez votre imagination!

1. Si je gagne à la loterie, …
2. Quand je serai millionnaire, …
3. Si je vais en France cet été, …
4. Quand j'aurai une augmentation (*increase*) de salaire, …
5. Si je perds mon emploi, …
6. Quand j'aurai mon avion personnel, …
7. Si je n'ai pas mon diplôme, …
8. Quand je serai président(e) des États-Unis, …

Phonétique: Les lettres «in» et «im»

English speakers often have trouble pronouncing "in" and "im" correctly in French.

• "in(n)" + *vowel* is pronounced /in/, as in the English "seen" (and not "sin")
  Répétez: cop<u>in</u>e m<u>in</u>ute <u>in</u>utile <u>in</u>égal méde<u>cin</u>e <u>inn</u>ovation <u>inn</u>ocent

• "im(m)" + *vowel* is pronounced /im/, as in the English "deem" (and not "dim")
  Répétez: <u>im</u>age <u>im</u>iter Max<u>im</u>e <u>imm</u>ense <u>imm</u>édiat <u>imm</u>euble

• "in," "yn" + *consonant* represent the nasal vowel /ɛ̃/; the "n" is not pronounced
  Répétez: <u>in</u>firmier <u>in</u>génieur <u>in</u>formation <u>in</u>discret <u>in</u>stant s<u>in</u>gulier s<u>yn</u>dicat

• "im," "ym" + *consonant* represent the nasal vowel /ɛ̃/; the "m" is not pronounced
  Répétez: <u>im</u>per <u>im</u>patient <u>im</u>possible <u>im</u>pulsif s<u>im</u>ple s<u>ym</u>pa s<u>ym</u>bole

À votre tour

Compréhension orale

Plusieurs personnes parlent de l'avenir. Écoutez chaque personne et indiquez si elle est plutôt (*more or less*) optimiste ou plutôt pessimiste.

		1	2	3	4	5	6	7	8	9	10
A.	🙂										
B.	🙁										

Conversation dirigée

Your friend has just told you that he/she has bought a Eurail pass and plans to visit Europe next summer.

Ask your partner . . .
- when he/she will leave
- how long he/she will stay in Europe
- which countries he/she will visit
- what he/she will do when he/she is in France
- when he/she will come back

Expression libre

Décrivez vos différents projets pour l'été prochain. Comparez ces projets avec votre partenaire.
- travail?
- voyages?
- loisirs?
- autres activités?

Expression écrite

Décrivez comment vous voyez votre avenir personnel dans dix ans. Considérez les domaines suivants:

- profession
- situation financière
- famille
- loisirs

Objectives

- To discuss vacation plans
- To describe hypothetical situations
- To make polite requests

*On dit que «l'argent ne fait pas le **bonheur**.» Et **pourtant**, **chacun** voudrait avoir plus d'argent. Alors, **que feriez-vous** si vous aviez plus d'argent? Voici la réponse de plusieurs Français.*

happiness / nevertheless / everyone / what would you do

Catherine (24 ans, employée de banque)

Moi, je **ferais** beaucoup de grands voyages pendant les vacances. Je commencerais par l'Asie. J'aimerais faire du trekking dans l'Himalaya...

would take

Stéphanie (21 ans, étudiante)

Je n'habiterais plus chez mes parents. Je trouverais une chambre en ville. Comme ça, je **serais** indépendante. **À part ça**, ma vie ne changerait pas beaucoup. Je continuerais à préparer mon diplôme.

would be / Aside from that

Christophe (27 ans, comptable)

Si j'avais plus d'argent, je réaliserais mon **rêve**. D'abord, je quitterais mon travail et je vendrais toutes mes possessions. Ensuite, j'achèterais un grand bateau et je **ferais le tour du monde**. Quelque part je rencontrerais peut-être une **âme-soeur**.

dream

would go around the world
soul sister

Marie-France (35 ans, avocate)

Mon mari est architecte. **À deux**, nous gagnons bien notre vie. Alors que *Together*
ferions-nous avec plus d'argent? Je ne sais pas. Nous ferions probablement
des **dépenses inutiles**. Nous achèterions un plus grand appartement. Nous *expenditures / useless*
conduirions une plus grosse voiture. Nous consommerions davantage... et,
bien sûr, nous paierions plus d'**impôts**! Est-ce que nous serions plus heureux *taxes*
qu'aujourd'hui? Je ne suis pas sûre.

Sébastien (18 ans, lycéen)

Moi, j'achèterais une voiture de sport et je ferais un grand voyage avec un
copain. On s'amuserait bien!

À propos du texte

1. Qui est la personne la plus réaliste? la plus aventureuse? Expliquez.
2. Quel est le projet le plus original? le moins original? Pourquoi?
3. Quel est le projet décrit dans le texte que vous aimeriez réaliser? Comparez votre choix avec votre partenaire.

Note culturelle
Les Français et l'argent

Selon un proverbe, «l'argent est bon serviteur°, mais mauvais maître°». Ce proverbe résume assez bien l'attitude ambiguë des Français vis-à-vis de l'argent.

Personnellement les Français voudraient avoir plus d'argent pour améliorer° la qualité de vie, mais ils n'aspirent pas à devenir riches. Dans l'échelle° des choses importantes, l'argent vient loin derrière la santé, la vie familiale, le développement personnel, l'amitié et la vie professionnelle.

La majorité des Français n'ont pas le «culte de l'argent». Soixante-dix pour cent des jeunes cadres° préféraient gagner moins d'argent mais avoir plus de loisirs.

Collectivement, les Français considèrent la richesse comme un obstacle à l'égalité sociale. En conséquence, le gouvernement français a créé un impôt° sur la fortune, appelé ISF (Impôt de Solidarité sur la Fortune). Chaque année les Français les plus riches doivent payer un impôt de 1% sur la valeur de tous leurs biens° au-delà° d'une certaine limite. Comme son nom l'indique, cet impôt réaffirme que dans la conception française, la richesse individuelle doit bénéficier° à toute la société.

LES PRIORITÉS DES FRANÇAIS:
1. la santé
2. la vie familiale
3. le développement personnel
4. l'amitié
5. la vie professionnelle
6. l'argent

À votre avis

1. Quelles différences voyez-vous dans la conception de l'argent en France et aux États-Unis?
2. Pensez-vous que l'impôt sur la fortune est une bonne ou une mauvaise idée? Expliquez.

---

serviteur *servant*   **maître** *master*   **améliorer** *to improve*   **échelle** *scale*   **cadres** *executives*   **impôt** *tax*   **biens** *assets*
au-delà *above*   **bénéficier** *benefit*

Source: Semaines Sociales de France, *octobre 2003*

Vocabulaire: Projets de vacances

noms

un départ	*departure*	**une arrivée**	*arrival*
le commencement	*beginning*	**la fin**	*end*
le hasard	*chance*	**une occasion**	*chance, opportunity*
l'avenir	*future*	**la chance**	*luck*
un jour de congé	*day off*	**une fête**	*feast, holiday; party*

verbes

avoir l'occasion (de)	*to have the opportunity*	**As**-tu **eu l'occasion de** voyager cet été?
durer	*to last*	Les grandes vacances **durent** trois mois.
réaliser	*to carry out, see through*	Je voulais aller au Japon cet été, mais je n'**ai** pas **réalisé** ce projet.

expressions

chacun(e)	*each one, each person*	Est-ce que **chacun** a acheté son billet d'avion?
ailleurs	*elsewhere*	L'année dernière, je suis allé au Canada. Cette année, je vais aller **ailleurs.**
vers	*toward* (+ *place*)	Il est allé **vers** la plage.
	around (+ *time*)	Il rentrera **vers** midi.
à cause de	*because of*	J'ai étudié **à cause de** l'examen.
cependant	*however, yet*	J'ai raté mon examen. **Cependant** j'avais beaucoup travaillé.
pourtant	*nevertheless, yet*	Anne réussit toujours à ses examens. **Pourtant,** elle ne travaille pas beaucoup.

➡ Note: **parce que** (*because*) introduces a clause, whereas **à cause de** (*because of*) introduces a noun.

Nous sommes restés chez nous **parce qu'il faisait mauvais.**
Nous sommes restés chez nous **à cause du mauvais temps.**

1 Questions

1. Quand célèbre-t-on la fête nationale aux États-Unis? en France? Quelles sont les autres grandes fêtes qu'on célèbre aux États-Unis?
2. Combien de jours de congé avez-vous à Noël? au printemps?
3. En général, combien de jours de congé est-ce que les Américains prennent par an?
4. Combien de temps dure la classe de français? un match de football? un match de basket?
5. Est-ce que vous habitez sur le campus? Si vous habitez ailleurs, où habitez-vous?
6. Vers quelle heure déjeunez-vous? Vers quelle heure dînez-vous?
7. Quel projet voulez-vous réaliser avant la fin de l'année?
8. Avez-vous eu l'occasion de faire un voyage récemment? Où et quand?
9. Croyez-vous (*Do you believe*) à la chance? au hasard? Expliquez.
10. Est-ce que vous pensez souvent à l'avenir? Voyez-vous votre avenir avec optimisme ou pessimisme? Pourquoi?

A. Le conditionnel: Formation | TO DESCRIBE HYPOTHETICAL SITUATIONS

We use the CONDITIONAL to describe what we WOULD DO or what WOULD HAPPEN IF certain conditions were met.

Si c'était les vacances,	*If it were vacation time,*
... je **voyagerais.**	*. . . I **would travel.***
... nous **visiterions** Paris.	*. . . we **would visit** Paris.*
... mes amis **partiraient** en Italie.	*. . . my friends **would leave** for Italy.*
... je **n'étudierais pas.**	*. . . I **would not study.***
... est-ce que tu **voyagerais**?	*. . . **would** you **travel**?*

Note the forms of the CONDITIONAL tense of regular verbs (in **-er, -ir,** and **-re**) and irregular verbs like **dire.**

infinitive		**habiter**	**finir**	**vendre**	**dire**	conditional endings
future stem		**habiter-**	**finir-**	**vendr-**	**dir-**	
conditional	j' **habiterais**		**finirais**	**vendrais**	**dirais**	-ais
	tu **habiterais**		**finirais**	**vendrais**	**dirais**	-ais
	il/elle/on **habiterait**		**finirait**	**vendrait**	**dirait**	-ait
	nous **habiterions**		**finirions**	**vendrions**	**dirions**	-ions
	vous **habiteriez**		**finiriez**	**vendriez**	**diriez**	-iez
	ils/elles **habiteraient**		**finiraient**	**vendraient**	**diraient**	-aient
negative	**Je n'habiterais pas** à Paris.					
interrogative	**Est-ce que tu habiterais** à Bordeaux? **Habiterais-tu** à Bordeaux?					

> The CONDITIONAL is a SIMPLE tense. It is formed as follows:
>
> CONDITIONAL = FUTURE STEM + IMPERFECT ENDINGS

⟹ For all verbs, the CONDITIONAL stem is the same as the FUTURE stem.

infinitive	future stem	conditional
être	**ser-**	**Seriez**-vous plus heureux avec plus d'argent?
aller	**ir-**	À ta place, je n'**irais** pas au cinéma ce soir.
faire	**fer-**	Je **ferais** ma préparation.
acheter	**achèter-**	Avec 20 000 euros, nous **achèterions** une voiture neuve.

2 Si j'étais président(e)... •

Dites si vous feriez les choses suivantes si vous étiez président(e).

✸ taxer les gens très riches?
   Oui, je taxerais les gens très riches.
ou *Non, je ne taxerais pas les gens très riches.*

1. développer l'énergie solaire?
2. protéger la nature?
3. aider les pays pauvres?
4. quitter les Nations Unies?
5. détruire les stocks d'armements nucléaires?
6. fermer les bases militaires à l'étranger?
7. abolir la peine de mort (*death penalty*)?
8. créer un Ministère de l'Environnement?

3 Au choix •

Dites quel serait votre choix si vous aviez les possibilités suivantes. Ensuite expliquez votre choix, si vous voulez.

✸ habiter en ville ou à la campagne?
   J'habiterais à la campagne parce que j'aime la nature.

1. acheter une voiture ou une moto?
2. passer les vacances à la mer ou à la montagne?
3. visiter Paris ou Londres (*London*)?
4. vivre en Europe ou en Asie?
5. aller au cinéma ou au restaurant?
6. voir un match de foot ou un match de basket?
7. être acteur/actrice ou athlète professionnel(le)?
8. faire du ski alpin ou du patinage (*ice skating*)?

4 Vacances à la Martinique •

Les personnes suivantes discutent de ce qu'elles feraient si elles étaient à la Martinique. Exprimez l'idée de chacune en utilisant le conditionnel.

✸ Léa / aller à la plage tous les jours
   Léa irait à la plage tous les jours.

1. nous / faire de la planche à voile
2. moi / être bien bronzé(e) (*tanned*)
3. Alice et Michelle / vouloir goûter (*to taste*) à la cuisine créole
4. vous / voir la ville de Saint-Pierre
5. David / pouvoir faire de la voile
6. Pauline / envoyer des cartes à ses amis
7. nous / courir sur la plage tous les matins
8. moi / savoir faire du ski nautique

B. Le conditionnel: Emploi

The USES of the CONDITIONAL are generally similar in French and English.

HYPOTHETICAL SITUATIONS

> The conditional is used to express what WOULD HAPPEN if a condition contrary-to-fact were met. Often (but not always) this condition is expressed by the construction **si** + IMPERFECT.

Si j'étais riche, j'**achèterais** un avion.	*If I were rich, I **would buy** a plane.*
À ta place, je **serais** plus sérieux.	*In your place, I **would be** more serious.*

INDIRECT SPEECH

> The conditional is used to describe what people said or thought IN THE PAST about a FUTURE event. It describes what they said WOULD HAPPEN.

Compare the use of tenses in the following sentences:

Il **dit** qu'il **voyagera** cet été.	*He **says** that he **will travel** this summer.*
Il **a dit** qu'il **voyagerait** cet été.	*He **said** that he **would travel** this summer.*

POLITE REQUESTS

> The conditional is used instead of the present to make a wish or a request sound more POLITE.

Je **veux** de l'argent.	*I **want** some money.*
Je **voudrais** de l'argent.	*I **would like** some money.*
Pouvez-vous me prêter vingt euros?	***Can** you lend me twenty euros?*
Pourriez-vous me prêter vingt euros?	***Could** you lend me twenty euros?*
Vous **devez** travailler.	*You **must** work.*
Vous **devriez** travailler.	*You **should (ought to)** work.*

5 Politesse

Exprimez les requêtes et les suggestions suivantes d'une façon plus polie en utilisant le conditionnel.

❈ Je veux vous parler.   ***Je voudrais vous parler.***

1. Je veux aller au cinéma avec vous.
2. Nous voulons vous inviter.
3. Peux-tu m'aider?
4. Peux-tu me téléphoner demain?
5. Pouvez-vous venir à trois heures?
6. Tu dois être plus patient.
7. Tu dois aider tes amis.
8. Vous devez être plus généreux.

6 On n'est jamais content...

On n'est pas toujours content de sa situation. Dites ce que feraient ces personnes si elles ne faisaient pas ce qu'elles font maintenant.

✴ Pierre travaille. (voyager)
   Si Pierre ne travaillait pas, il voyagerait.

1. Mélanie étudie. (aller à la plage)
2. Philippe travaille dans une banque. (être acteur)
3. Nathalie est étudiante. (faire de la politique)
4. Nicolas est au régime (*on a diet*). (manger des spaghetti)
5. Philippe nettoie son appartement. (sortir avec ses copains)
6. Émilie a des examens. (partir en vacances)

7 Si...

Dites ce que vous feriez ou ne feriez pas si vous étiez dans les circonstances suivantes. Utilisez les expressions suggérées ou votre imagination.

✴ avoir beaucoup d'argent
   • acheter un yacht?
   Si j'avais beaucoup d'argent, je n'achèterais pas de yacht.

1. être millionnaire
   • avoir un avion?
   • boire du champagne tous les jours?
   • aider les pauvres?
   • ???

2. voir un OVNI (*UFO*)
   • prendre des photos?
   • rester calme?
   • partir très vite?
   • ???

3. être bloqué(e) dans un ascenseur (*elevator*)
   • avoir peur?
   • appeler «Au secours» (*"Help"*)?
   • attendre patiemment l'arrivée de la police?
   • ???

4. me trouver sur une île déserte
   • manger des insectes?
   • faire du feu (*fire*)?
   • construire un radeau (*raft*)?
   • ???

8 Nouvelles

Certaines personnes ont annoncé des nouvelles. Décrivez ces nouvelles.

✴ Vincent / annoncer / il vient demain
   Vincent a annoncé qu'il viendrait demain.

1. le professeur / dire / il donne un examen facile
2. Francine / écrire à ses amis / elle rentre en septembre
3. mon oncle / téléphoner / il nous invite à dîner dimanche
4. les économistes / prédire / l'inflation continue l'année prochaine
5. moi / lire dans le journal / il y a des soldes (*sales*) demain
6. la radio / annoncer / il fait beau ce week-end

Résumé: L'emploi des temps après *si* | TO EXPRESS DIFFERENT CONDITIONS

The sentences below express certain conditions and their consequences.
Compare the verb tenses used in each set of sentences.

Si je **travaille** cet été,
    je **gagnerai** de l'argent.
Si je **travaillais** (maintenant),
    je **gagnerais** ma vie.
	*If I **work** this summer,*
	    *I **will earn** money.*
	*If I **were working** (now),*
	    *I **would earn** my living.*

Si nous **n'allons pas** au cinéma samedi,
    nous **irons** au concert.
Si nous **n'allions pas** en classe (aujourd'hui),
    nous **irions** au café.
	*If we **don't go** to the movies Saturday,*
	    *we **will go** to the concert.*
	*If we **were not going** to class (today),*
	    *we **would go** to the café.*

In sentences containing **si** clauses, the sequence of tenses is as follows:

to describe:	**si** clause	**result** clause	
possibility concerning the future	PRESENT	FUTURE	Si tu **étudies,** tu **réussiras.**
hypothesis contrary to fact	IMPERFECT	CONDITIONAL	Si tu **étudiais,** tu **réussirais.**

➡️ The **si** clause may either precede or follow the result clause.

    Si je travaillais plus, j'obtiendrais de bonnes notes.

    J'obtiendrais de bonnes notes, **si je travaillais plus.**

9 **Différences d'opinion** •

Cécile parle de ses projets. Antoine dit qu'il ferait d'autres choses s'il était à sa place. Jouez les deux rôles avec votre partenaire.

✳️ avoir de l'argent / acheter une voiture (acheter une moto)
    CÉCILE: *Si j'ai de l'argent, j'achèterai une voiture.*
    ANTOINE: *Eh bien, moi, si j'avais de l'argent, j'achèterais une moto.*

1. sortir ce soir / aller au cinéma (aller au restaurant)
2. aller à la campagne / faire un pique-nique (faire une promenade dans la forêt)
3. voyager cet été / visiter l'Italie (visiter la Grèce)
4. aller à Paris / rester chez des amis (rester à l'hôtel Méridien)
5. avoir besoin d'argent / vendre ma télé (vendre mon ordinateur)
6. continuer mes études / faire du droit (faire de la médecine)

Phonétique: La chute du «e muet»

In the future and conditional of **-er** verbs, the final "e" of the infinitive is a "mute e" and is often dropped in conversational speech.

Répétez: je commencerai tu inviterais il dînera nous quitterons vous passerez
ils trouveraient

This is also the case with stem-changing verbs in **-eler, -eter, -ener,** and **-ayer.**

Répétez: j'appellerai tu rappellerais vous achèterez nous amènerons ils paieraient

À votre tour

Compréhension orale

Écoutez les personnes suivantes. Si elles utilisent le futur, elles parlent d'un projet. Si elles utilisent le conditionnel, elles parlent d'une situation hypothétique. Déterminez ce que chaque personne décrit et marquez la rangée A ou B.

	1	2	3	4	5	6	7	8	9	10
A. projet										
B. situation hypothétique										

Conversation dirigée

A classmate is talking about dropping out of school. You are wondering what he/she would do if he/she were not a student.

Ask your classmate (your partner) . . .
- if he/she would work (and if so, where)
- where he/she would live
- what he/she would do during the week
- what he/she would do during the weekend
- if he/she would take French lessons

Expression libre

Avec votre partenaire, discutez de ce que vous feriez dans l'une des circonstances suivantes.
- si vous trouviez un portefeuille (*wallet*)
- si vous assistiez à un cambriolage
- si vous n'obteniez pas votre diplôme
- si vous alliez en Europe cet été
- si vous étiez millionnaire
- s'il y avait un tremblement de terre (*earthquake*)

Expression écrite

Imaginez que vous avez gagné 50 000 dollars à la loterie. Écrivez un court paragraphe où vous mentionnez plusieurs choses que vous feriez (et aussi ce que vous ne feriez pas).

EN VOYAGE

Un voyage en train

Quand on voyage en France, on doit...

aller à **la gare** (*station*).
passer au **guichet** (*ticket window*).
acheter **un billet** (*ticket*).

➡ *Pour acheter un billet*

Je voudrais | **un aller simple** (*one-way ticket*) | pour Bordeaux.
| **un aller-retour** (*round trip*) |

Je voudrais voyager | **en première classe / en première.**
| **en deuxième classe / en seconde.**
| **en voiture fumeur / en fumeur** (*smoking*).
| **en voiture non fumeur / en non fumeur** (*non-smoking*).

Quand on a acheté son billet, on doit...

composter (*punch*) le billet.
consulter **le tableau d'affichage** (*schedule of trains*).
aller sur **le quai** (*platform*).
chercher sa **voiture** (*car*).
trouver sa **place** (*assigned seat*).

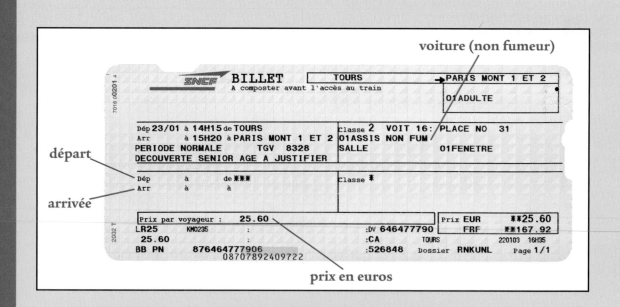

voiture (non fumeur)

départ

arrivée

prix en euros

Le TGV

La France a un réseau° de trains très rapides appelé TGV (trains à grande vitesse°). Ce réseau relie° Paris avec les grandes villes françaises comme Lyon, Marseille, Bordeaux, et certaines villes étrangères comme Bruxelles et Genève. Le TGV peut rouler° à une vitesse maximum de 300 kilomètres à l'heure.

réseau *network*   **à grande vitesse** *high speed*   **relie** *connects*
rouler *run*

Conversation

Christophe va passer le week-end chez un copain à Tours. Il achète son billet à la Gare Montparnasse.

CHRISTOPHE: Bonjour, monsieur. Je voudrais un billet de TGV pour Tours.

L'EMPLOYÉ: Un aller simple?

CHRISTOPHE: Non, un aller-retour. Je voudrais rentrer lundi avant midi.

L'EMPLOYÉ: En quelle classe voulez-vous voyager?

CHRISTOPHE: En seconde non fumeur.

L'EMPLOYÉ: Voilà, ça fait 54 euros.

À votre tour
Prenons le train

Sur la carte, choisissez une destination où vous voulez passer le week-end. Avec votre partenaire — l'employé(e) — composez et jouez un dialogue où vous achetez votre billet de train. (Note: le prix d'un billet aller-retour est deux fois le prix du billet aller simple.)

PARIS à:	PRIX DU BILLET	
	1re classe	2e classe
ANGOULÊME	61€	42€
BORDEAUX	66€	52€
CHÂTELLERAULT	51€	33€
LIBOURNE	57€	43€
POITIERS	49€	33€
TOURS SAINT-PIERRE-DES-CORPS	39€	27€

Un voyage en voiture

▸ *Pour louer une voiture*

Je voudrais louer...

une voiture de tourisme.	**un minivan.**
une voiture de sport.	**une décapotable** (*convertible*).
un SUV.	**un 4 x 4** (*four-wheel drive*).

C'est quelle **marque** (*make*) de voiture?

C'est │ une Renault Espace.
      │ une Peugeot.

Est-ce que c'est une voiture...

confortable?	**le confort**
rapide (*fast*)?	**la vitesse** (*speed*)
spacieuse (*roomy*)?	**l'espace** (*room*)
sûre (*safe*)?	**la sécurité**
fiable (*reliable*)?	**la fiabilité**
économique?	**le coût** (*cost*)

Est-ce que la voiture a...

un lecteur CD?
un système GPS?
la climatisation (*air conditioning*)?
un grand coffre (*trunk*)?
un changement de vitesse (*transmission*) │ **automatique?**
                                              │ **manuel?**

Qu'est-ce que cette voiture consomme (*take*)?

Elle consomme │ **de l'essence ordinaire** (*regular gas*).
              │ **du super.**
              │ **du gazole / du diesel.**

HM **Recherches Internet**

Si vous allez passer 17 jours ou plus en France, vous pouvez conduire une voiture neuve et cela vous coûtera moins cher qu'une location (*rental*) traditionnelle. Allez sur le site Renault (**www.renaultusa.com**) ou le site Peugeot (**www.autofrance.net**) et choisissez une voiture que vous aimeriez louer. Comparez votre choix avec votre partenaire.

Les voitures françaises

La France produit quatre millions de véhicules par an. C'est le cinquième pays producteur du monde (après les États-Unis, le Japon, l'Allemagne et la Chine). Les marques principales sont Renault, Peugeot et Citroën.

À votre tour

1. Ma voiture

Décrivez votre voiture (ou la voiture d'un ami). Mentionnez:

- la marque
- le genre de voiture
- la couleur
- les autres caractéristiques

Êtes-vous satisfait(e) de votre voiture? Porquoi ou porquoi pas?

2. Un voyage

Choisissez un des voyages suivants avec votre partenaire. Ensuite décidez ensemble quel genre de voiture vous allez louer. Expliquez votre choix.

- une semaine à la Martinique
- dix jours sur la Côte d'Azur (*French Riviera*)
- un mois pour faire la traversée (*crossing*) du Sahara
- deux semaines de camping à Québec

3. Train ou voiture?

Vous allez visiter la France avec votre partenaire. Vous préférez voyager en train. Votre partenaire préfère louer une voiture. Discutez les avantages et les désavantages de chaque solution. Considérez les éléments suivants.

- vitesse
- confort
- sécurité
- coût
- flexibilité de l'itinéraire
- possibilités touristiques

La France dans le monde

La France dans le monde: hier et aujourd'hui

Avant de lire

Que savez-vous sur le rôle de la France dans le monde?
• économie
• politique
• action humanitaire

Au dix-septième siècle, la France était la première puissance° mondiale. Le français était la langue internationale de la diplomatie, des lettres, des arts et aussi des sciences et du commerce. Aujourd'hui, la France reste une nation importante, même si son influence dans le monde a diminué. La France est particulièrement présente dans les domaines économique, politique et humanitaire.

Politique

La France a une politique internationale très active. Cette politique est basée sur deux principes fondamentaux: indépendance et solidarité. Son but° est de maintenir la paix° et de promouvoir° la liberté et la démocratie dans le monde.

Comme membre permanent du Conseil de Sécurité des Nations Unies, la France autorise et participe aux actions internationales de cette organisation, par exemple en Afghanistan, en Serbie et dans les pays d'Afrique. Un autre objectif est d'assurer la sécurité et de lutter° activement contre le terrorisme.

De par° sa situation géographique, la France a une vocation européenne. Membre fondateur de l'Union Européenne, sa politique consiste à renforcer la coopération entre les pays membres.

La France a aussi des accords° de coopération avec ses anciennes colonies africaines. Elle entretient° des relations privilégiées avec les pays de la «Francophonie».

L'innovation a de l'avenir quand elle est toujours plus propre, plus sûre et plus performante.

Le pneu vert MICHELIN Energy dure 25 % plus longtemps*. Il permet aussi 2 à 3 % d'économie de carburant et une réduction d'émission de CO₂. * en moyenne par rapport aux pneus concurrents de la même catégorie.

MICHELIN

Économie

La France fait partie du G8 qui regroupe les huit pays les plus industrialisés (dans l'ordre: les États-Unis, le Japon, l'Allemagne, l'Angleterre, la France, l'Italie, le Canada et la Russie). La France a des relations commerciales avec tous les pays du monde. Les entreprises françaises exportent des automobiles, des avions, du matériel scientifique, des produits pharmaceutiques et des produits agro-alimentaires... et, bien sûr, des produits de luxe français (parfums, bijoux°, vêtements) réputés pour leur qualité et leur style. Certaines de ces entreprises sont de grandes multinationales: Air France (transport aérien), Renault (automobile), Michelin (pneus°), Louis Vuitton (produits de luxe), Danone (produits alimentaires) et Accor (hôtellerie).

---

puissance *power*   **but = objectif**   **paix** *peace*   **promouvoir** *to promote*   **lutter** *to fight*   **De par** *By virtue of*
accords *agreements*   **entretient** *maintains*   **bijoux** *jewelry*   **pneus** *tires*

Selon un sondage° mené° par un institut international de recherche, la France a une très bonne image dans le monde. Voici les pays où une grande majorité de la population pense que la France joue un rôle positif dans le monde.

(en pourcentage de réponses positives)

Allemagne	77%	Afrique du Sud	69%
Italie	73%	Canada	68%
Chine	72%	Philippines	68%
Corée du Sud	72%	Espagne	67%
Liban°	69%	Russie	63%

Source: GlobeScan 2005

Action humanitaire

Chaque année, les catastrophes naturelles, les conflits internationaux et les guerres° civiles font des milliers° de victimes, plus spécialement dans les pays les moins développés.

Les organisations humanitaires françaises, publiques et privées°, sont toujours parmi les premières à apporter des secours° à ces victimes. Parmi° ces organisations on peut citer «Médecins sans Frontières» et «Médecins du Monde». D'autres organisations comme «Action contre la Faim» collectent des fonds° pour aider la population de ces pays et, en particulier, les enfants.

Médecins sans Frontières

Cette organisation a été créée en 1971 par un groupe de médecins parisiens. Leur but était d'apporter un secours médical immédiat aux victimes des catastrophes humaines et naturelles. «Intervenir n'est pas un choix, c'est une obligation», a déclaré son premier président Bernard Kouchner. Aujourd'hui, 2 500 volontaires — médecins, infirmières et autre personnel médical — et 15 000 assistants locaux interviennent dans plus de 70 pays différents, souvent dans des conditions extrêmement dangereuses. Pour son action humanitaire, «Médecins sans Frontières» a reçu le Prix Nobel de la Paix° en 1999.

Après la lecture
- Quels sont deux faits les plus intéressants que vous avez appris sur le rôle de la France dans le monde?
- Selon vous, est-ce que la France est une grande puissance? Expliquez.

Recherches Internet
Faites des recherches sur «Médecins sans Frontières» ou une autre association caritative.
- histoire   • objectifs   • champ d'action

sondage *poll*   **mené** *taken*   **Liban** *Lebanon*   **guerres** *wars*   **des milliers** *thousands*   **privées** *private*   **secours** *help*
Parmi *Among*   **fonds** *money*   **Prix Nobel de la Paix** *Nobel Peace Prize*

La France et l'Europe

L'idée d'une grande Europe unie est très ancienne. Elle est devenue une réalité après la deuxième guerre° mondiale. Les partisans de l'unification de l'Europe avaient deux objectifs principaux: l'établissement d'une paix° permanente entre les pays européens et la reconstruction économique des pays ravagés par la guerre.

L'Europe est née officiellement en 1957 avec le Traité de Rome qui créait la CEE (Communauté Économique Européenne) ou «Marché Commun». Ce traité instituait une zone de libre-échange° entre six pays: la France, l'Allemagne, l'Italie, la Hollande, la Belgique et le Luxembourg. Grâce° à ce vaste marché intérieur, les pays membres ont connu une expansion économique très rapide. La coopération entre ces pays s'est aussi développée dans un grand nombre de domaines: finances, défense militaire, construction aéronautique, exploration de l'espace, protection de l'environnement et lutte contre la drogue et le terrorisme.

Au cours° des années, la CEE est devenue la CE (Communauté Européenne), puis l'Union Européenne. Cette union s'est agrandie° progressivement avec l'entrée de l'Angleterre, de l'Irlande et du Danemark (1973), puis de la Grèce (1981), de l'Espagne et du Portugal (1986), et ensuite de la Suède°, de l'Autriche° et de la Finlande (1995). Dix autres pays, en majorité de l'ancien bloc soviétique, ont rejoint l'Union Européenne en 2004. Avec l'addition de la Bulgarie et de la Roumanie en 2007, l'Union Européenne est aujourd'hui un grand bloc de 27 pays représentant 490 millions d'habitants et constituant la plus grande zone économique du monde.

Les emblèmes européens

Le drapeau européen

C'est un drapeau bleu avec un cercle de douze étoiles°. Le nombre 12 est un symbole de plénitude.

Le passeport européen

Ce passeport permet de circuler librement dans les pays de l'Union Européenne.

L'euro

L'euro est la monnaie commune de douze pays européens.

L'hymne européen

L' «Ode à la joie» de Beethoven a été choisie pour célébrer la volonté de vivre dans la paix et l'harmonie.

---

guerre *war* **paix** *peace* **libre-échange** *free trade* **Grâce à** *Thanks to* **Au cours de** *Over* **s'est agrandie** *grew in size*
Suède *Sweden* **Autriche** *Austria* **étoiles** *stars*

Pour les citoyens° des pays membres, l'Europe est une réalité très concrète. Avec le passeport européen, ils peuvent voyager d'un pays à l'autre sans formalité douanière° et dans douze pays ils peuvent payer leurs achats avec la même monnaie, l'euro. Avec le programme Erasmus, les jeunes Européens peuvent commencer leurs études dans un pays et les continuer dans un autre. Quand ils ont terminé ces études, ils peuvent chercher un emploi dans le pays européen qui leur offre les meilleures possibilités de travail.

Aujourd'hui, l'Union Européenne est plus qu'une union économique où les gens, les marchandises et les capitaux peuvent circuler librement. C'est aussi un grand espace de liberté et de démocratie où la majorité des gens partagent° des valeurs° communes: respect de l'individu et de la dignité humaine, maintien° de la paix, lutte° contre l'injustice et la discrimination et solidarité avec les nations du tiers° monde.

Deux réalisations° européennes: Airbus et Ariane

Airbus est le produit° de la coopération scientifique, technique et financière entre quatre pays: la France, l'Allemagne, l'Espagne et l'Angleterre. Cet avion est utilisé sur les longues et moyennes° distances par un grand nombre de compagnies aériennes.

La fusée° Ariane est le lanceur° de satellites européens. De conception française, ce projet spatial a été financé par dix pays européens. La fusée Ariane est lancée à Kourou, le centre spatial français en Guyane. Ce centre est aussi utilisé pour le lancement de certaines fusées russes Soyouz.

Après la lecture
• Quels sont deux faits les plus importants que vous avez appris sur l'Union Européenne?
• Selon vous, est-ce que l'Union Européenne est un concurrent économique des États-Unis?

HM Recherches Internet
Faites des recherches sur les projets actuels d'Airbus ou d'Arianespace.

citoyens *citizens*   **formalité douanière** *going through customs*   **partagent** *share*   **valeurs** *values*   **maintien** *maintenance*   **lutte** *struggle*   **tiers** *third*   **réalisations** *achievements*   **produit** *product, result*   **moyennes** *intermediate*   **fusée** *rocket*   **lanceur** *launcher*

Avant de lire

Que savez-vous sur la Francophonie?
• définition
• objectifs
• étendue géographique

La Francophonie

La Francophonie est un groupe d'une cinquantaine° de pays favorables au maintien° du français comme langue internationale. Ce groupe est constitué, bien sûr, par les pays et régions de population francophone, comme la France, la Suisse, la Belgique et le Québec et par les pays d'Afrique où le français est langue officielle ou administrative. Il inclut aussi un certain nombre d'autres pays ou régions qui ont eu des relations historiques et amicales avec la France, comme le Vietnam, le Liban, l'Égypte et la Roumanie. Au total ces pays représentent une population de 500 millions de personnes.

Les pays de la Francophonie sont unis non seulement par l'intérêt commun porté à la promotion de la langue française, mais aussi par une certaine vision du monde basée sur des valeurs communes: respect des différences culturelles, primauté° des considérations morales sur les objectifs économiques, coopération économique et culturelle avec les pays les plus défavorisés°. Groupement° à base linguistique, la Francophonie constitue aussi un ensemble géopolitique avec une voix° claire dans les affaires internationales.

La Francophonie est une organisation souple avec une structure administrative simple. L'*Organisation internationale de la Francophonie (OIF)* formule et présente la position commune des 55 pays membres sur un certain nombre de sujets internationaux. Elle a le statut d'observateur auprès des Nations Unies. L'OIF organise des programmes de coopération culturelle et linguistique entre les pays membres. Elle a son siège° à Paris et des bureaux régionaux au Togo, au Gabon et au Vietnam.

La Francophonie s'exprime° par un certain nombre de manifestations° politiques, comme les *Sommets de la Francophonie,* et culturelles comme *La Fête de la Francophonie.* Elle a aussi une chaîne° de télévision, TV5, qui diffuse° des programmes francophones dans le monde entier.

cinquantaine *about fifty*   **maintien** *maintaining*   **primauté** *primacy*   **défavorisés** *underprivileged*   **Groupement** *Association*
voix *voice*   **siège** *seat*   **s'exprime** *is expressed*   **manifestations** *events*   **chaîne** *channel*   **diffuse** *broadcasts*

La Journée internationale de la Francophonie

Cette grande fête de la Francophonie est célébrée le 20 mars dans un très grand nombre de pays francophones et non francophones. Ce jour-là, de nombreuses activités sont organisées sur le thème de la diversité multiculturelle: concerts de musique francophone, festivals de danse et de cinéma, jeux et compétitions sportives, conférences° et, bien sûr, concours° de langue française.

Quelques activités de la Journée internationale de la Francophonie en 2005	
• Burkina Faso	Fête de festival francophone (à Ouagadougou)
• Cambodge	Rallye francophone (à Pnom-Penh)
• Cameroun	Festival de musique francophone (à Douala)
• Guinée	Concours de contes (à Conakry)
• Haïti	«Nwit moun fou» (à Port-au-Prince)
• Niger	Dictée de la Francophonie (à Niamey)
• Québec	Francofête (à Saint-Jean-sur-Richelieu)
• Suisse	Concert de Marka (à Genève)
• Togo	La Francophonie en fête (à Dapaong)
• Vietnam	Chantons en français (à Hanoï)

Cérémonie d'ouverture des Jeux de la Francophonie à Niamey, Niger

LA MAIRIE DE PARIS ET RADIO FRANCE INTERNATIONALE
PRÉSENTENT

BAL À LA BASTILLE

13 JUILLET
À PARTIR DE 20H

RYTHMES AFRICAINS

AMADOU & MARIAM
BA CISSOKO
JACOB DESVARIEUX
FALLY IPUPA
MORY KANTÉ
ISMAËL LO
AMEL MATHLOUTHI
DABY TOURÉ
DIRECTION D'ORCHESTRE GUY N'SANGUÉ

ALPHA BLONDY
JOHNNY CLEGG
DOBET GNAHORÉ
LA JET SET
LOKUA KANZA
SOUAD MASSI
SERGEO POLO
ZAO
LES TAMBOURS DE BRAZZA

MAIRIE DE PARIS

Après la lecture
- Est-ce que le français est une langue internationale importante? Expliquez.
- Est-ce que la Francophonie joue un rôle important dans le monde? Expliquez.

HM Recherches Internet
Informez-vous sur un des musiciens mentionnés sur le poster. Point de départ: www.google.fr.

---

conférences *lectures*   **concours** *contests*

Unité
11

Le monde actuel

La réussite

Objectives
- To discuss professional goals
- To describe simultaneous actions

Comment réussir sa vie? Pour chacun de nous, la réussite a un sens différent. Six Français nous expliquent ce que signifie pour eux personnellement la réussite.

success

Ali Mimouni (20 ans, étudiant)

De quelle réussite parlez-vous? De la réussite financière? De la réussite professionnelle? De la réussite **sentimentale**? De la réussite sociale? On ne peut pas réussir dans tous les domaines. Pour moi, la réussite, c'est d'abord d'obtenir mon diplôme en sciences économiques. Ensuite, on verra.

in one's love life

Muriel Vallier (22 ans, étudiante)

Je me spécialise en informatique. Plus tard, j'aimerais être indépendante dans mon travail. Pour moi, la réussite consisterait à créer ma propre **entreprise** de **logiciel**. Malheureusement en France les conditions ne sont pas très favorables. Évidemment, je pourrais m'expatrier en Angleterre ou aux États-Unis comme beaucoup de jeunes diplômés français. Mais je préfère rester en France. Alors, pour moi la réussite ce sera de travailler dans une entreprise où j'aurai beaucoup de responsabilités.

business / software

Jean-François Fournier (26 ans, employé de banque)

Pour beaucoup de gens, réussir consiste à gagner beaucoup d'argent. Mais en France, il est impossible de faire fortune comme aux États-Unis. Alors, pour moi, la réussite c'est d'avoir un travail où je gagne relativement bien ma vie sans trop me forcer, et c'est surtout d'avoir des loisirs et beaucoup de copains et de copines. Après tout, il n'est pas **interdit** de **profiter de** la vie! *forbidden / to enjoy*

Monique Maury (37 ans, assistante sociale)

Aujourd'hui, quand on parle de réussite, on parle surtout de réussite matérielle. Évidemment, dans notre société moderne, il est indispensable de gagner assez d'argent pour vivre. Mais ce n'est pas **en gagnant** de l'argent qu'on réussit sa vie. Il y a mille autres façons plus importantes de réussir. On peut réussir en développant ses talents et ses qualités, en se développant intellectuellement ou plus simplement en faisant bien ce qu'on sait faire... Sans être idéaliste, je pense personnellement qu'on réussit sa vie **en étant** utile à la société, en plaçant le «tu» avant le «je», en enrichissant l'existence des gens qui vivent **autour de** vous. C'est ce que j'essaie de faire! *by earning* *by being* *around*

Pascal Duchamp (45 ans, ingénieur)

En **courant** après l'argent, les gens perdent leur identité. Ils deviennent irritables, stressés, égoïstes, et ils oublient le monde autour d'eux. Pour moi, c'est le contraire de la réussite. Dans la vie, il faut d'abord rester en harmonie avec les gens qui vous **entourent**. Personnellement, j'essaie de passer le maximum de temps avec ma femme et mes enfants. Si je réussis dans le domaine familial, je réussirai ma vie. *running* *surround*

Antoine Verdier (61 ans, libraire)

Réussir, réussir! Qu'est-ce que cela veut dire? Aujourd'hui tous les jeunes veulent réussir, c'est-à-dire gagner beaucoup d'argent très vite et sans faire d'effort! Comment peut-on réussir sans travailler et sans prendre de risques?

À propos du texte

1. Selon vous, qui est la personne la plus idéaliste? la plus réaliste?
2. Qui est la personne avec qui vous êtes le plus d'accord sur le sens de la «réussite»? Pourquoi?

Note culturelle
La vie professionnelle

Pour beaucoup de jeunes Américains, l'idéal professionnel est de créer une entreprise et, éventuellement°, de faire fortune. Les jeunes Français, au contraire, préfèrent travailler pour une grande entreprise où ils feront carrière. Beaucoup choisissent la fonction publique°.

L'emploi dans les entreprises privées° ou publiques présente en effet un grand nombre d'avantages: une semaine limitée à 35 heures de travail, des congés° payés de cinq semaines par an, une protection sociale contre la maladie et le chômage°, et, plus tard, la garantie d'une retraite° confortable.

Les choix professionnels des jeunes Français reflètent une conception de la vie basée sur un bon équilibre entre le travail et le développement personnel. Le salaire est une considération importante, mais non pas essentielle. Il y a d'autres facteurs à prendre en compte°: l'ambiance du travail, les relations humaines, la sécurité et l'importance absolue des loisirs.

Les jeunes Français, où veulent-ils travailler?

• dans la fonction publique	41%
• dans une grande entreprise	32%
• dans une petite ou moyenne entreprise	10%
• en profession libérale (e.g., avocat, médecin)	4%
• en créant une entreprise	4%
• pas de réponse	2%

Et les jeunes Américains?

Faites un sondage similaire dans votre classe. Comparez les résultats avec le tableau ci-dessus.

Certains jeunes Français préfèrent cependant° l'indépendance et le risque. Ils créent des entreprises dans des domaines où ils sont compétitifs: l'électronique, les logiciels° et la communication électronique de l'information.

Source: Enquête Le Monde, *12–16 février 2001*

À votre avis

1. Quelles différences voyez-vous dans les choix professionnels des jeunes Américains et des jeunes Français?
2. Quelles différences voyez-vous dans la vie professionnelle en France et aux États-Unis?
3. Préférez-vous travailler en France ou aux États-Unis? Pourquoi?
4. Que pensez-vous de la conception française de la vie?

éventuellement *possibly* **fonction publique** *civil service* **privées** *private* **congés** *vacation* **chômage** *unemployment* **retraite** *retirement* **en compte** *into account* **cependant** *however* **logiciels** *software*

La langue française

Vocabulaire: La vie professionnelle

LE TRAVAIL

Après les études, ...

on cherche | **un travail** (*job*)
un emploi (*job*)

on choisit | **une profession**
un métier (*trade*)
une carrière (*career*)

LES SECTEURS ÉCONOMIQUES

On peut travailler dans...

le commerce (*trade*)
l'industrie
les affaires (*business*)
la publicité (*advertising*)
l'immobilier (*real estate*)

l'informatique
la communication
la recherche (*research*) **scientifique**
la fonction publique (*civil service*)
les relations publiques

L'ENTREPRISE

On travaille pour...

un patron/une patronne (*boss*)
une entreprise (*firm*)
une firme

une compagnie
une société (*company*)

On peut aussi...

créer une entreprise
être son propre (*own*) **patron / sa propre patronne**
réussir (*succeed*) **dans les affaires**

| **la réussite** *success* |

➠ The adjective **propre** has different meanings according to its position.

BEFORE the noun: J'ai ma **propre** voiture.   *I have my **own** car.*
AFTER the noun: J'ai une voiture **propre**.   *I have a **clean** car.*

---

1 **Et vous?** •

1. Qu'est-ce que vous allez faire après vos études?
2. Quelle sera votre profession future?
3. Dans quel secteur économique voulez-vous travailler? Pourquoi avez-vous choisi ce secteur?
4. Dans quelle sorte d'entreprise préférez-vous travailler? grande? petite? moyenne (*average size*)? Pourquoi?
5. Aimeriez-vous travailler pour une entreprise multinationale? Pourquoi ou pourquoi pas?
6. Aimeriez-vous créer une entreprise? Dans quel secteur?
7. Selon vous, quels sont les avantages et les inconvénients d'être son propre patron?
8. Est-ce que vous espérez réussir? Dans quel domaine?

A. L'infinitif

The INFINITIVE is the basic form of the verb. Note how it is used in French.

Être riche n'est pas mon objectif.   ***Being*** *rich is not my goal.*
Je préfère **être** heureux.   *I prefer **being (to be)** happy.*

Créer sa propre entreprise n'est pas facile.   ***Creating*** *one's own business is not easy.*
J'aimerais **créer** ma propre entreprise.   *I would like **to create** my own business.*

> In French, the INFINITIVE is often used as a SUBJECT or an OBJECT.

Note the forms of the past infinitive.

J'espère **avoir réussi** à mon examen.   *I hope **to have passed** my exam.*
Léa n'est pas ici. Elle doit **être sortie.**   *Léa isn't here. She must **have gone out.***

The PAST INFINITIVE is formed according to the following pattern:

avoir être } + PAST PARTICIPLE	avoir travaillé être parti	avoir réussi s'être promené

> **À noter**
>
> The rules of agreement of the past participle apply to the past infinitive.
>
> **Marc** doit être **sorti.**
>
> **Mes soeurs** doivent être **rentrées.**

② Le choix d'une profession ·

Pour vous, quels sont les trois éléments les *plus importants* dans le choix d'une profession? les trois éléments les *moins importants*? Comparez votre liste avec votre partenaire.

- travailler en équipe
- être son propre patron
- pouvoir voyager
- avoir des responsabilités
- gagner un bon salaire
- avoir des heures flexibles

- aimer le travail
- être indépendant(e)
- avoir des collègues sympathiques
- avoir des possibilités d'avancement (*promotion*)
- avoir des bénéfices sociaux
- avoir la sécurité d'emploi

B. La construction adjectif / nom + de + infinitif

Note the use of the INFINITIVE in the following sentences:

Es-tu **sûr de réussir**? — *Are you **sure to be successful**?*

Je suis **content d'avoir trouvé** un travail intéressant. — *I am **happy to have found** an interesting job.*

Il est **important de gagner** sa vie. — *It is **important to earn** one's living.*

Il n'est pas **indispensable d'être** très riche. — *It is not **indispensable to be** very rich.*

Je n'ai pas **la patience d'attendre**. — *I don't have **the patience to wait**.*

As-tu **le temps de voyager**? — *Do you have **the time to travel**?*

ADJECTIVES and NOUNS are often followed by INFINITIVES. The most common patterns are:	
adjective + **de** + infinitive	Je suis **content de travailler** à Paris.
le/la/les + noun + **de** + infinitive	J'ai **la possibilité de travailler** à Paris.

→ In French the definite article **le/la/les** is always used to introduce the noun. In English, *the* is sometimes omitted. Compare:

C'est **l'heure de partir**.   *It's **time to leave**.*

3 Opinions professionnelles ·

Lisez ce que font les personnes suivantes. Demandez à votre partenaire d'exprimer sa propre opinion sur leurs actions. Utilisez la construction **il est** + adjectif.

✸ Camille apprend le chinois. (utile?)
   — *Est-ce qu'il est utile d'apprendre le chinois?*
   — *Oui, il est utile d'apprendre le chinois.*
ou — *Non, il n'est pas utile d'apprendre le chinois.*

1. Lucas gagne beaucoup d'argent. (indispensable?)
2. Françoise suit des cours d'informatique. (bon?)
3. Alain a beaucoup de diplômes. (important?)
4. Céline réussit dans sa carrière. (difficile?)
5. Marc a le sens des affaires. (essentiel?)
6. Kevin crée une entreprise. (facile?)
7. Léa travaille dans la fonction publique. (intéressant?)
8. Ma cousine conduit très vite. (dangereux?)

4 Pourquoi pas?

Laure demande à Marc pourquoi il ne fait pas certaines choses. Jouez les deux rôles, d'après le modèle.

✱ attendre tes amis? (la patience)
  LAURE: *Pourquoi est-ce que tu n'attends pas tes amis?*
  MARC: *Je n'ai pas la patience d'attendre mes amis.*

1. faire du sport? (l'énergie)
2. répondre à tes messages? (le temps)
3. aller au cinéma le samedi? (l'habitude)
4. voyager? (l'occasion)
5. dire la vérité? (le courage)
6. voter? (l'âge)

5 Leurs sentiments

Antoine veut savoir si les personnes suivantes ont fait certaines choses. Sophie répond affirmativement et explique leurs sentiments. Jouez les deux rôles, d'après le modèle.

✱ Thérèse / réussir à l'examen d'anglais (sûre)
  ANTOINE: *Thérèse a réussi à l'examen d'anglais, n'est-ce pas?*
  SOPHIE: *Oui, elle est sûre d'avoir réussi à l'examen d'anglais.*

1. Nicolas / trouver un travail intéressant
   (heureux)
2. Pierre / obtenir une promotion
   (content)
3. Élodie / rater l'examen de maths
   (furieuse)
4. Céline / passer ses vacances à Paris
   (enchantée [delighted])
5. Madame Lassalle / créer sa propre entreprise
   (fière [proud])

C. La construction préposition + infinitif

The PREPOSITIONS **pour** and **avant** express purpose and sequence. Note the use of the INFINITIVE after these prepositions.

Je vais à l'université
pour étudier les sciences.

I go to the university
(in order) to study science.

Thomas cherche du travail
avant de partir en vacances.

Thomas is looking for a job
before leaving on vacation.

In French, all PREPOSITIONS (except **en**) are followed by INFINITIVES.	
preposition + infinitive	Je viens **pour travailler.**

➠ In English, most prepositions are followed by a verbal form in *-ing.*

Étudiez	**avant de sortir.**	Study	*before going out.*
	au lieu de sortir.		*instead of going out.*

➠ The PAST INFINITIVE is used after the preposition **après.**

Je chercherai du travail
après avoir obtenu mon diplôme.

I will look for work
after getting my degree.

Prépositions suivies de l'infinitif

pour	in order to	J'apprends le français **pour aller** en France.
sans	without	**Sans étudier,** vous ne réussirez pas à l'examen.
avant de	before	Nous avons dîné **avant de partir.**
au lieu de	instead of	**Au lieu d'étudier,** Jacques est sorti.
après	after	Qu'est-ce que tu vas faire **après avoir obtenu** ton diplôme?

➠ The construction **pour** + INFINITIVE indicates PURPOSE and INTENTION. While in English *in order to* is often reduced to *to,* in French **pour** must always be expressed. Compare:

Réussir n'est pas facile.
Pour réussir, il faut travailler.

To succeed is not easy.
(In order) to succeed, one has to work.

> Il faut manger pour vivre, et non pas vivre pour manger.
> – Molière, L'Avare

6 À l'université?

Expliquez pourquoi les étudiants suivants vont à l'université.

✴ Thomas étudie les maths.
Thomas va à l'université pour étudier les maths.

1. Clément fait des études de droit.
2. Nous apprenons l'espagnol.
3. Tu te spécialises en biologie.
4. Vous faites de l'informatique.
5. Céline joue dans une équipe de basket.
6. Je reste avec mes copains.
7. Ma cousine prépare un diplôme d'ingénieur.
8. Alexandre rencontre des gens intéressants.

7 L'ordre chronologique

Expliquez l'ordre dans lequel les personnes suivantes font certaines choses. Suivez le modèle.

✴ Vincent prend ses livres et il va à l'université.
Vincent prend ses livres avant d'aller à l'université.

1. Je me lave les mains et je mange.
2. Nous étudions et nous regardons la télé.
3. Tu mets un short et tu joues au tennis.
4. On réfléchit et on répond.
5. Pauline cherche son passeport et elle part en voyage.
6. Mes amis téléphonent et ils viennent.
7. Je parle à mes parents et je prends des décisions importantes.
8. Pierre prépare son résumé et il va à l'entrevue professionnelle.

8 Conseils

Votre partenaire parle de ses activités. Dites-lui qu'il/qu'elle devrait faire autre chose en utilisant la construction **au lieu de** + infinitif.

✴ étudier l'allemand (le japonais)
—*J'étudie l'allemand.*
—*Au lieu d'étudier l'allemand, étudie le japonais!*

1. suivre un cours d'histoire (un cours de marketing)
2. faire une promenade (les courses)
3. acheter un appareil-photo (un caméscope numérique)
4. travailler pour une firme américaine (une compagnie multinationale)
5. lire les bandes dessinées (les petites annonces)
6. penser aux vacances (à ton avenir)

9 D'autres conseils ·

Votre partenaire va vous parler de ses projets. Dites-lui de ne pas faire ces choses sans en faire d'autres. Suivez le modèle.

✴ sortir / Prends ton imperméable!
> — *Je vais sortir.*
> — *Très bien, mais ne sors pas sans prendre ton imperméable!*

1. partir / Dis au revoir à tes amis!
2. quitter le restaurant / Paie l'addition (*check*)!
3. poster (*to mail*) cette lettre / Mets un timbre (*stamp*)!
4. utiliser cette nouvelle machine / Lis les instructions!
5. acheter cet ordinateur / Compare les prix!
6. aller à Paris / Réserve une chambre d'hôtel!
7. partir en vacances / Donne ton adresse à tes voisins!

10 Et après? ·

David décrit à Amélie ce que certaines personnes ont fait. Amélie lui demande ce que ces personnes ont fait après. Jouez les deux rôles selon le modèle.

✴ Isabelle / dîner en ville (aller au cinéma)
> DAVID: *Isabelle a dîné en ville.*
> AMÉLIE: *Ah bon? Et qu'est-ce qu'elle a fait après avoir dîné en ville?*
> DAVID: *Elle est allée au cinéma.*

1. Alice / terminer ses devoirs (mettre la télé)
2. Nathalie / finir son travail (parler à sa patronne)
3. Antoine / préparer son CV (chercher un job)
4. Mélanie / répondre à l'annonce (aller à une entrevue)
5. ma cousine / obtenir son diplôme (passer deux mois au Mexique)
6. ma tante / quitter son travail (créer sa propre entreprise)

11 Expression personnelle ·

Complétez les phrases avec une expression de votre choix.

1. Je vais à l'université pour...
2. J'apprends le français pour...
3. Je voudrais avoir de l'argent pour...
4. Parfois je m'amuse au lieu de...
5. Je ne veux pas me marier avant de...
6. Je ne prends jamais de décisions importantes sans...
7. Je chercherai du travail après...
8. Selon moi, il est important de..., mais il n'est pas essentiel de...

Two actions may occur SIMULTANEOUSLY or be related by CAUSE-AND-EFFECT, as in the sentences on the left. In the sentences on the right, these relationships are expressed by using the construction **en** + PRESENT PARTICIPLE.

Je travaille et   Je travaille **en écoutant** la radio.
j'écoute la radio.   (*I work **while listening** to the radio.*)

On fait de l'exercice et   **En faisant** de l'exercice, on reste en forme.
on reste en forme.   (***By doing** exercise, one stays in shape.*)

Quand il est arrivé à Paris,   **En arrivant** à Paris, Marc m'a téléphoné.
Marc m'a téléphoné.   (***Upon arriving** in Paris, Marc called me.*)

FORMS

The PRESENT PARTICIPLE of all regular and most irregular verbs is derived as follows:

nous-form of the present tense *minus* **-ons** + **-ant**	
regular verbs	irregular verbs
(écouter) nous **écout**ons → **écoutant**	(faire) nous **fais**ons → **faisant**
(finir) nous **finiss**ons → **finissant**	(lire) nous **lis**ons → **lisant**
(vendre) nous **vend**ons → **vendant**	(voir) nous **voy**ons → **voyant**

➡ There are three irregular present participles.

avoir → **ayant**   **En ayant** de l'ambition, vous réussirez dans vos projets.
être → **étant**   **En étant** riche, vous ne serez pas nécessairement heureux.
savoir → **sachant**   **En sachant** parler français, vous aimerez votre visite à Paris.

➡ When a reflexive verb is used in a present participle construction, the reflexive pronoun represents the same person as the subject of the sentence.

En **nous** promenant en ville, **nous** avons rencontré nos amis.

Proverbe

C'est en forgeant qu'on devient forgeron.

Practice makes perfect.

USES

The PRESENT PARTICIPLE is used to express a relationship of CAUSE-AND-EFFECT or (near) SIMULTANEITY between two actions.

▶ In the construction **en** + PRESENT PARTICIPLE, the preposition **en** has several English equivalents.

cause / manner	by	C'est **en prenant** des risques qu'on réussit.
simultaneity	while upon (*immediately after*)	**En allant** en ville, j'ai rencontré Léa. **En rentrant** chez lui, Denis a mis la radio.

Note linguistique: Le participe présent
. . . .

The French PRESENT PARTICIPLE in **-ant** is used much less frequently than its English counterpart.

- The PRESENT PARTICIPLE is *never* used as a verbal noun. The INFINITIVE is used instead.

  Voter est un droit. *Voting is a right.*

- The PRESENT PARTICIPLE is *never* used after a preposition, other than **en**. The INFINITIVE is used instead.

  J'ai fait cela **sans réfléchir**. *I did that without thinking.*

- The PRESENT PARTICIPLE is *never* used to express a progressive action. The simple PRESENT or IMPERFECT is used instead.

  J'étudie. *I am studying.*
  J'étudiais. *I was studying.*

---

12 **Études linguistiques** •

On peut apprendre les langues de différentes façons. Expliquez comment les personnes suivantes ont appris certaines langues. Utilisez la construction **en** + participe présent.

✷ Pierre / le russe / écouter des CD
  Pierre a appris le russe en écoutant des CD.

1. Pauline / le japonais / passer un an à Tokyo
2. nous / l'espagnol / regarder la télé mexicaine
3. Christophe / l'allemand / sortir avec une jeune fille de Berlin
4. vous / le français / suivre des cours à l'Alliance française
5. moi / l'italien / travailler pour une compagnie italienne
6. toi / le portugais / voir des films brésiliens
7. mes amis français / l'anglais / écouter des chansons (*songs*) américaines

13 **Chacun à sa manière** •

Dites quand ou comment les personnes suivantes font certaines choses.

✸ Vous écoutez la radio quand vous étudiez.
Vous écoutez la radio en étudiant.

1. Je rencontre mes amis quand je vais au café.
2. Nous achetons le journal quand nous allons à l'université.
3. Nous nous amusons quand nous lisons les bandes dessinées.
4. M. Duval écoute les nouvelles quand il conduit sa voiture.
5. J'écoute mon baladeur MP3 quand je me promène.
6. Beaucoup de Français regardent la télé quand ils dînent.
7. Tu lis le journal quand tu prends le petit déjeuner.
8. Cette entreprise développe ses ventes (*sales*) quand elle crée de nouveaux produits (*products*).
9. On reste en forme quand on fait du yoga.
10. On est heureux quand on a de bons amis.

14 **Et vous?** •

Dites quand ou comment vous faites les choses suivantes. Utilisez votre imagination.

✸ gagner de l'argent?
Je gagne de l'argent en faisant du télémarketing.

1. préparer les examens?
2. rester en forme?
3. se reposer?
4. s'informer?
5. se détendre?
6. préparer l'avenir?
7. chercher du travail?
8. rester en contact avec ma famille?

Phonétique: Les lettres «on» et «om»

It is important to distinguish between the nasal and non-nasal pronunciations of "on" and "om."

- "on" + *consonant* represent the nasal vowel /ɔ̃/. The "n" is not pronounced.
  Répétez: c<u>on</u>sidérer m<u>on</u>ter renc<u>on</u>trer ann<u>on</u>cer m<u>on</u>tagne c<u>on</u>seil

- "om" + *consonant* represent the nasal vowel /ɔ̃/. The "m" is not pronounced.
  Répétez: c<u>om</u>bien t<u>om</u>ber c<u>om</u>pagnie c<u>om</u>ptabilité

- "on(n)" + *vowel* is pronounced /ɔn/
  Répétez: lim<u>on</u>ade télép<u>hon</u>e patr<u>onn</u>e pers<u>onn</u>e je c<u>onn</u>ais may<u>onn</u>aise

- "om(m)" + *vowel* is pronounced /ɔm/
  Répétez: t<u>om</u>ate pr<u>om</u>enade c<u>omm</u>e c<u>omm</u>erce s<u>omm</u>eil c<u>omm</u>unication

À votre tour

Compréhension orale

Plusieurs personnes parlent de leur profession. Dans quel secteur travaillent-elles? Pour chaque personne inscrivez la lettre de sa spécialité professionnelle à côté de son nom.

1. _____ Céline
2. _____ Robert
3. _____ Léa
4. _____ Philippe
5. _____ Suzanne
6. _____ Jean-Richard

a. le commerce
b. l'industrie
c. l'immobilier
d. la recherche scientifique
e. la fonction publique
f. les relations publiques

Conversation dirigée

Your partner has been recruited by a French company to work in its Paris headquarters. You want to find out more about this job.

Ask your partner . . .
- for which company he/she will be working
- in which economic sector
- what the advantages (les avantages) and the disadvantages (les désavantages) are to working in France

Expression libre

Décrivez vos projets professionnels. Puis, comparez vos projets avec votre partenaire.

- Dans quel secteur économique voulez-vous travailler?
- Dans quel genre d'entreprise?
- Quelles sont vos ambitions professionnelles? Expliquez vos raisons.

Expression écrite

Quel est le sens (*meaning*) de la réussite pour vous? Expliquez comment vous voulez réussir...

- dans votre vie professionnelle
- dans votre vie familiale
- dans votre vie en général

Français et Européens!

 L'Union européenne a beaucoup changé depuis sa création. À l'origine, elle avait six pays membres. Aujourd'hui, elle en a vingt-cinq. Plusieurs jeunes Français présentent leurs idées sur l'Europe.

Vincent

Je suis très pro-européen. La suppression des **frontières** a créé énormément de possibilités que nos parents n'avaient pas. Nous pouvons voyager sans passeport dans vingt-sept pays différents et dans treize pays nous utilisons la même **monnaie**, l'euro. Avec le programme Erasmus*, les étudiants peuvent faire leurs études dans des pays différents. Par exemple, moi, j'ai passé une année à l'Université de Dublin. Et quand j'aurai mon diplôme, je pourrai travailler dans le pays de mon choix.

borders

currency

Mélanie

Je suis évidemment pour l'Europe. Sa création a été un facteur d'expansion économique pour tous les pays-membres. Elle a aussi permis la réalisation de grands projets communs: l'Euro-Tunnel, l'Euro-Star, la **fusée** Ariane et les avions européens Airbus. Aujourd'hui, il faut que l'Europe reste compétitive vis-à-vis des États-Unis et des pays d'Asie. Pour cela, il faut que les pays européens adoptent une politique économique commune. Il est aussi essentiel qu'ils continuent à coopérer dans tous les domaines: les finances, la politique monétaire, la recherche scientifique, l'exploration spatiale et l'énergie.

rocket

Yasmina

Je suis heureuse et **fière** d'être française et citoyenne européenne. Pour moi, l'Europe n'est pas seulement une union économique. Elle joue aussi un rôle

proud

---

* Erasmus est un programme d'échanges entre les grandes universités européennes.

très positif dans un grand nombre de domaines très importants dans le monde moderne: respect des **droits** humains et de la diversité culturelle, promotion de la liberté et de la démocratie, maintien de la **paix** et de la sécurité, protection de l'environnement, solidarité avec les pays du Tiers-Monde. Si on veut préserver la paix, il est indispensable que l'Europe **ait** une **voix** forte dans les affaires internationales. Pour cela, il faut que les Européens **soient** unis. Il faudrait que les différents pays votent une constitution commune et qu'ils forment un gouvernement commun. Je suis peut-être idéaliste, mais je pense que cela **se fera** un jour.

rights

peace

have / voice

are

will happen

Clément

D'accord, nous sommes Européens, mais nous devons aussi rester Français. Pour moi, cette distinction est très importante. Nous n'avons pas la même histoire, la même culture, la même langue, les mêmes traditions, ni les mêmes **valeurs**. Et nous n'avons pas beaucoup de points communs avec les anciens pays du bloc soviétique, comme la Pologne ou la République tchèque. Dans un **monde** de plus en plus uniforme, il est important que nous préservions notre identité nationale. Pour cela, il est essentiel que nous gardions notre culture. Je suis pour l'unité économique de l'Europe, mais pas pour l'unité politique. Pour rester unis, il n'est pas nécessaire que nous **ayons** un gouvernement européen ou une constitution européenne. **De toute façon**, avec vingt-sept pays différents, c'est impossible!

values

world

have

In any case

À propos du texte

Catégorisez l'opinion de chaque étudiant vis-à-vis de l'Europe:
- enthousiaste?
- neutre?
- positive?
- négative?

Note culturelle
Les Français et l'Europe

La France est un des pays fondateurs° de l'Europe. En 1957, elle s'est jointe à cinq autres pays (l'Allemagne, l'Italie, la Hollande, la Belgique et le Luxembourg) pour former la Communauté européenne.

Cinquante ans après, la majorité des Français reste très favorable à l'Europe. Les jeunes en particulier considèrent que l'Europe est un élément positif pour leur avenir. Certains Français cependant sont concernés par l'extension géographique de l'Europe. Leurs inquiétudes° principales sont la perte° de l'identité nationale et la menace sur l'emploi.

Quels sentiments la construction européenne évoque-t-elle chez les Français? Voici les résultats d'un sondage° récent.

L'espoir°	52%
La crainte°	37%
L'indifférence	11%

À votre avis

Considérez-vous l'Europe comme...
- un facteur de paix et de sécurité?
- une grande force économique?
- un rival politique des États-Unis?
- un concurrent économique des États-Unis?

Expliquez votre position.

---

fondateurs *founding*   **inquiétudes** *worries*   **perte** *loss*
sondage *poll*   **espoir** *hope*   **crainte** *fear*

Source: Libération, 30 avril 2004

La langue française

Vocabulaire: La politique internationale

noms

le monde	*world*	**la paix**	*peace*
un pays	*country*	**la guerre**	*war*
un rapport	*relationship*		
un gouvernement	*government*	**une puissance**	*power*
un citoyen	*citizen*	**une citoyenne**	*citizen (female)*
un droit	*right*	**une loi**	*law*
		une valeur	*value*

On doit...

conserver (*keep, preserve*)	**les ressources naturelles**
protéger (*protect*)	**l'environnement**
maintenir (*maintain*)	la paix dans le monde
garder (*keep*)	ses valeurs

On ne doit pas **menacer** (*threaten*) les autres pays.

réel(le)	*real*	Le terrorisme est un danger **réel.**
actuel(le)	*present, current*	Est-ce que l'inflation est un problème **actuel**?
réellement	*really, actually*	J'ai **réellement** besoin d'argent.
actuellement	*at present, currently*	Mes parents sont **actuellement** en Europe.
à l'heure actuelle	*at present*	**À l'heure actuelle,** ils sont à Rome.

➽ **Maintenir** is conjugated like **obtenir:**

PRESENT: je **maintiens,** nous **maintenons**

PASSÉ COMPOSÉ: j'**ai maintenu**   FUTURE: je **maintiendrai**

---

1 Que pensez-vous? •

1. Avec quels pays les États-Unis ont-ils les meilleurs rapports? les plus mauvais rapports?
2. À l'heure actuelle, quels dangers menacent la paix dans le monde? la sécurité des États-Unis?
3. Est-ce que le gouvernement protège réellement les citoyens? Comment?
4. Est-ce que tous les citoyens ont réellement les mêmes droits? Expliquez.
5. Est-ce que l'Europe est une grande puissance économique? Expliquez.

Note linguistique: Temps et modes — Introduction au subjonctif

The VERB of a sentence identifies an action. The verb is characterized by its TENSE and its MOOD.

- The TENSE of a verb indicates the TIME of the action.

  The PRESENT, the PASSÉ COMPOSÉ, the IMPERFECT, and the FUTURE are all tenses.

- The MOOD of a verb reflects the ATTITUDE OF THE SPEAKER toward the action.

  The INDICATIVE is used to make FACTUAL STATEMENTS.

  It is the most frequent mood in both French and English.

  The IMPERATIVE is used to give ORDERS.

  The SUBJUNCTIVE is used to express FEELINGS or OPINIONS about an action.

The SUBJUNCTIVE is very rarely used in English.

INDICATIVE	SUBJUNCTIVE
I **am** poor.	I wish I **were** rich.
You **are** often late.	It is important that you **be** on time.

By contrast, the SUBJUNCTIVE is quite frequently used in French.

INDICATIVE	SUBJUNCTIVE
Tu **as** des dollars.	Il faut que tu **aies** des euros.
Vous **visitez** Londres.	Il est bon que vous **visitez** Paris.
Nous **parlons** anglais.	Le professeur veut que nous **parlons** français.

The SUBJUNCTIVE is almost always found in DEPENDENT clauses introduced by **que**. Its use is determined by what is expressed in the MAIN CLAUSE. Here are some examples.

MAIN CLAUSE expresses . . .	DEPENDENT CLAUSE
• an obligation • an opinion • a wish	**que** + SUBJUNCTIVE

- Note how the SUBJUNCTIVE is used after **il faut que** to express personal obligation.

Il faut que nous visitions Prague.	*We must visit Prague.*
Il faut que vous preniez des photos.	*You must take pictures.*

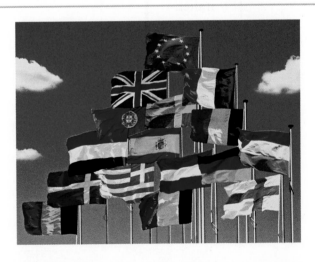

A. La formation du subjonctif: verbes à un radical

Regular verbs like **parler, finir,** and **attendre,** and many irregular verbs like **partir** have ONE PLURAL STEM in the present indicative. This plural stem is used to form the PRESENT SUBJUNCTIVE.

infinitive		**parler**	**finir**	**attendre**	**partir**	subjunctive endings
present indicative	ils **parl**ent		**finiss**ent	**attend**ent	**part**ent	
	nous **parl**ons		**finiss**ons	**attend**ons	**part**ons	
present subjunctive	je	**parle**	**finisse**	**attende**	**parte**	-e
	tu	**parles**	**finisses**	**attendes**	**partes**	-es
	il/elle/on	**parle**	**finisse**	**attende**	**parte**	-e
	nous	**parlions**	**finissions**	**attendions**	**partions**	-ions
	vous	**parliez**	**finissiez**	**attendiez**	**partiez**	-iez
	ils/elles	**parlent**	**finissent**	**attendent**	**partent**	-ent

The PRESENT SUBJUNCTIVE of verbs that have ONE PLURAL STEM in the present indicative is formed as follows:

SUBJUNCTIVE STEM	+	SUBJUNCTIVE ENDINGS
ils-form of present indicative *minus* **-ent**		**-e, -es, -e, -ions, -iez, -ent**

2 Voyage en Europe •

Plusieurs personnes voyagent en Europe. Dites quelle langue chacun doit parler. Utilisez la construction **il faut que** + subjonctif.

✸ Mes cousines visitent Madrid.
  Il faut qu'elles parlent espagnol.

1. Nous sommes à Berlin.
2. Vous voyagez en Italie.
3. Céline visite Saint-Petersbourg.
4. Antoine est en vacances à Vienne.
5. Élodie et Vincent sont à Dublin.
6. Nous visitons Venise.
7. Vous passez un mois à Moscou.
8. Pauline et Thomas sont à Séville.

> allemand
> anglais
> espagnol
> italien
> russe

3 Le subjonctif, s'il vous plaît ·

Pour chaque verbe, donnez la forme **ils** du présent de l'indicatif. Ensuite, complétez les phrases avec le subjonctif de ces verbes.

INFINITIF	PRÉSENT	SUBJONCTIF
✹ finir	ils ____	Il faut que (tu) ____ ce livre.
	ils finissent	***Il faut que tu finisses ce livre.***

1. réussir   ils ____   Il faut que (je, vous, les élèves) ____ à l'examen final.
2. regarder   ils ____   Il faut que (tu, nous, ils) ____ ce site web.
3. choisir   ils ____   Il faut que (tu, Caroline, nous) ____ un bon logiciel.
4. répondre   ils ____   Il faut que (Pauline, mes copains) ____ à ses/leurs messages.
5. attendre   ils ____   Il faut que (nous, tu, les voyageurs) ____ les autres.
6. lire   ils ____   Il faut que (je, tu, vous) ____ ce sondage (*poll*) sur l'Europe.
7. écrire   ils ____   Il faut que (tu, nous, mes amis) ____ un email.
8. partir   ils ____   Il faut que (vous, tu, Olivier) ____ demain matin.
9. se reposer   ils ____   Il faut que (je, nous, tes amis) ____ pendant le week-end.

4 Quelques obligations personnelles ·

Décrivez deux ou trois obligations que vous devez accomplir aux moments indiqués. Utilisez l'expression **il faut que** pour décrire chaque obligation. Comparez votre liste avec votre partenaire.

✹ *Avant de partir en vacances, il faut que je choisisse mes cours pour l'année prochaine.*

AUJOURD'HUI	CE WEEK-END	AVANT DE PARTIR EN VACANCES
• téléphoner à une copine • répondre à mon courriel • préparer mes cours • passer à la bibliothèque • lire un article	• laver mon linge (*laundry*) • ranger ma chambre • finir mes devoirs • écrire à mes parents • aider un copain	• rendre des livres à la bibliothèque • chercher du travail • trouver un job • réserver mon billet d'avion • choisir mes cours pour l'année prochaine

Note how PERSONAL OBLIGATIONS are expressed in the following sentences.

Il faut que je réussisse à cet examen.   *I must (have to) pass this exam.*

Il faut que vous trouviez un job.   *You need to (have to) find a job.*

PERSONAL OBLIGATIONS can be expressed by the construction:	
il faut que + SUBJUNCTIVE	**Il faut que** tu **partes** maintenant.

➡ Note that GENERAL OBLIGATIONS are expressed by the construction:
il faut + INFINITIVE. Compare the following sentences:

infinitive	subjunctive
En général...	En particulier...
il faut respecter la nature.	**il faut que vous respectiez** la nature.
il faut préserver sa culture.	**il faut que nous préservions** notre culture.

➡ Note the use of the following constructions to express:

• an OBLIGATION [*should*] **Il faut que** vous partiez.	• a BAN or ILLEGAL ACTION [*shouldn't*] **Il ne faut pas que** vous stationniez ici.
• a NECESSITY [*have to*] **Il faut que** tu obtiennes un passeport.	• a LACK OF NECESSITY [*don't have to*] **Il n'est pas nécessaire que** tu obtiennes un visa.
• a POSITIVE RECOMMENDATION [*do*] **Il faut que** tu étudies.	• a NEGATIVE RECOMMENDATION [*don't*] **Il ne faut pas que** tu perdes ton temps.

Proverbe

xxxxxxxxxxxxxxxxxxxxxxxxxxxx

Il faut qu'une porte soit
ouverte ou fermée.

---

5 Avant d'aller à Prague

Les étudiants suivants vont aller à Prague cet été. Dites ce que chacun doit faire avant de partir.

✱ nous / réserver les billets d'avion
   Il faut que nous réservions les billets d'avion.

1. Nathalie / finir ses cours à l'université
2. Julien / réussir à ses examens
3. ma cousine / vendre sa vieille voiture
4. Mélanie / téléphoner à l'agence de voyages
5. Daniel / chercher son passeport
6. toi / choisir un hôtel confortable
7. vous / louer une voiture
8. Sylvie / trouver l'adresse de sa copine tchèque

6 Invitations

Votre partenaire vous propose de faire certaines choses. Acceptez son invitation, mais dites-lui qu'avant il faut que vous fassiez d'autres choses.

✱ dîner / finir mes devoirs
   — *Est-ce que tu veux dîner avec moi?*
   — *Oui, d'accord! Mais avant, il faut que je finisse mes devoirs.*

1. aller en ville / téléphoner à un ami
2. déjeuner / rendre ces livres à la bibliothèque
3. regarder la télé / répondre à un email
4. jouer au tennis / rendre visite à une copine
5. aller au cinéma ce soir / lire ce livre
6. aller au café / écrire à mes cousins
7. sortir / mettre un manteau
8. faire du shopping / conduire ma soeur à l'aéroport

7 Oui ou non?

Vous voyagez en France en voiture avec un copain. C'est lui qui conduit. Dites-lui ce qu'il doit ou ne doit pas faire. Commencez vos phrases par **il faut que** ou **il ne faut pas que**.

✱	1	2	3	4	5

| **tourner à droite** | **tourner à gauche** | **prendre cette rue** | **mettre la ceinture** | **klaxonner** | **accélerer** |

✱ *Il ne faut pas que tu tournes à droite.*

C. La formation du subjonctif: verbes à deux radicaux

Some verbs like **acheter, prendre,** and **venir** have TWO PLURAL STEMS in the present indicative. These verbs also have two stems in the subjunctive.

infinitive		**acheter**	**prendre**	**venir**	regular subjunctive endings
present indicative	ils **achèt**ent	**prenn**ent	**vienn**ent	
	nous **achet**ons	**pren**ons	**ven**ons	
present subjunctive	j' **achète**	**prenne**	**vienne**	-e
	tu **achètes**	**prennes**	**viennes**	-es
	il/elle/on **achète**	**prenne**	**vienne**	-e
	nous **achetions**	**prenions**	**venions**	-ions
	vous **achetiez**	**preniez**	**veniez**	-iez
	ils/elles **achèt**ent	**prenn**ent	**vienn**ent	-ent

The PRESENT SUBJUNCTIVE of verbs with TWO STEMS in the indicative is formed as follows:		
subject	subjunctive stem	+ subjunctive endings
je, tu, il, ils	**ils**-form of the present indicative *minus* **-ent**	-e, -es, -e, -ent
nous, vous	**nous**-form of the present indicative *minus* **-ons**	-ions, -iez

➡ The following verbs have two subjunctive stems:

	indicative	subjunctive
payer	ils **paient**	que je **paie**
	nous **payons**	que nous **payions**
préférer	ils **préfèrent**	que je **préfère**
	nous **préférons**	que nous **préférions**
appeler	ils **appellent**	que j'**appelle**
	nous **appelons**	que nous **appelions**
boire	ils **boivent**	que je **boive**
	nous **buvons**	que nous **buvions**
voir	ils **voient**	que je **voie**
	nous **voyons**	que nous **voyions**
recevoir	ils **reçoivent**	que je **reçoive**
	nous **recevons**	que nous **recevions**

8 Mes obligations personnelles •

Dites si oui ou non vous devez faire les choses suivantes. Comparez vos réponses avec votre partenaire. Commencez vos phrases par **Il faut que** ou **Il n'est pas nécessaire que** + subjonctif.

✸ obtenir mon diplôme?
  Il faut que j'obtienne mon diplôme.
ou *Il n'est pas nécessaire que j'obtienne mon diplôme.*

1. payer mes frais de scolarité?
2. apprendre l'espagnol?
3. devenir riche?
4. acheter une nouvelle voiture?
5. devenir végétarien(ne)?
6. prendre des vitamines?
7. recevoir une bonne note en français?
8. voir le professeur avant l'examen?
9. nettoyer ma chambre tous les week-ends?
10. boire un bon café au petit déjeuner?
11. revenir à l'université l'année prochaine?
12. me souvenir de l'anniversaire de mon copain / ma copine?

9 Des bons conseils •

Avec votre partenaire, dites ce que les personnes suivantes doivent ou ne doivent pas faire dans leurs circonstances particulières.

✸ Mélanie a un examen.
  • sortir ce soir?   *Il ne faut pas qu'elle sorte ce soir.*
  • réviser ses cours?   *Il faut qu'elle révise ses cours.*

1. Thomas a la grippe.
   • prendre de l'aspirine?
   • boire du thé chaud?
   • se lever?
   • sortir avec ses copains?

2. Élodie voit un accident.
   • quitter les lieux (*site*)?
   • appeler la police?
   • prendre des photos?

3. Julie va à Tokyo cet été.
   • apprendre le japonais?
   • acheter un dictionnaire?
   • devenir végétarien(ne)?

4. Mon cousin a eu un accident avec la voiture de sa mère.
   • accuser le voisin?
   • dire la vérité?
   • payer la réparation?

5. Nicolas est secrètement amoureux de Léa mais il est très timide.
   • lui écrire un poème?
   • lui écrire une lettre d'amour anonyme?
   • lui envoyer des fleurs (*flowers*)?

6. Émilie est invitée à la cérémonie des Oscars.
   • refuser l'invitation?
   • acheter une nouvelle robe?
   • prendre son appareil-photo?

D. Le subjonctif après les expressions d'opinion — TO EXPRESS CERTAIN OPINIONS

Note how certain opinions are expressed in French:

Il est important que vous gardiez votre culture.

It is important that you keep your culture.

Il est essentiel que nous protégions l'environnement.

It is essential that we protect the environment.

> The subjunctive is used after many EXPRESSIONS OF OPINION according to the pattern:
>
> | **il est** + adjective + **que** + SUBJUNCTIVE | **Il est important que j'obtienne** mon diplôme. |
> | --- | --- |

⟹ Note that in the above sentences, the opinions concern specific persons. If the opinion is a general one, the following construction is used:

> **il est** + adjective + **de** + INFINITIVE

Compare the following sentences:

infinitive	subjunctive
En général...	En particulier...
il est utile d'apprendre des langues.	**il est utile que tu apprennes** le chinois.
il est essentiel de maintenir ses traditions.	**il est essentiel que les gens maintiennent** leurs traditions.

10 C'est important?

Dites si les choses suivantes sont importantes ou non pour vous. Comparez votre réponse avec votre partenaire.

✶ finir l'université

Oui, il est important que je finisse l'université.

ou *Non, il n'est pas important que je finisse l'université.*

1. recevoir un «A» en français
2. trouver un job cet été
3. voyager à l'étranger
4. apprendre plusieurs langues
5. gagner beaucoup d'argent
6. voter aux élections
7. devenir célèbre (*famous*)
8. dire toujours la vérité

Vocabulaire: Quelques expressions d'opinion

Il est bon	**Il est nécessaire**	**Il est normal** (*to be expected*)
Il est essentiel	**Il est regrettable**	**Il est juste** (*fair*)
Il est important	**Il est préférable**	**Il est dommage** (*too bad*)
Il est indispensable	**Il est utile**	**Il vaut mieux** (*it is better*)

11 **Pour un monde meilleur** •

Comment peut-on améliorer (*to improve*) le monde? Exprimez votre opinion en utilisant les expressions encadrées avec les sujets suivants.

✹ le public / protéger l'environnement
   Il est essentiel que le public protège l'environnement.

1. on / arrêter l'expansion des armes nucléaires
2. le gouvernement / développer des sources alternatives d'énergie
3. tout le monde / respecter les différences culturelles
4. la Chine / devenir plus libérale
5. la Russie / devenir plus démocratique
6. les États-Unis / maintenir des bonnes relations avec l'Europe
7. les pays riches / aider les pays pauvres
8. les Nations Unies / assurer la paix dans le monde

> normal   nécessaire
> utile   essentiel
> bon   juste
>   important

12 **Dans une démocratie moderne** •

À votre avis, comment doit fonctionner une démocratie moderne? Donnez votre opinion sur les sujets suivants en utilisant une expression du **Vocabulaire**.

✹ les jeunes / participer à la vie publique?
   Il est normal (Il est indispensable) que les jeunes participent à la vie publique.

1. le président / préserver la Constitution?
2. la Constitution / garantir la liberté de la presse?
3. les lois / protéger les libertés individuelles?
4. le Congrès / taxer les riches?
5. les journalistes / critiquer le gouvernement?
6. la police / maintenir l'ordre public?
7. le gouvernement / assurer la diversité culturelle?
8. les minorités / garder leurs traditions?

E. Le subjonctif après les verbes de volonté

TO EXPRESS WISHES

Note how WISHES are expressed in French.

Je **voudrais que vous restiez.**	I **would like you to stay.**
Je **ne veux pas que tu partes.**	I **don't want you to leave.**
Le professeur **souhaite que nous réussissions** à l'examen.	The professor **wishes that we pass** the test.

> The subjunctive is used after expressions of WILL, WISH, or DESIRE according to the construction:
>
> subject + verb + **que** + someone (or something) + SUBJUNCTIVE
>
> **Je voudrais que vous visitiez** Rome avec nous.

➡ Note that in the above sentences, the wish concerns someone other than the subject of the main verb.

If the opinion is a general one, the following construction is used:

> **il est** + adjective + **de** + INFINITIVE

Compare the following pairs of sentences:

Je veux **sortir.**	I want **to go out.**
Je veux **que tu sortes avec moi.**	I want **you to go out with me.**
Alice souhaite **visiter** Paris.	Alice wishes **to visit** Paris.
Alice souhaite **que vous visitiez** Paris.	Alice wishes **you to visit** Paris.

13 À vos souhaits! (*Best wishes*) •

Souhaitez du succès aux personnes suivantes.

✴ toi / réussir à tes examens
   Je souhaite que tu réussisses à tes examens.

1. Pauline / obtenir son diplôme
2. vous / trouver un travail en France
3. Élodie / rencontrer un garçon sympathique
4. Matthieu / gagner à la loterie
5. toi / devenir millionnaire
6. Florence et Valérie / connaître des aventures extraordinaires
7. Charlotte / écrire un best-seller
8. notre professeur / recevoir le Prix Nobel de Littérature

Vocabulaire: Verbes de volonté

accepter	*to agree*	**J'accepte**
aimer mieux	*to prefer*	**J'aime mieux**
désirer	*to wish*	**Je désire**
permettre	*to allow, give permission*	**Je permets**
préférer	*to prefer*	**Je préfère**
souhaiter	*to wish*	**Je souhaite**
vouloir	*to want*	**Je veux**
vouloir bien	*to agree, be willing*	**Je veux bien**

que vous veniez à Paris avec moi.

▸ The above verbs are often used in the conditional to make the wish or request more polite.

J'aimerais mieux que tu ne dises pas cela.   *I would prefer that you not say that.*

---

14 **Quelques services** •

Vous habitez en France. Vous passez dans les endroits suivants. À chaque endroit, expliquez le service que vous désirez. Soyez logique.

✹ chez le mécanicien
  Je voudrais que vous répariez ma voiture.

1. à la pharmacie
2. à la teinturerie (*dry cleaners*)
3. chez le photographe
4. à l'agence de voyages
5. à la station-service
6. à l'agence immobilière (*real estate*)

- réparer ma voiture
- réserver mon billet d'avion
- trouver un appartement bon marché
- changer l'huile (*oil*)
- préparer cette ordonnance (*prescription*)
- développer ces photos
- nettoyer cette veste

15 **Oui ou non?** •

Expliquez ce que les personnes veulent ou ne veulent pas. Soyez logique.

✳ les étudiants (le prof / donner un examen difficile?)
Les étudiants ne veulent pas que le prof donne un examen difficile.

1. le prof (les étudiants / préparer les cours?)
2. le patron (les employés / perdre leur temps?)
3. les employés (le patron / augmenter les salaires?)
4. le candidat (le public / voter pour lui?)
5. le public (le gouvernement / augmenter les impôts [*taxes*]?)
6. les pacifistes (les différents pays / détruire les armements nucléaires?)
7. les écologistes (on / détruire la nature?)

16 **D'accord, mais...** •

Clément veut faire certaines choses. Son camarade de chambre est d'accord, mais avec une condition. Jouez les deux rôles avec votre partenaire d'après le modèle.

✳ prendre ta voiture
(mettre de l'essence)
—***Je voudrais prendre ta voiture.***
—***Écoute, je veux bien que tu prennes ma voiture, mais je voudrais que tu mettes de l'essence.***

1. organiser une fête
(ranger l'appartement)
2. jouer de la clarinette
(fermer ta porte)
3. inviter ma copine à dîner
(préparer le repas)
4. regarder tes notes
(m'aider avec la préparation)

Phonétique: Les lettres «en» et «em»

It is important to distinguish between the nasal and non-nasal pronunciations of "en" and "em".

• "en" + *consonant* represent the nasal vowel /ɑ̃/. The "n" is not pronounced.
Répétez: d<u>en</u>tiste g<u>en</u>til <u>en</u>treprise v<u>en</u>deur ess<u>en</u>tiel vraim<u>en</u>t indisp<u>en</u>sable

• "em" + *consonant* represent the nasal vowel /ɑ̃/. The "m" is not pronounced.
Répétez: <u>em</u>ploi <u>em</u>ployer ens<u>em</u>ble ress<u>em</u>bler <u>em</u>blème

• "en" + *vowel* is pronounced /ən/
Répétez: m<u>en</u>acer g<u>en</u>ou prom<u>en</u>ade ars<u>en</u>al

• "enn" + *vowel* is usually pronounced /ɛn/
Répétez: citoy<u>enn</u>e <u>enn</u>emi moy<u>enn</u>e

• "em" + *vowel* is pronounced /əm/
Répétez: pr<u>em</u>ier d<u>em</u>ander s<u>em</u>aine r<u>em</u>ettre All<u>em</u>agne r<u>em</u>arquer

• "emm" + *vowel* is pronounced /ɛm/
Répétez: dil<u>emm</u>e EXCEPTION: f<u>emm</u>e /am/

À votre tour

Compréhension orale

Vous allez entendre plusieurs opinions. Indiquez si ces opinions sont plutôt libérales ou plutôt conservatrices.

	1	2	3	4	5	6	7	8
A. libérale								
B. conservatrice								

Conversation dirigée

You have a friend who loves to give advice. Every time you mention a problem, he/she tells you two or three things you should do or not do.

Tell your partner . . .
- you have a sore throat
- you have a very difficult exam tomorrow
- you want to lose weight
- you need money
- you don't know anyone at this university

✱ — *J'ai très mal à la gorge.*
— *Alors, il faut que tu boives du thé et que tu prennes de l'aspirine.*
   Il ne faut pas que tu sortes ce soir.

Expression libre

Décrivez au moins trois choses que vous devez faire avant la fin du mois. Comparez votre liste avec votre partenaire.

Il faut que je...
-
-
-

Expression écrite

Expliquez comment on peut améliorer (*improve*) le monde d'aujourd'hui. Pour cela, faites plusieurs suggestions, en indiquant ce qui est important, nécessaire, etc.

Pour améliorer le monde d'aujourd'hui, il faut qu'on maintienne la paix.

La mondialisation: pour ou contre?

Plusieurs étudiants francophones donnent leur opinion sur la «mondialisation» de l'économie. Ils discutent les conséquences, positives ou négatives, que cette mondialisation peut avoir sur les différents pays et sur leurs habitants.

Patricia (Suisse)

Je pense que la mondialisation est une bonne chose pour les consommateurs. Aujourd'hui tout le monde peut s'acheter les produits de la technologie moderne parce qu'ils sont **fabriqués** à bon marché dans les pays d'Asie. La mondialisation offre aussi beaucoup de possibilités aux jeunes qui n'hésitent pas à s'expatrier. Ma cousine qui travaille pour un groupe financier anglais, vient d'accepter un poste à Singapour. Là-bas, elle aura un salaire deux fois supérieur à son salaire actuel et elle fera l'expérience d'une culture nouvelle... et cela, **grâce à** la mondialisation!

manufactured

thanks to

Yasmina (France)

Il est évident que la mondialisation a des avantages, mais je pense qu'elle profite **avant tout** aux grandes entreprises multinationales. Il est regrettable qu'elle crée des dislocations économiques et sociales avec des conséquences très sérieuses pour les individus. Dans la ville où j'habite, il y a une **fabrique** de **produits** pharmaceutiques. Et bien, la direction internationale de l'entreprise a décidé de relocaliser cette fabrique en Slovaquie où les salaires sont deux fois plus bas. Résultat: cinquante personnes vont perdre leur emploi. Je doute que ces personnes-là soient très favorables à la mondialisation!

above all

factory

products

Ibrahim (Maroc)

La mondialisation permet l'expansion de l'économie globale. Cette expansion est basée sur la localisation rationnelle de la production. Dans les vingt dernières années, beaucoup d'industries de base ou de services se sont ainsi implantées en Chine et en Inde, avec comme résultat un développement économique très rapide de ces deux pays. Je suis sûr que les pays d'Afrique peuvent aussi profiter de la mondialisation.

Kouadio (Côte d'Ivoire)

Je doute que la mondialisation soit bénéfique aux pays du Tiers-Monde. Il est vrai que des emplois ont été créés dans ces pays, mais il est aussi vrai que leurs habitants travaillent dans des conditions très difficiles et gagnent des salaires **de misère** pour produire des objets réservés aux Américains ou aux Européens. En réalité, je pense que la mondialisation représente l'exploitation des pays pauvres par les pays riches, comme à l'époque du colonialisme. Je ne pense pas que ce renforcement des inégalités soit bon pour l'avenir du monde.

miserable

Émilie (Canada)

Avec la mondialisation économique est venue la mondialisation des modes de vie. Grâce à cette mondialisation, les jeunes d'aujourd'hui ont très grand nombre de points communs, qu'ils soient Québécois, Américains, Allemands, Indiens, Japonais ou Sénégalais. Ils vivent dans une culture internationale dynamique et créatrice. Personnellement, je suis très heureuse de participer à cette culture moderne. Je ne regrette vraiment pas le monde confiné de mes parents et de mes grands-parents.

Pauline (France)

Je **crains** qu'avec la mondialisation les gens oublient les richesses de leur propre culture au profit d'une culture universelle mais sans **âme**. J'ai vraiment peur que l'adoption de cette culture standardisée détruise notre humanité. Aujourd'hui nous écoutons tous la même musique **bruyante**. Nous regardons tous les mêmes films de plus en plus violents. Nous portons tous les mêmes vêtements sans style personnel. Nous consommons tous les mêmes aliments artificiels et insipides. Il est indéniable que nous vivons dans un village global. Il est regrettable cependant que ce village soit habité par des zombies.

fear
soul

extremely loud

À propos du texte

1. Quels étudiants sont pour la mondialisation? Quels étudiants sont contre?
2. Avec quel étudiant êtes-vous le plus d'accord?
3. Êtes-vous personnellement pour ou contre la mondialisation? Pourquoi?

Note culturelle
Les Français et la mondialisation

Les Français ont une vision très mitigée° de la mondialisation. Cinquante pour cent y sont plutôt° favorables et cinquante pour cent sont plutôt défavorables. Leur opinion dépend généralement du contexte géographique des effets de cette mondialisation.

Sur le plan° global, les Français pensent que la mondialisation stimule le commerce et qu'elle est donc bénéfique pour tous et particulièrement pour les pays sous-développés. Ils sont cependant concernés par les effets de l'expansion économique sur l'écologie et sur l'environnement.

Sur le plan national, ils pensent que la France ne profite pas spécialement de la mondialisation. Ils redoutent° aussi la perte° de l'identité nationale.

Mais c'est sur le plan personnel que les Français sont le plus pessimistes. Beaucoup ont peur de perdre leur emploi. Cette menace spécifique explique le mieux les réserves° de l'opinion française sur la mondialisation.

Source: "Les Français se méfient de la mondialisation" Le Journal du Management, 11 mai 2005.

> **À votre avis**
>
> 1. Est-ce que les Américains sont plutôt favorables ou défavorables à la mondialisation? Pourquoi?
> 2. Est-ce que la mondialisation a des effets plutôt positifs ou plutôt négatifs pour...
>   - l'économie mondiale?
>   - les pays sous-développés?
>   - les États-Unis?
>   - votre situation personnelle?
>
> Expliquez.

---

mitigée *ambivalent*   **plutôt** *more or less*   **plan** *level*   **redoutent** *fear*   **perte** *loss*   **réserves** *reservations*

La langue française

A. Les verbes *croire* et *craindre*

The verbs **croire** (*to believe*) and **craindre** (*to fear*) are irregular.

infinitive	**croire**	**craindre**
present	je **crois**	je **crains**
	tu **crois**	tu **crains**
	il/elle/on **croit**	il/elle/on **craint**
	nous croyons	nous craignons
	vous croyez	vous craignez
	ils/elles **croient**	ils/elles craignent
passé composé	j'**ai** cru	j'**ai** craint

⟹ Note the following constructions with **croire**.

croire (+ *noun*)	to believe (somebody or something)	Je ne **crois** pas les journalistes. Je ne **crois** pas cette histoire.
croire à (+ *noun*)	to believe in (something)	Je **crois au** progrès scientifique.

Verbes conjugués comme *craindre*

craindre	*to fear*	Qu'est-ce que vous **craignez**?
plaindre	*to feel sorry for*	Je **plains** les gens pessimistes.
se plaindre	*to complain*	Les étudiants **se plaignent** de l'examen.

1 **Oui ou non?** •

Décrivez les personnes suivantes selon leur personnalité. Soyez logique!

✻ Vous êtes courageux. (craindre le danger?)
Vous ne craignez pas le danger.

1. Thomas est superstitieux. (croire à son horoscope?)
2. Émilie et Céline sont pessimistes. (croire à l'avenir?)
3. Les journalistes sont critiques. (se plaindre du gouvernement?)
4. Nous sommes idéalistes. (croire au progrès social?)
5. Tu es pacifiste. (craindre la guerre?)
6. Vous êtes optimistes. (craindre l'avenir?)
7. Nicolas est déprimé. (se plaindre de tout?)
8. Pierre et Julie sont amoureux. (croire au bonheur?)

Proverbe

xxxxxxxxxxxxxxxxxxxxxxx

Voir, c'est croire.

B. Les subjonctifs irréguliers

The SUBJUNCTIVE forms of **être** and **avoir** have IRREGULAR STEMS and ENDINGS.

infinitive	**être**	**avoir**
present subjunctive	que je **sois**	que j' **aie**
	que tu **sois**	que tu **aies**
	qu'il/elle/on **soit**	qu'il/elle/on **ait**
	que nous **soyons**	que nous **ayons**
	que vous **soyez**	que vous **ayez**
	qu'ils/elles **soient**	qu'ils/elles **aient**

2 À l'agence de voyages •

Vous travaillez pour une agence de voyages. Expliquez à quelle heure les personnes suivantes doivent être à l'aéroport et ce qu'elles doivent avoir avec elles. Utilisez le subjonctif d'**être** et d'**avoir.**

✱ David (à deux heures / son passeport)
Il faut que David soit à l'aéroport à deux heures.
Il faut qu'il ait son passeport.

1. Carole (à dix heures / son visa)
2. vous (à trois heures et demie / vos bagages)
3. ces touristes (à quatre heures dix / leurs billets d'avion)
4. toi (à huit heures / ta carte d'embarquement [*boarding pass*])
5. nous (à six heures moins le quart / nos valises [*suitcases*])
6. M. et Mme Sénéchal (à sept heures et quart / une pièce d'identité)

3 Et vous? •

Quelle est l'importance des choses suivantes pour vous? Indiquez votre opinion en utilisant les adjectifs suggérés.

✱ *Il est indispensable que je sois en bonne santé, mais il n'est pas indispensable que je sois riche.*

important?
nécessaire?
esssentiel?
indispensable?

• avoir une profession intéressante
• être riche
• être en bonne santé
• avoir de bons amis
• avoir de bons rapports avec tout le monde
• être optimiste

The SUBJUNCTIVE forms of the verbs below have IRREGULAR STEMS, but regular ENDINGS.

verbs with one subjunctive stem				verbs with two subjunctive stems		
	faire	**pouvoir**	**savoir**		**aller**	**vouloir**
que je	fasse	puisse	sache	que j'	aille	veuille
que tu	fasses	puisses	saches	que tu	ailles	veuilles
qu'il/elle/on	fasse	puisse	sache	qu'il/elle/on	aille	veuille
que nous	fassions	puissions	sachions	que nous	**allions**	**voulions**
que vous	fassiez	puissiez	sachiez	que vous	**alliez**	**vouliez**
qu'ils/elles	fassent	puissent	sachent	qu'ils/elles	aillent	veuillent

④ Obligations personnelles ·

Dites si oui ou non vous devez faire les choses suivantes. Commencez vos phrases par **il faut que** ou **il n'est pas nécessaire que**.

✸ *Ce week-end, il n'est pas nécessaire que je fasse les courses.*

ce week-end
• aller au supermarché
• faire les courses
• faire ma lessive (*laundry*)
• faire du sport
• aller à la bibliothèque

dans la vie
• pouvoir gagner un bon salaire
• faire des économies
• faire beaucoup de voyages
• savoir parler français
• savoir toujours la vérité

⑤ La démocratie ·

Dites que les choses suivantes sont importantes ou non dans une démocratie. Commencez vos phrases par **Il est très (assez, pas du tout) important que**.

✸ l'électorat / être bien informé
   Il est très important que l'électorat soit bien informé.

1. le président / être honnête
2. tout le monde / pouvoir voter
3. les citoyens / vouloir participer à la vie politique
4. le public / savoir la vérité
5. le gouvernement / faire les réformes nécessaires
6. chaque personne / pouvoir exprimer ses opinions
7. les journalistes / pouvoir avoir accès aux membres du gouvernement
8. les gens pauvres / aller à l'université

C. Le subjonctif après les expressions de doute — TO EXPRESS DOUBT AND CERTAINTY

Note how CERTAINTY and DOUBT are expressed in the following sentences.
Compare the verbs in each set of sentences.

CERTAINTY	DOUBT
Je **sais que** vous **parlez** français.	Je **doute que** vous **parliez** chinois.
Je **pense que** vous **êtes** français.	Je **ne pense pas que** vous **soyez** américain.
Je **suis sûr que** tu **as** mon adresse.	Je **ne suis pas sûr que** tu **aies** mon adresse email.
Je **crois que** vous **habitez** à Paris.	Je **ne crois pas que** vous **habitiez** en Suisse.

> The INDICATIVE is used after expressions of BELIEF and CERTAINTY.
> The SUBJUNCTIVE is used after expressions of DOUBT, DISBELIEF, and UNCERTAINTY.

➡ An expression of CERTAINTY may become an expression of DOUBT when it is used in the NEGATIVE or INTERROGATIVE form. Compare:

Certainty: indicative	Doubt: subjunctive
Tu crois que Pierre **est** ambitieux.	**Tu ne crois pas** qu'il **soit** patient.
Je pense que Julie **est** très riche.	**Penses-tu** qu'elle **soit** généreuse?
Vous êtes sûr que Marc **a** son billet.	**Êtes-vous sûr** qu'il **ait** aussi son passeport?
Il est vrai que le français **est** utile.	**Il n'est pas vrai** que le français **soit** inutile.

6 L'optimiste et le pessimiste ·

L'optimiste voit le monde d'une façon positive. Le pessimiste voit le monde d'une façon négative. Jouez les deux rôles avec votre partenaire.

✴ la vie / être belle

L'OPTIMISTE: *Je crois que la vie est belle.*
LE PESSIMISTE: *Et bien, moi, je ne crois pas que la vie soit belle.*

1. le français / être une langue utile
2. les professeurs / être sympathiques
3. les gens / être honnêtes
4. les jeunes / être idéalistes
5. l'avenir / être plein (*full*) de promesses
6. les journalistes / dire la vérité
7. le président / avoir des idées brillantes
8. les politiciens / vouloir faire des réformes

Vocabulaire: Verbes et expressions de certitude et de doute

expressions de certitude (+ INDICATIF)	expressions de doute (+ SUBJONCTIF)
je sais que...	**je doute que...**
je dis que...	**je ne dis pas que...**
je crois que...	**je ne crois pas que...**
	crois-tu que...?
je pense que...	**je ne pense pas que...**
	penses-tu que...?
je suis sûr(e) que...	**je ne suis pas sûr(e) que...**
	es-tu sûr(e) que...?
il est sûr / vrai / certain que...	**il n'est pas sûr / vrai / certain que...**
	est-il sûr / vrai / certain que...?
il est clair que...	**il est douteux que...**
il est évident que...	**il est possible que...**
	il est impossible que...

7 Notre monde

Exprimez votre opinion sur les sujets suivants en utilisant une expression du **Vocabulaire.**
Est-ce que votre partenaire a la même opinion?

✹ La situation économique est excellente?
— *Je suis sûr (Il est certain) que la situation économique est excellente.*
— *Je doute (Il n'est pas sûr) que la situation économique soit excellente.*

1. L'Europe est une superpuissance?
2. La Chine est un rival économique des États-Unis?
3. Le monde est en sécurité?
4. La démocratie se développe rapidement?
5. Le terrorisme est une très grande menace pour les États-Unis?
6. Les pays d'Afrique deviennent prospères?
7. Les Nations Unies peuvent maintenir la paix dans le monde?
8. La recherche médicale fait de grands progrès?
9. La mondialisation aide les pays pauvres?
10. Les gens perdent leur culture?

8 À votre avis?

Demandez à votre partenaire quelle est son opinion sur les sujets suivants. Commencez vos
questions par **Crois-tu que...** Votre partenaire peut expliquer sa position.

✹ les extra-terrestres / exister?
— *Crois-tu que les extra-terrestres existent?*
— *Non, je ne crois pas que les extra-terrestres existent. Je n'ai jamais vu d'extra-terrestres.*

1. le grand amour / exister?
2. l'argent / faire le bonheur?
3. la science / pouvoir tout expliquer?
4. la société / être trop violente?
5. le terrorisme / être une réalité?
6. une guerre nucléaire / être possible?
7. la mondialisation / être une bonne chose?
8. les Nations Unies / pouvoir maintenir la paix?

D. Le subjonctif après les expressions d'émotion — TO EXPRESS FEELINGS

Note how feelings (happiness, sadness) are expressed in French. On the left, the subject expresses feelings about his or her own actions. On the right, the subject expresses feelings about the actions of others.

Je suis content **d'aller** en France.	Je suis content **que mes amis aillent** en France.
Je suis heureux **de visiter** Paris.	Je suis heureux **que vous visitiez** Paris.
Je suis triste **de partir.**	Je suis triste **que vous partiez.**

To express the subjects' feelings about the ACTIONS OF ANOTHER PERSON, the following construction is used:

expression of emotion + **que** + SUBJUNCTIVE	**Je regrette que vous partiez.**

To express the subjects' feelings about THEIR OWN ACTIONS, the following construction is used:

expression of emotion + **de** + INFINITIVE	**Pauline est triste de partir.**

9 Contents ou non?

Dites si les personnes suivantes sont contentes ou non des actions d'autres personnes et expliquez pourquoi.

✳ le professeur / les étudiants sont paresseux
  Le professeur n'est pas content que les étudiants soient paresseux.

1. le patron / les employés sont travailleurs (*hard-working*)
2. Vincent / ses parents sont généreux avec lui
3. Isabelle / son copain sort avec une autre fille
4. Jérôme / sa copine est en retard au rendez-vous
5. le professeur / les étudiants font des progrès en français
6. l'entraîneur (*coach*) / l'équipe perd le match
7. les écologistes / on fait des économies d'énergie
8. mes parents / je réussis dans mes cours
9. M. Dupont / sa fille a un bon travail

Vocabulaire: Les émotions

la joie (*happiness*)	**la tristesse et le regret**
être content (*happy*)	**être triste**
être heureux/heureuse	**être malheureux/malheureuse**
être ravi (*delighted*)	**être désolé** (*very sad*)
	regretter
	déplorer
l'étonnement (*amazement*)	**la crainte** (*fear*)
être surpris	**avoir peur**
être étonné (*astonished*)	**craindre**
la fierté (*pride*)	**la colère** (*anger*)
être fier/fière (*proud*)	**être furieux/furieuse** (*mad, furious*)

10 Relations personnelles

Exprimez votre réaction personnelle aux situations suivantes. Utilisez l'expression qui reflète cette émotion.

❋ Votre grand-mère est malade.
Je suis triste (Je crains) que ma grand-mère soit malade.

1. Votre meilleur(e) ami(e) est malade.
2. Il n'y a pas d'examens ce trimestre.
3. Il fait beau ce week-end.
4. Vos cousins gagnent à la loterie.
5. Votre copain/copine ne vient pas à un rendez-vous.
6. Votre mère a une promotion dans son travail.
7. Votre camarade de chambre a un accident avec votre voiture.
8. L'équipe de votre université gagne un match important.

11 D'accord ou non?

Avec votre partenaire, exprimez vos réactions aux situations suivantes, en utilisant les expressions du **Vocabulaire**. Êtes-vous d'accord ou non?

❋ Le président est démocrate/républicain.
  —Je suis content(e) que le président soit démocrate (républicain).
  —Et bien moi, je déplore que le président soit démocrate (républicain).

1. Le prochain (*next*) président est une femme.
2. Les États-Unis sont un pays capitaliste.
3. Les chefs d'entreprise ont des salaires extraordinaires.
4. Les Américains sont patriotes.
5. La Chine devient une superpuissance (*superpower*).
6. Les Européens ne sont pas toujours d'accord avec nous.
7. Beaucoup de gens sont opposés à la mondialisation.

E. Le subjonctif après certaines conjonctions

TO EXPRESS POTENTIAL SITUATIONS

Note the use of the SUBJUNCTIVE in the following sentences.

Le professeur répète
  pour que les élèves comprennent.

The professor repeats
  ***so that** the students understand.*

Thomas téléphone à Cécile
  avant qu'elle aille en Italie.

Thomas calls Cécile
  ***before** she goes to Italy.*

Je te prête ma voiture
  à condition que tu sois prudent.

I am loaning you my car
  ***on the condition that** you be careful.*

The SUBJUNCTIVE is used after certain CONJUNCTIONS which express:	
• PURPOSE **or** INTENT **pour que**	Je te passe mon portable **pour que tu prennes** ma photo.
• TIME LIMIT **avant que**	Je vous téléphonerai **avant que vous partiez.**
• CONDITION **à condition que**	Nous irons à la plage **à condition qu'il fasse** beau.

⟹ The above conjunctions introduce potential situations which have NOT YET HAPPENED. The speaker is not sure that they will occur, and therefore uses the subjunctive.

⟹ The situation concerns someone or something other than the subject of the main clause.

12 À la résidence universitaire •

Vous habitez dans une résidence universitaire en France. Vous demandez à votre camarade de chambre (votre partenaire) de faire certaines choses. Il/Elle accepte à condition que vous fassiez certaines choses. Suivez le modèle.

✱ organiser une fête / nettoyer l'appartement après
  — *Est-ce que je peux organiser une fête?*
  — *Écoute, je veux bien que tu organises une fête...*
    mais à condition que tu nettoies l'appartement après.

1. inviter un copain à dîner / faire la vaisselle
2. utiliser ton portable / payer les communications
3. mettre du rock / fermer ta porte
4. ouvrir la fenêtre / mettre le chauffage (*heat*)
5. prendre ta voiture / payer l'essence (*gas*)
6. rentrer à deux heures du matin / ne pas faire de bruit (*noise*)
7. utiliser ton ordinateur / ne pas regarder mes emails
8. emprunter tes notes / les rendre avant l'examen

The INFINITIVE is used after the PREPOSITIONS **pour, avant de, à condition de** when the subject does not change.

Charlotte viendra…
pour parler de son voyage.
avant de partir en Italie.
à condition d'être invitée.

Charlotte viendra…
pour que vous parliez de votre voyage.
avant que vous partiez en vacances.
à condition que vous soyez là.

The INDICATIVE is used after CONJUNCTIONS introducing actual situations, rather than hypothetical situations which have not yet happened.

parce que (*because*)	Je travaille **parce que** j'**ai** besoin d'argent.
pendant que (*while*)	Nous faisons une promenade **pendant qu'**il **fait** beau.
depuis que (*since*)	Nous parlons français **depuis que** nous **sommes** à Paris.

13 Pour quelle raison? •

Expliquez pourquoi les personnes suivantes font certaines choses pour d'autres personnes.

✳ Philippe donne son adresse à Stéphanie / écrire pendant les vacances
Philippe donne son adresse à Stéphanie pour qu'elle écrive pendant les vacances.

1. Julie donne son numéro de portable à Léa / téléphoner ce soir
2. Pierre donne de l'argent à son camarade de chambre / faire les courses
3. Madame Dupont envoie un chèque à sa fille / payer la scolarité
4. Monsieur Lebel paie les études de son fils / devenir médecin
5. Patricia donne son appareil-photo à sa cousine / prendre des photos
6. le professeur écrit des lettres de recommandation aux élèves / trouver du travail
7. le candidat parle aux électeurs / voter pour lui
8. le public vote pour le président / faire des réformes

14 Vous êtes le président! •

Vous êtes le (la) président(e) d'une grande entreprise internationale. Aujourd'hui vous avez une réunion avec votre staff. Faites votre présentation en complétant les phrases suivantes.

✹ Je vous ai convoqués pour que...
  (nous / discuter de la situation de l'entreprise)
  Je vous ai convoqués pour que nous discutions de la situation de l'entreprise.

1. Nos résultats ont augmenté depuis que...
   (l'entreprise / avoir des représentants en Chine)
2. J'ai engagé une agence de Tokyo pour que...
   (elle / faire de la publicité à la télévision japonaise)
3. Les résultats resteront bons à condition que...
   (la situation internationale / rester favorable)
4. Nos exportations en Europe augmentent parce que...
   (le dollar / être faible [*weak*])
5. Il faut continuer nos efforts avant que...
   (la concurrence [*competition*] / avoir de nouveaux produits)
6. Je vais augmenter votre salaire à condition que...
   (vous / avoir de meilleurs résultats)

Phonétique: Les terminaisons «-tion» et «-sion»

The endings "-tion" and "-sion" represent very different sounds in French and in English. Be sure to pronounce these endings clearly, with tension. Répétez:

-tion	/sjɔ̃/	na<u>tion</u> condi<u>tion</u> situa<u>tion</u> atten<u>tion</u> mondialisa<u>tion</u>
-stion	/stjɔ̃/	que<u>stion</u> ge<u>stion</u> sugge<u>stion</u>
-ssion	/sjɔ̃/	mi<u>ssion</u> pa<u>ssion</u> profe<u>ssion</u> posse<u>ssion</u>
-sion	/zjɔ̃/	télévi<u>sion</u> déci<u>sion</u> occa<u>sion</u> fu<u>sion</u> confu<u>sion</u>

When followed by a vowel, the "on(n)" is not nasal. Répétez:

-tion(n)-	/sjɔn/	na<u>tion</u>al excep<u>tion</u>nel
-stion-	/stjɔn/	que<u>stion</u>naire
-ssion-	/sjɔn/	mi<u>ssion</u>naire pa<u>ssion</u>né profe<u>ssion</u>nelle
-sion-	/zjɔn/	occa<u>sion</u>nel

À votre tour

Compréhension orale

Écoutez les personnes suivantes qui vont exprimer leurs opinions sur la mondialisation. Si elles ont une opinion plutôt positive, marquez A. Si elles ont une opinion plutôt négative, marquez B.

	1	2	3	4	5	6	7	8	9	10
A. pour										
B. contre										

Conversation dirigée

A good friend (your partner) is phoning to tell you what's new. Let him/her know how you feel about each bit of news.

Your partner tells you that . . .
- he/she is sick
- he/she has a new car
- he/she is going to France this summer
- he/she failed his/her exams
- he/she wants to leave **(quitter)** the university
- he/she is engaged
- his/her parents are divorcing

Expression libre

Discutez de la situation internationale avec votre partenaire. Vous êtes optimiste, votre partenaire est pessimiste. Utilisez des expressions des pages 525 et 527. Par exemple:

L'OPTIMISTE

Je suis sûr(e) que...

Je crois que...

LE PESSIMISTE

Je crains que...

Je ne crois pas que...

Expression écrite

Avez-vous une opinion positive ou négative de la vie politique et économique aux États-Unis? Exprimez vos idées dans un petit paragraphe où vous utilisez des expressions comme:

- je pense que
- je crois que
- je crains que
- je déplore que
- je doute que
- je suis heureux/heureuse que

Reference Section

I. Les sons français

	Son	Orthographe	Exemples
Voyelles orales	/a/	a, à, â	banane, là, château
	/i/	i, î	Mimi, Philippe, Nîmes
		y	Sylvie
	/e/	é	Léa
		e (devant un **z**, **t** ou **r** final et non prononcé)	chez, chalet, dîner
		ai	français
	/ɛ/	è	chère, Michèle
		ei	Seine
		ê	tête
		e (devant 2 consonnes)	Isabelle
		e (devant une consonne finale prononcée)	cher
		ai (devant une consonne finale prononcée)	française
	/u/	ou, où, oû	Loulou, où, coûter
	/y/	u, û	Lulu, dû
	/o/	o	auto
		au, eau	loyaux, beau
		ô	rôle
	/ɔ/	o	Nicole
		au	Paul
	/ø/	eu, oeu	neveu, voeux
		eu (devant la terminaison **-se**)	sérieuse
	/œ/	eu, oeu (devant une consonne finale prononcée, excepté /**z**/)	moteur, soeur
	/ə/	e	le, René
Voyelles nasales	/ɑ̃/	an, am	André, Adam
		en, em	ensemble, emblème
	/ɛ̃/	in, im	instant, important
		yn, ym	synthèse, symphonie
		ain, aim	américain, faim
		en (dans la terminaison **-ien**, **-yen**)	bien, moyen
	/ɛ̃/ or /œ̃/	un, um	brun, humble
	/ɔ̃/	on, om	on, salon, bombe

	Son	Orthographe	Exemples
Semi-voyelles	/ɥ/	**u** (devant une voyelle)	suave, Suisse
	/j/	**i, y** (devant une voyelle)	piano, Yolande, payer
		il, ill (après une voyelle)	travail, travailler
	/w/	**ou** (devant une voyelle)	oui
	/wa/	**oi** (devant une consonne)	noir
		oy	voyage
	/wɛ̃/	**oin**	loin
Consonnes	/b/	**b**	barbare
	/ʃ/	**ch**	machine
	/d/	**d**	David
	/f/	**f, ph**	Fifi, photo
	/g/	**g** (devant **a, o, u** ou consonne)	garçon, Margot, Gustave
		gu (devant **e, i, y**)	guerre, guitare, Guy
	/ʒ/	**j, je** (devant **a**)	Jacques, Jean
		g (devant **e, i, y**)	danger, Gigi
		ge (devant **a, o, u**)	changeant, Georges, courageux
	/ɲ/	**gn**	espagnol
	/l/	**l**	Lili, il
	/m/	**m**	maman
	/n/	**n**	ananas
	/p/	**p**	papa
	/r/	**r**	Robert
	/k/	**c** (devant **a, o, u** ou consonne)	cacao, Corinne, Hercule
		ch (devant **r**)	Christine
		qu	qualité
		k	kilo
	/s/	**c** (devant **e, i, y**)	Cécile
		ç (devant **a, o, u**)	garçon
		s (au début d'un mot ou avant une consonne)	Suzanne, reste
		ss	masse
		t (devant **i** + voyelle)	solution
	/z/	**s** (entre deux voyelles)	rose
		z	zéro, bronzer
	/t/	**t, th**	tante, théâtre
	/v/	**v**	Victor
	/gz/	**x** (devant **a, o, u**)	examiner
	/ks/	**x** (devant **e, i**)	taxi

II. Les verbes réguliers

A. Conjugaison régulière

Infinitif	Indicatif			
	Présent	Passé composé	Imparfait	Plus-que-parfait
Verbes en -er **parl**er	je parle tu parles il/elle/on parle nous parlons vous parlez ils/elles parlent	j'**ai** parl**é** tu **as** parlé il **a** parlé nous **avons** parlé vous **avez** parlé ils **ont** parlé	je parlais tu parlais il parlait nous parlions vous parliez ils parlaient	j'**avais** parlé tu **avais** parlé il **avait** parlé nous **avions** parlé vous **aviez** parlé ils **avaient** parlé
Verbes en -ir **fin**ir	je finis tu finis il/elle/on finit nous finissons vous finissez ils/elles finissent	j'**ai** fini tu **as** fini il **a** fini nous **avons** fini vous **avez** fini ils **ont** fini	je finissais tu finissais il finissait nous finissions vous finissiez ils finissaient	j'**avais** fini tu **avais** fini il **avait** fini nous **avions** fini vous **aviez** fini ils **avaient** fini
Verbes en -re **répond**re	je réponds tu réponds il/elle/on répond nous répondons vous répondez ils/elles répondent	j'**ai** répondu tu **as** répondu il **a** répondu nous **avons** répondu vous **avez** répondu ils **ont** répondu	je répondais tu répondais il répondait nous répondions vous répondiez ils répondaient	j'**avais** répondu tu **avais** répondu il **avait** répondu nous **avions** répondu vous **aviez** répondu ils **avaient** répondu
Verbes pronominaux **se laver**	je me lave tu te laves il/on se lave elle se lave nous nous lavons vous vous lavez ils se lavent elles se lavent	je me **suis** lavé(e) tu t'**es** lavé(e) il s'**est** lavé elle s'**est** lavée nous nous **sommes** lavé(e)s vous vous **êtes** lavé(e)(s) ils se **sont** lavés elles se **sont** lavées	je me lavais tu te lavais il se lavait elle se lavait nous nous lavions vous vous laviez ils se lavaient elles se lavaient	je m'**étais** lavé(e) tu t'**étais** lavé(e) il s'**était** lavé elle s'**était** lavée nous nous **étions** lavé(e)s vous vous **étiez** lavé(e)(s) ils s'**étaient** lavés elles s'**étaient** lavées

	Conditionnel	Subjonctif	Impératif	Participes	
Futur	Présent	Présent		Présent	Passé
je parler**ai** tu parler**as** il parler**a** nous parler**ons** vous parler**ez** ils parler**ont**	je parler**ais** tu parler**ais** il parler**ait** nous parler**ions** vous parler**iez** ils parler**aient**	que je parl**e** que tu parl**es** qu'il/elle/on parl**e** que nous parl**ions** que vous parl**iez** qu'ils/elles parl**ent**	parl**e** parl**ons** parl**ez**	parl**ant** parl**é**	
je finir**ai** tu finir**as** il finir**a** nous finir**ons** vous finir**ez** ils finir**ont**	je finir**ais** tu finir**ais** il finir**ait** nous finir**ions** vous finir**iez** ils finir**aient**	que je fini**sse** que tu fini**sses** qu'il/elle/on fini**sse** que nous fini**ssions** que vous fini**ssiez** qu'ils/elles fini**ssent**	fini**s** fini**ssons** fini**ssez**	fin**issant** fin**i**	
je répondr**ai** tu répondr**as** il répondr**a** nous répondr**ons** vous répondr**ez** ils répondr**ont**	je répondr**ais** tu répondr**ais** il répondr**ait** nous répondr**ions** vous répondr**iez** ils répondr**aient**	que je répond**e** que tu répond**es** qu'il/elle/on répond**e** que nous répond**ions** que vous répond**iez** qu'ils/elles répond**ent**	répond**s** répond**ons** répond**ez**	répond**ant** répond**u**	
je me laverai tu te laveras il se lavera elle se lavera nous nous laverons vous vous laverez ils se laveront elles se laveront	je me laverais tu te laverais il se laverait elle se laverait nous nous laverions vous vous laveriez ils se laveraient elles se laveraient	que je me lave que tu te laves qu'il/on se lave qu'elle se lave que nous nous lavions que vous vous laviez qu'ils se lavent qu'elles se lavent	lave-toi lavons-nous lavez-vous	se lavant lavé	

B. Verbes à modification orthographique

Infinitif	Indicatif			
	Présent	Passé composé	Imparfait	Plus-que-parfait
acheter	j'achète tu achètes il/elle/on achète nous achetons vous achetez ils/elles achètent	j'ai acheté	j'achetais	j'avais acheté
préférer	je préfère tu préfères il/elle/on préfère nous préférons vous préférez ils/elles préfèrent	j'ai préféré	je préférais	j'avais préféré
payer	je paie tu paies il/elle/on paie nous payons vous payez ils/elles paient	j'ai payé	je payais	j'avais payé
appeler	j'appelle tu appelles il/elle/on appelle nous appelons vous appelez ils/elles appellent	j'ai appelé	j'appelais	j'avais appelé

	Conditionnel	Subjonctif	Impératif	Participes	
Futur	Présent	Présent		Présent	Passé
j'achèterai	j'achèterais	que j'achète que tu achètes qu'il/elle/on achète que nous achetions que vous achetiez qu'ils/elles achètent	achète achetons achetez	achetant	acheté
je préférerai	je préférerais	que je préfère que tu préfères qu'il/elle/on préfère que nous préférions que vous préfériez qu'ils/elles préfèrent	préfère préférons préférez	préférant	préféré
je paierai	je paierais	que je paie que tu paies qu'il/elle/on paie que nous payions que vous payiez qu'ils/elles paient	paie payons payez	payant	payé
j'appellerai	j'appellerais	que j'appelle que tu appelles qu'il/elle/on appelle que nous appelions que vous appeliez qu'ils/elles appellent	appelant appelle appelons appelez	appelé	

III. Les verbes auxiliaires

Infinitif	Indicatif Présent	Passé composé	Imparfait	Plus-que-parfait
être	je suis tu es il/elle/on est nous sommes vous êtes ils/elles sont	j'ai été	j'étais	j'avais été
avoir	j' ai tu as il/elle/on a nous avons vous avez ils/elles ont	j'ai eu	j'avais	j'avais eu

IV. Les verbes irréguliers

Infinitif	Indicatif Présent		Passé composé	Imparfait	Plus-que-parfait
aller	je vais tu vas il/elle/on va	nous allons vous allez ils/elles vont	je suis allé(e)	j'allais	j'étais allé(e)
s'asseoir	je m'assieds tu t'assieds il/elle/on s'assied	nous nous asseyons vous vous asseyez ils/elles	je me suis assis(e) s'asseyent	je m'asseyais	je m'étais assis(e)
boire	je bois tu bois il/elle/on boit	nous buvons vous buvez ils/elles boivent	j'ai bu	je buvais	j'avais bu
conduire	je conduis tu conduis il/elle/on conduit	nous conduisons vous conduisez ils/elles conduisent	j'ai conduit	je conduisais	j'avais conduit

Futur	Conditionnel Présent	Subjonctif Présent	Impératif	Participes Présent	Passé
je serai	je serais	que je sois que tu sois qu'il/elle/on soit que nous soyons que vous soyez qu'ils/elles soient	sois soyons soyez	étant	été
j'aurai	j'aurais	que j'aie que tu aies qu'il/elle/on ait que nous ayons que vous ayez qu'ils/elles aient	aie ayons ayez	ayant	eu

Futur	Conditionnel Présent	Subjonctif Présent	Participe Présent	Autres verbes ayant une conjugaison semblable
j'irai	j'irais	que j'aille que nous allions	allant	
je m'assiérai	je m'assiérais	que je m'asseye que nous nous asseyions	s'asseyant	
je boirai	je boirais	que je boive que nous buvions	buvant	
je conduirai	je conduirais	que je conduise que nous conduisions	conduisant	construire détruire produire traduire

Infinitif	Indicatif		Passé composé	Imparfait	Plus-que-parfait
	Présent				
connaître	je connais tu connais il/elle/on connaît	nous connaissons vous connaissez ils/elles connaissent	j'ai connu	je connaissais	j'avais connu
courir	je cours tu cours il/elle/on court	nous courons vous courez ils/elles courent	j'ai couru	je courais	j'avais couru
croire	je crois tu crois il/elle/on croit	nous croyons vous croyez ils/elles croient	j'ai cru	je croyais	j'avais cru
devoir	je dois tu dois il/elle/on doit	nous devons vous devez ils/elles doivent	j'ai dû	je devais	j'avais dû
dire	je dis tu dis il/elle/on dit	nous disons vous dites ils/elles disent	j'ai dit	je disais	j'avais dit
écrire	j'écris tu écris il/elle/on écrit	nous écrivons vous écrivez ils/elles écrivent	j'ai écrit	j'écrivais	j'avais écrit
envoyer	j'envoie tu envoies il/elle/on envoie	nous envoyons vous envoyez ils/elles envoient	j'ai envoyé	j'envoyais	j'avais envoyé
faire	je fais tu fais il/elle/on fait	nous faisons vous faites ils/elles font	j'ai fait	je faisais	j'avais fait
falloir	il faut		il a fallu	il fallait	il avait fallu
lire	je lis tu lis il/elle/on lit	nous lisons vous lisez ils/elles lisent	j'ai lu	je lisais	j'avais lu

Futur	Conditionnel Présent	Subjonctif Présent	Participe Présent	Autres verbes ayant une conjugaison semblable
je connaîtrai	je connaîtrais	que je connaisse que nous connaissions	connaissant	disparaître reconnaître
je courrai	je courrais	que je coure que nous courions	courant	
je croirai	je croirais	que je croie que nous croyions	croyant	
je devrai	je devrais	que je doive que nous devions	devant	
je dirai	je dirais	que je dise que nous disions	disant	contredire (vous contredisez) interdire (vous interdisez) prédire (vous prédisez)
j'écrirai	j'écrirais	que j'écrive que nous écrivions	écrivant	décrire
j'enverrai	j'enverrais	que j'envoie que nous envoyions	envoyant	
je ferai	je ferais	que je fasse que nous fassions	faisant	
il faudra	il faudrait	qu'il faille		
je lirai	je lirais	que je lise que nous lisions	lisant	élire

Infinitif	Indicatif		Passé composé	Imparfait	Plus-que-parfait
	Présent				
mettre	je mets tu mets il/elle/on met	nous mettons vous mettez ils/elles mettent	j'ai mis	je mettais	j'avais mis
ouvrir	j'ouvre tu ouvres il/elle/on ouvre	nous ouvrons vous ouvrez ils/elles ouvrent	j'ai ouvert	j'ouvrais	j'avais ouvert
partir	je pars tu pars il/elle/on part	nous partons vous partez ils/elles partent	je suis parti(e)	je partais	j'étais parti(e)
pleuvoir	il pleut		il a plu	il pleuvait	il avait plu
pouvoir	je peux tu peux il/elle/on peut	nous pouvons vous pouvez ils/elles peuvent	j'ai pu	je pouvais	j'avais pu
prendre	je prends tu prends il/elle/on prend	nous prenons vous prenez ils/elles prennent	j'ai pris	je prenais	j'avais pris
recevoir	je reçois tu reçois il/elle/on reçoit	nous recevons vous recevez ils/elles reçoivent	j'ai reçu	je recevais	j'avais reçu
savoir	je sais tu sais il/elle/on sait	nous savons vous savez ils/elles savent	j'ai su	je savais	j'avais su
suivre	je suis tu suis il/elle/on suit	nous suivons vous suivez ils/elles suivent	j'ai suivi	je suivais	j'avais suivi

Futur	Conditionnel Présent	Subjonctif Présent	Participe Présent	Autres verbes ayant une conjugaison semblable
je mettrai	je mettrais	que je mette que nous mettions	mettant	permettre promettre
j'ouvrirai	j'ouvrirais	que j'ouvre que nous ouvrions	ouvrant	couvrir découvrir offrir souffrir
je partirai	je partirais	que je parte que nous partions	partant	dormir (j'ai dormi) s'endormir (je me suis endormi(e)) mentir (j'ai menti) sentir (j'ai senti) servir (j'ai servi) sortir (je suis sorti(e))
il pleuvra	il pleuvrait	qu'il pleuve	pleuvant	
je pourrai	je pourrais	que je puisse que nous puissions	pouvant	
je prendrai	je prendrais	que je prenne que nous prenions	prenant	apprendre comprendre
je recevrai	je recevrais	que je reçoive que nous recevions	recevant	apercevoir s'apercevoir (je me suis aperçu(e)) décevoir
je saurai	je saurais	que je sache que nous sachions	sachant	
je suivrai	je suivrais	que je suive que nous suivions	suivant	

Infinitif	Indicatif		Passé composé	Imparfait	Plus-que-parfait
	Présent				
venir	je viens tu viens il/elle/on vient	nous venons vous venez ils/elles viennent	je suis venu(e)	je venais	j'étais venu(e)
vivre	je vis tu vis il/elle/on vit	nous vivons vous vivez ils/elles vivent	j'ai vécu	je vivais	j'avais vécu
voir	je vois tu vois il/elle/on voit	nous voyons vous voyez ils/elles voient	j'ai vu	je voyais	j'avais vu
vouloir	je veux tu veux il/elle/on veut	nous voulons vous voulez ils/elles veulent	j'ai voulu	je voulais	j'avais voulu

Futur	Conditionnel Présent	Subjonctif Présent	Participe Présent	Autres verbes ayant une conjugaison semblable
je viendrai	je viendrais	que je vienne que nous venions	venant	devenir (je suis devenu(e)) revenir (je suis revenu(e)) se souvenir (je me suis souvenu(e)) maintenir (j'ai maintenu) obtenir (j'ai obtenu)
je vivrai	je vivrais	que je vive que nous vivions	vivant	
je verrai	je verrais	que je voie que nous voyions	voyant	prévoir (je prévoirai)
je voudrai	je voudrais	que je veuille que nous voulions	voulant	

Vocabulaire

Français-Anglais

This vocabulary includes all the words used in *Contacts* except compound numbers and grammatical terminology. The definitions given are limited to the context in which the words are used in this book. Lesson references are given for those words and expressions that are formally activated in **La langue française** sections. If a word is formally activated in more than one lesson, a reference is given for each lesson.

Regular adjectives are given in the masculine form, with the feminine endings in parentheses. Irregular adjectives are given in both the masculine and feminine forms, separated by slashes. Irregular masculine plural forms are given in parentheses.

The gender of each noun is given in parentheses. Irregular feminine or plural nouns are also noted beside the singular form. Expressions are listed according to their key word. The symbol ~ indicates repetition of the key word.

The following abbreviations are used.

VP	Vie pratique		
abbrev	abbreviation	*mpl*	masculine plural
adj	adjective	*n*	noun
adv	adverb	*obj pron*	object pronoun
art	article	*pc*	passé composé
conj	conjunction	*pl*	plural
f	feminine	*pp*	past participle
fpl	feminine plural	*prep*	preposition
inf	infinitive	*pron*	pronoun
inv	invariable	*qqch*	quelque chose
m	masculine	*qqn*	quelqu'un
m/f	masculine/feminine	*sth*	something
		v	verb

à   at, to, in 4, 9; by 15
 ~ + *city*   in/to/at + *city* 4
 ~ bientôt!   see you soon! 1
 ~ cause de   because of 30
 ~ cette époque   at that time
 ~ cheval   on horseback
 ~ condition que   provided that, on the condition that 33
 ~ côté de   beside 12; nearby, next to
 ~ demain   see you tomorrow 1
 ~ droite de   to the right of 12
 ~ gauche de   to the left of 12
 ~ ... kilomètres/mètres/minutes
   ... kilometers/meters/minutes away
 ~ l'aise   at ease
 ~ l'étranger   abroad 15
 ~ l'extérieur   outside
 ~ l'heure   on time 29

 ~ l'heure actuelle   at the present time 32
 ~ l'intérieur   inside
 ~ la campagne   in the country 22
 ~ la fois   at the same time
 ~ la mode   fashionable
 ~ la suite de   following
 ~ lundi!   see you (on) Monday! VP 2
 ~ merveille   beautifully VP 4
 ~ moins que   unless
 ~ nouveau   again
 ~ partir de   (starting) from
 ~ pied   on foot 9, VP 3
 ~ raison   rightly
 ~ tort   wrongly
 ~ tout à l'heure   see you later 1
 ~ toute vitesse   at full speed
 ~ vélo   by bicycle 9, VP 3

 ~ votre tour   your turn
abonné/abonnée (*m/f*)   subscriber
abonnement: à ~ payant   by paid subscription
abord: d'~   first; at first 24
aboyer   to bark
absolument   absolutely 31
accéder   to have access to
accepter   to accept 32
accès (*m*)   access
 ~ pour personnes handicapées   handicap access VP 8
accessoires (*mpl*)   accessories
accident (*m*)   accident 24
accord (*m*)   agreement
 d'~!   agreed! OK! all right! 5
 être d'~   to be in agreement 5

acheter to buy 11
  ~ en ligne to buy on-line VP 7
  s'~ to buy for oneself 16
acier (*m*) steel
acquis(e) acquired
acteur/actrice (*m/f*) actor/actress VP 5, 29
actif/active active 8, 28
action (*f*) action VP 5
actualité (*f*) current events VP 7
actuel/actuelle current, present, of today 32
  à l'heure (*f*) **~** at this time
actuellement at present, currently 32
addition (*f*) check, bill (*in a restaurant*) VP 1
administration (*f*) **des affaires** business administration 20
adorer to love 2
adoucir to soften
  ~ les moeurs to have a civilizing influence
adresse (*f*) address
  ~ électronique (e-mail) address VP 7
adresser: s'~ à to address oneself to
aérobic (*f*): **faire de l'~** to do aerobics
aéroport (*m*) airport
affaire (*f*) bargain
affaires (*fpl*) business 31
  administration des ~ business administration 17
  femme (*f*) **d'~** businesswoman 29
  homme (*m*) **d'~** businessman 29
affiche (*f*) poster 7
affreux/affreuse awful
africain(e) (*adj*) African 16
Afrique (*f*) Africa
  ~ du Nord North Africa
âge age 13
  Quel ~ ...? How old ...?
agence (*f*) **de voyages** travel agency
agent (*m*) **de police** police officer, policeman
agglomération (*f*) town, urban area
agneau (*m*) lamb (meat)
agrandir: s'~ to expand
agréable nice, pleasant 22
agriculteur/agricultrice (*m/f*) farmer
ah bon! OK!
aider to help 20
aïe! ouch!
ailleurs elsewhere 30
aimer to like, to love 3, 4, 17, 20, 27, 28
  ~ bien to like 3, 27
  ~ mieux to prefer 32
aîné(e) (*adj*) older 10
ainsi in that manner, so, thus
  ~ que as well as
air (*m*): **avoir l'~ + ** *adj.* to look, to seem
  ~ conditionné air conditioning VP 8
  en plein ~ outdoors
aise (*f*): **à l'~** at ease
alcool (*m*) alcohol
alcoolique (*adj*) alcoholic
algérien(ne) (*adj*) Algerian
alimentaire dietary
  habitude (*f*) **~** dietary habit
  produit (*m*) **~** food

alimentation (*f*) food VP 6
Allemagne (*f*) Germany 16
allemand (*m*) German (*language*)
allemand(e) (*adj*) German 8, 16
aller to go 9, VP 3, 15, 23, 28
  **~ + ** *inf* to be going to + *inf* 9
  ~ à qqn to fit someone VP 4
  ~-retour (*m*) round trip VP 10
  ~ simple (*m*) one-way VP 10
  s'en ~ to go away, to leave 27
allié(e) (*m/f*) ally
allô hello (*on the phone*) VP 2
alors therefore; then, so 12; at that moment 29
  ~? so? 12
alpinisme (*m*) mountaineering 25
ambitieux/ambitieuse ambitious 8, 28
améliorer to improve
amener to bring/take along 11
Américain/Américaine (*m/f*) American 8
américain(e) (*adj*) American 1, 2, 16
américaniser: s'~ to become Americanized
Amérique (*f*) America, the Americas 16
ami(e) (*m/f*) friend 2
amitié (*f*) friendship 27
amour (*m*) love 27
amoureux/amoureuse de in love with 27
  follement ~ completely in love
  tomber ~ de to fall in love with 27
amphis (*mpl*) lecture halls
ampleur (*f*) magnitude
amusant(e) amusing 8
amuser: s'~ to have fun 27
an (*m*) year VP 2, 6, 14
  avoir ... ans to be ... years old 13
  tous les ans every year
anathème (*m*) something condemned
ancien/ancienne (*adj*) old 22; former
anglais (*m*) English (*language*) 3, 8
anglais(e) (*adj*) English 1, 7, 16
Anglais/Anglaise (*m/f*) English person 7, 16
Angleterre (*f*) England 16
animal (*m*) animal 10
animation (*f*) animation 22
animé(e) full of life, lively 22
année (*f*) year 14
  ~ de naissance year of birth
  bonne ~! Happy New Year!
  cette ~ this year 14
anniversaire (*m*) birthday 14
  fête d'~ birthday party 29
  mon ~ est ... my birthday is ... 6
annonce (*f*) ad (advertisement); classified ad 21
annoncer (à) to tell, to announce
annuaire (*m*) directory
annuler to cancel
anonymat (*m*) anonymity
anorak (*m*) parka
antenne parabolique (*f*) satellite dish
anthropologie (*f*) anthropology 20
antillais(e) (*adj*) West Indian

Antilles (*fpl*) West Indies
antiquaire (*m/f*) antique dealer
antipathique (*adj*) unpleasant 8
août (*m*) August 6
apercevoir to catch a glimpse of, to see 29
  s'~ to realize 29
apéritif (*m*) before-dinner drink
appareil (*m*) camera; telephone; piece of equipment
  ~ ménager household appliance
  qui est à l'~? who is calling? VP 2
appareil-photo (*m*) camera 7
  ~ numérique digital camera VP 7
appartement (*m*) apartment 9, VP 3, 12, 22
appartenir to belong
appeler to call VP 2
  comment vous appelez-vous? what is your name?
  comment t'appelles-tu? what is your name? 1
  je m'appelle ... my name is ... 1
  s'~ to be called, to be named 27
appliquer: s'~ to apply
apporter to bring 11
apprendre (à) to learn 18, 28
approcher: s'~ de to come close to
après after 14, 31
  ~ tout after all
  d'~ according to 22
  d'~ vous in your opinion
après-demain day after tomorrow 14
après-guerre: d'~ post-war
après-midi (*m*) afternoon 1, 14
  cet ~ this afternoon 14
  de l'~ in the afternoon (P.M.) 1
  demain ~ tomorrow afternoon 14
Arc (*m*) **de Triomphe** Arch of Triumph (*monument in Paris*)
arche ~ perdue lost ark
architecte (*m/f*) architect 16, 29
architecture (*f*) architecture 20
argent (*m*) money 12; silver VP 4
armée (*f*) army 3
arrêt (*m*) **d'autobus** bus stop
arrêter to arrest, to halt
  s'~ (de) to stop 27, 28
arrivée (*f*) arrival 30
arriver to arrive 9, 15, 24; to come 15, 23; to happen, 24
  ~ à to arrive at 9
  ~ de to come from 9
  j'arrive I'm coming
art (*m*) art 9
  le septième ~ the seventh art (*film making*)
  beaux-arts (*mpl*) fine arts 20
article (*m*) item VP 6
artistique (*adj*) artistic
ascenseur (*m*) elevator VP 8
asiatique (*adj*) Asian 16
Asie (*f*) Asia 16
aspirine (*f*) aspirin 25, VP 9
asseoir: s'~ to sit down 27

assez   enough; rather, fairly 5
  ~ bien   okay
  ~ (de)   enough (of) 18
  ~ loin   pretty far VP 3
assiette (*f*)   plate
assis(e)   seated 27
assistant (*m*) **personnel numérique**   palm organizer
assistant social/assistante sociale (*m/f*)   social worker
assister à   to attend, to go to VP 5, 24; to be present at 24
association (*f*): **liberté** (*f*) **d'~**   freedom of assembly
associer: s'~   team up
je t'assure   I assure you
athlétisme (*m*): **faire de l'~**   to do track and field
atomique: centrale (*f*) **~**   nuclear power plant
atroce   atrocious
attendre   to wait for, to expect 13, 20
attentif/attentive   attentive 28
attention: faire ~ à   to pay attention to 12
  ~!   Careful! VP 2
attentivement   attentively
attraper   to catch
  ~ un virus   to catch a virus
au contraire   on the contrary 22
au courant   well-informed; on top of
au début   at first, in the beginning
au lieu de   instead of 31
au milieu de   in the middle of
au pair   au pair (providing childcare in exchange for room and board)
au revoir   good-by 1, VP 2
auberge (*f*)   inn
  ~ à la campagne   country inn VP 8
  ~ de jeunesse   youth hostel VP 8
aucun(e): ne ... ~   none, not any
audiovisuel: équipement (*m*) **~**   audio-visual equipment
augmentation (*f*)   increase
augmenter   to increase
aujourd'hui   today 10, 14; now 14
aussi   also, too 5; as, so
  ~ ... que   as ... as 12
  moi ~   me too 6
Australie (*f*)   Australia 16
australien/australienne (*adj*)   Australian 16
autant   as much, as many
  ~ ... que (*conj*)   as much as
auteur (*m*)   author
auto (*f*)   car 7
autobus (*m*)   bus
  arrêt (*m*) **d'~**   bus stop
automne (*m*)   fall, autumn 6, 10
  en ~   in fall 10
auto-stop (*m*)   hitchhiking
  faire de l'~   to hitchhike
autour de   around
autre (*adj*)   other 17, 19
  ~ chose   something else

un(e) ~ ...   another ... 19
autre (*pron*)   other (one)
autrefois   formerly, in the past 23; then
Auvergne (*f*)   *region in central France*
avance (*f*): **avoir ... minutes d'~**   to be ... minutes early
  en ~   ahead of time, early 29
avant   before 14
  ~ de   before 31
  ~ que   before 33
avantage (*m*)   advantage 22
avant-hier   day before yesterday 14
avare   stingy
avec   with 4
  et ~ ça?   anything else? VP 1, VP 6
avenir (*m*)   future 30
aventure (*f*)   adventure
avenue (*f*)   avenue 22
avion (*m*)   airplane
  en ~   by airplane 9
  par ~   by air mail
aviron (*m*): **faire de l'~**   to row, to do crew
avis (*m*)   opinion
  à mon ~   in my opinion 12, 22
avocat/avocate (*m/f*)   lawyer 29
avoir   to have 7
  ~ ... ans   to be ... years old 13
  ~ besoin de   to need, to have to 7, 13
  ~ chaud   to be hot 13
  ~ confiance   to trust
  ~ conscience   to be aware
  ~ de la chance   to be lucky
  en ~ assez   to have enough
  ~ envie de   to feel like, to want to 13
  ~ faim   to be hungry 13
  ~ froid   to be cold 13
  ~ l'air + *adj*   to seem, to look 25
  ~ l'intention de   to plan to, to intend to 13
  ~ l'occasion (de)   to have the opportunity (to)
  ~ la nausée   to feel nauseous, sick VP 9
  ~ la passion de ...   to love to ...
  ~ lieu   to take place 14, 24
  ~ mal à + *part of body*   to hurt, or have a pain somewhere VP 9
  ~ peur   to be afraid 13, 32
  ~ raison   to be right 13
  ~ rendez-vous (avec)   to have a date (with) 24, 27
  ~ soif   to be thirsty 13
  ~ sommeil   to be sleepy 13
  ~ tort   to be wrong 13
avril (*m*)   April 6
aztèque (*adj*)   Aztec

bac (*m*)   (*See* **baccalauréat**)
baccalauréat (*m*)   *exam at the end of high school that grants entrance to the university*
bague (*f*)   ring VP 4
baigner: se ~   to swim
baignoire (*f*)   bathtub 12
bâiller   to yawn
bain (*m*)   bath

maillot (*m*) **de ~**   swimming suit 11
  prendre des bains de soleil   to sunbathe
  prendre un ~   to take a bath, to have a bath 26
  salle (*f*) **de bains**   bathroom 12
bal (*m*) **masqué**   masked ball
baladeur CD (*m*)   portable CD player VP 7
baladeur MP3   MP3 player 7, VP 7
balcon (*m*)   balcony VP 8
ballon (*m*)   balloon
banane (*f*)   banana VP 6
banc (*m*)   bench
bande (*f*): **~ dessinée**   comic strip 21
  ~ Velpeau   Ace bandage VP 9
banlieue (*f*)   suburb VP 3, 22
banque (*f*)   bank 9
banquier/banquière (*m/f*)   banker
bar (*m*)   bar
barbant(e) (*adj*)   boring 19
bas (*mpl*)   stockings 11
bas/basse (*adj*)   low
baseball (*m*)   baseball
basket (*m*)   basketball 9
les baskets (*mpl*)   trainers, sneakers 11
basketball (*m*)   basketball 9
bateau (*m*)   boat
  faire du ~   to go boating
  bateau-mouche (*m*)   sightseeing boat
bâtiment (*m*)   building
bâton (*m*)   stick
battre   to defeat, to beat
battu(e)   defeated
bavardages (*mpl*)   gossip
beau/bel/belle/beaux/belles   beautiful, handsome, pretty 8, 11, 12
  il fait beau   it is beautiful 10
beaucoup   much, very much, a lot 5, 15, 18
  ~ de   much (many), very much (very many), a lot of, lots of 18
  ~ trop (de)   much too much, far too many 18
beaujolais (*m*)   *a French red wine*
beau-père (*m*)   stepfather 10
beaux-arts (*mpl*)   fine arts 20
belge (*adj*)   Belgian 16
Belgique (*f*)   Belgium 16
belle-mère (*f*)   stepmother 10
Bénélux (*m*)   *free trade zone formed by Belgium, Luxemburg, and the Netherlands*
besoin: avoir ~ de   to need 13
bête   stupid
beurre (*m*)   butter 17
bibliothèque (*f*)   library 9
bicyclette (*f*)   bicycle 7; cycling
bien (*m*)   good, advantage
bien (*adj*)   fine 3; well 5, 15; good
  assez ~   okay 2
  ~ portant   healthy 25
  ~ sûr!   of course! 4
  ~ sûr que non!   of course not!
  ~ vivre (*m*)   good living
  eh ~ ...   well ... 11
  ou ~   or
  très ~   very well 3

bientôt soon 29
  à ~! see you soon! VP 2
bienvenus: soyez les ~ welcome
bière (*f*) beer VP 1, 17
  ~ pression draft beer
bifteck (*m*) steak
bilingue bilingual
billet (*m*) bill (*currency*) VP 1; ticket VP 9
biologie (*f*) biology 3, 20
bistrot (*m*) small café, bistro
blanc/blanche white 11, 28
blanchisserie (*f*) laundry
blessé(e) hurt
blesser: se ~ to wound oneself VP 9
bleu(e) blue 11
blog (*m*) blog 21, VP 7
blond(e) blond 8
blouson (*m*) jacket, windbreaker 11
BNP (Banque Nationale de Paris) *a French bank*
boeuf (*m*) beef 17
boire to drink 17
  prendre qqch à ~ to have something to drink 17
boisson (*f*) beverage, drink VP 1, 17
boîte (*f*) can VP 6
boîte de nuit (*f*) nightclub
boitier (*m*) case VP 7
bon/bonne (*adj*) good 8
  ah ~! OK! 9
  il est ~ it is good 32
  il fait ~ it is nice out 10
  ~ marché (*adj/inv*) cheap, inexpensive 11
  ~ séjour! have a nice stay!
  ~ vivant (*adj*) jovial; (*m*) jovial fellow
bonheur (*m*) happiness
bonjour hello, good morning 1, 2
bottes (*fpl*) boots 11
bouche (*f*) mouth 26
boucle (*f*) **d'oreille** earring VP 4
bouger to move
bouillabaisse (*f*) *a fish soup*
boulanger/boulangère (*m/f*) baker
boulevard (*m*) boulevard 22
boulot (*m*) job, work (*slang*)
boum (*f*) party
bourgeois/bourgeoise (*m/f*) *member of the middle class*
bourgeois(e) (*adj*) middle-class
bourse (*f*) scholarship 10; grant
bout (*m*) end
bouteille (*f*) bottle 18
boutique (*f*) shop 9, 11
  ~ de soldes discount shop
boutons (*mpl*) rash VP 9
  avoir des ~ to have a rash VP 9
boxe (*f*): **match** (*m*) **de ~** boxing match
bracelet (*m*) bracelet VP 4
branché(e) plugged in
se brancher sur Internet to connect to the Internet VP 7
  ~ sur le Web to connect to the Internet VP 7
bras (*m*) arm 26

Brésil (*m*) Brazil 16
brésilien/brésilienne (*adj*) Brazilian 16
bridge (*m*) bridge (*game*) 9
brillamment brilliantly 28
brillant(e) brilliant 8
brocoli (*m*) broccoli
bronchite (*f*) bronchitis
bronzé(e) tanned
bronzer: se ~ to get a tan
brosse (*f*) brush 26
  ~ à cheveux hairbrush 26
  ~ à dents toothbrush 26
brosser: se ~ to brush 26
brouillés: oeufs ~ (*mpl*) scrambled eggs
bruit (*m*) noise 22
brun(e) brown, dark-haired, brunette 8
bruyant(e) (*adj*) noisy 22
budget (*m*) budget
bureau (*m*), **bureaux** (*pl*) desk 12; office 9
  ~ de change currency exchange (office)
  ~ des renseignements information desk
  ~ de tabac tobacco and stamp vendor
bus (*m*) bus 9, VP 3
  en ~ by bus 9
business (*m*) business 11
but (*m*) goal

ça (cela) (*pron*) that
  ~, c'est vrai that's true 18
  ~ fait ... that makes ... /you owe me ... VP 1
  ~ fait combien? how much is it? VP 1
  ~ te va? is that OK with you?
  ~ va? how are you? 3
  ~ va ... things are going ... 3, VP 9
  c'est ~! agreed!
  non, ce n'est pas ~ no, that's not it VP 2
  oui, c'est ~ yes, that's it VP 2
cabine (*f*) **téléphonique** phone booth VP 2
cabinet (*m*) **de toilette** bathroom 12
cachet (*m*) tablet VP 9
cadeau (*m*), **cadeaux** (*pl*) gift, present
cadre (*m/f*) executive 29
café (*m*) café 2, 9
  ~-tabac café that sells cigarettes
café (*m*) coffee VP 1, 17
  café-crème (*m*) coffee with cream
  ~ noir (*m*) black coffee
cahier (*m*) notebook 7
Caire: le ~ Cairo 16
caisse (*f*) cashier's desk, cash register
calcul (*m*) calculus, calculation
calculatrice (*f*) calculator 7
calendrier (*m*) calendar
Californie (*f*) California 16
calme calm 8, 22
calmement calmly 28
camarade (*m/f*) friend
  ~ de chambre roommate 2
cambriolage (*m*) burglary 24
cambrioler to burglarize 24
cambrioleur/cambrioleuse (*m/f*) burglar 24

camelote (*f*) junk
camembert (*m*) *type of French cheese*
caméra (*f*) movie camera 7
caméscope (*m*) camcorder 7, VP 7
campagne (*f*) country, countryside 15, 22
  à la ~ in the country 22
  auberge (*f*) **à la ~** country inn
camping (*m*) camping 25
  faire du ~ to go camping
Canada (*m*) Canada 16
Canadien/Canadienne (*m/f*) Canadian person 2
canadien(ne) (*adj*) Canadian 1, 2, 8, 16
cantine (*f*) school cafeteria 18
capital(e) (*adj*) principal, main
capitale (*f*) capital 16
car (*conj*) because
carotte (*f*) carrot VP 6
carrière (*f*) career 31
carte (*f*) card 21; map
  ~ bancaire debit card VP 8
  ~ de crédit credit card 12, VP 8
  ~ d'étudiant student ID card
  ~ postale postcard 21
cartes (*fpl*) cards (*game*) 9
caserne de pompiers fire station VP 3
casquette (*f*) cap 11
casser to break 26
  se ~ to break VP 9
cassette (*f*) cassette 7
cauchemar (*m*) nightmare
cause: à ~ de because of 30
caviar (*m*) caviar 17
CD (*m*) compact disk 7
CD-ROM (*m*) CD-ROM 7
ce (*pron*) it, that, this, he, she
ce n'est pas it is not 8
ce n'est pas ça that's not it VP 2
ce/cet/cette/ces (*adj*) this, that 11
ceci this
CEE (Communauté économique européenne) (*f*) European Economic Community (EEC)
ceinture (*f*) belt VP 4
cela that
célèbre famous
célébrer to celebrate 11
célibataire single, unmarried 10, 27
cent one hundred 11
  ~ mille one hundred thousand 11
  deux ~s two hundred 11
centaines (*fpl*): **des ~ de** hundreds 22
centime 1/100 euro VP 1
centrale (*f*) **atomique** nuclear power plant
centre (*m*) center 9
  ~ commercial mall 9, 11
  ~ sportif gym VP 3
centre-ville (*m*) city center, downtown VP 3, 22
cependant however, yet 30
céréales (*f pl*) cereal 17
cerise (*f*) cherry VP 6

certain(e) (*adj*) certain 19
  un(e) ~ ... a certain ... 19
certain(e)s ... (*pron*) some 19; some people
cesser de to stop, to quit 28
c'est it is 2, 8
  c'est-à-dire that is to say
  ~ ça! agreed! VP 2
  ~ de la part de qui? who is calling?
    VP 2
  ~ possible it is possible 18
chacun/chacune (*pron*) each one, every
  one 30
  ~ à son goût each to his/her own taste
chaîne (*f*) chain VP 4; TV channel 23
chaîne-stéréo (*f*) stereo 7
chaise (*f*) chair 7, 12
chambre (*f*) bedroom 12
  camarade de ~ roommate 2, 12
  ~ à un lit (hotel) room with one bed VP 8
  ~ d'hôtel hotel room VP 8
champ (*m*) field
champion/championne (*m/f*) champion
championnat (*m*) championship
chance (*f*) luck 30
  avoir de la ~ to be lucky
  quelle ~! what luck!
changement (*m*) change
  ~ de vitesse automatique automatic
    transmission VP 10
  ~ de vitesse manuel manual
    transmission VP 10
chanson (*f*) song VP 7
chanter to sing 5
chanteur/chanteuse (*m/f*) singer VP 5
chapeau (*m*), **chapeaux** (*pl*) hat 11
chaque (*adj*) each, every 19
  ~ jour each/every day 23
charbon (*m*) coal
chargé(e) full
charmant(e) charming
charte (*f*) charter
chat (*m*) cat 10
château (*m*), **châteaux** (*pl*) castle
chaud(e) warm, hot 10
  avoir ~ to be warm/hot 13
  il fait ~ it's warm out 10
chauffeur (*m*) driver
chausser to put shoes on
  ~ du + *shoe size* to take a certain shoe size
chaussettes (*fpl*) socks 11
chaussures (*fpl*) shoes 11
chef (*m*) head (*person in charge*); chef
  ~ d'entreprise company head (CEO)
    29
  ~ du personnel personnel director
chemin (*m*) pathway, direction
  ~ de fer (*m*) railroad
  demander son ~ to ask for directions
chemise (*f*) shirt 11, VP 4
chemisier (*m*) blouse 11
chèque (*m*) check 12
  ~ de voyage traveler's check
  compte (*m*) checking account
  par ~ by check VP 8
cher/chère expensive 11

chercher to look for 12, 20
  ~ à to try to, to strive 28
chercheur/chercheuse (*m/f*) researcher 29
cheval (*m*), **chevaux** (*pl*) horse
  à ~ on horseback
cheveux (*mpl*) hair 26
cheville (*f*) ankle VP 9
chez ... at ...'s house 9
  ~ le médecin to the doctor VP 9; at the
    doctor's
  ~ moi at home 9; at my house
chien (*m*) dog 10
chiffre (*m*) number, numeral
chimie (*f*) chemistry 20
chimique (*adj*) chemical
chimiste (*m/f*) chemist
Chine (*f*) China 16
chinois (*m*) Chinese (*language*)
chinois(e) (*adj*) Chinese 2, 7, 8, 16
chocolat (*m*) cocoa, hot chocolate
choisir to choose, to select 13; to decide 28
choix (*m*) choice
chômage (*m*) unemployment
  au ~ out of work
chose (*f*) thing 7
  autre ~ something else
chouette great
chut! shh!
-ci (over) here
cidre (*m*) cider 17
ciel (*m*) sky
cinéaste (*m/f*) moviemaker, 29
cinéma (*m*) movie theater 2, 9
  le ~ the movies 9; film VP 5
  ~ de quartier local theater
cinéphile (*m/f*) serious movie-goer
cinq five 1
cinquante fifty 3
cinquième fifth 28
circulation (*f*) traffic 22
circuler to travel
cité (*f*) community
  ~ dortoir bedroom community
  ~ universitaire student residence,
    group of dormitories
citoyen/citoyenne (*m/f*) citizen 32
citron (*m*) **pressé** (fresh) lemonade
civilisation (*f*) civilization 2
clair(e) well lit; light
  il est ~ que it is clear that 33
classe (*f*) classroom 7; class 19
  deuxième ~ second class VP 10
  première ~ first class VP 10
classement (*m*) ranking
classique (*adj*) classical
clavier (*m*) keyboard VP 7
clé (*f*) key
climatisation (*f*) air conditioning VP 8,
  VP 10
Coca (*m*) Coke
cocon (*m*) cocoon
coeur (*m*) heart 26
  avoir mal au ~ to have an upset
    stomach 26
coffre (*m*) trunk VP 10

coiffeur/coiffeuse (*m/f*) hairdresser
colère (*f*) anger 33
  se mettre en ~ to get angry
collants (*mpl*) tights, pantyhose 11
collectivité (*f*) community
collège (*m*) middle school 2
colon (*m*) colonist
combien (de) how many? how much?
  11, 18
  c'est ~? ça fait ~? how much is it?
    VP 6
  ~ de fois how many times? 23
  ~ de temps? how long? VP 8, 23
comédie (*f*) comedy VP 5
comédien/comédienne (*m/f*) comedian
  VP 5
commander to order 18
comme as, for, like, since 20
  ~ les autres like others
  ~ ci, ~ ça okay, not too bad 3
commencement (*m*) beginning 30
commencer (à) to begin 19, 28
  ~ par to begin by/with 19
comment how 6, VP 3
  ~ allez-vous? how are you? 3
  ~ dit-on ...? how do you say ...?
  ~ t'appelles-tu? what is your name? 1
  ~ vas-tu? how are you? 3
  ~ vous appelez-vous? what is your
    name?
commerçant/commerçante (*m/f*)
  shopkeeper
commerce (*m*) business 3, 31
  représentant(e) (*m/f*) **de ~** sales
    representative
commissariat (*m*) **de police** police station
  VP 3
commun(e) common
communication (*f*) communication 31
compact disque (*m*) compact disk 7
compagnie (*f*) company 31
compétent(e) competent 8
complet (*m*) suit
complice (*m/f*) accomplice
compliqué(e) complicated
composer to compose, to make up VP 7
composter (un billet) to punch (a ticket)
  VP 10
compréhensif/compréhensive (*adj*)
  understanding
comprendre to understand 18
  je comprends I understand VP 2
  comprenez-vous ...? do you
    understand ...? VP 2
compris(e) understood; included
  service ~ tip (service charge) included
comptabilité (*f*) accounting 20
comptable (*m/f*) accountant 29
compte (*m*) account
  ~ chèques checking account
compte-rendu (*m*) report
compter to count; to plan
comptoir (*m*) counter
concert (*m*) concert VP 5
concevoir to conceive, to view

concombre (*m*) cucumber VP 6
concours (*m*) contest
  ~ d'entrée entrance exam
concurrence (*f*) competition
condition: à ~ que on the condition that, provided that 32
conduire to drive 23, 30; to lead
  se ~ bien to behave properly
  se ~ mal to misbehave, to behave badly
conférence (*f*) lecture
confiance (*f*): **faire ~ à** to trust
confiture (*f*) jam 17, VP 6
conflit (*m*) conflict
conformiste (*adj*) conformist 8
confort (*m*) comfort VP 8, VP 10
confortable comfortable 8, VP 8, VP 10
confus(e) (*adj*) confused
congé (*m*): **jour** (*m*) **de ~** holiday, day off 30
  ~ payé paid holiday
conjoncture (*f*) situation
conjugaison (*f*) conjugation
connaissance (*f*): **faire la ~ de** to make the acquaintance of 15; to meet for the first time 15, 22
connaître to be acquainted with, to be familiar with, to know, to meet 20, 22
se connecter sur Internet to go on the Internet, to connect to the Internet VP 7
connu(e) well-known
consacré(e) (*adj*) devoted
consacrer to devote
conscience (*f*): **avoir ~** to be aware
consciencieux/consciencieuse conscientious 8, 28
conseil (*m*) piece of advice 19
  donner des conseils to give advice
conseiller/conseillère (*m/f*) advisor
conséquent: par ~ therefore
conservateur/conservatrice conservative 8, 28
conserver to keep, to save 32
considérer to consider 11
console (*f*) **de jeux vidéo** video game console
consommations (*fpl*) beverages, snacks
consommer to consume, to use; to take (type of fuel) VP 10
construire to build, to construct 23
consulat (*m*) consulate
contemporain(e) (*adj*) contemporary
content(e) happy 8, 33
contestation (*f*) challenge
contester to challenge
continent (*m*) continent 16
continu(e) continuous
continuer (à) to continue VP 3, 28
contractuelle (*f*) parking enforcement officer
contraire (*m*): **au ~** on the contrary 22
contrat (*m*) contract
contravention (*f*) ticket (*for a traffic violation*)

contre against 22, VP 9
convenir to be suitable
conversation (*f*): **entamer la ~** to strike up a conversation
copain/copine (*m/f*) friend 2
corbeille (*f*) wastepaper basket
coréen(ne) (*adj*) Korean 8
corps (*m*) body 26
correspondance (*f*) correspondence; change of trains
corrida (*f*) bullfight
cosmopolite cosmopolitan
costume (*m*) man's suit 11; costume VP 5
Côte (*f*) **d'Ivoire** Ivory Coast
côtelette (*f*) cutlet, chop
coton (*m*) cotton VP 4
coton-tige (*m*) cotton swab VP 9
cou (*m*) neck 26
coucher: se ~ to go to bed 26
couleur (*f*) color 11; **de quelle ~** what color 11
coup (*m*): **tout à ~** suddenly 24
  ~ de soleil (*m*) sunburn
couper to cut 26
  se ~ to cut oneself 26, VP 9
courageux/courageuse brave, courageous 28
courante: eau ~ running water 12
courir to run 25
courriel (*m*) e-mail 21, VP 7
courrier (*m*) mail 21
  ~ électronique e-mail VP 7
cours (*m*) class, course 3, 19
  suivre un ~ to take a course 19
course (*f*) race
courses (*fpl*): **faire les ~** to shop for food 10, 18, VP 6
court(e) short VP 4, 26
cousin/cousine (*m/f*) cousin 2, 10
coût (*m*) cost 12, VP 10
coûter to cost 11, 12
craindre to fear 33
crainte (*f*) fear 33
crampes (*fpl*) **à l'estomac** stomach cramps VP 9
cravate (*f*) tie 11, VP 4
crayon (*m*) pencil 7
créateur/créatrice creative 8, 28
créatif/créative creative
Crédit Lyonnais (*m*) *a French bank*
crédit (*m*): **carte** (*f*) **de ~** credit card
créer to create 31, VP 7
  ~ une enterprise to start a business 31
crème (*f*) cream 17, custard 27
creux/creuse empty
criminalité (*f*) crime 22
crise (*f*) **mondiale** world crisis
critique (*adj*) critical
critiquer to criticize 35
croire to believe, to think 33
  ~ à to believe in 33
  ~ que to believe/think that 33
croissant (*m*) crescent-shaped roll VP 1
croque-monsieur (*m*) *grilled ham and cheese sandwich*

croyance (*f*) belief
cruel/cruelle cruel 28
crypté(e) (*adj*) scrambled
Cuba (*m/f*) Cuba 16
cubain(e) (*adj*) Cuban 16
cuir (*m*) leather VP 4
cuisine (*f*) cooking 10, 18; kitchen 12
  faire la ~ to cook 10
culture (*f*): **~ physique** bodybuilding
  maison de la ~ arts center
culturel/culturelle (*adj*) cultural 22
curieux/curieuse curious 8, 28

d'abord first; at first 23
d'accord: être ~ to agree 2
  ~! agreed! OK! all right! 5
dactylo (*f*) typist
d'ailleurs besides, moreover; by the way
dame (*f*) lady 8
dames (*fpl*) checkers
danois(e) (*adj*) Danish
dans in 12
  ~ l'ensemble on the whole
  ~ l'état de in the state of 16
danse (*f*) dance 9
danser to dance 5
d'après according 22
  ~ vous according to you, in your opinion
date (*f*) date (*calendar*) 14
  quelle est la ~? what is the date? 6
davantage more
de (d') about, from, of 4, 8, 9; of (possessive) 10
  ~ + *superlative* in 12
  ~ même likewise
  ~ nouveau again
  ~ plus en plus more and more
  ~ temps en temps once in a while 23
DEA (*m*) *degree after 1 year of study beyond the* **maîtrise**
débat (*m*) debate
debout standing up
début (*m*) beginning
  au ~ at first, in the beginning
décapotable (*f*) convertible VP 10
décembre (*m*) December 6
décevoir to disappoint 29
décider (de) to decide 28
déclin (*m*) decline
décorateur/décoratrice (*m/f*) (interior) decorator
découverte (*f*) discovery
découvrir to discover 26
décrire to describe 21
dedans inside
défaite (*f*) defeat
défendre (à qqn de) to forbid, to prohibit 28
  se ~ to defend oneself
défense (*f*) protection, defense
défiler to march
degrés (*mpl*) degrees (*weather*) 12
dehors outside 24

déjà already 14, 23; ever 15

déjeuner (*m*) lunch, noon meal 18

  petit~ breakfast 18

déjeuner (*v*) to have lunch 18

deltaplane (*m*): **faire du ~** to go hang-gliding

demain tomorrow 12

demande (*f*) request

demander: ~ à qqn de (si) ... to ask someone to (if) ... 21

  ~ qqch à qqn to ask for sth from someone 21

  ~ son chemin to ask for directions

  ~ un renseignement to ask for information

  se ~ to wonder

démarrer to drive away

déménagement (*m*) moving (*house*)

déménager to move (*house*)

demi(e): il est ... heure(s) et ~ it is half past ... 3

demi (*m*) half

demi-frère (*m*) half-brother 10

demi-heure (*f*) half-hour

demi-pension (*f*) breakfast and dinner VP 8

demi-soeur (*f*) half-sister 10

dentifrice (*m*) toothpaste 26, VP 6

dentiste (*m/f*) dentist 29

dents (*fpl*) teeth 26

départ (*m*) departure 30

dépassé(e) (*adj*) outdated

dépasser to surpass, to exceed

dépêcher: se ~ to hurry 27

dépendre to depend

dépense (*f*) expense

dépenser to spend money 12

déplacer: se ~ to move around

déplorer to deplore 33

déprimé(e) depressed VP 9

déprimer to depress

depuis (*adv*) for, since 16

  ~ combien de temps for how long 16

  ~ quand? since when? 16

depuis que (*conj*) since 33

déranger (*qqn*) to bother

dernier/dernière last 14; recent

derrière behind 12; in back, in back of

désaccord (*m*) disagreement

désagréable unpleasant

descendre to get off, to go down, to stop at a place 15, 23

déshonneur (*m*) disgrace

désigné(e) identified

désirer to wish, to want 32

  vous désirez? may I help you? VP 1, VP 8

désolé(e) very sad 33

  être ~ to be very sorry 33

désordre (*m*) disorder, disarray

  en ~ messy

désormais from now on

dessert (*m*) dessert 17

dessin (*m*) **animé** cartoon 23

destinée (*f*) destiny

détendre: se ~ to relax 27

détester to detest, to hate 4, 17, 28; to dislike 2, 3, 4

détruire to destroy 23, 30

dette (*f*) debt 10

DEUG (*m*) *degree received after 2 years of university study*

deux two 1

  ~ cents two hundred 10

  ~ cent un two hundred one 10

  ~ mille two thousand 10, 15

  tous/toutes les ~ both

deux-roues (*m*) two-wheeler

deuxième second 28

devant in front (of) 12

devenir to become 16, 23

  qu'est-ce que tu deviens? what have you been up to?

devise (*f*) motto

devises (*fpl*) currency

devoir (*v*) must, should, to have to, to be supposed to 19, 28

  ~ + noun to owe 19

  je dois I must 5, 19

  je vous dois I owe you

  vous devez you should, must 19

devoir (*m*) written assignment 19

  devoirs (*mpl*) homework

  faire les ~ s to do homework 10, 19

d'habitude usually 23

dialogue (*m*) dialog VP 5

difficile difficult, hard 8, 19

difficulté (*f*) difficulty

diffuser to broadcast

dimanche (*m*) Sunday 5

  le ~ on Sundays

diminuer to diminish, to lessen

dîner (*m*) dinner, supper 18

  ~ seul only dinner (is served)

dîner (*v*) to have dinner 5, 18

diplôme (*m*) degree, diploma 19

dire (*qqch à qqn*) to say, to tell 21

  c'est-à-dire that is to say

  ~ que to say that 33

  que ~? what to say?

  vouloir ~ to mean 21

direct: vol ~ non-stop flight VP 10

directions (*fpl*) directions, compass points 16

diriger to direct, to manage

dis donc! hey! say! 16

discipline (*f*) discipline

discours (*m*) speech

discret/discrète discreet 28

discuter to chat; to talk 18

  ~ de to discuss, to talk about

disparaître to disappear

disparition (*f*) disappearance

disparu(e) disappeared

disponibilités (*fpl*) number available

disposer to be in charge

dispute (*f*) argument

disputer: se ~ (avec) to argue, quarrel (with) 27

disquette (*f*) floppy disk, diskette VP 7

distraction (*f*) amusement, entertainment

distrait(e) (*adj*) distracted

distributeur automatique (*m*) ATM (automatic teller machine)

dites ... say ... 16

diversifier: se to become varied

diversité (*f*) diversity 22

divorcé(e) (*adj*) divorced 10

divorcer to divorce 27

dix ten 1

  ~ mille ten thousand 11

dix-huit eighteen 3

dixième tenth 28

dix-neuf nineteen 3

dix-sept seventeen 3

dizaine (*f*) about ten

docteur (*m*) doctor

  chez le ~ at the doctor's office VP 9

doctorat (*m*) Ph.D. (*degree for 2–5 years of study beyond the* **maîtrise**)

documentaire (*m*) documentary film VP 5

doigt (*m*) finger 26

dois (*See* **devoir**)

domaine (*m*) domain, field, realm

domicile (*m*) house, address

dommage too bad

  il est ~ que it is too bad that 32

donc therefore

données (*fpl*) data

donner (qqch à qqn) to give 21

  donnez-moi give me VP 1

  ~ rendez-vous à to arrange to meet, to make a date/appointment with 27

  se ~ rendez-vous to arrange to meet one another 27

dormir to sleep 15

dos (*m*) back VP 9

d'où from where 16

douane (*f*) customs 32

douanier (*m*) customs officer

douche (*f*) shower 12, VP 8

  prendre une ~ to take a shower, to have a shower 26

douleur (*f*) pain VP 9

doute (*m*) doubt

  sans ~ probably, undoubtedly

douter to doubt

  je doute que I doubt that 33

douteux: il est ~ que it is doubtful that 32

doux/douce soft, sweet 28

douzaine (*f*) dozen VP 6

douze twelve 1

  ~ cents (= mille deux cents) twelve hundred 10

drame (*m*) **psychologique** psychological drama VP 5

drapeau (*m*) flag

drogue (*f*) drugs

droit (*m*) law (*field of study*) 20; right 32

droit(e) right (*direction*)

  à ~ de to the right of/on the right 12

droit (*adv*): **tout ~** straight ahead

drôle funny 8
drôlement peculiarly
dû (*pp* of **devoir**)
dur (*adv*) hard
dur(e) (*adj*) hard, difficult
durer to last 30
DVD (*m*) DVD 7, VP 7
dynamique dynamic, vigorous

eau (*f*) water 17
~ **courante** running water
~ **minérale** mineral water 17, VP 1
échange (*m*) exchange
libre-échange (*m*) free trade
échanger to exchange VP 7
échapper to escape
écharpe (*f*) scarf VP 4
échecs (*mpl*) chess 9
école (*f*) school 9, 20
économe thrifty
économie (*f*) economy 3
économies (*fpl*): **faire des** ~ to save money 10
économique (*adj*) economical VP 10
économiques: les sciences (*fpl*) ~ economics 20
écouter to listen to 5, 20
écoutez! listen! VP 2
écran (*m*) screen VP 7
écrire (qqch à qqn) to write 21
s' ~ to write to each other 27
écrivain (*m*) writer 29
écrivez! write! VP 2
éditer (les photos) to edit (photos) VP 7
effectuer to perform
effet: en ~ as a matter of fact 17
effets (*mpl*) **spéciaux** special effects VP 5
efficace efficient
effort (*m*) effort
égal(e) (égaux *mpl***)** equal 28
égalité (*f*) equality 2
à ~ equal
église (*f*) church
égoïste selfish 8
Égypte (*f*) Egypt 16
égyptien/égyptienne Egyptian 16
électronique (*f*) electronics 20
élégamment elegantly
élevé(e) high
élire to elect
elle she, it 2, 4; her 6
~**-même** herself, itself
elles they 4; them 6
~**-mêmes** themselves
email (*m*) e-mail VP 5, 21
embouteillage (*m*) traffic jam
émission (*f*) TV program, show, broadcast 23
emploi (*m*) use; employment; job 29, 31
employé/employée (*m/f*) employee 29
employer to employ, to hire, to use 11
emprunt (*m*) borrowed item
emprunter to borrow VP 7
en (*pron*) some, any (of it, of them); from it (them); about it (them) 25

en (*prep*) by 9; in 12
~ + *fabric or material* made of ...
~ **avance** early, ahead of time 29
~ **avion** by plane 9
~ **bus** by bus 9
~ **ce moment** (*m*) at this time/moment
~ **désordre** messy
~ **effet** as a matter of fact, indeed 17
~ **exprès** by special delivery
~ **face (de)** across (from); opposite 12
~ **faillite** bankrupt
~ **fait** in fact
~ **forme** in shape 25
~ **hausse** on the rise
~ **ligne** on-line
~ **moyenne** on the average
~ **plus** moreover
~ **poche** in one's pocket
~ **plein air** outdoors
~ **recommandé** by registered mail VP 7
~ **retard** late 29; behind
~ **semaine** during the week
~ **solde** on sale
~ **taxi** by taxi VP 3
~ **tête** in first place
~ **train** by train 9
~ **tout** in all
~ **vacances** on vacation 15
~ **ville** in the city 12, 22; in town
~ **voiture** by car 9
~ **voyage** on a trip 5
enchanté(e) pleased to meet you 1; delighted
encore again, still, yet 23
~ **une fois** once more, again VP 2
~ **un peu** a little more, a little longer
ne ... pas ~ not yet 14, 23
endroit (*m*) place 15
énergique energetic 8
énerver: s' ~ to get nervous, upset 27
enfance (*f*) childhood
enfant (*m/f*) child 10
petit-~ grandchild
enfermer: s' ~ to close oneself
enfin at last, finally 23; well ... VP 8
engagé(e) involved
engager: s' ~ to get involved
énigme (*f*) puzzle
enlever to take (sth) off
ennemi(e) (*m/f*) enemy 33
ennuyer: s' ~ to get bored 27
ennuyeux/ennuyeuse boring 8, 28
enregistrement (*m*) recording
studio (*m*) **d'**~ recording studio
enregistrer to check (*baggage*) VP 10; to record, to tape
enrichir: s' ~ to get rich
enseignement (*m*) education, instruction
enseigner to teach 19
ensemble together 19, 27
dans l'~ on the whole
ensuite after, then 23; next; afterwards
entamer la conversation to strike up a conversation

entendre to hear 13
s'~ **bien (avec)** to get along (with) 27
entendu heard; agreed VP 8
entracte (*m*) intermission
entraîner: s'~ to train VP 9
entre among 27, 28; between 12, 27, 28
entreprise (*f*) firm 31
entrer to come in, to enter (into) 9, 15, 23
~ **en vigueur** to come into effect
entretien (*m*) upkeep
entrevue (*f*) interview
envahissant(e) invasive
envie: avoir ~ **de** to feel like, to want to 13
environ approximately, around
carte ~ menu (*prices*) approximately
environnement (*m*) environment 32
envoyer (qqch à qqn) to send 11, 21
épaule (*f*) shoulder VP 9
épice (*f*) spice
épinards (*mpl*) spinach
époque (*f*) epoch, period, time 24; era
à son ~ in one's time
épouser to marry 28
épouvantable: il fait un temps ~ the weather is awful 12
époux/épouse (*m/f*) spouse
épreuve (*f*) challenge, test
équilibré(e) balanced
équipe (*f*) team
équipement (*m*) equipment
~ **électronique** electronic equipment VP 7
~ **ménager** household appliances
équiper to equip
équitation (*f*) horseback riding
faire de l'~ to go horseback riding VP 9
ériger: érigeant establishing
escalade (*f*) rock-climbing 25
escale (*f*) stop(over)
escaliers (*mpl*) stairway
escargot (*m*) snail 17
espace (*m*) room VP 10
~ **vert** open land VP 10
espadrilles (*fpl*) *rope-soled sandals* VP 11
Espagne (*f*) Spain 16
Espagnol/Espagnole (*m/f*) Spaniard
espagnol(e) (*adj*) Spanish 8, 16
espagnol (*m*) Spanish (*language*) 3
espèces (*fpl*) cash VP 8
en ~ in cash VP 8
espérer to hope 11, 28
espoir (*m*) hope
esprit (*m*) spirit
~ **de finesse** intuition
~ **de géométrie** logic
essayer (de) to try 11, 28; to try on 11, VP 4
essence (*f*) gasoline VP 10
~ **ordinaire** regular gas VP 10
essentiel (*m*) what counts
essentiel/essentielle (*adj*) essential
il est ~ it is essential 32
est (*m*) east 16
estomac (*m*) stomach VP 9

estudiantin(e) (*adj*) student
et and 4
~ **toi?** and you? 2
~ **vous?** and you? 2
établissement (*m*) creation
étage (*m*) floor, story (of building)
premier ~ second floor VP 3
étagère (*f*) shelf 12
étape (*f*) stage
état (*m*) state 16; government
dans l'~ de in the state of 16
~ **de santé** state of (one's) health
État-providence (*m*) Welfare State
États-Unis (*mpl*) United States 16
été (*m*) summer 6, 10
en ~ in summer 10
éternuer to sneeze VP 9
étoile (*f*) star VP 5
restaurant à ... étoiles a ...-star restaurant VP 5
étonnant(e) (*adj*) surprising
étonné (*adj*) astonished 33
étonnement (*m*) amazement 33
étranger (*m*) foreigner 15
étranger/étrangère foreign, from abroad 15, 28
étranger: à l'~ abroad 15
être to be 4
~ **à** to belong to 10
~ **reçu(e) à un examen** to pass an exam 19
étroit(e) (*adj*) narrow VP 4
études (*fpl*) studies 3, 10, 20
~ **commrcial** business 20
~ **d'ingénieur** engineering 20
~ **supérieures** higher education 20
faire des ~ (de) to study 10, to go to school 19; to specialize in 20
étudiant(e) (*m/f*) student 8
étudier to study 3, 4
euro (*m*) *European currency unit,* euro
Europe (*f*) Europe 16
européen/européenne (*adj*) European 16
Européen/Européenne (*m/f*) European person
eux them 6
chez ~ at their house
~-mêmes themselves
évasion (*f*) escape, getting away
événement (*m*) event 24
éventuel/éventuelle possible
évidemment obviously, of course 28
évident: c'est ~ it's obvious
il est ~ que it is obvious that 33
éviter to avoid
exagérer to exaggerate
examen (*m*) exam 3, 19; test
être reçu(e) à un ~ to pass an exam 19
passer un ~ to take an exam 19
préparer un ~ to study for an exam 19
rater un ~ to fail/flunk an exam 19
réussir à un ~ to pass an exam 19
excepté except VP 8
exclusivité (*f*): **films en ~** newly released movies

excuser: s'~ to apologize 27
excusez-moi excuse me VP 3
exercice (*m*) exercise
faire de l'~ to exercise 25
exigence (*f*) demand
exode (*m*) exodus
expérience (*f*) experiment
explication (*f*) explanation
expliquer to explain
exposer to display, to exhibit; to describe
exposition (*f*) exhibit
exprès: en ~ by special delivery
express (*m*) espresso
expression (*f*) expression
d'~ française French-speaking
liberté (*f*) **d'~** freedom of speech
exprimer to express
s'~ to express oneself, to be expressed
extérieur (*m*): **à l'~** outside
extrait (*m*) excerpt, extract
extraordinaire extraordinary, incredible

fabriquer to manufacture
fac (*f*) university
face: en ~ (de) across (from), opposite 12
~ **à** against, toward
faire ~ à to face up to
fâché(e) (*adj*) angry
fâcher: se ~ to get angry 27
facile easy 8, simple 19
faciliter to make easier
façon (*f*) way, manner
de toute ~ in any case
facteur/factrice (*m/f*) mailman; factor
facture (*f*) invoice
faculté (fac) (*f*) a specialized school within a university 9, 20
faible weak 8
faillite (*f*) bankruptcy
en ~ bankrupt
faim (*f*) hunger
avoir ~ to be hungry 13
faire to do, to make 10, 12; to be active in 17
~ **+ *size*** to take a certain size VP 4
~ **+ *sport*** to play/practice/do a sport 17, 25
~ **+ *subject*** to study
~ **attention (à)** to pay attention (to) 10
~ **concurrence à** to compete with
~ **confiance à** to trust
~ **de l'exercice** to exercise 25
~ **de la photo** to take pictures/photographs 17
~ **des achats (en ligne)** to make purchases (on-line) VP 7
~ **des économies** to save money 10, 12
~ **des études (de)** to go to school, to study 19; to specialize in 20
~ **des progrès** to improve 19; to make progress 19, 33
~ **des recherches** to do research 20
~ **du camping** to go camping
~ **du shopping** to shop 10

~ **du sport** to be active in a sport, to do sports 25
~ **du tourisme** to go sightseeing
~ **face à** to face up to
~ **grève** to go on strike
~ **la connaissance de** to make the acquaintance of, to meet for the first time 15
~ **la cuisine** to cook, to do the cooking 18
~ **la vaisselle** to do the dishes 10
~ **le ménage** to do the housecleaning 10
~ **le tour** to go around
~ **les courses** to go food shopping 10
~ **les devoirs** to do homework 10, 20
~ **les valises** to pack
~ **noir** to be dark
~ **nuit** to be dark
~ **partie de** to be a member, to be part of
~ **peur à** to frighten
~ **un match (de)** to play a game (of) 10
~ **un séjour** to reside, to spend time 15
~ **un stage** to do an internship, to undergo training
~ **un voyage** to go on/take a trip 10, 15
~ **une promenade** to take/go for a ride/walk 10
se ~ to happen
se ~ mal to hurt oneself VP 9
tout ~ to do everything
fait (*m*) act, fact 24
~ **divers** news item 24
faites attention! pay attention! VP 2
falloir to be necessary 19
il a fallu it was necessary 19
il fallait it was necessary 23
il faut it is necessary, one/you must 19
familier/familière familiar 28
famille (*f*) family 10
situation (*f*) **de ~** marital status VP 2
fantôme (*m*) ghost
farci(e) stuffed VP 6
fasciner to fascinate
fatigant(e) tiring 9
fatigué(e) tired 25, VP 9
faut: il ~ + *inf* it is necessary, one should 19
faute (*f*) lack
~ **d'argent** for lack of money
fauteuil (*m*) armchair 12
faux/fausse false 8, untrue 28; fake VP 4
c'est faux! that's/it's false/wrong! 8, it's untrue!
faux ami (*m*) false cognate 2
favori/favorite favorite 28
favoriser to promote, to favor
fax (*m*) fax machine 7, 33; fax message 33
félicitations! (*f*) congratulations!
femme (*f*) woman 8; wife 10
~ **d'affaires** businesswoman 29
femme ingénieur woman engineer 29
fenêtre (*f*) window 12
ferme (*f*) farm
fermé(e) closed VP 5

fermer to close, to shut 26
fermez vos cahiers! close your notebooks! VP 2
festival (*m*) **de Cannes** Cannes film festival VP 5
fête (*f*) feast, holiday; party 11, 30
  ~ d'anniversaire birthday party
  ~ de la Bastille *French national holiday (July 14)*
  ~ nationale national holiday
feuille (*f*) **de papier** sheet of paper VP 1
feuilleton (*m*) TV series 23
février (*m*) February 6
fiabilité (*f*) reliability VP 10
fiable (*adj*) reliable VP 10
fiancer: se ~ (avec) to get engaged (to) 27
fichier (*m*) (computer) file VP 7
fier/fière: être to be proud 33
fierté (*f*) pride 33
fièvre (*f*) fever VP 9
figure (*f*) figure; face 26
figurer: se ~ to imagine
filiale (*f*) branch (*of a company*)
fille (*f*) girl 8; daughter 10
  jeune ~ (young) girl
film (*m*) movie VP 5
  ~ d'animation animated movie VP 5
  ~ d'aventure adventure movie VP 5
  ~ comique comedy
  ~ d'épouvante horror movie VP 5
  ~ de science-fiction sci-fi movie VP 5
  ~ documentaire documentary
  ~ en exclusivité newly released movie
  ~ historique historical movie VP 5
  ~ policier detective movie VP 5
  ~ romantique romance
fils (*m*) son 10
fin (*f*) end 30
finalement finally 23
finances (*fpl*) **personnelles** personal finances 10
finesse (*f*): **esprit** (*m*) **de ~** intuition
finir to end, to finish 13, 23
  ~ de to finish 28
flash (*m*) **d'information** news flash
Floride (*f*) Florida 16
flûte (*f*) flute 9
fois (*f*) time 23
  à la ~ at the same time
  encore une ~ once more, again VP 1
  une ~ once 23
folklorique (*adj*) folk, folkloric
fonctionnaire (*m/f*) civil servant 29
fonction publique (*f*) civil service 31
fond (*m*) back
  au ~ (du magasin) at the back (of the store)
  ski (*m*) **de ~** cross-country skiing VP 9
fondé(e) founded
fonder: ~ une famille to start a family
foot (*m*) soccer 9
football (*m*) soccer 9
  ~ américan football 9

forcément necessarily
forcer: se ~ to exert oneself
forêt (*f*) forest
forme (*f*) shape 25
  en ~ in shape 25, VP 9
  être en ~ to be in shape 25, VP 9
formidable extraordinary
fort(e) strong 8; loud
forum de discussion (computer) newsgroup VP 7
fou/fol/folle/fous/folles crazy 28
foulard (*m*) head scarf VP 4
fouler: se ~ to sprain VP 9
fournisseur (*m*) supplier
foyer (*m*) residence
frais (*mpl*) expenses
  ~ de scolarité tuition fees
  ~ médicaux medical expenses
fraise (*f*) strawberry VP 6
franc/franche (*adj*) frank 28
français(e) (*adj*) French 1, 7, 8, 16
  d'expression ~ French-speaking
Français/Française (*m/f*) French person 8, 16
français (*m*) French (*language*) 3
France (*f*) France 16
France 3 *a French TV channel*
franchement frankly, honestly
francophone (*adj*) French-speaking
fraternité (*f*) brotherhood 2
fréquentation (*f*) attendance
fréquenter to attend
frère (*m*) brother 1, 10
  demi-~ half-brother 10
frites (*fpl*) French fries 18
  ~-saucisses (*fpl*) sausages and French fries
  pommes ~ French fries VP 6
froid(e) cold; reserved (person)
froid (*m*) cold
  avoir ~ to be cold 13
  il fait ~ it is cold 12
fromage (*m*) cheese 17
frontière (*f*) border 32
fruits (*mpl*) fruit(s) 18
fugitif/fugitive fleeting
fumer to smoke 18
fumeur: voiture (*f*) **~** smoking car VP 10
  voiture (*f*) **non-~** non-smoking car VP 10
furieux/furieuse furious 33
  être ~ to be furious 33

gagner to earn, to win 12
  ~ sa vie to earn one's living 22
  ~ bien sa vie to earn a good living 22
gamin(e) (*m/f*) kid, child
gant (*m*) glove
garage (*m*) garage 12, VP 8
garçon (*m*) boy, young man 8
garde (*m*) **républicain** republican guard
garder to keep 20, 32; to preserve
  ~ la ligne to keep one's figure, to watch one's weight
gare (*f*) train station 9, VP 9

gâteau (*m*) cake 17
gauche (*f*) left
  à ~ de to the left of 12
gazole (*m*) diesel fuel VP 10
géant(e) (*m/f*) giant
gendarme (*m*) police
généreux/généreuse generous 8, 28
génial(e) (géniaux mpl) bright, smart 8; great
génie (*m*) genius
genou (*m*), **genoux** (*pl*) knee 26, VP 9
genre (*m*) type 22
  quel ~ de what kind of 22
gens (*mpl*) people 8, 16
gentil/gentille nice 8, 28
gentilhomme (*m*) gentleman
géométrie (*f*) geometry
  esprit (*m*) **de ~** logic
gérer to manage
gestion (*f*) management 20
gîte: ~ avec chambre d'hôte bed and breakfast VP 8
glace (*f*) ice cream 17; mirror
golf (*m*) golf 1, VP 9
gorge (*f*) throat 26
goût (*m*) taste
  chacun à son ~ each to his/her own taste
  une question de ~ a matter of taste
goûter to taste
gouttes (*fpl*) drops VP 9
gouvernement (*m*) government 32
GPS: système ~ (*m*) GPS (Global Positioning System) VP 10
grâce à thanks to
gramme (*m*) (*abbrev* g) gram VP 7
grand(e) big, large, tall 8, VP 4
  ~ magasin (*m*) department store
  ~ surface (*f*) discount superstore 11
  grandes marques (*fpl*) designer labels
grand-chose much
grand-mère (*f*) grandmother 10
grand-père (*m*) grandfather 10
grands-parents (*mpl*) grandparents 10
gratuit(e) free (of charge) 19
graver (un CD, DVD) to burn (a CD, DVD) VP 7
gravité (*f*) gravity, seriousness
grec/grecque (*adj*) Greek 16
Grèce (*f*) Greece 16
grenier (*m*) attic
grève (*f*) strike
grill (*m*) grill (*restaurant*) 11
grippe (*f*) flu 25, VP 9
gris(e) gray 11
gros/grosse big 28; fat 28
  gros lot (*m*) jackpot (*in the lottery*)
grossir to gain weight, to get fat 13
groupe (*m*) group
guérir to cure
guerre (*f*) war 32
  Seconde ~ mondiale World War II
guichet (*m*) ticket window VP 10
guide (*m*) guidebook
guide (*m/f*) guide (person)

guitare (*f*) guitar 7, 9

gym (*f*) exercise, gymnastics
  faire de la ~ to exercise

gymnase (*m*) gymnasium

gymnastique (*f*) exercise, gymnastics 25
  faire de la ~ to do gymnastics/exercises

*The asterisk * indicates an aspirate 'h'; no liaison or elision is made at the beginning of the word.*

habiller: s'~ to dress, to get dressed 26

habitant/habitante (*m/f*) inhabitant 22

habiter to live (in) 4, 22

habitude (*f*) habit
  d'~ usually 23
  ~ alimentaire dietary habit
  ~ de travail work habit

habituellement usually 23

habituer: s'~ à to get used to

haricots* (*mpl*) beans 18
  ~ verts green beans VP 6

hasard* (*m*) chance 30; accident
  par ~ by chance

hauteur* (*f*) height

hériter to inherit

hésiter (à) to hesitate 28

heure (*f*) hour, time 1
  à ... heure(s) (*abbrev* **h**) at ... o'clock 3
  à l'~ on time 29
  à l'~ actuelle at the present time 31; at this time
  à quelle ~? at what time? 4, 6
  dans ... heure(s) in ... hour(s) 4
  ~ de loisir free time
  quelle ~ est-il? what time is it? 1
  une ~ de libre a free hour

heureux/heureuse happy 8, 28
  être ~ to be happy 33

heureusement fortunately 28

hier yesterday 14
  avant-~ day before yesterday 14
  ~ soir yesterday evening, last night 14

histoire (*f*) history 3, 20; story 21, 24

hiver (*m*) winter 6, 10
  en ~ in winter 10

HLM (habitation (*f*) **à loyer modéré)** low-rent housing

hollandais(e)* (*adj*) Dutch 16

Hollande* (*f*) Holland 16

homme (*m*) man 8
  ~ d'affaires businessman 29

honnête honest 8

hôpital (*m*) hospital 9

horaire (*m*) schedule

hors saison off-season

hors-d'oeuvre* (*m*) appetizer 17

hôte/hôtesse (*m/f*) host, hostess

hôtel (*m*) hotel 2
  ~ de grand luxe luxury hotel VP 8

huit* eight 1

huitième* eighth 28

humeur (*f*) mood
  de bonne/mauvaise ~ in a good/bad mood

ici here 9
  ~ ... This is ... (*on the phone*) VP 2

idéaliste (*adj*) idealistic 8

identité (*f*) identity
  carte d'~ ID card VP 4
  pièce d'~ proof of identity VP 4

idiot(e) stupid 8

il he, it 4

il est it is 8

il faut + *inf* it is necessary, you have to/ must/should, one has to/must/should 19

il pleut it is raining 12

il vaut mieux it is better 31

il y a there is/there are 7
  ~ + *elapsed time* ... ago 15

il n'y a pas de there is no 7
  ~ quoi! it's nothing! 2

ils they 4

imaginatif/imaginative imaginative 8, 28

immédiatement immediately 23

immeuble (*m*) building, apartment building VP 3, 22

immobilier (*m*) real estate 31

impatient(e) impatient 8

impatienter: s'~ to get/grow impatient 27

impensable unthinkable

imper (*m*) raincoat 11

impératif (*m*) imperative

impoli(e) (*adj*) impolite 8

important(e) important
  il est ~ it is important 32
  plus ~ que greater than

imprimante (*f*) printer VP 7

imprudent(e) careless

impulsif/impulsive impulsive 8, 28

incendie (*m*) fire 24

inclus(e) included VP 5

inconditionnel/inconditionnelle absolute

inconnu(e) unknown

inconvénient (*m*) disadvantage, drawback

Inde (*f*) India 16

indécis(e) indecisive

indépendant(e) independent 8

indien/indienne (*adj*) Indian 16

indiscret/indiscrète indiscreet 28

indispensable: il est ~ it is indispensable 32

individu (*m*) individual

individualiste (*adj*) individualistic 8

individuel/individuelle (*adj*) individual 22
  maison (*f*) single family house VP 3, 22

industrie (*f*) industry 31

inégal(e) (inégaux *mpl*) unequal 28

infiniment (*adv*) infinitely VP 3

infirmier/infirmière (*m/f*) nurse 29

informaticien/informaticienne (*m/f*) data specialist 29

information (*f*) information; news (broadcast)
  flash d'~ news flash

informations (*fpl*) the news 23

informatique (*f*) computer science 3, 20, 31

informatisée: fiche (*f*) **~** computer file

informer: s'~ to get informed
  s'~ (sur) to find out (about) VP 7

ingénieur (*m*) engineer 29
  études d'~ engineering studies

ingrédient (*m*) ingredient 17

inquiet/inquiète worried 28

inquiéter: s'~ to worry 27

inscrire to enroll
  s'~ to register, to sign up

inscrit(e) enrolled

insensible indifferent

installé(e): bien ~ (*adj*) comfortable, well set up

installer: s'~ to settle, to get settled

instant: dans un ~ in a short while 4, 29

instituteur/institutrice (*m/f*) teacher

instruire: s'~ to learn

intellectuel/intellectuelle intellectual 8, 28

intelligent(e) intelligent 8

intention (*f*): **avoir l'~ de** to intend 13

interdiction (*f*) **de stationner** no parking

interdire (à qqn de) to forbid, to prohibit 28

intéressant(e) interesting 8

intéresser: ~ qqn to interest someone
  s'~ à to be/get interested in 27

intérieur (*m*) inside (section)

Internet (*m*) Internet VP 8

interprète (*m/f*) interpreter

interroger to question, to interrogate

interview (*f*) interview

interviewer (*v*) to interview

intuitif/intuitive intuitive 8, 28

intuitivement intuitively 28

inutile useless 8, 19
  il est ~ it is useless 31

inutilement uselessly, in vain

inventer to invent, to come up with

invention (*f*) invention 33

invité/invitée (*m/f*) guest

inviter to invite 4, VP 8

invraisemblable unlikely
  histoire ~ unlikely story

irlandais(e) (*adj*) Irish 16

Irlande (*f*) Ireland 16

irrésolu(e) wavering

isolement (*m*) isolation

Israël (*m*) Israel 16

israélien/israélienne Israeli 16

Italie (*f*) Italy 16

italien (*m*) Italian (*language*) 3

italien(ne) (*adj*) Italian 8, 16

Italien/Italienne (*m/f*) Italian person

itinéraire (*m*) route, itinerary

jaloux/jalouse jealous 28

jamais ever, never 4
  ne ... ~ not ever, never 15, 23

jambe (*f*) leg 26, VP 9
  se casser la ~ to break one's leg VP 9

jambon (*m*)   ham 17
janvier (*m*)   January 6
Japon (*m*)   Japan 16
japonais (*m*)   Japanese (*language*)
japonais(e) (*adj*)   Japanese 8
Japonais/Japonaise (*m/f*)   Japanese person
jardin (*m*)   garden 12
jaune   yellow 11
jazz (*m*)   jazz music
je (j')   I 1
jean (*m*)   jeans 11
jeter   to throw
jeu (*m*)   game 9
   ~ des acteurs   acting
   Jeux olympiques   Olympic Games
   jeux télévisés   TV game shows 23
   terrain (*m*) **de jeux**   playground
   jeux de rôle   role plays 9
   jeux sur ordinateur   computer games 9
   jeux vidéo   video games 9
jeudi (*m*)   Thursday 5
jeune   young 8
   ~ femme (*f*)   young woman 8
   ~ fille (*f*)   young girl 8
   ~ homme (*m*)   young man 8
   Maison des Jeunes (*f*)   youth center 5
jeunesse (*f*): **auberge de ~**   youth hostel
job (*m*)   job (*slang*)
jogging (*m*)   jogging 25
   faire du ~   to go jogging
joie (*f*)   happiness 33
joie (*f*) **de vivre**   zest for life
joindre   to join
joli(e)   pretty 8
jouer   to play 5, 9, 25
   ~ à   to play a sport/game 5, 9, 25
   ~ de   to play an instrument 9
   qu'est-ce qu'on joue?   what's playing? (*at the movies*)
joueur/joueuse (*m/f*)   player
jour (*m*)   day 12, 14
   chaque ~   each/every day 23
   ~ de congé   day off, holiday 30
   par ~   per day 12
   quel ~ est-ce?   what day is this? 6
   quel ~ sommes-nous?   what day is this?
   tous les jours   every day 23
   un ~   one day 23
   un beau ~   suddenly one day
journal (*m*), **journaux** (*pl*)   newspaper(s); diary, journal 21
journal télévisé   television news (show)
journaliste (*m/f*)   journalist, reporter 29
journée (*f*)   (whole) day 14, 18
Joyeux: ~ Noël!   Merry Christmas!
   ~ anniversaire!   happy birthday!
judiciaire: casier (*m*) **~**   criminal file
judo (*m*): **faire du ~**   to practice judo
juge (*m/f*)   judge
juillet (*m*)   July 6
juin (*m*)   June 6
jupe (*f*)   skirt 11
jurer   to swear, to vow

jus (*m*)   juice
   ~ d'orange   orange juice VP 1, 17
   ~ de raisin   grape juice 17
   ~ de tomate   tomato juice 17
jusqu'à (*prep*)   until, up to VP 3, VP 8
jusqu'à ce que (*conj*)   until 32
juste   fair, just, right
   il est ~   it is fair/just/right 32
   ~ milieu (*m*)   happy medium
justement (*adv*)   as a matter of fact; exactly
justice (*f*)   justice 2

karaté (*m*): **match** (*m*) **de ~**   karate match
   faire du ~   to practice karate VP 9
ketchup (*m*)   ketchup 17, VP 6
kilo(gramme) (*m*) (*abbrev* **kg**)   kilogram
kilomètre (*m*) (*abbrev* **km**)   kilometer
   à ... kilomètres   ... kilometers away VP 3
Kronenbourg (*f*)   *a brand of French beer*

la   (*See* **le**)
là   there 9
   -là   (over) there 11
   là-bas   (over) there 9
laboratoire (*m*)   laboratory 9
laine (*f*)   wool VP 4
laisser   to leave 20
   ~ un message   to leave a message VP 2
lait (*m*)   milk 17
laitier: produit (*m*) **~**   dairy product
lampe (*f*)   lamp 12
lancer   to launch
langue (*f*)   language 3, 16, 20, 31
lapin (*m*)   rabbit VP 6
large (*adj*)   wide VP 4
laver   to wash 26
   se ~   to wash oneself 26, to wash up, to get washed
lave-vaisselle (*m*)   dishwasher
le/la/l'/les (*pron*)   him, her, it, them 20
le/la/l'/les (*art*)   the 8
   le + *day of the week*   on + *day of the week* 14, 23
   le soir   in the evening (*habitually*)
lecteur CD (*m*)   CD player 7, VP 7, VP 10
   ~ DVD   DVD player 7, VP 7, VP 10
   ~ DVD portable   portable DVD player VP 7
lecture (*f*)   reading 2
léger/légère   light VP 6
   quelque chose de ~   something light
légume (*m*)   vegetable VP 6
lent(e)   slow 8
lentement (*adv*)   slowly 19
les   (*See* **le**)
lettre (*f*)   letter 21
   lettres (*fpl*)   humanities 20
leur (*pron*)   to/for them 21
leur(s) (*adj*)   their 10
lever   to lift 26
   ~ des poids   to lift weights
   se ~   to get up 26
Liban (*m*)   Lebanon 16

libanais/libanaise (*adj*)   Lebanese 16
libéral(e) (**libéraux** *mpl*)   liberal 8
liberté (*f*)   liberty 2
libraire (*m/f*)   bookseller
librairie (*f*)   bookstore 2
libre   free VP 8; free-flowing, unoccupied VP 10
   une heure de ~   a free hour
   ~-échange (*m*)   free trade
   un moment de ~   free time
   temps (*m*) **~**   free time 25
librement   freely
licence (*f*)   *equivalent to a B.A. degree; granted after 3–4 years of university study*
lié(e)   linked
lier   to link
lieu (*m*), **lieux** (*pl*)   site, place 24
   avoir ~   to take place 24
   ~ de naissance   place of birth VP 2
   ~ de travail   work place
ligne (*f*)   figure, waistline 18; (phone) line VP 2
   garder la ~   to keep one's figure, to watch one's weight
limonade (*f*)   lemon soda VP 1, 17
lin (*m*)   linen
lire (*v*)   to read 21
   lisez!   read! VP 2
lit (*m*)   bed 12
litre (*m*) (*abbrev* **l**)   liter
littéraire   literary 20
littérature (*f*)   literature 3, 20
living (*m*)   (informal) living room 12
livre (*m*)   book 7
livre (*f*)   pound VP 6
locataire (*m/f*)   tenant
logement (*m*)   housing 12
loger   to stay VP 8
logiciel (*m*)   software application 33
loi (*f*)   law 32
loin de   far (from) 12
loisirs (*mpl*)   leisure-time activities 5, 9, 12, 25; free time
long/longue   long VP 4, 26, 28
longtemps   (for) a long time 23
lot (*m*): **gros ~**   jackpot (*in the lottery*)
lotissement (*m*)   development VP 3, 22
loto (*m*)   lottery
loué(e) (*adj*)   rented
louer   to rent 12
loyal(e) (**loyaux** *mpl*)   loyal 8
loyer (*m*)   rent 10, 14, VP 10
lui (*pron*)   him, her 6; to (for) him/her 21
   lui-même   himself, itself
lumière (*f*)   light
lundi (*m*)   Monday 5
lune (*f*)   moon
lunettes (*fpl*)   glasses 11
   ~ de soleil   sunglasses 11
lutte (*f*)   fight
luxe (*m*)   luxury
   hôtel de ~   luxury hotel
lycée (*m*)   secondary school
lycéen/lycéenne (*m/f*)   high school student

M. (*abbrev* **Monsieur**) Mr. 2
ma (See **mon**)
machine (*f*) machine
Madagascar (*m*) Malagasy Republic
Madame (*abbrev* **Mme**) Mrs., Ma'am 1
Mademoiselle (*abbrev* **Mlle**) Miss 1
magasin (*m*) store 9
  grand ~ department store
magazine (*m*) magazine 21
  ~ d'actualité news magazine
magnétoscope (*m*) VCR VP 7
mai (*m*) May 6
maigrir to get thin, to lose weight 13
mail (*m*) e-mail VP 7
maillot (*m*) **de bain** swimming suit 11
main (*f*) hand 26
Maine (*m*) (*state of*) Maine 16
maintenant now 5, 14
maintenir to maintain 32
maintien (*m*) maintenance
mairie (*f*) town hall VP 4
mais but 4
  ~ non! of course not! 4
  ~ oui! of course! 5
maison (*f*) home, house 9, 12
  à la ~ at home VP 2, 9
  ~ de la culture arts center
  ~ des Jeunes youth center
  ~ individuelle single family house VP3, 22
maître (*m*) master
maîtrise (*f*) *equivalent to an M.A.; granted for 1 year of study beyond the* **licence**
mal (*m*) evil; pain; difficulty
  avoir ~ à + *part of body* to have a sore ..., to have a ... ache 26, VP 9
  avoir ~ au coeur to have an upset stomach 26
  avoir du ~ à to have a hard time doing something
  il n'y a pas de ~ there's no harm done
  se faire ~ to hurt oneself VP 9
  où avez-vous ~? where does it hurt? VP 9
mal (*adj*): **si ~ que ça** all that bad
mal (*adv*) not great 3; badly 3, 5
  ~ posé(e) badly phrased
  pas ~ not bad 3
malade (*m/f*) patient
malade (*adj*) sick 25, VP 9
  tomber ~ to get sick
maladie (*f*) illness 25
maladroit(e) clumsy
malaise (*m*) discomfort
malchance (*f*) bad luck
mâle (*m*) male
malgré in spite of
malheureusement unfortunately 28
malheureux/malheureuse unhappy 8, 28, 33
malhonnête dishonest
management (*m*) management 11
manche (*f*) sleeve
manger to eat 5
manière (*f*) manner, way

manières (*fpl*) manners (*etiquette*)
manifestation (*f*) (political) demonstration
manquer to miss
manteau (*m*), **manteaux** (*pl*) coat 11
manufacture (*f*) factory
maquiller: se ~ to put on makeup 26
marchand/marchande (*m/f*) merchant, vendor
  ~ de journaux newsstand
marche (*f*) **à pied** hiking, walking 25
marché (*m*) open-air market VP 6
  ~ aux puces flea market
marcher to run, work (*function*) 7, 25
  ça marche bien it's going well
mardi (*m*) Tuesday 5, 14, 15, 23
margarine (*f*) margarine 17
mari (*m*) husband 10
mariage (*m*) marriage 27, wedding
marié/mariée (*m/f*) groom/bride
  jeunes mariés newlyweds
marié(e) (*adj*) married 10
marier: se ~ (avec) to get married, to marry 27
marin (*m*) sailor
marketing (*m*) marketing (*sales*) 3, 20
Maroc (*m*) Morocco 16
marocain(e) (*adj*) Moroccan 16
marque (*f*) **(de voiture)** make (of car) VP 10
marques (*fpl*) brands
  grandes ~ designer labels
marron (*adj/inv*) brown 11
mars (*m*) March 6
martiniquais(e) (*adj*) from Martinique 3
match (*m*) game
  faire un ~ to play a game 10
  ~ de boxe boxing match
  ~ de karaté karate match
mathématiques (*fpl*) mathematics 3, 20
maths (*fpl*) math 3, 17
  faire des ~ to study math 17
matin (*m*) morning 1, 14
  ce ~ this morning 14
  du ~ in the morning, A.M. 1
mauvais(e) bad 8, 15
  il fait ~ the weather is bad 10
mayonnaise (*f*) mayonnaise 17
me (*pron*) (for/to) me 21
mécanicien/mécanicienne (*m/f*) mechanic
méchant(e) (*adj*) nasty, mean 8
médaille (*f*) medal VP 10
médecin (*m*) doctor 29
médecine (*f*) medicine (*subject of study*) 20
médicament (*m*) medicine (*drug*) VP 9
médiocre (*adj*) mediocre VP 5
méfiance (*f*) distrust
méfiant(e) distrustful
meilleur(e) (*adj*) better 12
  le/la ~ the best 12
mél (*m*) e-mail VP 7
mélange (*m*) mixing, mixture
melon (*m*) melon 17

même even 20; same 27
  stress pron + **même** ...self
  ~ si even if 20
  de ~ likewise
  tout de ~ all the same
menace (*f*) threat
menacer to threaten 32
ménage (*m*) housework 10
  faire le ~ to do the housework 10
ménager/ménagère: appareil (*m*) **~** household appliance
  équipement (*m*) **~** household appliances
mener to lead
mensonge (*m*) lie 21
-ment (*adverbial ending*) -ly
menu (*m*) **à prix fixe** set-price menu
mer (*f*) sea 15
merci thanks 3
  ~ bien thank you
mercredi (*m*) Wednesday 5
mère (*f*) mother 10
  belle ~ stepmother 10
merveille: à ~ beautifully VP 4
merveilleux/merveilleuse marvelous
mes (See **mon**)
Mesdemoiselles (*abbrev* **Mlles**) Misses, young ladies
message (*m*) message 21
météo (*f*) weather forecast 23
métier (*m*) trade (*profession*) 31
mètre (*m*) (*abbrev* **m**) meter
  à ... mètres ... meters away
métro (*m*) subway VP 3
  en ~ by subway
  station (*f*) **de ~** subway station
mettre to place, to put, to put on, to turn on, to wear 18
  ~ en valeur to stress
  ~ la stéréo à fond to blast the stereo
  ~ la table to set the table 18
  ~ qqn à la porte to fire someone
  ~ une note to give a grade 18
  se ~ en colère to get angry
meuble (*m*) piece of furniture 12
mexicain(e) Mexican 2, 8, 16
Mexico Mexico City
Mexique (*m*) Mexico 16
midi (*m*) noon 1
Midi (*m*) the south of France
mien: le ~ (*pron*) mine
mieux (*adv*) better 28
  il vaut ~ it is better 31
  le ~ the best
mignon/mignonne (*adj*) cute 8, 28
migraine (*f*) migraine VP 9
milieu (*m*) background, center, environment
  au ~ (de) in the middle (of)
  juste ~ happy medium
militer to be active
mille (*n/inv*) thousand 11
  cent ~ one hundred thousand 11
  deux ~ two thousand 15
  dix ~ ten thousand 11

~ cent one thousand one hundred, eleven hundred

million (*m*) million 11

mince thin 25

minérale: eau (*f*) **~** mineral water 17

mini-chaîne (*f*) compact stereo

Minitel (*m*) *French home computer service linking householder to giant information and services network*

minivan (*m*) minivan VP 10

minuit (*m*) midnight 1

minute (*f*) minute

  dans une ~ in a minute 29

mise (*f*) **en scène** setting, directing (*of a film*) VP 5

mixte coeducational

Mlle (*abbrev for* **Mademoiselle**) Miss 2

Mme (*abbrev for* **Madame**) Mrs. 2

mobile (*m*) cell phone VP 1, 7

mobylette (mob) (*f*) moped 7

moche (*adj*) plain, not good-looking 8

mode (*f*) fashion

  à la ~ fashionable

  ~ de vie lifestyle

  photographe (*m*) **de ~** fashion photographer

modem fax (*m*) fax modem VP 7

modérément moderately

moderne modern 22; new 22

moeurs (*fpl*) manners

moi (*pron*) me 6, 12

  chez ~ at (my) home 9

  ~ aussi me too 6

  ~-même myself 4, 28

  ~ non plus me neither 6

moins less 12

  à ~ que unless

  au ~ at least 22

  le/la/les ~ the least 12

mois (*m*) month 6, 12, 14

  par ~ per month 12

  tous les ~ every month

moment (*m*) moment

  dans un ~ in a moment 4; in a short while 29

  en ce ~ at this moment/time

  ~ de libre free time

  un ~ ... just a moment ...

mon/ma/mes (*adj*) my 10

monde (*m*) world 16, 32; people

  tout le ~ everybody, everyone 19

  trop de ~ too many people

mondiale: crise (*f*) **~** world crisis

monnaie (*f*) change, coins, currency

mononucléose (*f*) mononucleosis VP 9

monopole (*m*) monopoly

Monsieur (*abbrev* **M.**) Mister, Mr., Sir 1

monsieur (*m*) gentleman 8

montagne (*f*) mountain 15

  à la ~ in the mountains 15

montant (*m*) amount

monter to climb, to get on, to go up 15, 23

montre (*f*) watch 7

montrer (qqch à qqn) to show 21

morceau (*m*) (small) piece 18

mort (*f*) death 15

Moscou Moscow

mot (*m*) word 21

  ~ apparenté cognate

moto (*f*) motorcycle 7; motorcycling

  faire de la ~ to go motorcycling

mouchoir (*m*) handkerchief VP 4

moufles (*fpl*) mittens

mourir to die 15

moutarde (*f*) mustard 17

moyen (*m*) means, way 33

Moyen Âge (*m*) Middle Ages

Moyen Orient (*m*) Middle East 16

moyen/moyenne (*adj*) average, middle; so-so VP 5

  en moyenne on the average

mur (*m*) wall 12

musée (*m*) museum 1, 6, 9

musical(e) (*adj*) musical

music-hall (*m*) music hall, variety theater VP 8

musicien/musicienne (*m/f*) musician

musicien/musicienne (*adj*) musical 8; musically gifted 28

musique (*f*) music 2, 9

nager to swim 5

naïf/naïve naïve 8, 28

naissance (*f*) birth

naître to be born 15

natation (*f*) swimming 25

nationalité (*f*) nationality 16

naturel/naturelle natural 28, 32

nausée (*f*) nausea VP 9

nautique: ski (*m*) **~** water skiing

naviguer: ~ sur Internet, sur le Net to surf the Net

ne (n'): ~ ... aucun(e) none, not any

  ~ ... jamais not ever, never 15, 23

  ~ ... pas not 1

  ~ ... pas du tout not at all 4

  ~ ... pas encore not yet 14

  ~ ... personne no one, nobody 13

  ~ ... plus no longer, not anymore

  ~ ... que only

  ~ ... rien not anything, nothing 13

  n'est-ce pas? right? aren't you? don't you?

  ~ quittez pas, s'il vous plaît please hold VP 2

né(e) born

nécessaire: il est ~ it is necessary 3

neige (*f*) snow 10

neiger to snow 10

  il neige it's snowing 10

  il va ~ it is going to snow 10

nerveux/nerveuse nervous 28

Net (*m*) the Net, the Internet

net/nette neat 28

nettement (*adv*) clearly

nettoyage (*m*) cleaning

nettoyer to clean 11

neuf nine 1

neuf/neuve (*adj*) new 11, 22

neuvième ninth 28

neveu (*m*) nephew 10

nez (*m*) nose 26

ni nor

nièce (*f*) niece 10

niveau (*m*) level

  ~ d'instruction level of formal education

Noël: Joyeux ~! Merry Christmas!

noir(e) black 11

  faire ~ to be dark

nom (*m*) noun; name, last name

nombre (*m*) number

nombreux/nombreuses (*adj pl*) many, numerous

  de ~ many, numerous 19

nommé(e): être ~ to be named/designated

nommer to name

non no 4

  mais ~! why no! of course not! 4

  ~ plus neither

nord (*m*) north 16

normal: il est ~ it is to be expected 32

note (*f*) grade 19; bill, check (*in a restaurant*)

  notes lecture notes 19

noter to write down

notre (nos *pl*) our 10

nourriture (*f*) food 8

nous we 4; us 6, 21

Nouveau Brunswick (*m*) New Brunswick

nouveau/nouvel/nouvelle/nouveaux/nouvelles new 11

  à nouveau again

  de nouveau again 29

nouvelle (*f*) news item, piece of news 21

  les nouvelles (*fpl*) the news 21

  ~s sportives sports news VP 7

Nouvelle: ~ Écosse (*f*) Nova Scotia

  la ~ Orléans New Orleans 16

novembre (*m*) November 6

nucléaire nuclear

nuit (*f*) night 14

  de la ~ all night long

  faire ~ to be dark

  table (*f*) **de ~** night table

nul of no interest VP 5

numéro (*m*) number; license number (*of a car*)

  ~ de téléphone phone number VP 2

  ~ de portable cell phone VP 2

obèse obese

objectif (*m*) goal

objet (*m*) object 7

  objets trouvés lost and found

obligé(e) obliged, indebted

  être ~ de to be obliged to, to have to

observer to observe, to see 24

obtenir to get, to obtain 19; to receive

occasion (*f*) chance, opportunity 30

  avoir l'~ de to have the chance/opportunity to 30

  d'~ second-hand

occupé(e) busy; occupied

occuper to occupy, to spend
  s'~ de to be busy with, to take care of; to deal with
octobre (*m*) October 6
oeil (*m*), **yeux** (*pl*) eye 26
oeuf (*m*) egg 17
  oeufs brouillés scrambled eggs
  oeufs sur le plat fried eggs
offert(e) offered VP 8
offrir to give, to offer 26
  s'~ to treat oneself
oiseau (*m*) bird 10
omelette (*f*) omelet VP 1
on one, people, they, you 6
oncle (*m*) uncle 10
onze eleven 1
  ~ cents (= mille cent) eleven hundred 10
onzième eleventh 28
opprimé(e) (*adj*) oppressed
optimiste (*adj*) optimistic 8
or (*m*) gold VP 4
orange (*m*) orange (*color*) 11; (*f*) orange (*fruit*) VP 6
  jus d'~ orange juice 17
orange (*adj/inv*) orange 11
orchestre (*m*) band
ordinaire (*adj*) plain 22
ordinateur (*m*) computer 7
  ~ de poche [un Blackberry] palmtop VP 7
  ~ portable laptop 7, VP 7
ordre (*m*) order
oreille (*f*) ear 26
  boucle (*f*) **d'~** earring
organiser to organize VP 7
  s'~ to get organized, to organize oneself
originaire native
original(e) (originaux *mpl*) original 28
ou or 4
  ~ bien or (else)
où? where? 1, 6
ouate (*f*) cotton VP 9
oublier (de) to forget 15, 20, 28
ouest (*m*) west 16
oui yes 4
  mais ~! why yes! of course! 4
ouragan (*m*) hurricane
outil (*m*) tool
ouvert(e) open
ouvrez vos livres! open your books! VP 2
ouvrier/ouvrière (*m/f*) worker 29, factory worker
ouvrir to open 26
OVNI (*m*) **(objet volant non-identifié)** UFO

pain (*m*) bread 17
paix (*f*) peace 32
palais (*m*) palace; palate, taste
Palestine (*f*) Palestine 16
palestinien/palestinienne Palestinian 16
Palme (*f*) **d'or** Golden Palm (*award*)
pamplemousse (*m*) grapefruit VP 6
panneau (*m*) sign
pansement (*m*) bandage VP 9

pantalon (*m*) pants 11
papier (*m*) document, paper
  feuille (*f*) **de ~** sheet of paper VP 2
Pâques (*m*) Easter
paquet (*m*) package VP 6
par by, through 12, 15; per
  ~ avion by air mail
  ~ conséquent therefore
  ~ exemple for example
  ~ hasard by chance
  ~ jour per day 12
  ~ mois per month 12
  ~ plaisir for fun
  ~ semaine per week 12
  ~ tous les temps in any kind of weather
parachutisme (*m*): **faire du ~** to go parachuting
parapente (*m*) paragliding 25
parc (*m*) park 9, VP 3, 22
parce que because 6, 30
pardon! excuse me! pardon me! VP 3
parebrise (*m*) windshield
parents (*mpl*) parents, relatives 10
paresseux/paresseuse lazy 8, 28
parfait! perfect!
parfois sometimes 23
parfum (*m*) perfume
parking (*m*) parking lot, parking space VP 8
parler to speak, to talk 4, 23
  ~ à to talk to 21
  ~ de to talk about
  se ~ to talk to each other 27
parmi among
part (*f*) piece, portion 18
partager to share
particulier/particulière private
partie (*f*): **faire ~ de** to be a member, to be part of
partir (de) to go away, to leave 15, 23
partout everywhere
pas: ne ... ~ not 4
  ~ du tout not at all 4
  ~ encore not yet 15, 23
  ~ mal not bad 3, VP 5
passé (*m*) past
passeport (*m*) passport
passer to spend time 9, 15; to go by/ through 9, 15, 23
  ~ un examen to take an exam 19
  se ~ to happen 24
  se ~ de to do without 33
passe-temps (*m*) hobby 9
passionnant(e) exciting
passionné(e) enthused
pastèque (*f*) watermelon
pastille (*f*) lozenge VP 9
pâté (*m*) pâté 17
pâtes (*fpl*) pasta 17
patiemment patiently 28
patient(e) patient 8
patinage (*m*) skating 25
pâtisserie (*f*) pastry shop
pâtissier/pâtissière (*m/f*) pastry shop; pastry seller, baker

patriote patriotic
patron/patronne (*m/f*) boss 31
pauvre (*m/f*) poor (person)
pauvre (*adj*) poor
payer to pay (for) 10
pays (*m*) country 16, 32
Pays-Bas (*mpl*) the Netherlands
PC (*m*) PC (personal computer) VP 7
  ~ portable portable PC VP 7
peigne (*m*) comb 26
peigner: se ~ to comb 26
peignoir (*m*) bathrobe
peinture (*f*) painting 20
pellicule (*f*) film (*for a camera*)
pendant during 14, 15, 24; for + *length of time* 16, 24
pendant que (*conj*) while 24, 32
pénible tiresome, boring 8
penser to believe, to think 9, 33
  ~ à to think about 9
  ~ que to think that 9, 33
pension (*f*) boarding house; room and board 12; three meals a day VP 8
perceptif/perceptive perceptive 28
perdre to lose 13
  ~ son temps to waste one's time 13
  se ~ to get lost
perdu(e) lost
père (*m*) father 10
  beau~ stepfather 10
permettre (à qqn de) to allow, to give permission 18, 28, 32
personne (*f*) person 8
  ne ... ~ no one, not anyone 13, 22
  ~ ... ne no one, nobody 22
perte (*f*) **de temps** waste of time
peser to weigh VP 7
pessimiste (*adj*) pessimistic 8
petit(e) small 8; short (*person*) VP 4
  petit déjeuner (*m*) breakfast 18, VP 8
  petite annonce (*f*) classified ad 21
  petit-enfant (*m*) grandchild 10
  petite-fille (*f*) granddaughter 10
  petit-fils (*m*) grandson 10
  petits pois (*mpl*) peas VP 6
pétrole (*m*) fuel, oil
pétrolier/pétrolière (*adj*) petroleum, oil
peu (de) little, not many, not much 5, 18; few 18, shortly
  ~ nombreux/nombreuses rare
  un ~ (de) a little (of), some 18
peur (*f*) fear 33
  avoir ~ de to be afraid of, to fear 13, 33
  faire ~ à to frighten
peut-être maybe, perhaps 4
peux (*See* **pouvoir**)
pharmacie (*f*) pharmacy 2, VP 9, drugstore VP 9; pharmacology 20
pharmacien/pharmacienne (*m/f*) pharmacist 29
philosophe (*m/f*) philosopher
philosophie (*f*) philosophy 2, 3, 20
photo (*f*) photograph 7; photography 7, 9, VP 7

faire de la ~ to take photographs/pictures
photographe (*m/f*) photographer 29
~ **de mode** fashion photographer
phrase (*f*) sentence 21
physique (*f*) physics 3, 20
physique: culture (*f*) ~ bodybuilding
piano (*m*) piano 9
pièce (*f*) piece; coin VP 1; room (*of a house*) 12; paper, document
~ **(de théâtre)** play VP 5
~ **d'identité** proof of identity
~ **jointe** (computer, Internet) attachment VP 7
pied (*m*) foot 26
à ~ on foot 9, VP 3
piéton/piétonne (*m/f*) pedestrian
piloter to fly a plane
pique-nique (*m*) picnic
pire worse
piscine (*f*) pool 9, VP 4, 25
pizza (*f*) pizza VP 1
placard (*m*) closet 12
place (*f*) assigned seat (*train*) VP 10
chaque chose à sa ~ everything in its place
réserver une ~ to reserve a seat VP 10
plage (*f*) beach 9
plaindre to feel sorry for 33
se ~ to complain 33
plaire to please, to be pleasing
s'il te plaît/s'il vous plaît please VP 2
il/elle me plaît I like it a lot VP 4
plaisir (*m*) pleasure
avec ~ with pleasure VP 8
par ~ for fun
plan (*m*) map
sur le ~ (de) as far as, concerning
planche (*f*): ~ **à voile** windsurfing 25
planter to crash (computer) VP 7
plastique (*m*) plastic VP 4
plat (*m*) dish VP 1, 17
~ **salé** salty dish
~ **sucré** sweet dish
plein air: en ~ outdoors
plein de lots of, full of
pleuvoir to rain
il pleut it's raining 10
il va ~ it's going to rain 10
plier to bend 26
plongée (*f*) **sous-marine** scuba diving
faire de la ~ to go scuba diving
pluie (*f*) rain 10
plupart: pour la ~ for the most part
la ~ du temps most of the time
plus more 11; plus
de ~ en ~ more and more
en ~ moreover
le/la/les ~ the most 12
ne ... ~ anymore, no longer
~ **(de) ... que** more ... than 11, 18
~ **tard** later, later on
plusieurs several 19
~ **fois** several times 23
plutôt fairly; rather, instead

pneumonie (*f*) pneumonia
poème (*m*) poem 21
poids (*m*) weight
lever des ~ to lift weights
poignet (*m*) wrist VP 9
pointure (*f*) shoe size VP 4
poire (*f*) pear VP 6
pois: petits ~ (*mpl*) peas VP 6
poisson (*m*) fish 17
~ **rouge** goldfish 10
poivre (*m*) pepper 17
poker (*m*) poker 9
poli(e) polite 8, 28
police (*f*) police force
agent (*m*) **de ~** police officer
commissariat (*m*) **de ~** police station
poliment politely 28
politique (*f*) politics, policy
~ **étrangère** foreign policy
politique (*adj*) political
émission (*f*) ~ political program
sciences (*fpl*) **politiques** political science 20
pollution (*f*) pollution 22
polo (*m*) polo shirt 11
pomme (*f*) apple VP 6
jus de ~ apple juice VP 6
~ **de terre** (*f*), **pommes de terre** (*pl*) potato 18
pommes frites French fries VP 6
ponctuel/ponctuelle punctual, on time 8, 28
porc (*m*) pork 17
côtelette de ~ pork chop VP 6
portable (*m*) cell phone VP 2, 7
porte (*f*) door 12; gate (*in an airport*) VP 10
mettre qqn à la ~ to fire someone
portefeuille (*m*) wallet VP 4
porter to wear 11
portugais (*m*) Portuguese (*language*)
portugais(e) (*adj*) Portuguese 16
Portugal (*m*) Portugal 16
poser une question (à qqn) to ask (someone) a question 21
posséder to own 11
possible possible
c'est ~ it's possible 18
il est ~ it's possible 31
possibilité (*f*) possibility 31
~ **d'emploi** job possibilities (*opportunities*) 22
postale: carte (*f*) ~ postcard 21
poste (*f*) post office 9; mail
~ **aérienne** airmail VP 7
~ **restante** general delivery VP 7
poster to mail
pot (*m*) jar VP 6
poulet (*m*) chicken 17
pour for 4, 22
~ **+ inf** (in order) to 19, 31
~ **que** (*conj*) so that 33; in order for
~ **qui?** for who(m)? 6
pourboire (*m*) tip (*in a restaurant*)
pourquoi why 6

pourriez-vous me dire ...? could you tell me ...?
pourtant nevertheless, yet 30; however
pouvoir (*v*) can, may, to be able 19, 28
est-ce que tu peux ...? can you ...? 5
je peux I can 5, 19
pouvez-vous me dire ...? can you tell me ...? VP 3
pouvez-vous répéter? can you repeat? VP 2
pratiquer to be active in a sport, to practice a sport 25
précipitamment hurriedly
précisions (*fpl*) details
préférable: il est ~ it is preferable 32
préféré(e) favorite 17, 23
préférer to prefer 2, 11, 17, 28, 32
premier/première first 6, 14, 28
première classe first class VP 10
prendre to take VP 3, to take along 18
~ **au sérieux** to take seriously
~ **le petit déjeuner** to have breakfast 18
~ **le repas** to have the meal 18
~ **qqch à boire** to have sth to drink 18
~ **qqch à manger** to have sth to eat 18
~ **un billet** to buy a ticket 18
~ **un verre** to have a drink
~ **une douche** to take a shower
prenez une feuille de papier! take a sheet of paper! VP 2
prénom (*m*) first name
préoccuper: se ~ (de) to worry, to be/get concerned about 27
préparation (*f*) homework 19
préparer to make food, to prepare 18
~ **un cours** to prepare/study for a class/course VP 7
~ **un diplôme** to prepare/study for a degree/diploma 19
~ **un examen** to prepare/study for an exam 19
se ~ to get ready 27
près nearby
~ **de** near 12
~ **d'ici** near here
tout ~ nearby, very near VP 3
présentation (*f*) introduction (*of people*)
~ **PowerPoint** PowerPoint presentation VP 7
présenter to introduce 1
je vous présente ... this is ... 1
président/présidente (*m/f*) president VP 5
presque almost 15
presse (*f*) press, newspapers
pressé(e) (*adj*) in a hurry
pression (*f*) pressure
bière ~ (*f*) draft beer VP 6
prestigieux/prestigieuse prestigious
prêt(e) ready 26
prêter (qqch à qqn) to loan 21, VP 7
prévoir to forecast, to foresee 20
prévu(e) forecast, planned

principal(e) (principaux *mpl* **)** principal; main VP 5
printemps (*m*) spring 6, 10
  au ~ in spring 10
privatiser to privatize
prix (*m*) price 11, 12
  ~ fixe set price
  ~ réduit reduced price
problème (*m*) problem 22
procédé (*m*) process
prochain(e) next 14
procurer to obtain
produire to create, to produce 23
produit (*m*) product
  ~ alimentaire food
  ~ laitier dairy product
prof (*m*) teacher 2
professeur (*m*) professor; teacher
profession (*f*) profession 31
profiter de to enjoy, to make the most of, to take advantage of
programme (*m*) program 23
progrès (*m*) progress 33
  faire des ~ to make progress 19, 33; to improve 19
projet (*m*) plan 10
  faire des projets to make plans
promenade (*f*) walk, ride
  faire une ~ to go for/take a ride/walk 10
  ~ à pied on foot 9
  ~ à vélo by bicycle 9
promener to walk, to stroll
  se ~ to go for/take a ride/walk/stroll 26
promettre (à qqn de) to promise 18, 28
pronom (*m*) pronoun
pronominal (pronominaux *mpl*)** reflexive
propre (*adj*) clean 22; own 31
  être son ~ patron to be one's own boss 31
propreté (*f*) cleanliness
propriétaire (*m/f*) owner
propriété (*f*) property
protéger to protect 32
province (*f*) province; region other than the capital 16
  en ~ outside of metropolitan Paris (elsewhere in France)
prudent(e) careful
psychologie (*f*) psychology 3, 20
pub (*f*) ad, commercial
public/publique government-controlled 28
publicité (*f*) advertising 20, 31, commercials
puis then 23
puissance (*f*) power 32
pull (*m*) sweater 11, VP 4
pull-over (*m*) sweater
puni(e) (*adj*) punished
pyjama (*m*) pajamas

qu'est-ce-que what? 5
  ~ c'est? what is it? what is that?
  ~ tu as? what's wrong? 25

~ vous avez? what's wrong? VP 9
quai (*m*) platform (*in a train station*) VP 10
qualité (*f*) good point
quand when 6, 29
quantité (*f*) quantity VP 6
quarante forty 3
quart (*m*) quarter
  il est ... heures et ~ it is quarter past ... 3
  il est ... heures moins le ~ it is quarter of ... 3
quartier (*m*) area, district, neighborhood 9, VP 3, 22
  cinéma (*m*) **de ~** local theater
  ~ latin Latin Quarter (of Paris)
quatorze fourteen 3
quatre four 1
4x4 (quatre-quatre) (*m*) four-wheel drive VP 10
quatre-vingts eighty 11
quatre-vingt-dix ninety 11
quatrième fourth 28
que (qu') (*pron*) what? 6; that, which, whom 22
  ~ dire? what to say?
  ~ signifie ...? what does ... mean? VP 1
que (*conj*) than 11; that 21
québécois(e) (*adj*) from Quebec 3
Québécois/Québécoise (*m/f*) person from Québec
quel/quelle/quels/quelles (*adj*) which, what 11
  ~ + *noun* what (a) ...!
  à ~ heure? at what time? 6
  ~ est la date? What is the date? 6
  ~ que soit whatever may be
Quel temps fait-il? How's the weather?
quelqu'un someone 13, 22; anyone
quelque chose something 13, 18, 22; anything
quelquefois sometimes
quelques some 19
quelques-un(e)s some
question (*f*) question
  poser une ~ (à qqn) to ask a question 21
  une ~ de a matter of
qui (*pron*) who? whom? 2, 6; who, that, which 22
  ~ est à l'appareil? who's calling?
  ~ est-ce? who is it? 2
quinzaine (*f*) about fifteen
quinze fifteen 3
quinzième fifteenth 28
quitter to leave (behind) 15
  ne quittez pas, s'il vous plaît please hold VP 2
quoi what 6
  il n'y a pas de ~! it's nothing!
quotidien/quotidienne daily

raconter to tell about 21, 24
radio (*f*) radio 7
radio-cassette (*f*) cassette radio 7
raisin (*m*): **jus** (*m*) **de ~** grape juice VP 6

raison (*f*) reason 5
  à ~ rightly
  avoir ~ to be right 13
ralenti: au ~ at a slow pace
randonnée (*f*) excursion
rapide (*adj*) fast, rapid 8, 28, VP 10
rapidement (*adv*) fast, rapidly 28
rappeler to remind
  se ~ to remember 27
rapport (*m*) relationship 32
raquette (*f*) racket 7
  ~ de tennis tennis racket
rarement rarely 19, 23
raser: se ~ to shave 26
rasoir (*m*) razor 26
rater to flunk, to fail 19
  ~ un examen to fail/flunk an exam 19
ravi(e) (*adj*) delighted 33
ravin (*m*) ditch
rayon (*m*) department VP 6
réalisateur/réalisatrice (*m/f*) director VP 5
réalisation (*f*) achievement
réaliser to carry out, to see through 30
réaliste realistic 8
rebelle rebellious
récemment recently
réception (*f*) reception desk (*in a hotel*) VP 5
recevoir to get, to receive 29, VP 7
recherche (*f*) research 20, 31
  faire des recherches to do research 20, VP 7
réciproque reciprocal
récital (*m*) recital VP 5
recommandé: en ~ by registered mail VP 7
récompense (*f*) reward
réconcilier: se ~ to make peace
reconnaître to recognize 20
reconverti(e) (*adj*) converted
rectifiant: en ~ by rectifying/fixing
reçu(e) received
  être ~ à un examen to pass an exam 19
récupérer to recover
redoubler to repeat a year of study
réduit(e) reduced
réel/réelle actual, real 28, 32
réellement (*adv*) really, actually 32
réfléchir à to think about 13
refléter to reflect
réflexion (*f*) thought
refuser (de) to refuse 28
regarder to look at, to watch 5, 20
  regardez! look! VP 2
régime (*m*) diet; government
  être au ~ to be on a diet 18
  faire un ~ to go on a diet 18
  suivre un ~ to be on a diet 19
région (*f*) region 16
règlement (*m*) the rules
régler to settle one's account VP 8
régner to exist; to reign
regret (*m*) regret

regrettable: il est ~ it is regrettable 32
regretter (de) to regret 28, 33
  Je regrette I am sorry 5
régulier/régulière regular 28
réhumaniser to rehumanize, to make more humane
rejeter to reject
relations (*f pl*) relations 10; connections
  ~ publiques public relations 31
remarié(e) (*adj*) remarried 10
remarque mind you
remarquer to notice 24
remboursé(e) reimbursed
remercier to thank
  je vous remercie thank you VP 3
remettre to put back 18
remettre en question to call into question
remplacer to replace
rémunéré(e): bien ~ well-paid
rencontre (*f*) meeting (*by chance*) 27; encounter
  ~ sportive sporting event, match
rencontrer to meet (*for the first time or by chance*), to run into 15
  se ~ to meet, to meet one another 27
rendez-vous (*m*) appointment, date 6, 27
  avoir ~ to have an appointment/a date 24, 27
  donner ~ à to make an appointment/date with, to arrange to meet 27
  j'ai ~ I have an appointment/a date
  se donner ~ to arrange to meet each other; to make a date/appointment with each other 27
rendormir: se ~ to fall back asleep
rendre to give back 13, 21
  ~ visite à to visit a person 13, 21, 27
  se ~ à to go to 27
  se ~ compte de to realize 27
  se ~ visite to visit each other 27
renseignement (*m*) information
  bureau des renseignements information desk
  demander un ~ to ask for information
renseigner to give information, to inform
rentrée (*f*) start of the new term
rentrer to go back, to get back, to return 9, 23
réparateur/réparatrice (*m/f*) repair person
repas (*m*) meal 12, 18
repasser to repeat, to rebroadcast
répéter to repeat 8
  répétez! repeat! VP 2
répondeur (*m*) answering machine VP 2
répondre à to answer 13, 21
  répondez answer VP 2
reportage (*m*) report, reporting
reposer: se ~ to rest 26
reprendre to have seconds 18
représentant(e) (*m/f*) **de commerce** sales representative
requête (*f*) request
RER (Réseau Express Régional du métro parisien) *suburban subway service*

réseau (*m*) network
  ~ câble cable network
réservé(e) reserved 8
réserver to reserve
résidence (*f*) dormitory VP 3, 12; residence
  ~ secondaire vacation home
résolu(e) resolved
résoudre to resolve, to solve
respirer to breathe
ressembler à to resemble, to look like
  se ~ to resemble each other
ressource (*f*) resource 32
restaurant (*m*) restaurant 2, VP 8
rester to stay 9, 15, 23
résultat (*m*) result
retard (*m*): **avoir ... minutes de ~** to be ... minutes late
  en ~ late 29; behind
retour (*m*) return
  de ~ back from
retourner to go back, to return 15, 23
retraite (*f*) retirement
  régime de ~ retirement pension
retraité/retraitée (*m/f*) retired person
retrouver to meet (again) 15, to rediscover
  se ~ to meet (again) 27, VP 8
réunion (*f*) (organized) meeting 27; gathering
réunir: se ~ to meet 18
réussir à to succeed, to be successful in 13, 19, 28, 31
  ~ un examen to pass an exam 13, 19
reussite (*f*) success 31
rêve (*m*) dream
réveiller to wake (someone) up 26
  se ~ to wake up 26
revenir to come back 16
revenu (*m*) income
rêver (de) to dream 28
revoir to see again, to look over 8
  au ~ good-by, VP 2
revue (*f*) illustrated magazine 21
rez-de-chaussée (*m*) 1st floor VP 3
rhume (*m*) cold (*illness*) 25, VP 9
riche rich 8
richesse (*f*) wealth
rien nothing
  de ~! it's nothing
  ne ... ~ nothing 12, 22
risque (*m*) risk
  prendre des risques to take risks
riz (*m*) rice 17
robe (*f*) dress 11
  ~ de mariée wedding gown
  ~ du soir evening dress
robinet (*m*) faucet
  fermer le ~ to shut off the faucet
rock (*m*) rock (music)
roi (*m*) king
roller (*m*) roller-blading 25
roman (*m*) novel 21
  ~ policier detective novel 21
rosbif (*m*) roast beef 17
rose pink 11

rôti(e) roasted 17
rouge red 11
  ~ (*m*) à lèvres lipstick 26
  poisson (*m*) **~** goldfish
roux/rousse red-headed 28
rue (*f*) street 9
rugby (*m*) rugby 11
russe (*m*) Russian (*language*) 16
Russe (*m/f*) Russian person
russe (*adj*) Russian 8, 16
Russie (*f*) Russia 16

sa his, her, its 10
sabbatique: une année (*f*) **~** sabbatical
sable (*m*) sand
sac (*m*) bag, purse, back pack 7
  ~ à main purse, handbag VP 4
sacré(e) sacred
sain(e) healthy, sound
saison (*f*) season 14
  hors ~ off season
salade (*f*) salad VP 1, 17
sale dirty 22
salé(e) salted
salle (*f*) hall, large room
  ~ à manger dining room 12
  ~ de bains bathroom 12, VP 8
  ~ de cinéma movie theater
  ~ de classe classroom
  ~ de concert concert hall VP 5
  ~ d'exercices exercise room VP 8
  ~ de séjour family room 12
  ~ de spectacles theater VP 5
salon (*m*) formal living room 12
salut! hi! bye 1, 2
samedi (*m*) Saturday 5
  le ~ on Saturdays
sandales (*f pl*) sandals 11
sandwich (*m*) sandwich
  ~ au fromage cheese sandwich VP 1
  ~ au jambon ham sandwich VP 1
sang-froid (*m*) cool, composure
sans (*prep*) without 20, 31
  ~ arrêt constantly
sans que (*conj*) without 32
santé (*f*) health 25, VP 9
  état (*m*) **de ~** state of health
  être en bonne ~ to be in good health 25, VP 9
  être en mauvaise ~ to be in poor health 25
saucisson (*m*) salami 17
sauf except
saumon (*m*) salmon 17
sauter to jump
Savoie (*f*) *French department in the Alps*
savoir to know, to have knowledge of, to know how to, to know by heart 22
  je sais I know VP 2
  je sais que ... I know that 33
  savez-vous ...? do you know ...? VP 2
savoir-faire (*m*) know-how
savoir-vivre (*m*) good manners
savon (*m*) soap 26

scanner (*m*)   scanner VP 7
scénario (*m*)   script (movie or play) VP 5
scène (*f*)   scene 24
  la mise en ~   directing (*of a film/play*)
sciences (*fpl*)   science(s) 3, 20
  ~ économiques   economics 20
  ~ humaines et sociales   human and
    social sciences 20
  ~ politiques   political science 3, 20
  ~ sociales   social sciences 20
scientifique (*m/f*)   scientist
scientifique (*adj*)   scientific 31
scolarité (*f*)   tuition 12
scooter (*m*)   motor scooter 7
sculpture (*f*)   sculpture 20
séance (*f*)   performance, showing VP 5
sec/sèche   dry
seconde (*f*)   second (class) VP 10
  en ~   in second class VP 10
secret/secrète   secret 28
secrétaire (*m/f*)   secretary 29
Secrétariat (*m*) **d'État**   (federal) department
section (*f*)   section
sécurité (*f*)   safety VP 10
Seine (*f*)   *river flowing through Paris*
seize   sixteen 3
séjourner   to stay VP 8
sel (*m*)   salt 17
selon   according to 12, 22
semaine (*f*)   week 14
  en ~   during the week
  jour de la ~   day of the week 6
  par ~   per week 12
semblable   similar
sembler   to seem
sénateur/sénatrice (*m/f*)   senator
Sénégal (*m*)   Senegal 16
sénégalais(e)   from Senegal, Senegalese 16
sens (*m*)   meaning, sense
sensibilité (*f*)   sensitivity
sentimental(e) (sentimentaux
  mpl)   sentimental 28
sentir   to feel, to smell 15
  se ~   to feel 27; to feel (*healthwise*) VP 9
sept   seven 4
septembre (*m*)   September 6
septième   seventh 28
  ~ art (*m*)   seventh art (*= film*)
sérieux/sérieuse   serious 8, 28
sérieusement   seriously 28
serment (*m*) **d'allégeance**   oath of
  allegiance
serré(e)   tight VP 4
serveur/serveuse (*m/f*)   waiter/waitress 18
service (*m*)   service, service charge, tip VP 8
  à votre ~!   at your service! 2
  ~ en chambre   room service VP 8
  self-service (*m*)   self-service restaurant 11
  ~ compris/inclus   tip included VP 8
  station-~ (*f*)   service station
serviette (*f*)   towel
servir   to serve 18
  ~ à + *inf*   to be used for
  ~ à qqn   to help someone
  se ~ de   to use 33

serviteur (*m*)   servant
ses   his, her, its 10
seul(e) (*adj*)   only 31; alone 15, 19
seulement (*adv*)   only 19, 28
shampooing (*m*)   shampoo 26
shopping (*m*)   shopping 10, 11
short (*m*)   shorts 11
si   if 12, 29; whether 21; so
si   yes (*to a negative question*) 20
  mais ~!   why yes! 20
sida (*m*)   AIDS
sidérurgique (*adj*)   steel-making
siècle (*m*)   century 24
siège (*m*)   seat
signalement (*m*)   description
signifier   to mean, to signify
  que signifie ...?   what is the meaning of
    ...? what does ... mean? VP 1
site (*m*)   (web) site VP 7
situation (*f*)   job; situation
  ~ bancaire   bank balance
  ~ de famille   marital status VP 2
situé(e)   located, situated
six   six 1
sixième   sixth 28
ski (*m*)   skiing 25, VP 9
  ~ de fond   cross-country skiing VP 9
  ~ nautique   water-skiing 25
  station (*f*) **de ~**   ski resort
skier   to ski
skis (*mpl*) **nautiques**   water skis
SMIC (salaire minimum interprofessionel
  de croissance) (*m*)   minimum wage
smoking (*m*)   tuxedo
SMS (*m*)   SMS VP 7
snack (*m*)   snack 11; fast-food place VP 6
SNCF (*f*) **(Société Nationale des Chemins**
  de fer français)   French national
  railroad system
snowboard (*m*)   snowboarding 25
sociable   friendly, sociable 8
société (*f*)   company 31
sociologie (*f*)   sociology 3
soda (*m*)   soft drink VP 1
soeur (*f*)   sister 2, 10
  demi-~   half-sister 10
sofa (*m*)   sofa 12
soi   oneself VP 6
  ~-même   oneself
soie (*f*)   silk VP 4
soigner   to care for
soir (*m*)   evening 1, 14, 23
  ce ~   this evening, tonight 14
  demain ~   tomorrow evening 14
  du ~   in the evening; P.M. 1
  hier ~   last night 14
  le ~   in the evening, evenings 23
  tous les soirs   every evening 23
soirée (*f*)   evening 14; formal party
soixante   sixty 11
soixante-dix   seventy 11
soixante-douze   seventy-two 11
soixante et onze   seventy-one 11
soixante-treize   seventy-three 11

solde (*m*)   sale VP 4
  boutique de soldes   discount shop
  en ~   on sale VP 4
sole (*f*)   sole 17
soleil (*m*)   sun 10
  coup (*m*) **de ~**   sunburn
  il fait du ~   it's sunny 10
somme (*f*)   sum
sommeil (*m*): **avoir ~**   to be sleepy 13
sommet (*m*)   summit, top
son/sa/ses (*adj*)   his, her, its 10
sonate (*f*)   sonata VP 8
sonner   to ring VP 2
sorte (*f*)   kind 22
sortie (*f*)   date, outing 15, VP 5
sortir   to go out, to leave 15; to take out 23
  ~ avec   to date, to go out with 15
  ~ de   to go out of, to leave 15
sot/sotte   dumb 28
soudain   suddenly 23
souffrir   to suffer 26
souhait (*m*)   wish
souhaiter   to wish 32
souligné(e)   underlined
souligner   to underline
soumettre   to submit
soumis(e)   submitted
soupçonner   to suspect
soupe (*f*)   soup 17
souris (*f*)   mouse (computer) VP 7
sous   under 12
sous-marin (*m*)   submarine
sous-marin(e) (*adj*)   underwater
  plongée (*f*) **sous-marine**   scuba diving
souvenir (*m*)   memory
souvenir: se ~ de   to remember 27, 28
souvent   often 5, 15, 25
Soviétique: Union (*f*) **~**   Soviet Union 16
spa (*m*)   hot tub VP 8
spacieux/spacieuse (*adj*)   roomy
sparadrap (*m*)   adhesive tape VP 9
spectacle (*m*)   show; entertainment VP 5
  ~ de variété   variety show VP 5
spirituel/spirituelle (*adj*)   witty 8
sport (*m*)   sport 2, 9, 25
  faire du ~   to be active in a sport, to do
    sports 25
sportif/sportive   athletic 8, 25, 28
stade (*m*)   stadium 9
stage (*m*)   internship, training
station (*f*)   station
  ~ de métro   subway station
  ~-service   gas/service station
  ~ de ski   ski resort
stationner   to park
  interdiction (*f*) **de ~**   no parking
steak-frites (*m*)   steak and french fries VP 1
stressé(e)   under stress
studio (*m*)   studio apartment 12
  ~ d'enregistrement   recording studio
stupide (*adj*)   stupid 8
stylo (*m*)   pen 7
subir   to suffer
succéder: se ~   to follow one another
sucre (*m*)   sugar 17

sucré(e)   sweet
sud (*m*)   south 16
suffire   to be enough, to suffice
Suisse (*f*)   Switzerland 16
suisse (*adj*)   Swiss 8, 16
suite: à la ~ de   following
suivant   according to
suivant(e) (*adj*)   following
suivi(e) par   followed by
suivre   to follow 19
   ~ un conseil   to follow (take) advice 19
   ~ un cours   to be enrolled in/take a course 19
   ~ un régime   to be on a diet 19
   ~ un sujet   to keep abreast of a topic 19
sujet (*m*)   subject 33, topic
   à ce ~   on this topic
   au ~ de   on the subject of
   suivre un ~   to keep abreast of a topic 19
super (*adj*)   great 8; (*m*) high-test gasoline VP 10
supérette (*f*)   convenience store VP 6
superficiel/superficielle   superficial 28
supermarché (*m*)   supermarket 9, VP 6
superstitieux/superstitieuse   superstitious 28
sur   on 12; out of (+ *number*)
   ~ Internet   on the Internet, on the Web VP 7
   ~ le plan (de)   as for, concerning
sûr(e)   sure; safe VP 10
   bien sûr!   of course! 5
   bien sûr que non!   of course not! 5
   il est sûr que   it is sure that 33
sûrement   surely
surfer sur le Web (sur Internet)   to surf the Web VP 7
surpris(e) (*adj*)   surprised
   être ~   to be surprised 33
surprise (*f*)   surprise 32
surtout   above all, especially, mainly
surveillance (*f*)   supervision
survêt (*m*)   jogging suit 11
SUV (*m*)   SUV (sport utility vehicle) VP 10
sympa   nice 8
sympathique   nice 8
symptômes (*mpl*)   symptoms VP 9
syndicat (*m*)   labor union
   ~ d'Initiative   tourist office VP 3

ta   your 10
tabac (*m*)   tobacco
table (*f*)   table 7, 12
   mettre la ~   to set the table 18
   ~ de nuit   night table
tableau (*m*), **tableaux** (*pl*)   painting
   ~ d'affichage   schedule of trains VP 10
taille (*f*)   size VP 4
tailleur (*m*)   woman's suit 11
taire: se ~   to be quiet
   tais-toi!   be quiet!
tant de   so many
tante (*f*)   aunt 10
taper   to type
tapis (*m*)   rug, carpet 12

tapis (*m*) **de souris**   mouse pad
tard   late 26, 29
   plus ~   later, later on
   trop ~   too late
tarif (*m*)   price list, rate
   tarifs postaux   postage rates
tarte (*f*)   pie 17
tartine (*f*)   toasted bread slice
tasse (*f*)   glass 18
tchatter   to chat (on-line) VP 7
te (*pron*)   you 21
technicien/technicienne (*m/f*)   technician 29
tee-shirt (*m*)   tee shirt 11
tel/telle (*adj*)   such (a); (*pron*)   such
télé (*f*)   television 7
   à la ~   on television 23
télécarte (*f*)   phone card VP 2
télécharger   to download VP 7
télécopieur (*m*)   fax machine 7
téléphone (*m*)   telephone 7, VP 2
téléphoner (à)   to call, to phone 5, 21, 27
   se ~   to call/phone each other 27
téléspectateur/téléspectatrice (*m/f*)   TV viewer
téléviseur (*m*)   TV set 7
télévision (*f*)   television 2, 9, VP 8
tellement (*adv*)   so very, that much, so much 17
témoignage (*m*)   testimony
témoin (*m*)   witness 24
   être ~ de   to witness 24
température (*f*): **quelle ~ fait-il?**   what's the temperature? 10
tempête (*f*)   storm
temps (*m*)   time 10, 23
   de ~ en ~   once in a while, from time to time
   emploi du ~   schedule
   en même ~   at the same time
   ~ libre   free time
   tout le ~   all the time
   une question de ~   a matter of time
temps (*m*)   weather 10
   par tous les ~   in any kind of weather
   quel ~ fait-il?   what's the weather? how is the weather? 10
tendance (*f*)   tendency, trend
tendre à   to tend to
tenir   to hold
tennis (*m*)   tennis 9
   les ~ (*fpl*)   tennis shoes, sneakers 11
terminer   to finish, to end
terrain (*m*) **de jeux**   playground
terrasse (*f*)   *sidewalk section of a café*
terre (*f*)   earth
tes   your 10
tête (*f*)   head 26, VP 9
   en ~   in first place
texan(e) (*adj*)   from Texas, Texan
Texas (*m*)   Texas 16
texte (*m*)   text
texto (*m*)   text messsage 21
TF 1 (Télévision Française 1)   *French TV channel*

TGV (*m*) **(train à grande vitesse)**   *high-speed train* VP 10
thé (*m*)   tea VP 1, 17
   ~ glacé (*m*)   iced tea 17
théâtre (*m*)   theater 9
   faire du ~   to be active/involved in, to do theater
thématique   thematic
thon (*m*)   tuna 17
tien (*pron*)   yours
tiens!   hey! look!
Tiers-Monde (*m*)   Third World
timbre (*m*)   stamp
timide   timid
toi (*pron*)   you
   et ~?   and you? 3
toilette (*f*): **cabinet** (*m*) **de ~**   bathroom 1, 2
toilettes (*fpl*)   toilets 12
tomate (*f*)   tomato 17, VP 6
tomber   to fall 15, 23
   ~ amoureux/amoureuse de   to fall in love with 27
   ~ malade   to get sick
ton/ta/tes (*adj*)   your 10
tort (*m*)   wrong
   à ~   wrongly
   avoir ~   to be wrong 13
tôt   early 26
toujours   always 5; still
tour (*f*)   tower; high rise VP 3, 22
tour (*m*)   turn
   à votre ~   it's your turn
   faire le ~   to go around
tourner   to turn VP 3
tous/toutes les deux   both
tousser   to cough VP 9
tout/toute/tous/toutes (*adj*)   all, every 19
   tous les + *day of the week*   every + *day of the week* 23
   tous les jours   every day 5
   ~ le/la/les   all (of) the ..., the whole, every 19
   tout le monde   everybody, everyone 19
   tout le temps   all (of) the time 23
   toutes sortes   all kinds
tout (*adv*): **en ~**   in all
   ~ à coup   all of a sudden, suddenly 23
   ~ à fait   absolutely
   ~ de même   all the same
   ~ de suite   immediately 23, 29
   ~ droit   straight ahead
   ~ en + *pres. participle*   while (at the same time), by, in
   ~ près   nearby VP 3
tout (*pron/inv*)   all, everything
   après ~   after all 17
   c'est ~?   is that all? VP 6
   pas du ~   not at all 5
toux (*f*)   cough VP 9
tract (*m*)   flyer
tradition (*f*)   tradition 31
traduire   to translate 23

train (*m*)   train 9, VP 3, VP 10
  en ~   by train 9, VP 10
  ~ à grande vitesse (TGV)   *high-speed train*
    VP 10
traité (*m*)   treaty 32
tranche (*f*)   slice 18
tranquille   quiet
tranquillement   quietly
transformer   to transform
transport(s) (*m*)   transportation 12
travail (*m*), **travaux** (*pl*)   job, work 31
travailler   to work 5
travailleur/travailleuse (*adj*)   hard-
    working 8, 28
traverser   to cross VP 3
treize   thirteen 3
trekking (*m*): **faire du ~**   to trek
trente   thirty 3
trente et un   thirty-one 3
très   very 3, 5
  ~ bien   very well 3, VP 2
trésor (*m*)   treasure, treasury
triste (*adj*)   sad 8; lifeless 22
  être ~   to be sad 33
tristesse (*f*)   sadness 33
trois   three 1
troisième   third VP 3, 28
tromper: se ~   to be mistaken, to make a
    mistake 27
trop (de)   too, too many, too much 5,
    VP 4, 18
  ~ tard   too late
trouver   to find 12, 20
  se ~   to be located VP 3, 27
trouvés: objets ~   lost and found
truc (*m*)   thing, something
tu   you (*familiar*)
tube (*m*)   tube VP 6
tuer   to kill

un(e) (*art*)   a, an 3
  ~ autre   another 19
  un moment ...   just a moment ...
  un peu de   some 18
un(e) (*number*)   one 1
  un + *day of the week*   one + *day of the week*
    23
  un beau jour   suddenly one day
uni(e)   united
Union européenne (*f*)   European Union
    6
union libre (*f*)   living together as an
    unmarried couple
unique   sole, only
uniquement   only
universitaire (*adj*)   university VP 3
université (*f*)   university 1, 9, 19
urbain(e)   urban
urbanisation (*f*)   urbanization
urgence (*f*)   emergency VP 9
  en cas d'~   in an emergency VP 9
usine (*f*)   factory 22
utile   useful 8, 19
  il est ~   it is useful 32

utilisant: en ~   by using
utiliser   to use 7

va (*imperative*)   go
vacances (*fpl*)   vacation 15
  en ~   on vacation 15
  grandes ~   summer vacation
vaisselle (*f*)   dishes
  faire la ~   to do/wash the dishes 10
valable   valid
valeur (*f*)   value 32
  mettre en ~   to stress
valise (*f*)   suitcase
  faire les valises   to pack
valoir   to be worth
  il vaut mieux   it is better 31
variétés (*fpl*)   variety show VP 5
  spectacle (*m*) **de ~**   variety show
    VP 5
vaut: il ~ mieux   it is better 32
veau (*m*)   veal 17
végétarien/végétarienne (*adj*)   vegetarian
    VP 6
veiller à   to look out for, to watch over
vélo (*m*)   bicycle 7; cycling VP 9
  à ~   by bicycle 9, VP 9
  faire du ~   to go cycling VP 9
  ~ tout terrain (*m*)   mountain bike
velours (*m*)   corduroy
vendeur/vendeuse (*m/f*)   salesperson
    29
vendre   to sell 13, 23
  se ~   to sell, to be sold
vendredi (*m*)   Friday 5
venir   to come 16, 23
  ~ de + *inf*   to have just + *pp* 16
vent (*m*)   wind 10
  il fait du ~   it is windy 10
ventes (*fpl*)   sales; selling
ventre (*m*)   stomach 26, VP 9
véridique   realistic
véritable   real, true
vérité (*f*)   truth 21
Vermont (*m*)   Vermont
vernissage (*m*)   gallery opening
verre (*m*)   glass 18
  prendre un ~   to have a drink
vers (*with time*)   around 30; (*with*
  direction)   toward 30
vert(e)   green 11
veste (*f*)   jacket 11
vêtement (*m*)   piece of clothing 11
  vêtements (*mpl*)   clothing 11
veuillez laisser un message   please leave a
    message VP 2
veux   (*See* **vouloir**)
viande (*f*)   meat 17
victime (*f*)   victim 24
vie (*f*)   life 15, 22
  gagner sa ~   to earn one's living 22
  ~ de fou   crazy life
  ~ quotidienne   daily life
  ~ urbaine   urban life 22
vietnamien/vietnamienne (*adj*)
  Vietnamese

vieux/vieil/vieille/vieux/vieilles   old 11
vignoble (*m*)   vineyard
village (*m*)   village 22
  dans un ~   in a village 22
ville (*f*)   city 9, 21
  en ~   in town; in the city 9, 22
vin (*m*)   wine 17
vingt   twenty 3
vingt-deux   twenty-two 3
vingt et un   twenty-one 3
vingt et unième   twenty-first 28
vingt-trois   twenty-three 3
violet/violette   purple 11
violon (*m*)   violin 9
visage (*m*)   face 26
vis-à-vis de   on, compared to, toward
visite (*f*)   visit
visiter   to visit a place 4, 13
vitamine (*f*)   vitamin 25, VP 9
vite   fast 19, 28
vitesse (*f*)   speed VP 10
  à toute ~   at high speed
  limite (*f*) **de ~**   speed limit
vitrine (*f*)   shop window
vivant: bon ~ (*adj*)   jovial
  bon ~ (*m*)   jovial fellow
vive + *noun*   hurrah for ...! long live ...!
vivre   to live 22
  joie (*f*) **de ~**   happiness
  ~ à deux   to live together (as a
    couple)
  ~ bien (*m*)   good living
  ~ en couple   to live together (as a
    couple)
vocabulaire (*m*)   vocabulary
voici   here is, here are, here comes, here
    come 2
voie (*f*)   track, route
voilà   there is, there are, there comes, there
    come 2
voile (*f*)   sailing 25
voir   to see VP 4, VP 5, 20
  se ~   to see each other 27
voisin/voisine (*m/f*)   neighbor 8
voisin(e) (*adj*)   neighboring VP 2
voisinage (*m*)   relations as neighbors
voiture (*f*)   car 7
  en ~   by car 9
  ~ de sport   sports car VP 10
  ~ de tourisme   sedan VP 10
vol (*m*)   flight; theft 24
  ~ direct   non-stop flight VP 10
volé(e)   stolen
voler   to steal 24, to fly
volets (*mpl*)   shutters
voleur/voleuse (*m/f*)   thief 24
volley (*m*)   volleyball 9
volleyball (*m*)   volleyball 9
volontaire: travail (*m*) **~**   volunteer
  work
volontiers   gladly
votre (vos *pl*)   your 10
voudrais: je ~   I would like VP 1, 5, 32
  je ~ vous présenter ...   I would like you
    to meet ...

vouloir   to want 19, 28, 32
  est-ce que tu veux?   do you want? 5
  est-ce que vous voulez?   do you want?
  je veux   I want 5, 19
  je veux bien   I'd be glad to, I'm willing 5
  je voudrais   I would like 5
  ~ **bien**   to accept; to agree, to be willing, to want 32
  ~ **dire**   to mean 21
vous   you (*formal or plural*) 4, 6, 21
  et ~?   and you? 2
voyage (*m*)   trip 10, 15, VP 9
  agence (*f*) **de voyages**   travel agency
  en ~   on a trip
  faire un ~   to take/go on a trip 10
  ~ **organisé**   tour

voyager   to travel 5, 15
voyageur/voyageuse (*m/f*)   traveler
vrai(e)   true 8
  c'est vrai   it's true
  il est vrai que ...   it is true that ... 33
vraiment   really 14, 28
  ~ **?**   really? 14
VTT (*m*) (**vélo tout terrain**)   mountain bike 7
vue (*f*)   view
  belle ~   beautiful view VP 8

WC (*mpl*)   bathroom, toilet(s) 12
week-end (*m*)   weekend 14, 23
  tous les week-ends   every weekend 23
western (*m*)   western (*movie*) VP 8

y (*pron*)   it, there 25
  allons-y   let's go
  il ~ a   there is/there are
  il ~ a deux ans   two years ago
  ~ **a-t-il?**   is there? are there?
yaourt (*m*)   yogurt 17
yeux (*mpl*)   eyes 26, VP 9
yoga (*m*): **faire du ~**   to do yoga 17

zapper   to quickly change (TV) channels
zéro (*m*)   zero 1
zut   darn

Vocabulaire

Anglais-Français

This English-French listing includes all the active vocabulary formally presented in the **La langue française** sections. Only those French equivalents that occur in the text are given. Expressions are listed according to the key word. The symbol ~ indicates repetition of the key word.

The following abbreviations are used.

abbrev	abbreviation		*mpl*	masculine plural
adj	adjective		*n*	noun
adv	adverb		*obj pron*	object pronoun
art	article		*pc*	passé composé
conj	conjunction		*pl*	plural
f	feminine		*prep*	preposition
fpl	feminine plural		*pron*	pronoun
inf	infinitive		*rel pron*	relative pronoun
int	interrogative		*qqch*	quelque chose
inv	invariable		*qqn*	quelqu'un
m	masculine		*sth*	something
m/f	masculine/feminine		*v*	verb

a, an un(e)
able: be ~ pouvoir
about de
above all surtout
abreast: keep ~ of a topic suivre un sujet
abroad à l'étranger
  from ~ étranger/étrangère (*adj*)
absolutely absolument
accept accepter
access accès (*m*)
accident l'accident (*m*)
accidentally par hasard
according to d'après, selon, suivant
accountant comptable (*m/f*)
accounting la comptabilité
-ache: have a ... ~ avoir mal à + *part of body*
achieve réussir, réaliser
acquaintance: make the ~ of faire la connaissance de
acquainted: be ~ (with) connaître
across (from) en face (de)
active actif/active
  be ~ in (a sport) pratiquer
actor/actress l'acteur/l'actrice (*m/f*)

actual réel/réelle
ad (advertisement) l'annonce (*f*)
  classified ~ la petite annonce
address l'adresse (*f*)
admire admirer
advertising la publicité
advice: piece of ~ le conseil
afraid: be ~ avoir peur
after après, ensuite
  ~ all après tout
afternoon l'après-midi (*m*)
  in the ~ de l'après-midi
  this ~ cet après-midi
  tomorrow ~ demain après-midi
again à nouveau, de nouveau, encore; encore une fois
against contre
ago il y a + *elapsed time*
agree accepter, être d'accord, vouloir bien
  agreed! d'accord!
agreement l'accord (*m*)
  be in ~ être d'accord
ahead of time en avance
airplane l'avion (*m*)
  by ~ en avion

airport l'aéroport (*m*)
all (*pron/adj*) tout/toute/tous/toutes
  after ~ après tout
  ~ of a sudden tout à coup
  ~ right! d'accord!
  ~ the ... tout le/toute la/tous les/toutes les ...
  ~ the time tout le temps
  not at ~ pas du tout
allow permettre (à qqn de)
ally l'allié(e) (*m/f*)
almost presque
alone seul(e)
a lot (of) beaucoup (de)
already déjà
also aussi
always toujours
A.M. du matin
amazement l'étonnement (*m*)
ambitious ambitieux/ambitieuse
American (*n*) l'Américain/Américaine (*m/f*)
among parmi, entre
amusing amusant(e)
analysis l'analyse (*f*)

and et

  ~ you? et toi? et vous?

anger la colère

angry furieux/furieuse

  to get ~ se mettre en colère, se fâcher

animal l'animal (*m*)

animation l'animation (*f*)

another un(e) autre

answer répondre (à)

  ~! répondez!

anthropology l'anthropologie (*f*)

any (*pron*) en

anymore ne … plus

anyone quelqu'un

  not ~ ne … personne

anything quelque chose

apartment l'appartement (*m*)

  studio ~ le studio

apologize s'excuser

appetizer le hors-d'oeuvre

apple la pomme

appointment le rendez-vous

  have an ~ avoir rendez-vous

  make an ~ with donner rendez-vous à

April avril (*m*)

architect l'architecte (*m/f*)

architecture l'architecture (*f*)

area (*field*) le domaine; (*neighborhood*) le quartier

aren't you (we, they, etc.)? n'est-ce-pas?

argue (with) se disputer (avec)

arm le bras

armchair le fauteuil

around vers + *time*

arrange to meet (each other) (se) donner rendez-vous

arrival l'arrivée (*f*)

arrive arriver

art l'art (*m*)

  arts les arts (*mpl*)

  fine arts les beaux-arts (*mpl*)

article l'article (*m*)

artistic (*adj*) artistique

as comme

  ~ … ~ aussi … que

  ~ a matter of fact en effet

  ~ much … ~ autant de … que

ask demander

  ~ for sth from someone demander qqch à qqn

  ~ someone a question poser une question à qqn

  ~ someone if/to … demander à qqn si/de …

assignment: written ~ le devoir

astonished (*adj*) étonné(e)

at à

  ~ …'s house chez …

  ~ … o'clock à … heures

  ~ last enfin

  ~ present actuellement

  ~ that moment alors

  ~ the present time à l'heure actuelle

  ~ what time …? à quelle heure …?

  ~ your service à votre service

athletic sportif/sportive

attend assister à

attention: pay ~ (to) faire attention (à)

attentive attentif/attentive

attract attirer

August août (*m*)

aunt la tante

avenue l'avenue (*f*)

awful: the weather is ~ il fait un temps épouvantable

back le dos; le fond

  at the ~ (of the store) au fond (du magasin)

backpack le sac

bad mauvais(e)

  it is ~ weather il fait mauvais

  it is too ~ that il est dommage que

  not ~ pas mal

  not too ~ comme ci, comme ça

badly mal

  behave ~ se conduire mal

balcony le balcon

banana la banane

bar le bar

basketball le basket, le basketball

bath le bain

bathroom le cabinet de toilette, la salle de bains, les WC

be être

  ~ … years old avoir … ans

  ~ able to pouvoir

  ~ active in a sport pratiquer, faire du/de la/des + *sport*

  ~ active/involved in politics faire de la politique

  ~ afraid of avoir peur de

  ~ born naître

  ~ busy with s'occuper de

  ~ called s'appeler

  ~ careful faire attention

  ~ cold avoir froid (*person*); faire froid (*weather*)

  ~ concerned about/with se préoccuper de

  ~ enrolled in a course suivre un cours

  ~ hot avoir chaud (*person*); faire chaud (*weather*)

  ~ hungry avoir faim

  ~ interested in s'intéresser à

  ~ located se trouver

  ~ lucky avoir de la chance

  ~ mistaken se tromper

  ~ necessary être nécessaire, il faut

  ~ on a diet suivre un régime, être au régime

  ~ one's own boss être son propre patron

  ~ right avoir raison

  ~ scared of avoir peur de

  ~ sleepy avoir sommeil

  ~ successful at réussir à

  ~ supposed to devoir

  ~ thirsty avoir soif

  ~ warm avoir chaud

  ~ willing vouloir bien

  ~ wrong avoir tort

beach la plage

beans les haricots (*mpl*)

beautiful beau/bel/belle/beaux/ belles

  it is ~ il fait beau (*weather*)

because parce que

  ~ of à cause de

become devenir

bed le lit

  go to ~ se coucher

bedroom la chambre

beef le boeuf

beer la bière

  draft ~ la bière pression

before: (*adv*) avant; (*prep*) avant de; (*conj*) avant que

  … minutes ~ … … heures moins …

begin commencer (à)

  ~ by/with commencer par

beginning le commencement

behave (well/badly) se conduire (bien/mal)

behind derrière

Belgium la Belgique

believe croire, penser

  ~ in croire à

  ~ that croire que

belong to être à

bend plier

beside à côté de

best (*adj*) le/la meilleur(e)

best (*adv*) mieux

better (*adj*) meilleur(e)

  it is ~ il vaut mieux

between entre

beverage la boisson

bicycle la bicyclette, le vélo

  by ~ à vélo

big grand(e), gros/grosse

bilingual bilingue

bill l'addition (*f*), la facture, la note
biology la biologie
birthday l'anniversaire (*m*)
black noir(e)
blond blond(e)
blouse le chemisier
blue bleu(e)
body le corps
book le livre
bookstore la librairie
boots les bottes (*fpl*)
border la frontière
bored ennuyé(e)
  to get ~ s'ennuyer
boring ennuyeux/ennuyeuse, barbant(e)
born né(e)
  be ~ naître
  I was ~ je suis né(e)
borrow (from) emprunter (à)
boss le chef, le patron/la patronne
boulevard le boulevard
boy le garçon
brave courageux/courageuse
Brazil le Brésil
bread le pain
break casser, se casser
breakfast le petit déjeuner
bridge (*game*) le bridge
bright génial(e) (géniaux *pl*), intelligent(e)
brilliant brillant(e)
brilliantly brillamment
bring apporter
  ~ along amener
brother le frère
brown brun(e), marron (*inv*)
brunette brun(e)
brush (*n*) la brosse
brush (*v*) (se) brosser
build construire
building le bâtiment
  apartment ~ l'immeuble (*m*)
burglarize (*v*) cambrioler
burglary le cambriolage
bus le bus
  by ~ en bus
business les affaires (*fpl*), le business, l'entreprise (*f*)
  ~ administration l'administration (*f*) des affaires
  businessman/woman l'homme/la femme d'affaires
  ~ sense le sens des affaires
  create a ~ entreprendre
business (*study of*) les études de commerce
busy: be ~ with s'occuper de

but mais
butter le beurre
buy acheter
  ~ for oneself s'acheter
  ~ on-line acheter en ligne
by à, en, par

café le café
cafeteria: school ~ la cantine
cake le gâteau
calculator la calculatrice
call appeler, téléphoner à (qqn), se téléphoner
called: be ~ s'appeler
calm calme
calmly calmement
camcorder le caméscope
camera l'appareil-photo (*m*)
  movie ~ la caméra
camping le camping
can (*be able to*) pouvoir
Canada le Canada
cap la casquette
capital la capitale
car l'auto (*f*), la voiture
  by ~ en voiture
card la carte
  post~ la carte postale
care: take ~ of s'occuper de
career la carrière
carrot la carotte
carry out réaliser
cartoon le dessin animé
case: in ~ of en cas de
catch attraper
  ~ a glimpse of apercevoir
CD le CD, le compact disque
CD player le lecteur de compacts disques
celebrate célébrer
cell phone le portable
center le centre
century le siècle
cereal les céréales (*fpl*)
certain certain(e)
chair la chaise
champion le champion/la championne
chance (*luck*) le hasard; (*possibility*) l'occasion (*f*)
  by ~ par hasard
  have the ~ to avoir l'occasion de
channel: TV ~ la chaîne
cheap bon marché (*inv*)
check le chèque
  traveler's ~ le chèque de voyage
checkers les dames (*fpl*)
cheese le fromage
chemistry la chimie

cherry la cerise
chess les échecs (*mpl*)
chicken le poulet
child l'enfant (*m/f*)
China la Chine
Chinese (*language*) le chinois
choice le choix
choose choisir (de)
church l'église (*f*)
cider le cidre
citizen le citoyen/la citoyenne
city la ville
  in the ~ en ville
civil servant le/la fonctionnaire
  ~ service la fonction publique
civilization la civilisation
class la classe, le cours
classified ad la petite annonce
classroom la (salle de) classe
clean (*v*) nettoyer
clean (*adj*) propre
climb monter
close fermer
  ~ your books! fermez vos livres!
closet le placard
clothing les vêtements (*mpl*)
  piece of ~ le vêtement
coat le manteau (manteaux *pl*)
coffee le café
cognate le mot apparenté
  false ~ le faux ami
cold (*illness*) le rhume
cold (*temperature*) le froid
  be ~ avoir froid
  it is ~ il fait froid
color la couleur
  what ~? de quelle couleur?
comb (*n*) le peigne
comb (*v*) se peigner
come venir, arriver
  ~ back revenir
  ~ close to s'approcher de
  ~ in entrer
comfortable confortable
comic strip la bande dessinée
commercial(s) la publicité
compact disk le compact disque, le CD
compact stereo la mini-chaîne
company (*firm*) la compagnie, l'entreprise (*f*), la société
competent compétent(e)
computer l'ordinateur (*m*)
  ~ games les jeux (*mpl*) sur ordinateur
  ~ science l'informatique (*f*)
  ~ scientist l'informaticien/l'informaticienne (*m/f*)
concerned: be/get ~ about se préoccuper de

condition: on the ~ that à condition que

conformist (*adj*) conformiste

conscientious consciencieux/ consciencieuse

conservative conservateur/ conservatrice

consider considérer

construct construire

content satisfait(e)

continue continuer à

contrary: on the ~ au contraire

controlled: government ~ public/ publique

cook (*v*) faire la cuisine

cooking (*n*) la cuisine

cost (*v*) coûter

cost (*n*) le coût

country (*countryside*) la campagne

in the ~ à la campagne

country (*nation*) le pays

courageous courageux/courageuse

course le cours, la classe

take a ~ suivre un cours

course: of ~! bien sûr! mais oui!

of ~ not! bien sûr que non! mais non!

cousin le cousin/la cousine

crazy fou/fol/folle/fous/folles

cream la crème

create créer, produire

~ a business entreprendre

creative créateur/créatrice

crime la criminalité

criticize critiquer

cruel cruel/cruelle

cultural (*adj*) culturel/culturelle (*m/f*)

curious curieux/curieuse

custard la crème

customs la douane

cut couper

~ oneself se couper

cute (*adj*) mignon/mignonne

dance (*n*) la danse

dance (*v*) danser

data specialist l'informaticien/ l'informaticienne (*m/f*)

date (*n*) (*calendar*) la date

what is the ~? quelle est la date?

date (*n*) (*appointment*) le rendez-vous

have a ~ avoir rendez-vous

make a ~ with donner rendez-vous à

date (*v*) sortir avec

daughter la fille

day le jour, la journée

~ after tomorrow après-demain

~ before yesterday avant-hier

~ off le jour de congé

every ~ chaque jour, tous les jours

per ~ par jour

what ~ is this? quel jour est-ce? quel jour sommes-nous?

death la mort

debt la dette

December décembre (*m*)

decide décider (de), choisir (de)

degree le diplôme

degrees (*weather*) les degrés (*mpl*)

it is ... degrees out il fait ... degrés

delighted (*adj*) ravi(e)

dentist le/la dentiste

departure le départ

deplore déplorer

describe décrire

desk le bureau (bureaux *pl*)

dessert le dessert

destroy détruire

detective novel le roman policier

detest détester

diary le journal

die mourir

diet le régime

be on a ~ être au régime, suivre un régime

difficult difficile, dur(e)

diminish diminuer

dining room la salle à manger

dinner le dîner

eat/have ~ dîner

diploma le diplôme

directions les directions (*fpl*)

dirty sale

disappoint décevoir

discover découvrir

discovery la découverte

discreet discret/discrète

disease la maladie

dishes la vaisselle

do the ~ faire la vaisselle

diskette la disquette

dislike détester

district le quartier

diversity la diversité

divorce (*v*) divorcer

divorced (*adj*) divorcé(e)

do faire

~ the exercise! faites l'exercice!

~ without se passer de

doctor le docteur, le médecin

at the ~'s office chez le docteur/ le médecin

documentary film le documentaire

domain le domaine

don't you (we, they, etc.)? n'est-ce pas?

door la porte

dormitory la résidence

doubt: I ~ that je doute que

doubtful douteux/douteuse

downtown en ville, centre-ville

dream (about/of) rêver (de)

dress (*n*) la robe

dress (*v*) s'habiller

dressed: get ~ s'habiller

drink (*n*) la boisson

drink (*v*) boire

have something to ~ prendre qqch à boire

drive conduire

dumb sot/sotte

during pendant

DVD le DVD

dynamic dynamique

each (*adj*) chaque

each (one) (*pron*) chacun/chacune

ear l'oreille (*f*)

early en avance, tôt

earn gagner

~ a good living bien gagner sa vie

~ one's living gagner sa vie

easily facilement

east l'est (*m*)

easy facile

eat manger, prendre

~ dinner dîner

~ lunch déjeuner

have sth to ~ prendre qqch à manger

economics les sciences (*fpl*) économiques

economy l'économie (*f*)

education: higher ~ les études (*fpl*) supérieures

egg l'oeuf (*m*)

fried eggs les oeufs sur le plat

Egypt l'Égypte (*f*)

eight huit

eighteen dix-huit

eighth huitième

eighty quatre-vingts

elect élire

electronics l'électronique (*f*)

elevator l'ascenseur (*m*)

eleven onze

~ hundred onze cents (= mille cent)

eleventh onzième

elsewhere ailleurs

e-mail l'email (*m*), le courriel, le mél

employ employer

employee l'employé/l'employée (*m/f*)

public/state ~ le/la fonctionnaire

end (*n*)   la fin
end (*v*)   finir
enemy   l'ennemi(e) (*m/f*)
energetic   énergique
engaged: get ~ to   se fiancer avec
engineer   l'ingénieur (*m*)
engineering studies   les études (*fpl*)
  d'ingénieur
England   l'Angleterre (*f*)
English (*language*)   l'anglais (*m*)
English (*adj*)   anglais(e)
enough (of)   assez (de)
enrolled: be ~ in a course   suivre un
  cours
enter   entrer (dans)
enterprise   l'entreprise (*f*)
environment   l'environnement (*m*)
epoch   l'époque (*f*)
equal   égal(e) (égaux *mpl*)
equality   l'égalité (*f*)
equipment   l'équipement (*m*)
  audio-visual ~   l'équipement
    audiovisuel
  piece of ~   l'appareil (*m*)
errands: do ~   faire les courses
especially   surtout
essential   essentiel/essentielle
establish   établir
even   même
evening   le soir, la soirée
  evenings   le soir
  every ~   tous les soirs
  in the ~   du soir, le soir (*habitually*)
  this ~   ce soir
  tomorrow ~   demain soir
event   l'événement (*m*)
ever   déjà, jamais
  not ~   ne ... jamais
every   chaque
  ~ day   chaque jour, tous les jours
  ~ + *day of the week*   tous les + *day of*
    the week
everybody   tout le monde
everyone   tout le monde
exam   l'examen (*m*)
exchange   l'échange (*m*)
excuse me   excusez-moi, pardon
excuse oneself   s'excuser
executive   le/la cadre
exercise (*n*)   l'exercice (*m*)
exercise (*v*)   faire de l'exercice, faire de
  la gym(nastique)
expected: it is to be ~   il est normal
expense   la dépense
expensive   cher/chère
experiment   l'expérience (*f*)
explain   expliquer
express   exprimer
  ~ oneself   s'exprimer

eye   l'oeil (*m*) (yeux *pl*)

face   la figure, le visage
fact   le fait
  as a matter of ~   en effet
factory   l'usine (*f*)
fail an exam   rater un examen
fair (*adj*)   juste
fall (*n*)   l'automne (*m*)
  in ~   en automne
fall (*v*)   tomber
false   faux/fausse
familiar   familier/familière
  be ~ with   connaître
family   la famille
famous   célèbre, connu(e)
far (from)   loin (de)
fast (*adj*)   rapide; (*adv*)   rapidement,
  vite
fat   gros/grosse
  get ~   grossir
father   le père
favorite   favori/favorite, préféré(e)
fax machine   le télécopieur, le fax
fax-modem   le modem-fax
fear (*n*)   la peur, la crainte
fear (*v*)   avoir peur de
feast   la fête
February   février (*m*)
feel   sentir, se sentir
  ~ like   avoir envie de
  ~ sorry for   plaindre
feeling (*n*)   le sentiment
feet   les pieds (*mpl*)
few   peu (de)
  a ~   quelques
  a ~ times   quelquefois
field   le domaine
fifteen   quinze
fifteenth   quinzième
fifth   cinquième
fifty   cinquante
fight (*v*)   lutter
figure (*body*)   la ligne
finally   enfin, finalement
finances: personal ~   les finances
  (*fpl*) personnelles
find   trouver
fine (*adv*)   bien
  ~ arts   les beaux-arts (*mpl*)
finger   le doigt
finish   finir (de)
fire   l'incendie (*m*)
fire station   la caserne de pompier
firm (*company*)   la compagnie,
  l'entreprise (*f*), la firme
first   premier/première
  at ~   au début, d'abord
  ~ of all   d'abord

fish   le poisson
five   cinq
flag   le drapeau
flu   la grippe
flunk an exam   rater un examen,
  échouer à un examen
follow   suivre
  ~ advice   suivre un conseil
following   suivant(e)
food   l'alimentation (*f*)
foot   le pied
  on ~   à pied
football   le football américain
for   depuis, pendant, pour
  ~ how long?   depuis combien de
    temps?; depuis quand? pendant
    combien de temps?
  ~ + *length of time*   depuis + *length of*
    time
  ~ whom   pour qui?
forbid   défendre (à qqn de), interdire
  (à qqn de)
forecast (*n*) (*weather*)   la météo
forecast (*v*)   prévoir
foreign   étranger/étrangère
foreigner   l'étranger/l'étrangère (*m/f*)
foresee   prévoir
foretell   prédire
forget   oublier (de)
formerly   autrefois
fortunately   heureusement
forty   quarante
four   quatre
fourteen   quatorze
fourth   quatrième
France   la France
frank   franc/franche
free (*of charge*)   gratuit(e)
free (*at liberty*)   libre
  ~ time   le temps libre
freedom   la liberté
French (*adj*)   français(e)
  ~ fries   les frites (*fpl*)
French (*language*)   le français
Friday   vendredi (*m*)
friend   l'ami(e), le/la camarade, le
  copain/la copine
friendly   sociable
friendship   l'amitié (*f*)
fries: French ~   les frites (*fpl*)
from   de
  ~ time to time   de temps en temps
  ~ where   d'où
front: in ~ (of)   devant
fruit   le fruit
fun   amusant(e)
  have ~   s'amuser
funny   drôle, amusant(e)
furious   furieux/furieuse

furniture: piece of ~ le meuble
future l'avenir (*m*); (*tense*) le futur

gain weight grossir
game le jeu (jeux *pl*)
  computer games les jeux sur
    ordinateur
  play a ~ faire un match, jouer
  TV ~ shows les jeux télévisés
  video games les jeux vidéo
garage le garage
garden le jardin
generous généreux/généreuse
gentleman le monsieur
German (*language*) l'allemand (*m*)
Germany l'Allemagne (*f*)
get obtenir, recevoir, chercher
  ~ acquainted (with) faire la
    connaissance (de)
  ~ along (with) s'entendre (avec)
  ~ back rentrer
  ~ down/off descendre (de)
  ~ on monter
gift le cadeau (cadeaux *pl*)
girl la fille
  young ~ la jeune fille
give donner (qqch à qqn), offrir
  ~ back rendre
  ~ a gift offrir un cadeau
  ~ a grade mettre une note
  ~ permission permettre (à qqn de)
  ~ sth back rendre qqch (à qqn)
glass la tasse
glasses les lunettes (*fpl*)
  sun~ les lunettes de soleil
glimpse: catch a ~ of apercevoir
go aller
  ~ away partir (de); s'en aller
  ~ back rentrer, retourner
  ~ by/through passer (par)
  ~ down descendre
  ~ for a ride/walk faire une
    promenade, se promener
  ~ home rentrer
  ~ on a trip faire un voyage
  ~ out (of) sortir (de)
  ~ out with sortir avec
  ~ shopping faire les courses
  ~ to assister à; se rendre à
  ~ up monter
golf le golf
good (*adj*) bon/bonne
  ~ morning bonjour
  in a ~ mood de bonne humeur
  it is ~ il est bon
good-by au revoir
government le gouvernement
  ~-controlled public/publique
grade la note

grandchild le petit-enfant (petits-
  enfants *pl*)
granddaughter la petite-fille
grandfather le grand-père
grandmother la grand-mère
grandparent le grand-parent
  (grands-parents *pl*)
grandson le petit-fils
grapefruit le pamplemousse
gray gris(e)
Greece la Grèce
Greek (*language*) le grec
green vert(e)
grill le grill
grow impatient s'impatienter
gym centre sportif
gymnastics la gymnastique

hair les cheveux (*mpl*)
hairbrush la brosse à cheveux
half (*n*) la moitié
half (*adj*) demi(e)
  ~ past ... il est ... heure(s) et demie
  ~~brother le demi-frère
  ~~sister la demi-soeur
hall la salle
ham le jambon
hand la main
handsome beau/bel/belle/beaux/
  belles
happen arriver, se passer
happiness la joie
happy content(e), heureux/
  heureuse
hard difficile, dur(e)
hard-working travailleur/
  travailleuse
harm: there's no ~ done il n'y a pas
  de mal
hat le chapeau
hate détester
have avoir
  ~ a meal prendre le repas
  ~ breakfast prendre le petit
    déjeuner
  ~ dinner dîner
  ~ fun s'amuser
  ~ just + *pp* venir de + *inf*
  ~ knowledge of savoir
  ~ lunch déjeuner
  ~ seconds reprendre
  ~ sth to eat/drink prendre qqch à
    manger/à boire
  ~ the opportunity/the chance
    to avoir l'occasion de
  ~ to (must) avoir besoin de, devoir,
    il faut + *inf*, être obligé(e) de
he il
head (*person in charge*) le chef

head (*part of the body*) la tête
headache: to have a ~ avoir mal à la
  tête
health la santé
  be in good ~ être en bonne santé
  be in poor ~ être en mauvaise
    santé
healthy bien portant(e)
hear entendre
heart le coeur
hello bonjour; salut (*informal*); allô
  (*on telephone*)
help aider
her (*pron*) elle, lui
her (*adj*) son/sa/ses
here ici
  ~ is, ~ are, ~ comes, ~ come voici,
    voilà
hesitate hésiter (à)
hey! dis! tiens!
hi! salut!
hi-fi la chaîne-stéréo
high rise la tour
high-tops les baskets (*fpl*)
hiking (*n*) la marche à pied
him (*pron*) lui
hire employer
his (*adj*) son/sa/ses
history l'histoire (*f*)
hitchhike faire de l'auto-stop
hobby le passe-temps
holiday la fête, le jour de congé, le
  jour férié
home la maison
  at ~ à la maison, chez + *stress pron*
homework les devoirs (*mpl*)
  do ~ faire les devoirs
honest franc/franche, honnête
hope espérer
hospital l'hôpital (*m*)
hot chaud(e)
  it's ~ out il fait chaud
hour l'heure (*f*)
  in ... hour(s) dans ... heure(s)
house la maison
  at ...'s ~ chez + *person*
housework le ménage
  do the ~ faire le ménage
housing le logement
how comment
  for ~ long? depuis combien de
    temps?
  ~ are you? comment allez-vous?
    ça va?
  ~ do you say ...? comment
    dit-on ...?
  ~ many combien (de)
  ~ much combien (de)
however cependant, pourtant

humanities   les lettres (*fpl*)
hundred   cent
  one ~ thousand   cent mille
  one thousand one ~   mille cent,
    onze cents
  two ~   deux cents
hungry: be ~   avoir faim
hurry   se dépêcher
hurt (*or have pain somewhere*)   avoir mal
  à + *part of the body*
husband   le mari

I   je
ice cream   la glace
idea   l'idée (*f*)
idealistic   idéaliste
if   si (s')
ill   malade
illness   la maladie
imaginative   imaginatif/imaginative
immediately   tout de suite
impatient   impatient(e)
  get/grow ~   s'impatienter
impolite   impoli(e)
important   important(e)
improve   améliorer, faire des progrès
impulsive   impulsif/impulsive
in   dans, en, à
  ~ + *city*   à + *city*
  ~ + *country*   en + *fem. country*/au +
    masc. country
  ~ + *month*   en + *month*
  ~ + *season*   en/au + *season*
  ~ case of   en cas de
  ~ fact   en effet
  ~ order to   pour
  ~ the evening   le soir
  ~ the state of ...   dans l'état de ...
increase   augmenter
indeed   en effet
independent   indépendant(e)
indiscreet   indiscret/indiscrète
indispensable   indispensable
individual (*n*)   l'individu
individual (*adj*)   individuel/
  individuelle
individualistic   individualiste
industry   l'industrie (*f*)
inexpensive   bon marché (*inv*)
information   les renseignements (*mpl*)
ingredient   l'ingrédient (*m*)
inhabitant   l'habitant(e)
inside   à l'intérieur (de), dedans
instead of   au lieu de
intellectual   intellectuel/intellectuelle
intelligent   intelligent(e)
intend   avoir l'intention de
interested: be ~ in   s'intéresser à
interesting   intéressant(e)

Internet   Internet
intuitive   intuitif/intuitive
intuitively   intuitivement
invention   l'invention (*f*)
invite   inviter
Ireland   l'Irlande (*f*)
Irish   irlandais(e)
it (*pron*)   cela (ça); il, elle, ce
it is   c'est, il est
  ~ ... degrees   il fait ... degrés
  ~ bad out   il fait mauvais
  ~ beautiful   il fait beau
  ~ better   il vaut mieux
  ~ cold   il fait froid
  ~ necessary   il faut + *inf*, il est
    nécessaire
  ~ nice out   il fait bon
  ~ raining   il pleut
  ~ warm, hot   il fait chaud
  ~ windy   il fait du vent
Italian (*adj*)   italien/italienne
Italian (*language*)   l'italien (*m*)
Italy   l'Italie (*f*)
its   son/sa/ses

jacket   la veste
jam   la confiture
January   janvier (*m*)
Japan   le Japon
Japanese (*language*)   le japonais
jealous   jaloux/jalouse
jeans   le jean
job   l'emploi (*m*), le travail (travaux *pl*)
jogging   le jogging
  ~ suit   le survêt
journalist   le/la journaliste
judge   juger
juice   le jus
  grape ~   le jus de raisin
  orange ~   le jus d'orange
  tomato ~   le jus de tomate
July   juillet (*m*)
June   juin (*m*)
junior high school   le collège
just   juste
justice   la justice

keep   conserver, garder
  ~ abreast of a topic   suivre un
    sujet
keyboard   le clavier
kilogram   le kilo(gramme)
kilometer   le kilomètre
kind   gentil/gentille,
  sympathique
kitchen   la cuisine
knee   le genou (genoux *pl*)
know   connaître, savoir
  I ~ that ...   je sais que ...

  ~ by heart   connaître par coeur
  ~ how to   savoir + *inf*
knowledge: have ~ of   savoir
known   connu(e)
  unknown   inconnu(e)
  well-known   connu(e)

laboratory   le laboratoire
lady   la dame
lamp   la lampe
language   la langue
large   grand(e)
last (*v*)   durer
last (*adj*)   dernier/dernière
  at ~   enfin
  ~ night   hier soir
late   en retard, tard
  it is ~   il est tard
  to be ~   être en retard
law   la loi; le droit (*field of study*)
lawyer   l'avocat/l'avocate (*m/f*)
lazy   paresseux/paresseuse
learn   apprendre (à)
least   le/la/les moins
  at ~   au moins
leave   partir (de), sortir (de), quitter;
  s'en aller
leave (*holiday*)   le jour de congé
lecture   la conférence
left: on/to the ~ of   à gauche de
leg   la jambe
leisure-time activities   les loisirs
  (*mpl*)
lemon soda   la limonade
lend   prêter (qqch à qqn)
less   moins
  ~ than   moins ... que
letter   la lettre
liberal   libéral(e) (libéraux *mpl*)
liberty   la liberté
library   la bibliothèque
lie (*n*)   le mensonge
life   la vie
like (*v*)   aimer, aimer bien, plaire à
  I would ~   je voudrais
like (*conj*)   comme
lipstick   le rouge à lèvres
listen to   écouter
  ~!   écoutez!
liter   le litre
literature   la littérature
little (*adj*)   petit(e)
little (*adv*)   peu (de)
  a ~   un peu
  a ~ bit of   un peu de
live (*v*)   habiter, vivre
living: earn one's ~   gagner sa vie
  ~ room   la salle de séjour, le salon
  ~ room (*informal*)   le living

long   long/longue
  a ~ time   longtemps
longer: no ~   ne … plus
look
  ~ (at)   regarder
  ~ for   chercher
  ~ like   ressembler à
  ~ (*seem*)   avoir l'air + *adj*
  ~!   regardez!; tiens!
lose   perdre
  ~ weight   maigrir
lot: a ~ (of)   beaucoup (de)
love (*n*)   l'amour (*m*)
love (*v*)   adorer, aimer
loyal   loyal(e) (loyaux *mpl*)
luck   la chance
lucky: be ~   avoir de la chance
lunch   le déjeuner
  have ~   déjeuner
-ly (*adverbial ending*)   -ment

Ma'am   Madame (Mme)
mad (*crazy*)   fou/folle;
  (*angry*)   furieux/furieuse
magazine   le magazine
  illustrated ~   la revue
maintain   maintenir
make   faire, rendre (+ *adj*), préparer
  ~ a date/an appointment   donner
    rendez-vous à
  ~ a mistake   se tromper
  ~ progress   faire des progrès
  ~ the acquaintance of   faire la
    connaissance de
makeup: to put on ~
  se maquiller
mall   le centre commercial
man   l'homme (*m*)
  business~   l'homme (*m*) d'affaires
  young ~   le garçon, le jeune
    homme
management   la gestion, le
  management
many   beaucoup (de), de nombreux/
  de nombreuses
  how ~   combien (de)
  not ~   peu (de)
  too ~   trop (de)
  very ~   beaucoup (de)
March   mars (*m*)
marketing   le marketing
marriage   le mariage
married   marié(e)
  get ~   se marier (avec)
marry   épouser, marier, se marier
  (avec)
Martinique (*from*)   martiniquais(e)
math   les maths (*fpl*)
  study ~   faire des maths

mathematics   les mathématiques
  (*fpl*)
matter: as a ~ of fact   en effet
May   mai (*m*)
may (*be able to*)   pouvoir
maybe   peut-être
mayonnaise   la mayonnaise
me (*pron*)   me, moi
  ~ neither   moi non plus
  ~ too   moi aussi
meal   le repas
mean (*v*)   signifier, vouloir dire
means (*n*)   le moyen
meat   la viande
medicine (*subject of study*)   la médecine
medicine (*drug*)   le médicament
meet   rencontrer, connaître (*in pc*)
  arrange to ~   donner rendez-vous à
  ~ again   (se) retrouver
  ~ by chance   rencontrer, se
    rencontrer
  ~ for the first time   faire la
    connaissance de; (se) rencontrer
meeting (*by chance*)   la rencontre
  organized ~   la réunion
method   la méthode
Mexico   le Mexique
middle   le milieu
  in the ~ of   au milieu de
midnight   minuit (*m*)
milk   le lait
million   million (*m*)
mineral water   l'eau (*f*) minérale
minute   la minute
  in a ~   dans une minute
  in … minutes   dans … minutes
misbehave   se conduire mal
Miss   mademoiselle (Mlle)
mistake: make a ~   se tromper de
mistaken: be ~   se tromper de
Mister   Monsieur (M.)
modern   moderne
moment: in a ~   dans un moment
Monday   lundi (*m*)
money   l'argent (*m*)
  save ~   faire des économies
month   le mois
  per ~   par mois
  this ~   ce mois-ci
mood   l'humeur (*f*)
  in a bad ~   de mauvaise humeur
  in a good ~   de bonne humeur
moped   la mobylette
more   plus
  ~ … than   plus … que
morning   le matin
  in the ~   du matin
  this ~   ce matin
Moroccan (*adj*)   marocain(e)

most   la plupart (de)
  the ~ …   le/la/les plus …
mother   la mère
motorcycle   la moto
mountain   la montagne
mountaineering   l'alpinisme (*m*)
mountain bike   le VTT, le vélo tout
  terrain
mouse (*computer*)   la souris
mouse pad   le tapis de souris
mouth   la bouche
movie   le film
  ~ camera   la caméra
  ~ theater   le cinéma
movies   le cinéma
Mr. (*abbrev*)   M.
Mrs. (*abbrev*)   Mme
much   beaucoup (de)
  as ~ … as   autant de … que
  how ~?   combien?
  ~ too ~   beaucoup trop (de)
  not ~   peu (de)
  too ~   trop (de)
  very ~   beaucoup (de)
museum   le musée
music   la musique
musical   musicien/musicienne
must   devoir, il faut + *inf*
  I ~   je dois
mustard   la moutarde
my (*adj*)   mon/ma/mes
myself   moi-même

naïve   naïf/naïve
name (*n*)   le nom
  first ~   le prénom
  my ~ is …   je m'appelle …
  what is your ~?   comment vous
    appelez-vous?
name (*v*)   nommer
named: be ~   s'appeler
nationality   la nationalité
natural   naturel/naturelle
near   près (de)
neat   net/nette
necessary   nécessaire
  it is ~   il est nécessaire, il faut + *inf*
neck   le cou
need (*v*)   avoir besoin de
neighbor   le voisin/la voisine
neighborhood   le quartier
nephew   le neveu
nervous   nerveux/nerveuse
  get ~   s'énerver
never   ne … jamais
nevertheless   pourtant
new   moderne, neuf/neuve, nouveau/
  nouvel/nouvelle/nouveaux/
  nouvelles

news les informations (*fpl*), les nouvelles (*fpl*)
  ~ item, piece of ~ la nouvelle, le fait divers
newspaper le journal (journaux *pl*)
next (*adj*) prochain(e)
next (*adv*) ensuite
  ~ to à côté de
nice agréable, gentil/gentille, sympathique
  it is ~ out il fait beau/bon
niece la nièce
night la nuit
  last ~ hier soir
  ~ table la table de nuit
  tonight ce soir
nine neuf
nineteen dix-neuf
ninth neuvième
no non
  ~ longer ne ... plus
  ~ one ne ... personne
  why ~! mais non!
noise le bruit
noisy (*adj*) bruyant(e)
noon midi (*m*)
  ~ meal le déjeuner
no one ne ... personne
north le nord
nose le nez
not ne ... pas
  ~ anymore ne ... plus
  ~ anyone ne ... personne
  ~ anything ne ... rien
  ~ at all ne ... pas du tout
  ~ bad pas mal
  ~ ever ne ... jamais
  ~ many, much peu (de)
  ~ too bad comme ci, comme ça
  ~ yet ne ... pas encore
notebook le cahier
notes: lecture ~ les notes (*fpl*)
nothing ne ... rien, rien
  it's ~! de rien! il n'y a pas de quoi!
notice remarquer
novel le roman
  detective ~ le roman policier
November novembre (*m*)
now maintenant
number le numéro
  the greatest ~ la plupart de
numerous de nombreux/de nombreuses
nurse l'infirmier/l'infirmière (*m/f*)

object l'objet (*m*)
objective l'objectif (*m*)
observe observer
obtain obtenir

obvious: it is ~ that il est évident que
obviously évidemment
o'clock heures (*abbrev* h)
  at ... ~ à ... heure(s)
  it is ... ~ il est ... heure(s)
October octobre (*m*)
of de
  ~ course! bien sûr! évidemment!
  ~ course not! bien sûr que non! mais non!
offer offrir
office le bureau (bureaux *pl*)
often souvent
OK! d'accord! ah bon!
okay (*feeling*) assez bien; comme ci, comme ça
old ancien/ancienne, vieux/vieil/vieille/vieilles
  how ~ are/is ... Quel âge + *avoir*
older (*adj*) aîné(e)
on sur
  ~ + *day of the week* le ...
  ~ foot à pied
  ~-line en ligne
  ~ the condition that à condition que
  ~ the contrary au contraire
  ~ this topic à ce sujet
  ~ time à l'heure
  ~ top of au-dessus de
  ~ vacation en vacances
once une fois
  ~ again encore une fois
  ~ in a while de temps en temps
one (*number*) un(e); (*subject pron*) on
only (*adj*) seul(e); (*adv*) seulement
open ouvrir
  ~ your books! ouvrez vos livres!
opinion l'avis (*m*)
  in my ~ à mon avis
opportunity l'occasion (*f*)
  have the ~ to avoir l'occasion de
opposite en face (de)
optimistic optimiste
or ou, ou bien
orange (*n*) (*fruit*) l'orange (*f*)
  ~ juice le jus d'orange
orange (*n*) (*color*) orange (*m*)
orange (*adj*) orange (*inv*)
order (*v*) commander
organize organiser
original original(e) (originaux *mpl*)
other (*adj*) autre
other (one) (*pron*) l'autre (*m/f*)
our notre (nos *pl*)
outside dehors
  ~ of à l'extérieur de
owe devoir + *noun*

own (*v*) posséder
own (*adj*) propre

pack (*v*) faire les valises
painting la peinture
pants le pantalon
pantyhose les collants (*mpl*)
paper le papier; le journal (*newspaper*)
  sheet of ~ la feuille de papier
paragliding le parapente
parents les parents (*mpl*)
park le parc
parka l'anorak (*m*)
participate actively in a sport faire du + *sport*
party la fête
  formal ~ la soirée
pass (by) passer (par)
  ~ an exam être reçu(e) à un examen, réussir à un examen
past: in the ~ autrefois
  half ~ ... ... heures et demi(e)
pasta les pâtes (*fpl*)
pâté le pâté
patient patient(e)
patiently patiemment
pay (for) payer
  ~ attention! faites attention!
  ~ attention to faire attention à
peace la paix
pear la poire
peas les petits pois (*mpl*)
pen le stylo
pencil le crayon
people (*n*) les gens (*mpl*)
people (*pron*) on
pepper le poivre
per par
percent pour cent
perceptive perceptif/perceptive
perhaps peut-être
period (*of time*) l'époque (*f*)
permission: give ~ permettre
person la personne
personal stereo le Walkman, le baladeur
pessimistic pessimiste
pharmacist le pharmacien/la pharmacienne
pharmacology la pharmacie
philosophy la philosophie
phone (*v*) téléphoner (à)
photograph la photo
  take photographs faire de la photo; prendre des photos
photography la photo
physics la physique
picnic le pique-nique

pictures: take ~ faire de la photo; prendre des photos

pie la tarte

piece le morceau, la part

pink rose

place (*n*) l'endroit (*m*), le lieu

  take ~ avoir lieu

place (*v*) mettre

plain (not good-looking) (*adj*) moche

plain (*adj*) ordinaire

plan (*n*) le projet

plan (*v*) avoir l'intention de

play jouer

  ~ a game faire un match; jouer à

  ~ (an instrument) jouer de

  ~ a sport faire du/de la/des + *sport*; jouer à

pleasant agréable

please s'il vous plaît (*formal*), s'il te plaît (*informal*)

P.M. de l'après-midi, du soir

poem le poème

poker le poker

polite poli(e)

politely poliment

political science les sciences (*fpl*) politiques

politics: be active/involved in ~ faire de la politique

poll le sondage

pollution la pollution

pool la piscine

poor (*penniless*) pauvre; (*in quality*) mauvais(e)

poorly mal

pork le porc

portion la part

Portugal le Portugal

possible possible

post office la poste

postcard la carte postale

poster l'affiche (*f*)

potato la pomme de terre

power le pouvoir

practice pratiquer

  ~ a sport pratiquer, faire du/de la/des + *sport*

prefer aimer mieux, préférer

preferable préférable

prepare préparer

present (*n*) le cadeau (cadeaux *pl*)

present (*adj*) actuel/actuelle

preserve garder

pretty beau/bel/belle/beaux/belles, joli(e)

price le prix

pride la fierté

printer l'imprimante (*f*)

private privé(e)

probably probablement, sans doute

problem le problème

produce produire

product le produit

profession la profession

professor le professeur, le prof

program le programme

  TV ~ l'émission (*f*)

progress le progrès

  make ~ faire des progrès

prohibit défendre de, interdire

promise (*v*) promettre (à qqn de)

protect protéger

proud fier/fière

provided that à condition que

psychology la psychologie

public public/publique

  ~ relations les relations (*fpl*) publiques

punctual ponctuel/ponctuelle

punished (*adj*) puni(e)

purchase (*n*) l'achat (*m*)

purchase (*v*) acheter

purple violet/violette

put (back) remettre

put (on) mettre

quarrel with se disputer avec

quarter le quart

  it is ~ of ... il est ... heures moins le quart

  it is ~ past ... il est ... heures et quart

Quebec (*from*) québécois(e)

question la question

  ask someone a ~ poser une question à qqn

quickly rapidement, vite

quiet calme

quit cesser de

radio la radio

rain (*n*) la pluie

rain (*v*) pleuvoir

  it's raining il pleut

raincoat l'imper (*m*)

rapid rapide, vite

rapidly rapidement

rarely rarement

rather assez, plutôt

razor le rasoir

read (*v*) lire

  ~! lisez!

reading la lecture

ready prêt(e)

  get ~ se préparer

real réel/réelle, véritable, vrai(e)

real estate l'immobilier (*m*)

realistic réaliste

realize s'apercevoir de, se rendre compte de

really vraiment

  ~? ah bon? vraiment?

  ~! ah bon!

receive recevoir

recognize reconnaître

red rouge

  ~-headed roux/rousse

refuse (*v*) refuser de

regarding à l'égard de

regret (*v*) regretter de

regular régulier/régulière

relations: personal ~ les relations (*fpl*) personnelles

relationship le rapport

relatives les parents (*mpl*)

remain rester

remarried (*adj*) remarié(e)

remember se souvenir de

render rendre + *adj*

rent (*n*) le loyer

  low ~ le loyer modéré

rent (*v*) louer

repeat répéter

  ~! répétez!

reporter le/la journaliste

research la recherche

  do ~ faire des recherches

researcher le chercheur/la chercheuse

reserved réservé(e)

reside habiter

resource la ressource

responsibility la responsabilité

responsible for responsable de

rest (*v*) se reposer

restaurant le restaurant

return rentrer, retourner; (*give back*) rendre à

rice le riz

rich riche

ride la promenade

  take/go for a ~ faire une promenade

right (*n*) (*entitlement*) le droit

  be ~ avoir raison

  it is ~ il est juste

  ~? n'est-ce pas?

right (*adj*) (*direction*) droit(e)

  on/to the ~ à droite de

roast beef le rosbif

role play (*n*) le jeu de rôle

roller-blading (*n*) le roller

room la pièce, la salle, la chambre

  bed ~ la chambre

  dining ~ la salle à manger

  large ~ la salle

  living ~ la salle de séjour, le salon; le living (*informal*)

  ~ and board la pension

roommate le/la camarade de chambre
roomy (*adj*) spacieux/spacieuse
rug le tapis
rugby le rugby
run courir; (*function*) marcher
  ~ into rencontrer
Russia la Russie
Russian (*language*) le russe

sad triste
sadness la tristesse
sailing la voile
  to go ~ faire de la voile
salad la salade
salami le saucisson
salesperson le vendeur/la vendeuse
salmon le saumon
salt le sel
same même
sandals les sandales (*fpl*)
satisfaction la satisfaction
satisfied satisfait(e), content(e)
Saturday samedi (*m*)
save conserver
  ~ money faire des économies
say dire (qqch à qqn)
  ~! dis!, dites!
scene la scène
scholarship la bourse
school l'école (*f*)
  go to ~ faire des études
  junior high ~ le collège
  secondary ~ le lycée
science les sciences (*fpl*)
  political ~ les sciences politiques
  social ~ les sciences humaines et
    sociales
scientist le savant/la savante
sculpture la sculpture
sea la mer
season la saison
second deuxième
secret secret/secrète
secretary le/la secrétaire
see apercevoir, voir
  ~ again revoir
  ~ by chance rencontrer
  ~ each other se voir
  ~ you later! à tout à l'heure!
  ~ you soon! à bientôt!
  ~ you tomorrow! à demain!
seem avoir l'air + *adj,* sembler
select choisir
-self -même
selfish égoïste
sell vendre
send envoyer (qqch à qqn)
  ~ back renvoyer
Senegalese (*adj*) sénégalais(e)

sense: business ~ le sens des affaires
sentence la phrase
sentimental sentimental(e)
  (sentimentaux *mpl*)
September septembre (*m*)
series: TV ~ le feuilleton
serious sérieux/sérieuse
seriously sérieusement
serve servir
service: at your ~! à votre service!
set (*v*): **~ the table** mettre la table
  ~ up établir
seven sept
seventeen dix-sept
seventh septième
seventy soixante-dix
  seventy-one soixante et onze
  seventy-three soixante-treize
  seventy-two soixante-douze
several plusieurs, quelques
  ~ times plusieurs fois
shampoo le shampooing
shape la forme
  be in ~ être en forme
share (*v*) partager
shave se raser
she elle
shelf l'étagère (*f*)
shirt la chemise
  polo ~ le polo
shoe la chaussure
shop (*n*) la boutique
shop (*v*) faire les achats, faire du
  shopping
  ~ for food faire les courses
  ~ on-line faire des achats en ligne
short (*length*) court(e);
  (*height*) petit(e)
shorts le short
should devoir, il faut
show (*n*) le spectacle
  TV game ~ le jeu télévisé
  TV ~ le spectacle, l'émission (*f*)
  variety ~ les variétés (*fpl*)
show (*v*) montrer (qqch à qqn)
shower la douche
  to take a ~ prendre une douche
shut fermer
sick malade
silk la soie
silver l'argent (*m*)
simple facile
since (*adv*) depuis; comme (*because*);
  (*conj*) depuis que
  ~ when? depuis combien de temps?
  depuis quand?
sing chanter
single célibataire
Sir Monsieur

sister la soeur
sit down s'asseoir
site le lieu
six six
sixteen seize
sixth sixième
sixty soixante
skating le patinage
ski (*v*) faire du ski, skier
skiing le ski
  water ~ le ski nautique
skirt la jupe
sleep dormir
sleepy: be ~ avoir sommeil
slice la tranche
slow lent(e)
small petit(e)
smart intelligent(e), génial(e)
  (géniaux *mpl*)
smell (*v*) sentir
smoke (*v*) fumer
snack le snack
snail l'escargot (*m*)
sneakers les tennis (*fpl*)
snow (*v*) neiger
snow (*n*) la neige
snowboarding le snowboard
so alors
  ~ that pour que
  ~ then alors
soap le savon
soccer le foot, le football
sociable sociable
social science les sciences humaines
  (*fpl*)
sociology la sociologie
sock la chaussette
soda: lemon ~ la limonade
sofa le sofa
soft doux/douce
software application le logiciel
sole (*fish*) la sole
some (*partitive art*) du, de la, de l',
  des; (*adj*) certain(e)s; (*pron*) en;
  (*adj*) quelques; un peu (de)
  ~day un jour
someone quelqu'un
something quelque chose
sometimes parfois, quelquefois
somewhere quelque part
son le fils
soon bientôt
  see you ~! à bientôt!
sore: have a ~ ... avoir mal à + *part of
  body*
sorry désolé(e)
  to be ~ regretter
south le sud
Spain l'Espagne (*f*)

Spanish (*language*) l'espagnol (*m*)
speak parler (à qqn)
specialize in faire des études de
speed la vitesse
spend: ~ money dépenser
 ~ time faire un séjour, passer du temps
spirit l'esprit (*m*)
sport le sport
 be active in a ~ faire du sport
sports le sport
spring le printemps
 in ~ au printemps
stadium le stade
state (*geographical division*) l'état (*m*)
 in the ~ of dans l'état de
station: train ~ la gare
stay (*n*) le séjour
stay (*v*) rester
steal (*v*) voler
stepfather le beau-père
stepmother la belle-mère
stereo la chaîne-stéréo
still encore
stockings les bas (*mpl*)
stomach le ventre
 have an upset ~ avoir mal au coeur/au ventre
stop arrêter, s'arrêter de, cesser de
 ~ at a place descendre
store le magasin
 department ~ le grand magasin
story l'histoire (*f*)
strawberry la fraise
street la rue
strive chercher à
strong fort(e)
struggle (*v*) lutter
student l'étudiant(e) (*m/f*)
studies les études (*fpl*)
 artistic ~ les études artistiques
 business ~ les études commerciales
 engineering ~ les études d'ingénieur
 literary ~ les études littéraires
 professional ~ les études professionnelles
 scientific ~ les études scientifiques
studio apartment le studio
study étudier, faire des études; faire + *subject*
 ~ for an exam préparer un examen
 ~ math faire des maths
stupid idiot(e), stupide
subject le sujet
 keep abreast of a ~ suivre un sujet
suburbs la banlieue

subway le métro
 by ~ en métro
succeed in réussir à
success la réussite
successful: be ~ in réussir à
suddenly soudain, tout à coup
suffer souffrir
sugar le sucre
suit: bathing ~ le maillot de bain
 man's ~ le costume
 woman's ~ le tailleur
suitcase la valise
summer l'été (*m*)
 next ~ l'été prochain
 this ~ cet été
sun le soleil
sunny: it is ~ il fait du soleil
Sunday dimanche (*m*)
sunglasses les lunettes (*fpl*) de soleil
superficial superficiel/ superficielle
supermarket le supermarché
superstitious superstitieux/ superstitieuse
supper le dîner
supposed: be ~ to devoir
sure sûr(e), certain(e)
 it is (is not) ~ that il est (n'est pas) sûr que
surprise la surprise
surprised surpris(e)
survey le sondage
sweater le pull, le pull-over
sweet doux/douce
swim nager
swimming la natation
swimming suit le maillot de bain
Swiss (*adj*) suisse
Switzerland la Suisse

table la table
 night ~ la table de nuit
 set the ~ mettre la table
take prendre
 ~ a course suivre un cours
 ~ a ride/a walk faire une promenade
 ~ a sheet of paper! prenez une feuille de papier!
 ~ a trip faire un voyage
 ~ along amener, prendre
 ~ an exam passer un examen
 ~ care of s'occuper de
 ~ pictures/photographs faire de la photo
 ~ place avoir lieu
talk parler (à qqn)
tall grand(e)

tax l'impôt (*m*)
tea le thé
 iced ~ le thé glacé
teach enseigner
teacher le professeur, le prof
technician le technicien/ la technicienne
tee shirt le tee-shirt
teeth les dents (*fpl*)
telephone l'appareil (*m*), le téléphone
television la télévision, la télé
 on ~ à la télé
 ~ series le feuilleton
 ~ set le téléviseur
tell dire (à qqn de)
 ~ about raconter (de)
temperature: what's the ~? quelle température fait-il? quel temps fait-il?
ten dix
 ~ thousand dix mille
tendency: have a ~ to avoir tendance à
tennis le tennis
 play ~ jouer au tennis
 ~ shoes les tennis (*fpl*)
tenth dixième
test l'examen (*m*)
text message le texto
than (*in comparisons*) que
thank you (thanks) merci (bien), Je vous remercie.
that (*adj*) ce/cet/cette/ces; (*conj*) que; (*pron*) ce, cela, ça; (*relative pron*) que, qui
 ~ is to say c'est-à-dire
 ~'s it c'est ça
 ~'s true ça, c'est vrai
the le/la/l'/les
theater le théâtre
 be active/involved in ~ faire du théâtre
 movie ~ le cinéma
theft le vol
their (*adj*) leur(s)
them elles, eux; les, leur
then alors, ensuite, puis
there là, y, là-bas
 ~ is, ~ comes, ~ are, ~ come voilà, voici
 ~ is/are il y a
 ~ was/were il y avait
these (*adj*) ces
they ils, elles, on
thief le voleur/la voleuse
thin mince
 get ~ maigrir
thing la chose; l'objet (*m*)

think penser, croire, réfléchir
  ~ **about** penser à, réfléchir à
  ~ **that** penser que, croire que
third troisième
thirsty: be ~ avoir soif
thirteen treize
thirty trente
thirty-one trente et un
thirty-two trente-deux
this (*adj*) ce/cet/cette/ces
  ~ **is ...** (*introduction of people*) je vous présente ...
those (*adj*) ces
thousand mille (*inv*)
  one hundred ~ cent mille
  one ~ one hundred mille cent
  one ~ one mille un
  two ~ deux mille
threaten menacer
three trois
throat la gorge
  to have a sore ~ avoir mal à la gorge
through par
Thursday jeudi (*m*)
thus ainsi, donc
tie (*n*) la cravate
tights les collants (*mpl*)
time le temps, l'époque (*f*), la fois, l'heure (*f*)
  ahead of ~ en avance
  all the ~ tout le temps
  a long ~ longtemps
  at the present ~ à l'heure actuelle
  at what ~? à quelle heure?
  free ~ le temps libre
  from ~ to ~ de temps en temps
  on ~ à l'heure, ponctuel/ponctuelle
  one ~ une fois
  several times plusieurs fois
  spend ~ passer, faire un séjour
  waste one's ~ perdre son temps
  what ~ is it? quelle heure est-il?
timid timide
tired fatigué(e)
tiresome pénible
to à, en
  ~ **...'s house** chez + *person*
  ~ **the left of** à gauche de
  ~ **the right of** à droite de
today aujourd'hui
together ensemble
toilet(s) les toilettes (*fpl*), les WC (*mpl*), le cabinet de toilette
tomato la tomate
tomorrow demain
  ~ **afternoon** demain après-midi
  ~ **evening** demain soir

tonight ce soir
too (*also*) aussi
  me ~! moi aussi!
  ~ **much, many** trop (de)
tooth la dent
toothbrush la brosse à dents
toothpaste le dentifrice
toward vers
town la ville
  in ~ en ville
tradition la tradition
traffic la circulation
train le train
  by ~ en train
  ~ **station** la gare
translate traduire
transportation le transport, les transports
travel voyager
treaty le traité
trip le voyage
  take/go on a ~ faire un voyage
true véritable, vrai(e)
truth la vérité
try essayer de
  ~ **to** chercher à
Tuesday mardi (*m*)
tuition la scolarité
tuna le thon
turn on (*the TV*) mettre
TV la télé (*See also* **television**)
twelve douze
  ~ **hundred** douze cents (= mille deux cents)
twenty vingt
  twenty-first vingt et unième
  twenty-four vingt-quatre
  twenty-one vingt et un
  twenty-three vingt-trois
  twenty-two vingt-deux
twice deux fois
two deux
  ~ **hundred** deux cents
  ~ **hundred one** deux cent un
  ~ **thousand** deux mille

uncle l'oncle (*m*)
under sous
understand comprendre
unequal inégal(e) (inégaux *mpl*)
unfortunately malheureusement
unhappiness le malheur
unhappy malheureux/malheureuse
United States les États-Unis (*mpl*)
university l'université (*f*)
unknown inconnu(e)
unless à moins que
unmarried célibataire

unpleasant désagréable, antipathique
until (*prep*) jusqu'à; (*conj*) jusqu'à ce que
untrue faux/fausse
up to jusqu'à
up: get ~ se lever
upset: get ~ s'énerver
  have an ~ stomach avoir mal au coeur/au ventre
urban urbain(e)
us nous
use employer, se servir de, utiliser
useful utile
useless inutile
usually d'habitude, habituellement

vacation les vacances (*fpl*)
  on ~ en vacances
variety show les variétés (*fpl*)
VCR le magnétoscope
veal le veau
vegetables les légumes (*mpl*)
Vermont le Vermont
very très
  ~ **many, much** beaucoup (de)
  ~ **well** très bien
victim la victime
video games les jeux (*mpl*) vidéo
Vietnamese (*adj*) vietnamien(ne)
vigorous dynamique
village le village
violin le violon
visit: ~ each other se rendre visite
  ~ **a person** rendre visite à
  ~ **a place** visiter
volleyball le volley, le volleyball

waistline la ligne
wait for attendre
waiter le garçon, le serveur
waitress la serveuse
wake (up) réveiller (qqn), se réveiller
walk marcher, promener
  go for/take a ~ faire une promenade, se promener
walking la marche à pied
wall le mur
want vouloir (bien), désirer, avoir envie de
war la guerre
warm chaud(e)
  be ~ avoir chaud
  it's ~ out il fait chaud
wash laver, se laver
waste one's time perdre son temps

watch (*n*)   la montre
watch (*v*)   regarder
water   l'eau (*f*)
  mineral ~   l'eau minérale
water-skiing   le ski nautique
way   la façon, la manière, le moyen
we   nous
weak   faible
wear   porter, mettre
weather   le temps
  the ~ is awful   il fait un temps
    épouvantable
  ~ forecast   la météo
  what's the ~? how is the ~?   quel
    temps fait-il?
Wednesday   mercredi (*m*)
week   la semaine
weekend   le week-end
  every ~   tous les week-ends
weight: gain ~   grossir
  lose ~   maigrir
welcome: you're ~   de rien, il n'y a pas
  de quoi
  ~!   soyez le/la/les bienvenu(e)(s)!
well   bien
  very ~   très bien
  ~ ...   eh bien ...
  ~-known   connu(e)
west   l'ouest (*m*)
what (*pron*)   que, qu'est-ce que,
  qu'est-ce qui; ce qui, ce que; quoi;
  (*adj*) quel/quelle/quels/quelles
  at ~ time?   à quelle heure?
  ~ does that mean?   qu'est-ce que ça
    signifie?
  ~ is it? ~ is that?   qu'est-ce que
    c'est?
  ~ is the date?   quelle est la date?
  ~ is wrong?   qu'est-ce que tu as?
  ~ is your name?   comment vous
    appelez-vous?
  ~ is your name? (*fam*)   comment
    t'appelles-tu?
  ~ kind of?   quel genre de?
when   quand

where   où?
  from ~   d'où
whether   si
which (*adj*)   quel/quelle/quels/quelles;
  (*pron*) qui, que
while (*conj*)   pendant que
  in a short ~   dans un instant, dans
    une minute, dans un moment
  once in a ~   de temps en temps
white   blanc/blanche
who   qui, qui est-ce qui
  ~ is it?   qui est-ce?
whole: the ~   tout le/toute la
whom (*int pron*)   qui, qui est-ce que
  for ~?   pour qui
  to ~?   à qui
  with ~?   avec qui
why   pourquoi
  ~ no!   mais non!
  ~ yes!   mais oui!, mais si! (*to a*
  negative question)
wife   la femme
willing: be ~   vouloir bien
win   gagner
wind   le vent
window   la fenêtre
windsurfing   la planche à voile
windy: it is ~   il fait du vent
wine   le vin
winter   l'hiver (*m*)
  in ~   en hiver
wish   désirer, souhaiter, vouloir
with   avec
  ~ regard to   à propos de
  ~ respect to   à l'égard de
without (*prep*)   sans; (*conj*) sans que
  do ~   se passer de
witness (*n*)   le témoin
witness (*v*)   être témoin de
witty (*adj*)   spirituel/spirituelle
woman   la femme
  businesswoman   la femme
    d'affaires
  (~) engineer   la femme
    ingénieur

wool   la laine
word   le mot
work (*v*)(*function*)   marcher; (*do a*
  job) travailler
work (*n*)   le travail (travaux *pl*)
worker   l'ouvrier/l'ouvrière (*m/f*)
world   le monde
  ~ war   la guerre mondiale
worried   inquiet/inquiète
  to be ~   s'inquiéter
worry   s'inquiéter
would: I ~ like   je voudrais
write   écrire (qqch à qqn)
  ~!   écrivez!
  ~ to each other   s'écrire
writer   l'écrivain (*m*)
wrong   le tort
  be ~   avoir tort
  that's ~!   c'est faux!

year   l'an (*m*), l'année (*f*)
  be ... years old   avoir ... ans
  in the ~ ...   en ...
  this ~   cette année
yellow   jaune
yes   oui; si (*to a negative question*)
  why ~!   mais oui! mais si!
yesterday   hier
  day before ~   avant-hier
  ~ afternoon   hier après-midi
  ~ evening   hier soir
  ~ morning   hier matin
yet   cependant, encore, pourtant
  not ~   ne ... pas encore
yogurt   le yaourt
you (*subject pron*)   tu, vous, on;
  (*obj pron*) te; (*stress pron*) toi
  and ~?   et toi? et vous?
young   jeune
  ~ girl   la jeune fille
  ~ man   le jeune homme
  ~ woman   la jeune femme
your (*adj*)   votre/vos; ton/ta/tes

zero   zéro (*m*)

Index

Crédits

Photos

Page 1: Beryl Goldberg; p. 2: Beryl Goldberg; p. 5: (*top row, left to right*) Stephen Rex/For Pictures/Corbis, Henri Bureau/Sygma/Corbis, Hulton Deutsch/Corbis, Bettmann/Corbis; p. 5: (*bottom row, left to right*) Archivo Iconografico, S. A./Corbis, Yann Arthus Bertrand/Corbis, Etienne Geroge/Sygma/Corbis, Fougher/VIP Pictures/Corbis; p. 10: Beryl Goldberg; p. 18: Beryl Goldberg; p. 27: Tibor Bognar/Corbis; p. 30: Beryl Goldberg; p. 33: (*top center*) Helen King/Corbis; p. 37: Beryl Goldberg; p. 38: Megapress/Alamy; p. 39: Paul Souder/Corbis; p. 48: Beryl Goldberg; p. 49: Finbar O'Reiley/Reuters/Corbis; p. 58: Royalty Free/Corbis; p. 59: Murat Tanner/Zefa/Corbis; p. 69: Royalty Free/Corbis; p. 72: Visual Arts/Alamy; p. 73: (*top right*) Horacio Villalobos; p. 73: (*bottom left*) G. Bowater/Corbis; p. 74: (*top*) Bob Handleman/Getty; p. 74: (*bottom*) AP/Wide World Photos; p. 75: (*far left*) Baveel/LeFrance/Kipa/Corbis; p. 75: (*left center*) Parrot Pascal/Sygma/Corbis; p. 75: (*right center*) Leiwiz Media Sport/Corbis; p.75: (*far right*) AFP/Getty Images; p. 76: (*top left*) Stephen Cardinal, People Art/Corbis; p. 76: (*top center*) Gail Mooney/Corbis; p. 76: (*bottom*) Tim de Waele/Corbis; p. 76: (*top right*) Royalty Free/Corbis; p. 77: (*top left*) Paul Hawthorne/Getty Images; p. 77: (*top right*) Ann Donaldson/Corbis; p. 77: (*bottom*) Martin Chillmaid/Photographers Direct; p. 79: Beryl Goldberg; p. 80: IT Stock Dynamic Graphics/Alamy; p. 81: Beryl Goldberg; p. 94: Beryl Goldberg; p. 108: Pascal Parrot/Sygma/Corbis; p. 109: AFP/Getty; p. 121: Bernard/Sygma/Corbis; p. 124: Robert Fried/Alamy; p. 125: (*top*) Michael Dwyer/Alamy; p. 125: (*bottom*) Royalty Free/Corbis; p. 126: (*right*) Phillip Gould/Corbis; p. 126: (*left*) Robert Harding Picture Library/Alamy; p. 127: Roger Viollet/Getty Images; p. 128: (*top*) Owen Franken/Corbis; p. 128: (*bottom*) Guichaoua/Alamy; p. 129: (*top*) Museum of Fine Arts Boston; p. 129: (*bottom*) Francis G. Mayer/Corbis; p. 131: Phillip Lissac/Godong/Corbis; p. 132: (*left*) Owen Franken/Corbis; p.132: (*right*) Beryl Goldberg; p. 144: Ray Roberts/Alamy; p. 145: Beryl Goldberg; p. 148: Royalty Free/Alamy; p. 156: Beryl Goldberg; p. 157: Beryl Goldberg; p. 160: Beryl Goldberg; p. 174: Fernand Ivaldi/Getty; p. 175: (*top left*) Free Agents Ltd./Corbis; p. 175: (*bottom left*) Michael Setboun/Corbis: p. 175: (*right*) AP/Wide World Photos; p. 176: (*top*) Beryl Goldberg; p. 176: (*bottom*) Morgan David de Lossy/Corbis; p. 177: (*top*) Richard Kline/Corbis; p. 177: (bottom) AP/Wide World Photos; p. 178: Art Resource, NY; p. 179: AP/Wide World Photos; p. 181: Hubert Stadler/Corbis; p. 182: Beryl Goldberg; p. 183: Rolf Bruderer/Corbis; p. 194: Tom Stewart/Corbis; p. 195: Gail Mooney/Corbis; p. 206: Gunter Marx/Corbis; p. 211: Andrew Holt/Alamy; p. 221: AP/Wide World Photos; p. 225: (*top right*) Blaine Harrington/Corbis; p. 225: (*center*) Stephen Hill/Alamy; p. 225:

(*bottom right*) Art Resource; p. 226: (*top left*) Foodfolio/Alamy; p. 226: (*center right*) Michael Juno/Alamy; p. 226: (*bottom right*) Roulier Turiot/Corbis; p. 226: (*top right*) Art Kowalding/Alamy; p. 227: (*top left*) Richard Kline/Corbis; p. 227: (*bottom*) Robert Harding Picture Library/Alamy; p. 227: (*top right*) John Heseltine/Corbis; p. 229: Nick Wheeler/Corbis; p. 231: Steve Prezant/Corbis; p. 232: Beryl Goldberg; p. 233: Stockfolio/Alamy; p. 237: Ralf Schaltheiss/Corbis; p. 244: Royalty Free/Corbis; p. 254: Foodfolio/Alamy; p. 249: Bob Krist/Corbis; p. 256: Owen Franken; p. 257: Peter Menzel; p. 258: Peter Menzel; p. 259: Markow/Sygma/Corbis; p. 265: Owen Franken/Corbis; p. 271: Girard Philippe/Sygma/Corbis; p. 273: Peter Bowater/Alamy; p. 276: (*top left*) Lyndsey Hebert/Corbis; p. 276: (*bottom left*) Arts and Pictures/Alamy; p. 276: (*bottom right*) Lebrecht Music and Arts Photo Library/Photographers Direct; p. 277: (*top left*) AFP/Getty Images; p. 277: (*top right*) Lindsey Hebberd/Corbis; p. 277: (*bottom left*) AFP/Getty Images; p. 277: (*bottom right*) AFP/Getty Images; p. 278: Issouf Sanoga/AFP/Getty Images; p. 279: (*top*) New Yorker Films; p. 279: (*bottom*) Caroline Penn/Corbis; p. 281: Owen Franken/Corbis; p. 282: Royalty Free/Getty; p. 285: Muriel Dovic/Sygma/Corbis; p. 286: Beryl Goldberg; p. 290: Royalty Free/Alamy; p. 296: Beryl Goldberg; p. 301: Beryl Goldberg; p. 310: Ansgar/Zefa/Corbis; p. 320: Nick Wheeler/Corbis; p. 327: (*top*) Royalty Free/Alamy; p. 327: (*bottom*) Royalty Free/Corbis; p. 330: (*top*) David Sanger/Alamy; p. 330: (*bottom*) AP/Wide World Photos; p. 331: (*bottom*) AP/Wide World Photos; p. 331: (*top*) Jeff Moore/Pressnet/Image Works; p. 333: (*top*) Canadian Press; p. 333: (*center*) AP/Wide World Photos; p. 333: (*bottom*) Canadian Press; p. 335: John Van Hasselt/Sygma/Corbis; p. 336: Owen Franken/Corbis; p. 343: Peter Horee/Alamy; p. 348: Andre Jenny/Alamy; p. 350: Royalty Free/Corbis; p. 351: Royalty Free/Corbis; p. 364: Beryl Goldberg; p. 365: Shai Ginatti/Corbis; p. 367: Owen Franken/Corbis; p. 371: Barry Lewis/Alamy; p. 373: Peter Horee/Alamy; p. 376 Royalty Free/Alamy; p. 379: Stockfolio/Alamy; p. 381: Owen Franken/Corbis; p. 383: (*top*) Art Resource; p. 383: (*bottom*) Boston College/Burns Library; p. 384: Private Collection; p. 385: (*left*) Private Collection; p. 385: (*right*) Martin Cohen; p. 386: (*top left*) Bridgeman Library/Getty Images; p. 386: (*right center*) Archivo Iconografico, S. A./Corbis/Hyppolite; p. 386: (*bottom left*) Lynne Brown; p. 386: (*bottom right*) Man Sassoonian/Art Resource, NY; p. 387: (*top left*) Man Sassoonian/Art Resource NY; p. 387: (*top right*) Arte del Pueblo; p. 387: (*bottom right*) Beryl Goldberg; p. 389: Wikimedia/David Monniaux; p. 390: Paul Burton/Corbis; p. 391: PICIMMPACT/Corbis; p. 393: Royalty Free/Corbis; p. 395: Owen Franken/Corbis; p. 402: John Bradley/Getty Images; p. 403: Ellen Rooney/Robert Harding Library/Corbis; p. 404: (*top*) Beryl Goldberg; p. 404: (*bottom*) Artigo Photo/Corbis; p. 414: Ian O'Leary/Getty Images; p. 415: Pedro Lombardo/Corbis; p. 429: Beryl Goldberg; p. 432: Robert Harding Picture Library/Alamy; p. 433: Thomas Hartwell/Corbis; p. 434: (*top right*) AFP/Getty Images; p. 434: (*far left*) Reuters/Corbis; p. 434 (*left center*) Michael Steele/Getty Images; p. 434: (*right center*) Mike Ray/Corbis; p. 434: (*far right*) AFP/Getty Images; p. 435: Penny Tweedle/Alamy; p. 437: Roger Tully/Getty Images; p. 438: Beryl Goldberg; p. 439: Bernard Annebicque/Corbis; p. 444: FIonline/Alamy; p. 445: (*left*) Royalty Free/Alamy; p. 445: (*right*) Jan Sandvick/Alamy;

p. 450: Arthur Thevenant/Corbis; p. 453: Robert Holmes/Corbis; p. 461: Michael Keller/Corbis; p. 466: Amet Jean Pierre/Sigma/Corbis; p. 469: Alamy; p. 477: Martin Mouchy/Getty Images; p. 479: (*left*) AFP/Getty Images; p. 479: (*center*) AFP/Getty Images; p. 479: (*right*) AP/Wide World Photos; p. 481: AP/Wide World Photos; p. 482: Royalty Free/Alamy; p. 483: Nogues Alain/Sygma/Corbis; p. 485: AFP/Getty Images; p. 487: AP/Wide World Photos; p. 488: Royalty Free/Alamy; p. 490: Jupiter Images Goodshot/Alamy; p. 494: Royalty Free/Alamy; p. 502: Bernard Thissen/dpa/Corbis; p. 505: Fridmar Damm/Zefa/Corbis; p. 507: Tatiana Markow/Sygma/Corbis; p. 515: Beryl Goldberg; p. 518: Royalty Free/Alamy; p. 520: Reuters/Corbis.

Realia

Page 30: International Olympic Committee; p. 31: (*left*) Le Comité International de la Croix-Rouge; p. 31: (*right*) Médecins Sans Frontières; p. 73: (*bottom right*) Office Municipal de Tourisme-Carcassonne; p. 73: (*bottom left*) Michelin North America; p. 68: France Télécom; p. 82: © Automobiles Peugeot; p. 84: © Owen Franken; p. 95: Photo12.com – ARJ; p. 109: ADCEP-Fête de la Musique; p. 170: © Francis Peyrat; p. 171: (*top*) Parimage / CCIP Paris; p. 171: (*bottom*) Jean-Paul GOUDE pour les GALERIES LAFAYETTE; p. 203: Text: © Les Tourmalines, Strasbourg, Photo: © Tetra Images/Alamy; p. 222: © Pathé; p. 223: Courtesy of Sony Pictures Classics Inc.; p. 229: Preiss-Henny Diffusion; p. 241: Cover Design: Bingo Design-Rêvatours is a division of Transat A.T. Inc.; p. 378: FEDERATION NATIONALE DES GITES DE FRANCE (FNGF); p. 476: Courtesy of SNCF and Rail Europe; p. 477: (*bottom*) Courtesy of SNCF and Rail Europe; p. 480: Courtesy Michelin; p. 481: © Action contre la Faim; p. 482: (*far right*) © Erich Lessing/Art Resource, NY; p. 484: © L'Organisation internationale de la Francophonie; p. 485: (*right*) © HAROLD PIFOS POUR RFI.

FRANCE

Londres ✹

ANGLETERRE

Dunkerque
Calais
Lille ◉
Valenciennes
ARTOIS

✹ Bruxelles

BELGIQUE

ALLEMAGNE

LUXEMBOURG

Luxembourg ✹

Manche

Amiens

PICARDIE

Le Havre
Rouen
Caen

Paris ✹
Versailles

Reims

Metz
LORRAINE
Nancy

Strasbourg

VOSGES

NORMANDIE

CHAMPAGNE

ALSACE

Brest

Chartres

FRANCHE-COMTÉ

BRETAGNE

Rennes

Le Mans
Orléans

BOURGOGNE

Besançon

Berne ✹

PAYS DE LA
LOIRE

Dijon

JURA

SUISSE

ANJOU
Angers
Tours

Seine

Lausanne

Nantes

TOURAINE

Loire

Genève

POITOU-
CHARENTES

BOURBONNAIS

Annecy

OCÉAN
ATLANTIQUE

La Rochelle

Limoges

Clermont-Ferrand

Saône

Lyon ◉

A
L
P
E
S

LIMOUSIN

St-Étienne

Grenoble

ITALIE

MASSIF
CENTRAL

Bordeaux

AUVERGNE

Rhône

MONACO

Garonne

Avignon

PROVENCE

Nice

AQUITAINE

Monte
Carlo

CÔTE
D'AZUR

Toulouse

Montpellier

Aix-en-Provence

P Y R É N É E S

GASCOGNE

LANGUEDOC

Marseille

Toulon

MIDI-PYRÉNÉES

Perpignan

ANDORRE

ESPAGNE

Mer
Méditerranée

0   50   100   150   200 mi
0   100   200   300 km

Légende

✹ Capitale
Population des unités urbaines
◉ plus de 1.000.000 habitants
● de 500.000 à 1.000.000 habitants
○ de 100.000 à 500.000 habitants
∘ moins de 100.000 habitants

Corte
CORSE
Ajaccio